SOB A SOMBRA DO
TERROR

Jean Sasson
Najwa bin Laden · Omar bin Laden

SOB A SOMBRA DO
TERROR

A vida oculta de Osama bin Laden revelada
por sua esposa e seu filho

Tradução
MARCELO SCHILD

BestSeller

CIP-BRASIL. CATALOGAÇÃO-NA-FONTE
SINDICATO NACIONAL DOS EDITORES DE LIVROS, RJ.

S264s

Sasson, Jean P.
   Sob a sombra do terror/Jean Sasson, Najwa bin Laden e Omar bin Laden;
tradução: Marcelo Schild. — Rio de Janeiro: Best*Seller*, 2010.

   Tradução de: Growing up bin Laden
   Apêndices e índice
   ISBN 978-85-7684-411-2

   1. Bin Laden, Najwa. 2. Bin Laden, Osama, 1957-. 3. Bin Laden, Omar. 4. Mulheres — Arábia Saudita — Biografia. 5. Arábia Saudita — Usos e costumes. I. Bin Laden, Najwa. II. Bin Laden, Omar. III. Título.

10-2202
                         CDD: 920.995810460
                         CDU: 929:-055.2(581)

Texto revisado segundo o novo Acordo Ortográfico da Língua Portuguesa.

Título original norte-americano
GROWING UP BIN LADEN
Copyright © 2009 BY The Sasson Corporation
Copyright da tradução © 2009 by Editora Best*Seller* Ltda.

Publicado mediante acordo com Sasson Corporation e Chandler Crawford Agency Inc.

P.O.Box 642, Monterey, Massachusetts 01245, USA

Capa: Sérgio Campante
Foto de Omar bin Laden: Zaina Al-Sabah bin Laden
Demais fotos: Cortesia da coleção de fotografias da família de Omar bin Laden
Mapas e ilustrações: Evan T. White
Editoração eletrônica: FA Editoração

Direitos exclusivos de publicação em língua portuguesa para o Brasil
adquiridos pela
EDITORA BEST SELLER LTDA.
Rua Argentina, 171, São Cristóvão
Rio de Janeiro, RJ — 20921-380
que se reserva a propriedade literária desta tradução.

Impresso no Brasil

ISBN 978-85-7684-411-2

Seja um leitor preferencial Record.
Cadastre-se e receba informações sobre nossos lançamentos
e nossas promoções

Atendimento e venda direta ao leitor
mdireto@record.com.br ou (21) 2585-2002

Dedicamos este livro a todas as pessoas inocentes que sofreram ou perderam a vida em ataques terroristas pelo mundo inteiro e às famílias que continuam a sofrer e a chorar por elas.

Rezamos pela paz em todo o mundo.

Agradecimentos

Obrigada, Omar, por sua sinceridade e sua integridade. Obrigada, querida Najwa, pelo seu jeito doce e por suas respostas tão cautelosas às minhas perguntas infinitamente intrusivas, em todas as horas do dia e da noite. Obrigada, Zaina, por sua devoção a Omar e por encorajá-lo a não desistir de tornar este livro uma realidade.

Obrigado, Liza, minha agente literária infatigável, por acreditar neste projeto enquanto outros que deveriam acreditar nele não o fizeram. Sou uma escritora muito afortunada por ter você para me representar. E a Frank, meu advogado literário, agradeço por ser uma rocha em minha carreira literária há 16 anos. Havis, agradeço-lhe por sua natureza generosa e ajuda infalível. A Chandler, especialista na negociação de direitos autorais, agradeço por ter se apaixonado por esta história e por apresentá-la a editores em todo o mundo com amor no coração.

Um agradecimento especial à minha editora, Hope. Liza me havia dito que você é uma das maiores editoras, e trabalhar com você provou para mim que isso é verdade. Laura, você jamais me decepcionou e sempre esteve presente para responder às minhas perguntas com uma palavra amiga. Agradeço a você e às muitas pessoas na St. Martin's que, como eu, foram atraídas por esta história única e desfrutaram exercitar suas habilidades para fazer com que este projeto florescesse plenamente.

Obrigada, meu querido Hikmat, pela diligência em traduzir o que parecia um fluxo infindável de páginas do inglês para o árabe e do árabe para o inglês, para minhas pesquisas críticas. E também a você, Amina, por colaborar quando o fluxo das traduções corria o risco de sofrer uma sobrecarga. Evan, você foi um profissional desde o primeiro momento e suas ilustrações valorizam muito este trabalho. Você tem minha gratidão sincera por jamais ter reclamado, apesar das muitas alterações feitas no caminho para a perfeição.

Obrigada àqueles que se importam profundamente com este livro, assim como com outros livros que escrevi ou projetos que ainda serão escritos, incluindo parentes como a tia Margaret e os primos Bill e Alice. Meu sobrinho Greg e seu filho, Alec, manifestaram um interesse sincero ao telefonarem para conferir meu progresso e meu bem-estar durante os difíceis dias e noites que passei escrevendo. Amigos queridos que me apoiam graciosamente em cada momento não podem deixar de ser citados. Agradeço a Alece, Anita, Danny e Jo, Joanne, Judy e sua mãe, Eleanor, Lisa, Maria e Bill, Mayada, Peter e Julie, e Vicky e sua mãe, Jo.

E, obviamente, mais uma vez, agradeço ao meu querido Jack, que me oferece amor incondicional enquanto protege os perímetros da minha vida.

— JEAN SASSON

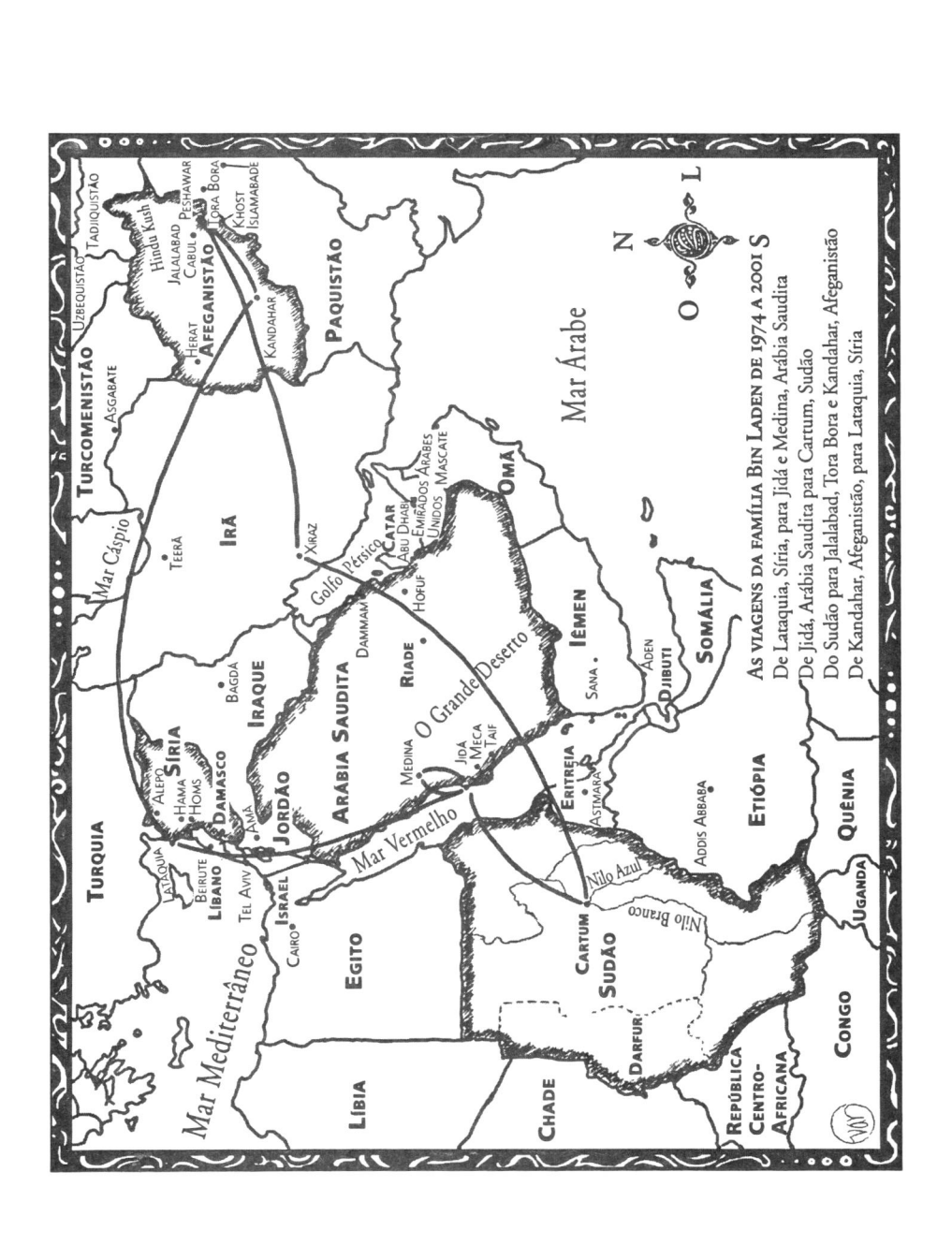

Sumário

PARTE III: AFEGANISTÃO

Nota ao leitor

A partir do momento que chamou a atenção do mundo, Osama bin Laden protegeu meticulosamente até mesmo os detalhes mais impessoais sobre si próprio, suas esposas e seus filhos. Essa carência de informações particulares sobre Osama bin Laden e sua família alimenta a imaginação do mundo desde o dia 11 de setembro de 2001.

Apesar de terem sido publicados vários livros sobre Osama bin Laden e sua organização, a al Qaeda, este é o primeiro livro escrito a partir da perspectiva da família dele, com relatos pessoais, feitos diretamente por sua primeira esposa, Najwa, e pelo quarto filho do casal, Omar. Quero que os leitores saibam que nada em *Sob a sombra do terror* foi filtrado pelas opiniões desta escritora. Memórias de eventos, histórias e pensamentos pessoais foram transmitidos para mim por Najwa e Omar. Apesar de ter ficado impressionada com certas revelações, permiti que a verdade sobre a família Bin Laden fosse revelada naturalmente. Como outros membros da vasta família Bin Laden, Najwa e Omar *não* são terroristas. Nenhum deles fez mal a ninguém e, na verdade, são dois dos indivíduos mais gentis que já tive o prazer de conhecer.

É importante lembrar que este livro é sobre a vida particular de Osama bin Laden e de sua família. Por favor, tenha em mente que seu filho Omar bin Laden era muito jovem enquanto viveu no Afeganistão e que sua mãe, Najwa, ficou isolada durante o casamento, de acordo com os desejos do marido. Este é estritamente um relato pessoal da vida familiar, porque a vida política, militante e islâmica de Osama bin Laden foi escondida de sua esposa e de seu filho, apesar de ter permeado suas vidas de maneira que eles, na época, nem sempre compreendiam.

Durante os anos turbulentos em que viveram com Osama bin Laden, Omar e Najwa muitas vezes ficavam ocupados com a sobrevivência em vez de fazer anotações ou diários. Eles reconhecem que os momentos e as datas dos eventos familiares podem não estar sempre exatos, e pedem que os leitores considerem que as informações neste livro sejam essencialmente fruto de uma história oral, de modo que está sujeita às omissões da memória.

Finalmente, apesar de este livro ser a história de Najwa e de Omar e conter as lembranças e visões deles como foram contadas para mim, o leitor deve compreender que os materiais identificados que claramente acrescentei à narrativa — anotações minhas e de outros autores contidas no texto e nos Apêndices no final do livro — refletem somente minhas visões e opiniões, e não as de Omar ou de Najwa bin Laden.

Quando procuramos aprofundar nosso conhecimento a respeito daqueles que fazem um grande mal ao mundo, talvez devamos ser orientados pelas palavras de sir Winston Churchill ao final da Segunda Guerra Mundial:

> *Agora que está encerrada e olhamos para trás, com cuidado meticuloso e investigativo tentamos encontrar os criminosos e os heróis. Onde estão? Onde estão os vilões que causaram a guerra?... Deveríamos saber; tentamos saber. Sofrendo com nossos ferimentos, enraivecidos pelos danos, impressionados com nossos empenhos e nossas conquistas maravilhosas, conscientes de nossa autoridade, exigimos saber a verdade e determinar as responsabilidades.*

Pessoas não nascem terroristas. Tampouco se tornam terroristas de uma hora para a outra. Mas passo a passo, como um fazendeiro que prepara o campo para o plantio, suas vidas se desdobram em um padrão que os deixa preparados para receberem a semente do terrorismo.

E foi assim com Osama bin Laden. E o homem, os homens e os eventos que plantaram esta semente desapareceram. Mas a semente germinou, e o terrorista seguiu em frente. E o homem de antes se transformou no terrorista de agora.

Najwa Ghanem bin Laden conhece apenas o homem. O Ocidente conhece apenas o terrorista.

— JEAN SASSON

Síria

Najwa Ghanem nasce em Lataquia, Síria, em 1958
Najwa muda-se para Jidá, Arábia Saudita, após o casamento, em 1974
Najwa Ghanem retorna para a Síria em 9 de setembro de 2001

Fatos sobre a Síria

Nome completo: República Árabe da Síria
Governada por: República — Partido Baath
Chefe de Estado: Presidente Bashar al-Assad
Capital: Damasco
Área: 185.179 quilômetros quadrados
Principal religião: Islamismo com minoria cristã
Principal língua: Árabe
População: 20 milhões
Unidade monetária: 1 libra síria = 100 piastras

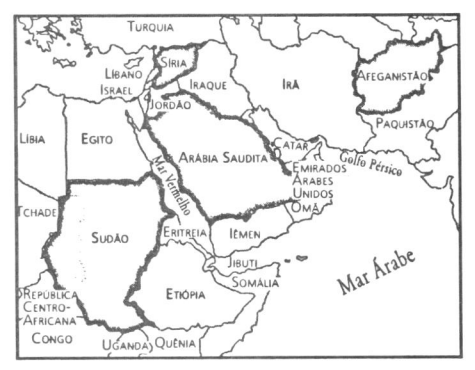

PARTE I

Primeiros dias na Arábia Saudita

Capítulo 1

Minha juventude

NAJWA BIN LADEN

N em sempre fui a esposa de Osama bin Laden. Já fui uma criança inocente que sonhava sonhos de menina. Hoje em dia, meus pensamentos costumam voltar no tempo e recordo da menina que eu fui e da infância segura e feliz da qual desfrutei.

Muitas vezes, ouvi adultos falarem da infância com remorso, até mesmo com raiva, felizes por terem escapado dos anos em que eram mais novos. Para mim, esse tipo de conversa é chocante pois, se eu pudesse, regressaria para a primeira parte de minha vida e permaneceria uma menina para sempre.

Eu morava com meus pais e irmãos em uma propriedade modesta na cidade portuária de Lataquia, na Síria. A costa da Síria é adorável, com brisas vindas do mar e com terras férteis nas quais fazendeiros afortunados cultivam frutas e vegetais. Nosso quintal era abundante em árvores verdes repletas de frutas deliciosas. Atrás de nossa estreita planície, podia-se ver as montanhas costeiras pitorescas com colinas aplainadas nas quais se cultivavam frutas e olivas.

Moravam sete pessoas na residência dos Ghanem, de modo que nosso lar era indiscutivelmente agitado. Eu era a segunda filha mais velha e tinha uma boa relação com meu irmão maior, Naji, e também com os mais novos, Leila, Nabeel e Ahmed. Havia também um meio-irmão, Ali, poucos anos mais velho do que nós, filhos de minha mãe. Meu pai fora casado diversas vezes antes de se casar com minha mãe, teve Ali com uma esposa anterior.

Meu irmão mais próximo era Naji, um ano mais velho do que eu. Apesar de amá-lo profundamente, ele, assim como a maioria dos garotos, tinha um lado perverso que me causou muitos momentos de terror.

Por exemplo, nasci com medo de cobra. Um dia, Naji usou o dinheiro de sua mesada para ir ao mercado local e comprar uma cobra de plástico. Depois, bateu muito educadamente na porta de meu quarto. Quando me pronunciei, ele deu um sorriso perverso e, de repente, jogou na minha mão o que pensei ser uma cobra viva. Meus gritos lancinantes preencheram toda a casa quando larguei a cobra, e corri tão rápido que poderiam pensar que eu estava voando.

Meu pai estava em casa e apressou-se em lidar com o tumulto, quase certo de que bandidos armados tinham vindo nos assassinar. Quando finalmente se deu conta de que minha histeria fora causada por Naji, que brandia com orgulho a cobra falsa, meu pai olhou severamente para meu irmão antes de começar a vociferar ameaças próprias de um pai.

Naji continuou sem demonstrar arrependimento, se sobrepondo aos gritos de nosso pai: "Najwa é uma covarde! Eu a estou ensinando a ser corajosa."

Se fôssemos capazes de ver o futuro, quando cobras se tornariam visitantes rotineiras em meu lar na montanha no Afeganistão, talvez eu tivesse agradecido ao meu irmão.

Meu lugar preferido em nossa propriedade era a varanda do andar superior, local perfeito para uma menina escapar para a terra dos sonhos. Eu passava muitas encantadoras horas relaxando ali com algum livro favorito. Geralmente, depois de ler alguns capítulos, eu usava um dedo para marcar a página e olhava para a rua abaixo de mim.

As casas na nossa vizinhança ficavam bem próximas entre si, com estabelecimentos comerciais por todas as partes. Eu amava observar o tráfego movimentado de seres humanos apressados que passavam pela vizinhança, realizando suas tarefas diárias para então poderem se recolher aos seus lares para uma noite agradável, jantando e relaxando com suas famílias.

Muitas das famílias em nossa vizinhança vinham de outras terras. A minha vinha do Iêmen, um país distante que, diziam, era espetacularmente belo. Nunca me disseram o motivo específico para nossos ancestrais terem partido de lá, mas tantas famílias iemenitas emigraram para os países próximos que se costuma dizer que o sangue iemenita corre por todo o mundo árabe. Mais provavelmente, fora a pobreza que levara nossos ancestrais iemenitas a vender seus animais de criação, a fechar seus lares, a abandonar campos inóspitos e a deixar para sempre antigos amigos em cidades familiares.

Posso imaginar meus ancestrais sentados em seus lares, os homens correndo com suas adagas curvas, possivelmente mascando folhas da árvore *khat*, enquanto as mulheres, com os olhos negros realçados por *kohl*, escutavam em silêncio seus homens discutirem o desafio da terra ressecada ou de oportunidades perdidas. O velho comércio de incenso havia se extinguido, e as chuvas eram incertas demais para que fosse possível confiar em colheitas. Com pontadas de fome afligindo as pequenas barrigas de seus filhos, é provável que meus ancestrais tenham sido persuadidos a montar em camelos altos e a viajar ao longo de vales verdes cercados por altas montanhas marrons.

Quando chegaram na Síria, meus ancestrais estabeleceram seu lar no Mediterrâneo, na grande cidade portuária onde nasci e passei a infância. Lataquia consta em textos de mais de dois mil anos atrás, descrita como tendo "construções admiráveis e um porto excelente". Cercada pelo mar, de um lado, e por terras férteis, do outro, a cidade já foi muito cobiçada, e foi ocupada no processo por fenícios, gregos, romanos e otomanos. Como todas as cidades antigas, Lataquia foi destruída e reconstruída várias vezes.

Até me casar e viajar para Jidá, na Arábia Saudita, minhas experiências de vida eram limitadas ao meu lar, à escola, à minha cidade natal, Lataquia, e ao meu país, a Síria.

Eu era uma filha com orgulho dos meus pais. Quando tive idade suficiente para compreender o que as pessoas diziam ao meu redor, tomei consciência de conversas amigáveis sobre a beleza da minha família, tanto interior quanto exterior. Obviamente, eu ficava feliz por sermos respeitados por nosso bom caráter, mas meu orgulho de menina ficava particularmente satisfeito com as conversas sobre nossa boa aparência.

Meu pai trabalhava no comércio, um meio comum entre os homens árabes da região de se ganhar a vida. Eu nunca soube muito a respeito da rotina de meu pai, pois na minha cultura as filhas não acompanham os pais ao trabalho. Sei que ele era diligente, partindo de casa bem cedo e só retornando à noite. Seu esforço no trabalho assegurava uma vida abastada para sua família. Em retrospecto, acredito que meu pai tivesse uma fraqueza pelas filhas. Ele era mais firme com meus irmãos, cujos modos impróprios às vezes faziam com que fosse necessário ficar alerta.

Minha mãe ficava em casa cuidando de nossas necessidades pessoais; era uma cozinheira talentosa e uma dona de casa obstinada. Com marido, três filhos e duas filhas, seu trabalho nunca tinha fim. Ela passava boa parte do dia na cozinha. Jamais me esquecerei das refeições maravilhosas que preparava para a família, começando com um café da manhã delicioso, com ovos, queijo, manteiga, mel com queijo cottage, pão e geleia. Os almoços poderiam ser homus, feito de grão-de-bico e temperos, vários vegetais frescos do jardim, tomates e pepinos recém-colhidos, beringelas em conserva de menta recheadas com alho e nozes-pecã. As refeições noturnas eram servidas entre sete e oito da noite. Nossos olhos grandes eram muitas vezes cumprimentados por pratos do delicioso arroz com lentilhas de minha mãe, folhas de uva recheadas, okra e quibe, prato especialmente popular entre os árabes, que é basicamente carne de cordeiro moída com trigo para quibe, misturados com sal, pimenta, cebolas e outros temperos.

Obviamente, eu e minha irmã ajudávamos com os trabalhos domésticos, apesar de nossas obrigações serem leves em comparação às de minha mãe. Eu mantinha minha cama arrumada, lavava a louça e, quando não estava na escola, era a ajudante de cozinha de minha mãe.

Mamãe era a principal disciplinadora de todas as crianças. Na verdade, quando menina, eu tinha medo de suas regras rígidas quanto à conduta social das duas filhas. Isso não é incomum na minha cultura, pois as meninas representam a luz que ilumina a família, e o esperado é que sejam perfeitas em todos os aspectos, enquanto se espera que os filhos homens se entreguem às loucuras e aos prazeres da juventude. Se uma filha pequena se comportasse mal, toda a família sofreria uma enorme desgraça aos olhos da comunidade. Se eu não tivesse agido bem, meus pais poderiam ter enfrentado dificuldades em encontrar uma família que permitisse que seus filhos ou filhas se casassem com alguém de nossa família. As ações imprudentes de uma menina podem privar os irmãos e as irmãs de casamentos dignos.

Quando eu era adolescente, minha mãe não concordava com meu modo de vestir. Enquanto ela era uma muçulmana conservadora, escondendo os cabelos sob um lenço e usando vestidos que a cobriam do pescoço aos tornozelos, rebelei-me contra os trajes tradicionais. Resisti aos apelos dela para que me vestisse modestamente, chegando a me recusar a cobrir os cabelos. Eu usava vestidos bonitos e coloridos que não eram tão antiquados. No verão, rejeitava blusas que cobrissem meus braços, e saias que fossem até os tornozelos. Eu discutia com minha mãe quando ela se manifestava contra minhas roupas modernas. Hoje, tenho vergonha por ter causado essa dor a ela.

Lembro-me de como fiquei orgulhosa quando fui à escola pela primeira vez. Eu usava o uniforme tradicional das meninas, que era um macacão, quando eu ainda era muito nova. Contudo, depois de começar o ensino secundário, eu não conseguia mais ignorar minha mãe e vestia uma jaqueta sobre meu vestido para manter a modéstia.

Como eu amava a escola! Ela expandiu meu pequeno mundo habitado apenas pela família, acrescentando a ele novos amigos e professores que tinham tanta informação em suas cabeças que eu não entendia como seus crânios não explodiam. Eu era uma criança curiosa e lia o máximo possível de livros, apreciando principalmente histórias sobre pessoas e lugares distantes. Logo percebi o quanto tinha em comum com outras garotas de minha idade, não importando onde vivessem.

Em minha cultura, meninos e meninas em idade escolar raramente se misturam fora do círculo familiar, de modo que minha escola era exclusivamente para garotas. Conheci vários alunos pobres, e tal pobreza me ensinou uma das maiores lições de minha vida. Recordo em particular de uma amiga cuja família era tão pobre que seu pai não tinha como comprar material escolar nem comida para a hora do almoço. Sem considerar como aquilo poderia afetar minha situação, pois minha família tinha recursos modestos, eu compartilhava meu dinheiro, minha comida e meu material escolar com minha amiguinha. Eu sentia uma grande onda de felicidade com a reação dela.

Desde aquele dia, há tanto tempo, aprendi que a alegria de dar é maior quando este compartilhamento cria uma dificuldade pessoal. É muito fácil dividir quando se tem bastante.

Recordo também de outra amiga, que com frequência estava à beira das lágrimas. Em pouco tempo, descobri que seus pais haviam se divorciado recentemente. Minha pobre amiga sequer tinha permissão para ver a mãe e era obrigada a morar com o pai e sua nova esposa. Meu coração sensível doía por essa situação, pois toda criança quer estar perto da mãe. Percebi que compartilhar não necessariamente significa dar dinheiro ou bens; existem momentos nos quais o maior presente é deixar os próprios problemas de lado para escutar os sofrimentos do coração de outra pessoa e cuidar deles.

Por acaso, encontrei recentemente essa amiga de infância. Meu coração cantou de alegria quando ela me disse que encontrara a felicidade na segunda parte de sua vida. Ela adotou o véu por opção própria e teve um casamento feliz. Não me surpreendi quando ela disse que sua maior alegria lhe era proporcionada pelos filhos.

Enquanto a escola foi um prazer que abriu minha mente, havia outros passatempos que acrescentavam sabor à minha vida. Contrariando as premissas de muitas pessoas sobre as vidas de muçulmanas conservadoras, eu era uma tenista habilidosa. Apesar de jamais ter possuído uma roupa específica para jogar tênis; eu usava um vestido longo para não expor demais minhas pernas enquanto saltava de um lado para o outro e calçava sapatos confortáveis, praticando durante horas. Meus objetivos eram bater corretamente na bola e devolver um saque com tal potência que minha oponente ficasse parada, boquiaberta de surpresa. Mas, na verdade, o principal era o esporte. Até hoje ouço as gargalhadas que ressoavam quando eu e minhas amigas jogávamos tênis.

Eu também amava pedalar em minha bicicleta colorida de menina. Novamente eu escolhia um vestido longo para não expor minhas pernas às pessoas, e então saía correndo de casa com meus irmãos e minha irmã para subir pedalando as colinas suaves de Lataquia. Gargalhávamos muito quando passávamos voando, descendo as colinas, diante de vizinhos surpresos. Em outras ocasiões, eu ia pedalando para as casas de amigas ou de parentes que moravam nas proximidades.

Durante vários anos, me diverti como artista iniciante, pintando retratos e paisagens em telas e em peças lisas de cerâmica. Eu passava horas misturando cores e tornando os desenhos agradáveis aos meus olhos de artista. Meus irmãos ficaram suficientemente impressionados com a qualidade dos meus desenhos para que previssem que Najwa Ghanem se tornaria algum dia uma artista famosa em todo o mundo.

Atualmente, não posso desfrutar de tais atividades, mas ainda hoje, como uma mãe sozinha, com muitas responsabilidades em relação aos filhos pequenos, ainda tenho algum prazer usando a imaginação. Muitas vezes, mentalmente, pinto belas cenas ou rostos marcantes que transmitem muita intensidade, ou imagino que meus músculos estão sendo alongados por subir e descer pedalando uma colina íngreme, ou até mesmo que estou vencendo uma partida de tênis contra um adversário sem rosto.

Suponho que se possa dizer que Najwa Ghanem bin Laden é uma artista que não usa tintas, uma ciclista sem bicicleta e uma tenista sem bola, sem raquete e sem quadra.

Meus irmãos também tinham os próprios passatempos. Todos gostávamos de instrumentos musicais, e não era incomum que as visitas ouvissem as cordas de um violão sendo tocadas em algum canto escondido de nossa casa. Meu irmão mais velho até me deu um acordeão de presente. Tenho certeza de que era uma visão engraçada, pois eu era magra e delicada, e o acordeão era mais apropriado para as mãos de um músico robusto.

A melhor época era o verão, quando parentes ficavam hospedados em nossa casa. Eu adorava principalmente quando a irmã de meu pai, Allia, que morava em Jidá, na Arábia Saudita, nos visitava. Minha tia Allia era adorável em todos os aspectos, inspirando admiração em todos que a conheciam. Como se vestia muito bem quando nos visitava, fiquei surpresa ao saber que em casa, na Arábia Saudita, ela adotava o *hijab*, o que significa cobrir inteiramente a mulher, incluindo o rosto e o cabelo. Na Síria, no entanto, ela usava vestidos modestos mas elegantes que cobriam os braços e as pernas. Ela também usava um lenço fino sobre o cabelo, mas não cobria o rosto.

Tia Allia era conhecida ainda mais pela bondade do que por seu estilo e seu charme. Sempre que sabia de alguma família com dificuldades, ela provia seu sustento secretamente.

Entreouvi meus pais falarem em voz baixa sobre o primeiro casamento dela com o muito influente Mohammed bin Laden, um empreiteiro rico da Arábia Saudita. Pela amizade especial entre ele e o Rei Abdul Aziz al-Saud, da Arábia Saudita, o primeiro marido de tia Allia tornara-se um dos homens mais ricos em um país repleto de homens ricos.

O casamento durou pouco e minha tia teve apenas um filho com Mohammed bin Laden, chamado Osama. Depois do divórcio, minha tia se casou com Muhammad Attas, um saudita que trabalhava para o primeiro marido dela. Attas era conhecido por ser um marido carinhoso para minha tia e um padrasto gentil para meu primo; jamais ouvi qualquer palavra dura contra ele. O casal teve três filhos e uma filha.

Eu conhecia a todos muito bem, pois toda a família acompanhava minha tia quando ela visitava parentes em Lataquia. Tivemos muitas refeições juntos em nossa casa, ocasiões que lembro serem especialmente festivas, com conversas leves e com risadas. Osama, obviamente, era parte do grupo. Meu primo, que já tinha um ano de idade quando nasci, sempre esteve presente em minha vida.

Quando completei 7 ou 8 anos, as memórias começaram a ficar registradas em minha mente. Osama parecia ter nascido muito antes de mim, não apenas um ano, talvez por ter sido um garoto tão sério e consciencioso. Ele era um mistério para os primos, mas todos gostávamos dele porque era muito calmo e de modos delicados.

Descrevendo o Osama garoto que todos conhecemos, eu diria que ele era orgulhoso, mas não arrogante. Era delicado, mas não era fraco. Era sério, mas não era severo. Com certeza, era muito diferente de meus irmãos barulhentos, que estavam sempre me provocando por um motivo ou outro. Eu nunca estivera perto de um garoto tão sério e com um modo de falar tão suave. Apesar do temperamento sereno, ninguém considerava que Osama tivesse pouca força de vontade, pois o caráter dele era forte e firme.

Quando tia Allia e sua família nos visitavam, ocasionalmente todos nós tirávamos o dia para ir às montanhas ou para a costa. Durante os passeios familiares, nós, crianças, corríamos por todos os lados animadíssimos, disputando corridas nas praias, brincando de esconder ou amarrando uma corda em uma árvore para fazer um balanço ou para saltar. Recordo-me de como Osama escolhia ponderadamente uvas suculentas, entregando-as para mim para que as comesse diretamente dos vinhais. Enquanto isso, meus irmãos estariam gritando alegremente que tinham encontrado algumas pecãs crocantes sob os galhos da árvore. Em outras ocasiões, escalávamos árvores baixas para colhermos maçãs ou enfiávamos as mãos em arbustos repletos de framboesas. Apesar de minha mãe ter nos avisado sobre a presença de cobras, eu ficava tão feliz por brincar com meus primos que nem meus temores atrapalhavam as atividades.

Contudo, houve momentos de tristeza, incluindo o dia 3 de setembro de 1967, quando o pai de meu primo Osama, Mohammed, estava em um pequeno avião que entrou em pane e caiu. Aos 61 anos, o pai de Osama morreu.

Na época, meu primo tinha apenas 10 anos de idade, mas amava e respeitava muito o pai. Osama sempre fora incomumente contido nos modos e no jeito de falar, mas ficou tão abalado com a morte do pai que tornou-se ainda mais quieto. Ao longo dos anos, ele falou pouco sobre o incidente trágico.

Minha mãe falou-me em voz baixa sobre a perda de Osama. Fiquei tão chocada que não tive reação, mas me retirei para a varanda a fim de refletir sobre o amor que sentia por meu pai e sobre o vazio que sentiria sem ele.

Quando jovens, meu irmão Naji e Osama às vezes se metiam em confusões. Certa vez, estavam acampando e, do nada, decidiram dar uma longa caminhada, seguindo a pé até Kassab, uma cidade na província de Lataquia, perto da fronteira com a Turquia — e conseguiram cruzar diretamente a fronteira. Em nossa parte do mundo, perder-se em outro país pode resultar em consequências graves, como desaparecer para sempre.

Um oficial do Exército turco detectou os estrangeiros em seu território. Enquanto gritava ameaças exaltadas e apontava sua arma, Naji e Osama trocaram apenas um olhar, deram meia-volta e correram mais rápido do que cavalos até chegarem a um jardim. Por sorte, o guarda turco não os seguiu até o outro país.

Noutra ocasião, Naji e Osama foram para Damasco, a cidade antiga que é capital da Síria. Osama sempre gostou mais do que a maioria das pessoas de longas caminhadas, e, depois de uma andança revigorante, os dois garotos e seus amigos encontraram uma sombra sob uma árvore. Eles estavam cansados e com um pouco de fome. Pode-se imaginar que a árvore simplesmente estava com os galhos repletos de maçãs suculentas. Tentados com a visão das frutas, Naji e os amigos subiram na árvore, dizendo a Osama que ficasse esperando para fazer a guarda. Naji disse posteriormente que sabia que o primo devoto provavelmente se recusaria a colher maçãs de uma árvore que não fosse dele, de modo que não quis que Osama participasse ativamente do furto.

Os garotos escalaram a árvore, mas antes que tivessem tempo de colher uma maçã que fosse, um grupo de homens começou a correr em direção a eles, gritando raivosamente enquanto brandiam cintos de couro.

"Ladrões de maçãs!", os homens gritavam. "Desçam da árvore!"

Não havia para onde fugir, então meu irmão e os amigos saíram lentamente da segurança dos galhos cheios de folhas para encarar aqueles que os desafiavam. Quando seus pés tocaram o chão, os homens começaram a bater neles com fortes cintos de couro. Entre arfadas, Naji gritou para Osama: "Fuja! Fuja o mais rápido que puder!"

Osama era convidado deles, e era importante que um convidado não fosse ferido. Além disso, Naji sabia como tia Allia amava profundamente seu primeiro filho. Meu irmão não queria voltar para casa com notícias ruins sobre Osama.

Obedecendo a Naji, Osama fugiu do confronto. Por algum motivo, os donos da árvore decidiram que era de suma importância capturar o garoto fugitivo, de modo que o perseguiram até conseguirem capturá-lo, ameaçando-o com os cintos. A sós, sem a proteção dos parentes ou dos amigos, Osama foi atacado por um dos homens maiores, que se inclinou para a frente e mordeu o braço de meu primo. A mordida foi tão forte que Osama tem uma pequena cicatriz até hoje.

Osama afastou os dentes do homem de sua carne, e o empurrou. Depois, encarou os homens enraivecidos: "É melhor que me deixem em paz! Sou um visitante em seu país. Não permitirei que me espanquem!"

Por algum motivo, a expressão intensa de Osama fez com que os homens parassem. Eles baixaram os cintos e olharam para ele por alguns minutos antes de dizer: "Você só está sendo libertado porque é um convidado em nossa terra." Àquela altura, meu irmão e os amigos já tinham fugido. Com Osama em segurança, os ladrões de maçãs puderam se reunir e retornar para um local seguro. Limparam o ferimento de Osama e fizeram um curativo. Por sorte, ele não pegou uma infecção.

Os dias felizes da infância passaram rápido demais, e, quando entrei na adolescência, emoções imprevistas começaram a surgir entre mim e meu primo. Eu não estava certa do que estava acontecendo, mas sabia que Osama e eu tínhamos uma relação especial. Apesar de Osama jamais ter dito coisa alguma, seus olhos castanhos se iluminavam de prazer sempre que eu entrava em um cômodo no qual ele estivesse. Eu tremia de excitação quando sentia a atenção intensa de meu primo. Em pouco tempo, nossas emoções ocultas viriam à tona e mudariam nossas vidas para sempre.

Arábia Saudita

REINO DA ARÁBIA SAUDITA
Osama bin Laden nasce na Arábia Saudita, em 1957
Depois de se casar com Osama, em 1974, Najwa viveu no país de 1974 até o final de 1991
Cidades nas quais a família Bin Laden morou: Jidá e Medina

FATOS SOBRE A ARÁBIA SAUDITA
Nome completo: Reino da Arábia Saudita
Governado por: Monarquia — Família al-Saud
Chefe de Estado, Primeiro-ministro,
Guardião das Duas Mesquitas Sagradas:
rei Abdullah bin Abdul Aziz al-Saud
Capital: Riade
Área: 2.240.257 quilômetros quadrados
Única religião: Islamismo
Língua principal: Árabe
População: 24,8 milhões
Unidade Monetária: 1 Ryial = 100 halalah

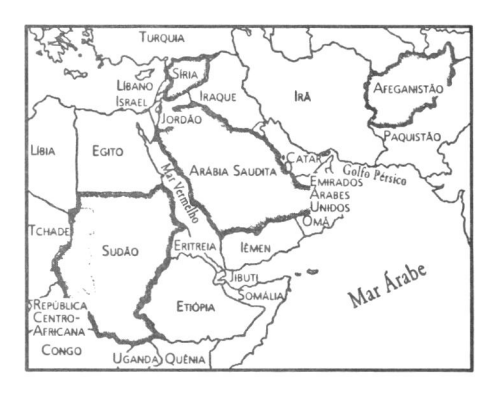

Capítulo 2

Vida de casada

NAJWA BIN LADEN

Em minha cultura, a maioria das garotas se casa jovem. Em torno da época em que me tornei adolescente, meu coração agitado levou-me a considerar o casamento com Osama. Apesar de saber pouco sobre a vida dos adultos, eu gostava de tudo nele, de sua aparência aos modos delicados e sua personalidade forte.

É comum que as mulheres muçulmanas se casem com primos de primeiro grau. Preferem-se amplamente tais uniões porque elas mantêm as famílias intactas sem ameaça à herança, caso isso se torne um problema.

Pelo modo como me olhava, eu acreditava que Osama também gostasse de mim, mas nada específico fora discutido abertamente acerca de afeto ou casamento. Conversas sérias nesse sentido entre nós dois teriam sido impróprias até que nossos pais dessem sua aprovação, mas com Osama tudo se movia lentamente.

Em pouco tempo, o silêncio de Osama tornou-se incômodo. Eu queria que ele dissesse *algo*, que contasse em segredo que abordaria nossos pais a respeito do noivado. Mas Osama permanecia obstinadamente correto! Na verdade, quando travava conversas amenas comigo, parecia ter dificuldade em se expressar. Recordo-me de ter olhado para seus olhos gentis, pensando libidinosamente que meu primo era mais tímido do que uma "virgem sob o véu".

Finalmente, quando eu tinha cerca de 14 anos, Osama encontrou sua coragem. Foi depois de uma longa visita de verão ao lar de minha família, na Síria, quando passávamos todos os dias juntos. Quando retornaram à Arábia Saudita, ele discutiu com a mãe a ideia do noivado. Tia Allia ficou satisfeita com a perspectiva de um casamento entre seu filho e a filha do irmão, algo que aproximaria ainda mais as duas famílias.

No mundo muçulmano, em geral são as mulheres que iniciam o processo muitas vezes entediante de arranjar casamentos. Desde que um filho nasce, a mãe participa de funções sociais com a ideia de encontrar uma noiva apropriada. Uma mãe cuidadosa só levará em consideração uma garota de boa família que seja saudável e atraente. Quando uma candidata apropriada é encontrada, as duas mães iniciam as discussões sobre o casamento. Se as mães ficarem satisfeitas, os pais entram em cena para definir o dote, o qual pode envolver joias ou até mesmo dinheiro. Como garotos e garotas costumam confiar na decisão dos pais em relação a com quem casar, é raro que uma criança diga não; mas, se isso acontecer, os pais não devem impor a escolha.

Felizmente, em nosso caso, tal planejamento detalhado não foi necessário. Osama e eu não apenas tínhamos convivido desde crianças, como tia Allia também estava inclinada a permitir que seu filho, dotado de grande força de vontade, tomasse a decisão sobre o casamento. Ela falou sobre a ideia com meus pais, que passaram a informação para mim.

Jamais me contaram detalhes da conversa, e perguntar seria considerado desrespeitoso. Para minha surpresa, apesar de meu coração estar saltando de felicidade por Osama querer se casar comigo, minha mãe foi contra a união. A falta de entusiasmo dela não se devia a algo que não gostasse em Osama, mas sim a algo mais básico: ela não queria que eu me mudasse para tão longe.

E implorou: "Najwa, por favor, não concorde com o casamento. Quero você por perto, filha. Se você for para a Arábia Saudita, nossas visitas serão tão raras quanto joias caras."

Olhei para minha mãe por um momento, sem responder. Ela estava certa. Uma vez morando na Arábia Saudita, as visitas à minha casa seriam raras, pois naquela época as pessoas não viajavam tanto quanto hoje. Eu compreendia a tristeza dela, pois uma das maiores alegrias para uma mãe árabe é ver os filhos e os netos regularmente.

Casar com Osama também significava que minha vida mudaria em outros aspectos mais dramáticos. Morando na Arábia Saudita, eu precisaria usar o véu sobre o rosto. E Osama era tão conservador que eu também viveria em *purdah*, ou isolamento, raramente deixando o confinamento de meu novo lar.

Apesar de saber que minha resposta não agradaria a minha mãe, respondi com firmeza: "É a minha vida, mãe. Eu decidirei. Eu o amo. Irei me casar com ele."

Sempre fui forte ao tomar decisões. Ninguém me impediria de casar com Osama.

E foi assim que me casei em 1974, aos 15 anos, prestes a fazer 16. Meu marido tinha 17 anos.

No dia do casamento, eu era jovem em termos de idade, mas madura e decidida em pensamento. Eu não estava apreensiva. Tudo foi perfeito. Meu vestido branco de casamento era elegante. Meu cabelo estava perfeitamente arrumado. Eu sabia que estava tão bela quanto poderia ser. Meu desejo desesperado era de que meu noivo ficasse satisfeito com minha aparência.

Apesar de a maioria dos casamentos na Síria ser um evento exuberante, o meu foi propositadamente pequeno e contido. A cerimônia foi realizada na casa de minha família e foi inteiramente de acordo com as crenças conservadoras do homem com quem estava me casando. Tomamos cuidado especial para que as mulheres ficassem sentadas em um lado da sala e os homens, no outro. Depois da curta cerimônia, a festa de casamento segregada deu lugar a um jantar abundante de pratos sírios tradicionais, como churrasco, pombos recheados com trigo triturado, folhas de uva e quibe. Havia muitas sobremesas, mas eu não sentia fome e comi pouco. A noite toda pareceu um sonho: eu era uma mulher casada com o homem que amava.

Todas as coisas extravagantes foram banidas. Não havia músicos presentes para tocarem seus instrumentos ou cantarem suas músicas. Aqueles com vontade de dançar foram instruídos a permanecer imóveis. Risos e piadas foram desencorajados. Em nenhum momento a noite teve algo além de conversas superficiais. Mas eu estava feliz mesmo assim, pois pela expressão doce de Osama eu podia ver que estava satisfeito comigo e com minhas escolhas. E, assim, minha vida progrediu da infância para a vida adulta ao final da noite. Eu era uma mulher casada em todos os sentidos.

Houve decepções. Apesar de Osama e sua família terem ficado na Síria por um período curto para que pudéssemos nos acostumar com a mudança em nossa relação, fiquei perturbada ao saber que meu marido precisaria retornar sem mim para a Arábia Saudita. Meu passaporte ainda não estava pronto e demorava para ser emitido, apesar de meu casamento ter me tornado parte de uma das famílias mais influentes e ricas do reino. Em vez de ir com Osama, eu permaneceria na casa de meus pais, ainda como uma estudante, esperando pela aprovação de minha nova posição como cidadã saudita, a de esposa de Osama bin Laden.

Minha mãe ficou muito mais feliz com o atraso do que eu, que estava animada com a ideia de morar em um novo país e ansiava por começar minha nova vida como uma mulher casada.

Os meses seguintes foram terrivelmente instáveis, conforme eu tentava me concentrar em vão nos estudos e esperava receber cartas de Osama. Pelas palavras que escrevia, acredito que meu jovem marido estivesse tão ansioso para estarmos juntos novamente quanto eu.

Finalmente, justo quando eu achava que não conseguiria mais suportar a separação, chegou o dia em que meu pai me informou de que minha residência na Arábia Saudita e os documentos de viagem haviam sido aprovados. Osama e sua família chegariam em breve na Síria para me acompanharem até Jidá, pois não seria apropriado para mim, uma mulher muçulmana, viajar sem um guardião.

Como eu já havia arrumado as malas muito antes, restava-me pouco a fazer além de esperar por meu marido, sua mãe e seu padrasto. Disseram-me que meu pai também me acompanharia e moraria em Jidá até que eu estivesse estabelecida.

Eu não aguentava mais esperar para que batessem na porta. Finalmente, eles chegaram! Apesar de ainda tímidos um com o outro, ver o rosto de meu marido foi um dos momentos mais felizes de minha vida. Partiríamos para Jidá em um ou dois dias.

Na manhã da partida, eu estava cheia de energia, correndo de um lado para o outro, conferindo novamente as malas e me despedindo diversas vezes. Apesar de saber que as coisas jamais seriam como antes, eu simplesmente não conseguia conter a felicidade. Em um dado momento, percebi o abandono nos rostos de minha família e tentei conter meu entusiasmo com a partida. Eu não queria magoar minha preciosa família, especialmente minha querida mãe. Ainda assim, quando chegou o momento da despedida final, eu estava um pouco apressada para iniciar a viagem.

Eu estava prestes a ingressar em meu primeiro voo, mas ainda assim não sentia o menor traço de medo. Desde muito nova, tenho convicção de que minha vida está nas mãos de Deus. Tal crença mantém meus nervos sob controle.

Apesar de eu não temer a morte, aquele *foi* um dia marcante em minha vida, quando tudo mudou em um piscar de olhos. A partir daquele momento, meu marido seria o chefe de nossa família. Essencialmente, as decisões dele governariam minha vida e a dos filhos que viéssemos a ter. A partir daquele momento, eu levaria uma vida restrita, deixando para trás a possibilidade de dirigir um automóvel ou de trabalhar fora de casa.

E havia o temido véu. Aquele dia também marcou a primeira vez em que cobri meu rosto e o resto de meu corpo com o véu preto. Apesar de estar modestamente coberta por um vestido simples, com mangas compridas que chegavam à metade da altura entre meus joelhos e tornozelos, isso não era conservador o bastante para a Arábia Saudita, país no qual nenhuma parte da pele ou dos cabelos de uma mulher deve ser vista por um homem que não pertença ao seu círculo familiar mais próximo.

Eu estava preparada para o inevitável, pois minha tia Allia havia me presenteado com uma capa negra esvoaçante chamada abaya, um lenço negro e um fino véu para o rosto. A abaya é simples, possui mangas compridas e é aberta na frente sem botões nem presilhas. Apesar de não ter colocado a capa sobre minhas roupas enquanto ainda estávamos na Síria, segui o exemplo de tia Allia e me cobri logo depois de embarcar no avião.

Ali estava eu sentada, coberta de preto da cabeça aos pés. Como as mulheres sauditas que moram em cidades não expõem os olhos, meu rosto inteiro estava coberto, assim como o resto do corpo. De repente, senti-me sufocando, pensando em pânico sobre o que aconteceria quando fosse a hora de deixar meu assento. Será que eu conseguiria enxergar bem o bastante para caminhar com segurança em meio a uma multidão? E se eu tropeçasse e caísse, esmagando uma criança pequena?

Naquele instante, olhei para Osama, e ele sorriu. Meu marido parecia muito satisfeito que eu tivesse aderido ao véu sem fazer alarde, apesar de ser estranho conversar normalmente através de um véu que cobre o rosto. Sendo jovem, tive dificuldade em abafar minhas risadas, mas, de alguma maneira, consegui.

O avião pousou em pouco tempo e me preparei para o desafio de andar com os olhos cobertos. Graças a Deus, fui abençoada com um piso firme e com boa visão, e pude enxergar de modo suficientemente claro através do tecido fino do véu do rosto. Eu me movia sob a cortina negra sem ferir a mim mesma nem a qualquer inocente que estivesse por perto.

Fiquei aguardando com tia Allia enquanto nossos maridos lidavam com as formalidades de entrada no reino. Pouco depois, estávamos no longo automóvel preto que nos transportaria pela cidade para a casa de meu marido.

Apesar de só ver Jidá através do tecido negro do véu, não fiquei decepcionada com a cidade apelidada de "Noiva do Mar". Tudo em Jidá é belo, do mar azul às avenidas largas e às casas peculiares. Além disso, depois de crescer na cidade portuária de Lataquia, passei a apreciar ter o mar como vizinho.

Durante séculos, Jidá não foi nada mais do que um pequeno assentamento que servia de porto aos peregrinos, um portão de entrada para a cidade sagrada de Meca, que fica a 75 quilômetros da costa. Mas quando os europeus descobriram o desejo pelo incenso e pela mirra da Arábia, os comerciantes árabes se adaptaram construindo navios e portos para o comércio de incenso.

Em 1945, treze anos antes de meu nascimento, diziam que a população de Jidá era de 25 mil pessoas. Em 1974, quando fiz da Arábia Saudita meu lar, Jidá era uma cidade cosmopolita com um milhão de habitantes.

Osama me disse que Jidá estava crescendo rápido demais, que começara a parecer cheia demais, especialmente durante certos feriados muçulmanos, quando pelo menos um milhão de peregrinos a visitavam, dobrando a população. Mas quando cheguei, apesar de não estar na época de peregrinação, pude perceber imediatamente que Jidá vibrava de excitação. Mais tarde, eu aprenderia que o súbito crescimento na comercialização do petróleo gerara um surto de energia na cidade portuária, que cresceu para dois milhões de habitantes apenas seis anos após minha chegada.

Eu estava muito ansiosa para conhecer a casa na qual meu marido crescera, e não fiquei decepcionada. O lar de tia Allia se localizava na área Mushraf de Jidá, uma vizinhança confortável com várias lojas e mesquitas nas proximidades. Minha nova casa, adorável, tinha dois andares e, apesar de pouco esmerada, era o lugar ideal para começarmos a vida de casados.

Fiquei feliz ao saber que tia Allia e o marido haviam tomado providências para que Osama e eu tivéssemos um andar inteiro somente para nós, o que nos proporcionava privacidade.

Recordo de ter me sentido tão à vontade lá quanto se tivesse morado ali por muitos anos. Uma vez que eu estava ocupada demais em me instalar, muitos dos detalhes daquelas primeiras semanas são agora um borrão em minha mente, mas lembro-me de ter sido um período adorável.

Minha vida cotidiana era tão radicalmente diferente de minha infância na Síria que meu marido dedicava boa parte de seu tempo a me explicar o quanto era importante para mim viver como uma mulher muçulmana obediente. "Najwa", Osama disse, "para mim, você é uma pérola preciosa que precisa ser protegida". Sorrindo para me tranquilizar, ele prometeu: "Assim como a concha dura do mar protege a pérola única, serei a concha dura que a protegerá."

Senti-me orgulhosa por Osama querer me proteger, à medida que ele me fez compreender lentamente as razões por trás da necessidade de a mulher levar uma vida isolada. Jamais fui contrária porque compreendia que meu marido era especialista em nossa fé.

Meu marido e eu decidimos que não prosseguiríamos com minha educação formal, apesar de ele me auxiliar na educação privada sobre questões religiosas. Osama era tão bem-versado que foi um bom professor. O pai de Osama fora um muçulmano devoto que exigia que os filhos honrassem a fé. Nenhum deles atendera tal exigência como Osama.

Para esse propósito valoroso, eu passava muitas horas sentada em nosso agradável jardim lendo avidamente o Alcorão, o texto mais sagrado do Islã, que contém as revelações dadas por Deus ao profeta Maomé (Que a paz esteja sobre ele). O Hadith também é muito importante, sendo chamado de "As Tradições", um relato escrito das palavras e feitos do Profeta Maomé. Apesar de muitos acadêmicos e clérigos serem capazes de recitar os ensinamentos de cor, fiquei surpresa ao descobrir que meu marido era capaz de recitar os dois textos sagrados sem consultar uma página sequer.

Eu queria ser capaz de fazer o mesmo.

Jidá, uma atraente cidade de contrastes, continuava proporcionando um grande prazer para mim. O coração da antiga Jidá continuava vivo. Havia muitos lares tradicionais com pequenas varandas charmosas cercadas por telas de treliça para proteger as mulheres da casa, que podiam se distrair sentadas tranquilamente e olhando as ruas movimentadas, observando a vida em vez de seus participantes. Algumas pessoas diziam que, antigamente, as varandas cercadas eram santuários bem-vindos, protegendo os ocupantes de insultos e roubos.

As casas antigas contrastavam com o novo mundo que corria para abraçar a Arábia Saudita. Prédios modernos espelhados brilhavam sob o sol de Jidá. Por trás de todo o vidro caro, recém-chegados em alvoroço viviam perto de damas corretas escondidas atrás de suas janelas de treliça, damas que devem ter se perguntado até que ponto seu mundo seguro e confortável chegaria.

Meu marido tomou a decisão de empregar uma ajudante doméstica para me assistir com o trabalho geral da casa e as obrigações na cozinha. A mulher contratada era uma agradável etíope chamada Zamzam, que, acredito, estava maravilhada em conseguir um emprego em um lar em que era respeitada.

Todas as manhãs meu marido despertava sem a ajuda de um despertador, levantando-se antes do sol com tão pouco esforço que parecia já ser meio-dia. Ele deixava nossa casa rapidamente para caminhar até a mesquita da vizinhança enquanto os muezins, ou clérigos, usando alto-falantes, chamavam os crentes para rezar. A menos que se tenha ouvido o chamado assombroso à oração, fica difícil imaginar, mas soava como música para meus ouvidos.

Allah Akbar! (Deus é grande!) Allah Akbar! Allah Akbar!
Testemunho que não há outro Deus além de Alá.
Testemunho que não há outro Deus além de Alá.
Testemunho que não há outro Deus além de Alá.
Testemunho que Maomé é o Apóstolo de Alá!
Testemunho que Maomé é o Apóstolo de Alá!
Testemunho que Maomé é o Apóstolo de Alá!
Venham orar! Venham orar! Venham orar!
Venham para o sucesso! Venham para o sucesso! Venham para o sucesso!
Allah Akbar! Allah Akbar! Allah Akbar!*
Não há outro Deus além de Alá!

---

* Alá é Grande. (*N. da E.*)

Para a sorte dos sauditas, o governo decretara que uma mesquita seria construída em cada bairro para que ninguém precisasse caminhar uma longa distância a fim de realizar o dever muçulmano de rezar cinco vezes por dia. O horário da oração é muito específico e altamente valorizado como um período reservado para que todos os muçulmanos rezem para seu Deus. Todas as lojas e os negócios no reino fecham nesses horários.

A *Fajr*, ou oração do amanhecer, é convocada entre a primeira luz no horizonte e o nascer do sol. Homens religiosos ficam observando para que o momento exato não seja perdido. A *Zohr*, ou oração do meio-dia, é chamada às doze horas. Esta oração não pode terminar até que o sol tenha percorrido cinco nonos de sua viagem em direção ao poente. A *Asr* é a oração da tarde, seguida pela *Maghrib*, que precisa ser rezada entre o pôr do sol e o momento em que a luz desaparece completamente no horizonte. A *Isha* é a oração final do dia, e deve ser realizada do momento em que a luz do céu fica amarela até o céu ficar completamente escuro. É nossa oração mais longa.

Enquanto Osama ia para a mesquita, eu fazia minhas orações em casa, em nosso quarto, em nossa sala de estar ou na varanda. Mulheres não rezam nas mesquitas de bairro na Arábia Saudita, mas todo muçulmano sabe que não há necessidade de um lugar especial para rezar. Um muçulmano pode se curvar na calçada e orar para Deus.

Nossa religião tem muitas exigências, mas meu marido e eu as cumpríamos felizes. É gratificante para o coração quando se agrada a Deus com a devoção apropriada.

Osama não se demorava nas orações matinais. Quando chegava em casa, tomávamos o café da manhã. Ele gostava de coisas simples; ficava tão satisfeito com um pedaço de pão com azeite ou timo quanto com as carnes mais finas. "Najwa, não se preocupe", ele me dizia. "O que quer que esteja disponível, e o que quer que Deus dê a mim, agradeço a Ele pelo que me for provido." Obviamente, eu assegurava que ele tivesse um bom café da manhã com queijo, pão, ovos e iogurte. E eu sabia desde pequena que Osama tinha um prato preferido, abobrinha recheada. Em pouco tempo, o prato tornou-se o meu favorito também.

Eu estava determinada a oferecer comidas saudáveis ao meu marido porque seus dias eram longos e desgastantes. Ele não apenas ia à escola, onde era importante que se concentrasse nas aulas, como também trabalhava no negócio da família, o gigantesco Grupo Saudita bin Laden. Meu marido era muito sério quanto a fazer um bom trabalho, de modo que costumava trabalhar até tarde.

Depois do café da manhã, conversávamos um pouco enquanto ele trocava seu *thobe* branco, a vestimenta saudita que parece uma camisa que desce até os tornozelos e é apropriada para rezar e para outras atividades cotidianas, por um uniforme escolar de estilo ocidental composto de uma camisa branca recém-passada e calças cinza. Eu tinha orgulho por meu marido ser bastante alto, mas sua altura exigia que todas as suas roupas, incluindo o uniforme escolar, fossem feitas por um alfaiate especial. Osama era muito exigente em relação à aparência, e quando ele saía de casa meus olhos me diziam que aquela era a imagem da perfeição.

Eu observava meu marido deixar a área em que vivíamos, sentindo um vazio interior por ele ficar fora o dia inteiro. Osama estudava na Escola Modelo Al-Thager, uma escola de nível médio somente para garotos. Apesar de jamais ter entrado na escola, passei de carro por ela com meu marido diversas vezes, sei que era um prédio moderno com dois andares próximo da área central de Jidá. Osama tinha orgulho de a escola ter sido um projeto especial do terceiro rei da Arábia Saudita, o rei Faisal, que supervisionara o progresso da escola até seu trágico assassinato, em 1975. Osama matriculara-se na escola aos 11 anos e se formaria em 1976, dois anos após o nosso casamento.

Osama dizia estudar em uma das melhores escolas da Arábia Saudita, cujos cursos de alto nível permitiam que os formandos seguissem de lá para uma boa universidade. Muitos dos professores eram da Inglaterra, de modo que Osama falava bem a língua inglesa. Quando nos casamos, ele fazia os cursos tradicionais de matemática, biologia, história e, obviamente, religião.

Quando terminava a aula, Osama assumia seus deveres na empresa de construção da família. Apesar da posição que ocupava como filho de Bin Laden, Osama executava os trabalhos mais difíceis e perigosos ao lado de seus homens. Ele sabia operar os melhores equipamentos, incluindo máquinas gigantescas, com enormes pás que escavavam caminhos para estradas nas montanhas. Ele trabalhava na pavimentação destas, apesar de dizer que gostava mais de cavar túneis de segurança por entre as rochas duras das montanhas no deserto saudita.

Apesar da pouca idade de Osama, seus irmãos mais velhos sentiam tanta confiança em suas habilidades que fizeram dele supervisor de um projeto especial de construção em Abha, uma cidade saudita a algumas horas de carro ao sul de Jidá. Para ganhar tempo, a maioria das pessoas fazia esse trajeto de avião, mas nunca toquei no assunto porque Osama perdera o pai por causa de um acidente aéreo. Além disso, meu marido herdara dinheiro suficiente para comprar um automóvel de última geração e amava ver a velocidade que ele atingia. "Não se preocupe", ele dizia para mim. "A viagem é segura e fácil. Meu pai supervisionou pessoalmente a construção da estrada de Jidá para Abha, de modo que a estrada é a melhor que existe." Eu sabia que Osama me contava a verdade, pois ouvira outros familiares comentando sobre aquela bela estrada. Contudo, também sabia que a viagem levava menos tempo para Osama porque ele dirigia rápido demais. Mas segurei minha língua quanto a essas questões, pois meu marido não receberia bem uma mulher com opiniões contrárias às dele.

Depois de Osama partir para a escola, eu seguia uma rotina específica. Depois de me vestir para passar o dia, eu tomava uma xícara de chá com tia Allia enquanto falávamos de tudo, das últimas notícias sobre a família real aos detalhes da redecoração de sua casa. Eu ouvia com interesse especial sempre que ela contava pequenos segredos sobre o gigantesco clã Bin Laden, e eu repetia para ela as coisas que Osama me contava. Apesar de ter deixado de ser membro da família há quase 15 anos, ela ainda sabia muitas das histórias pessoais da família do pai de meu marido.

Eu aprendia lentamente sobre os Bin Laden, apesar de ficar tímida quando participava de eventos familiares, pois era uma das noivas mais novas e mais jovens. Eu ficava sentada quieta e escutava as esposas mais velhas conversarem. Em retrospecto, imagino que as esposas mais experientes tenham ficado preocupadas achando que eu não tivesse nada na cabeça, mas esse não era o caso.

Recordo-me de uma ocasião em um dos encontros das mulheres na qual uma das irmãs mais velhas de Osama contou uma piada de família, dizendo que os três filhos de Bin Laden eram "pessoas loucas e doentes". A irmã riu enquanto dizia: "O louco número um é o céu, que é Salem, o piloto, que conduz seu avião tão inconsequentemente que todos se preocupam que cada voo seja seu último. O louco número dois é o mar, que é Laden, que veleja descuidadamente em seu barco, fazendo com que a família tema que desapareça um dia nas ondas do mar ou seja perdido em um acidente com o barco. O louco número três é a terra, que é Osama, que dirige seus carros rápido demais no deserto e depois salta do carro para escalar montanhas escarpadas demais para qualquer ser humano. Tememos que Osama se mate com seu modo imprudente de dirigir."

Eu sabia que as mulheres estavam brincando e que meu marido e os irmãos não eram loucos. Apesar disso, tristemente, os temores das mulheres da família Bin Laden se tornaram realidade quando o irmão mais velho de Osama, Salem, morreu alguns anos depois em um acidente aéreo.

Além de carros novos com motores grandes, meu marido amava a natureza mais do que qualquer outra pessoa que já conheci. Nada lhe trazia mais satisfação do que ter um dia inteiro para dirigir em alta velocidade pelo deserto, onde podia deixar o carro enquanto fazia longas caminhadas. Osama tinha interesse em tudo criado por Deus, até a menor planta e o menor animal colocados na Terra.

Depois de visitar tia Allia, eu pegava o Alcorão e dedicava algumas horas silenciosas no jardim da família a me aprofundar no estudo de nossa religião.

Às vezes, eu telefonava para minha mãe a fim de me atualizar dos acontecimentos familiares na Síria. Apesar de experimentar momentos de melancolia por estar tão longe de meus pais e de meus irmãos, a tristeza não durava porque eu sabia que estava exatamente onde deveria estar, ao lado de meu marido.

Mais tarde, eu passava o tempo praticando meus vários hobbies. Eu era particularmente interessada em planejar o lar que Osama e eu teríamos depois que aumentássemos nossa família. Vendo fotografias de casas decoradas elegantemente, eu sonhava com o dia em que teria a oportunidade de mobiliar e tornar mais bela minha própria casa. Osama, sorrindo, assegurara que eu ficaria inteiramente a cargo da decoração.

Pouco depois de chegar em Jidá, também adquiri interesse em produzir minhas próprias roupas. Apesar da simplicidade de meus vestidos, eu gostava de estudar revistas de moda e de selecionar os desenhos que me agradavam, e depois desenhava cuidadosamente um molde em um papel fino. Quando tinha o material adequado, cortava o tecido com muito cuidado e costurava as peças. Do contrário, mandava nosso motorista comprar materiais e suprimentos. Nunca foi fácil fazer nosso confuso motorista, que passara quase toda a vida em uma pequena aldeia no Iêmen, compreender a importância dos pesos e das cores específicas dos tecidos femininos. Hoje, sorrio quando penso naquelas conversas tortuosas, apesar de não ter sido engraçado na época.

Mas assim era a vida na Arábia Saudita; nós, mulheres, passávamos a maior parte do tempo reclusas. Eu raramente me frustrava, mas de vez em quando sentia que meus nervos se desgastavam e que eu precisava de um cenário diferente. Quando isso acontecia, tia Allia se oferecia para me acompanhar em um raro passeio a um estabelecimento comercial para escolher um suprimento de tecidos bonitos.

As saídas tinham as próprias frustrações. Eu lia com frequência avisos nas vitrines e nas portas das lojas de tecidos e roupas femininas dizendo que mulheres eram proibidas de entrar. A maioria das lojas de proprietários sauditas era gerenciada por homens de outros países, como o Paquistão, a Índia ou outros territórios árabes. Mesmo que pudessem entrar na loja, a maioria das mulheres muçulmanas não se sentia confortável para conversar com um homem que não fosse de sua família.

Apesar de tais obstáculos, às vezes eu tinha sucesso e minha recompensa era um vestido adorável que poderia usar para meu marido ou exibir em uma das funções familiares femininas. Em outras ocasiões, eu era obrigada a jogar o vestido e o padrão na lata de lixo.

Eu ainda pintava telas, mas menos do que antes.

Eu ainda lia, mas devido ao objetivo de me tornar mais conhecedora de minha fé, lia principalmente ensinamentos religiosos.

Meus hobbies me mantinham ocupada, apesar de eu ficar sozinha por boa parte do dia. Muitas vezes, quando chegava o meio da tarde, eu já estava exausta precisando tirar um longo cochilo. Treinei a mim mesma para acordar com bastante tempo para cuidar de minha aparência antes que meu marido voltasse para casa à noite.

Quando Osama retornava, discutíamos com leveza o dia e depois jantávamos. Às vezes, comíamos a sós, mas era mais comum que jantássemos com tia Allia e sua família, o que era muito agradável. Obviamente, interrompíamos as conversas sociais para todas as orações obrigatórias, com os homens partindo para a mesquita e as mulheres orando em casa.

Depois de passar algum tempo com a família, meu marido costumava se juntar a outros homens para discutir apaixonadamente assuntos políticos ou religiosos. Na Arábia Saudita, é comum que os homens passem as noites com os amigos, em vez de ficarem com as esposas e familiares. Os homens reuniam-se em casas diferentes, dependendo do dia da semana, nas quais tinham um quarto especial só para eles. Bebiam chá ou café e alguns fumavam cigarros e desfrutavam da camaradagem dos colegas.

Assim como todas as mulheres na Arábia Saudita, eu jamais participava dessas reuniões, ficando com as mulheres da casa. Quando meu marido retornava, tarde da noite, todos se retiravam.

Para mim, o melhor momento era a hora de dormir.

Depois de cerca de um ano morando em Jidá, eu tinha amigas que conhecera por intermédio de tia Allia. Nós visitávamos as casas umas das outras e, às vezes, discutíamos sobre os maridos e as sogras. Eu era uma das poucas noivas jovens que não tinham reclamações em relação ao marido, ao casamento ou à sogra.

Uma das muitas bênçãos em minha vida era morarmos perto de Meca, a Abençoada, a cidade mais sagrada dos muçulmanos, que ficava a cerca de apenas 80 quilômetros de meu novo lar. Eu tinha muito afeto por Jidá, mas Meca era a cidade que eu mais amava.

Nosso profeta Maomé nasceu em Meca e a mesquita mais sagrada do Islã, a Grande Mesquita, é o coração da cidade. Por causa disso, muçulmanos de todas as partes do mundo passam longas horas sonhando com o dia em que seus olhos felizes verão a cidade sagrada e seus pés tocarão o solo de areia.

Osama estava ansioso para me levar até lá logo assim que cheguei em Jidá — pelos motivos óbvios, mas também porque se orgulhava de que os governantes do reino tivessem escolhido sua família para manter as mesquitas sagradas de Meca e Medina, a maior honraria para um muçulmano.

Lembro-me da grande excitação que senti na curta viagem de carro até Meca. O trajeto leva apenas uma hora, e ainda menos com Osama no volante. Meca fica 300 metros acima do nível do mar, de modo que a estrada eleva-se gradualmente até essa altitude. Nada havia me preparado para as sensações que me tomaram no momento em que a cidade surgiu diante de nós e me deparei com a vista que todos os muçulmanos anseiam por ver.

Pouco depois, meus pés tocaram o chão. Em um torpor de sonho, caminhei rumo à Grande Mesquita. Para meu desespero, logo me distraí.

Apesar de não ser uma exigência que se vista o véu na mesquita sagrada de Meca, o fiz em deferência aos desejos de Osama.

Eu ainda não me acostumara a usar o véu. Apesar de as mulheres sauditas acostumadas com a *abaya* parecerem esbeltas e elegantes, aquelas para quem o véu e a capa são algo novo não são tão graciosas. O véu do rosto permanece no lugar por grampos de cabelo, enquanto a abaya é mantida fechada com a mão direita, exigindo muita coordenação de quem os veste. Na minha inexperiência, recordo-me de ter ficado preocupada por talvez expor por acidente meu rosto ou minhas roupas por baixo da capa. Primeiro, ajustei o véu sob o lenço em minha cabeça e depois agarrei com firmeza as bordas da capa com a mão direita. Enquanto caminhava pela área da gigantesca mesquita, rezava para que não fizesse nada que chamasse a atenção e, assim, me humilhasse diante dos outros adoradores.

Eu estava certa de que parecia uma tola, agarrando-me à minha vestimenta e dando cada passo com muita cautela. De repente, naquele lugar tão sagrado, uma imagem cômica e nada bem-vinda surgiu em minha mente. Lembrei-me de uma história que lera quando criança sobre um grande pássaro preto que é enganado e deixa um pedaço de queijo cair de sua boca. Aquela fábula infantil girava em minha cabeça como se um botão tivesse sido apertado. Desesperada por saborear aquele momento sagrado, eu não conseguia tirar a fábula de meus pensamentos:

Era uma vez um grande corvo preto sentado no topo das árvores.
Em seu bico, tinha um bom queijo redondo.
Apareceu uma raposa, inteligente como elas costumam ser,
"Mmmmm", ela pensou. "Eu gostaria de dar uma mordida naquele queijo."
"Ó, corvo", gritou a raposa, "se sua voz tem metade da beleza das
magníficas penas que vejo, seria um prazer para meus ouvidos se
você cantasse uma breve melodia".
Bem, o corvo jamais ouvira alguém dizer algo tão gentil.
Assim, ele abriu o bico e começou a grasnar e a cantar.
E lá se foi o queijo, caindo diretamente na boca da raposa.
"Oh, não! Você pegou meu queijo", grasnou o corvo.
Enquanto isso, a raposa lambia os beiços.
"Você ficou com os elogios e eu fiquei com o queijo!
É uma troca justa!"

Será que minha falta de graça tornara-me tão chamativa quanto o grande corvo preto? A ideia despertou temores, seguidos por risos. Lutei contra meus pensamentos secretos até que o impacto emocional da mesquita e minha proximidade de Deus me ajudassem a acalmar a mente e a apagar a imagem bizarra. Segui com esforço, nada graciosa em meio a todas as mulheres sauditas que deslizavam com a elegância de patinadores no gelo.

Quando encontrei o local delegado às mulheres fiéis, o pássaro preto voou. Jamais revelei meus pensamentos indelicados ao meu marido, que teria ficado com raiva diante de tal irreverência. Me humilhei enquanto me ajoelhava para orar com o coração para Deus, sabendo que Ele me perdoaria por meus pecados, tanto os grandes quanto os pequenos. Tal maravilhamento encheu minha alma de modo que de meus olhos transbordaram grandes lágrimas que escorreram pelas minhas bochechas.

Um ano depois do casamento, meu corpo começou a ficar estranho. Confidenciei-me com tia Allia, que me disse que todos os sinais deixavam claro que eu estava grávida.

Estar grávida causou a sensação mais adorável que eu já tivera. Osama ficou muito feliz com a notícia, e, como todos os homens sauditas, expressou o desejo sincero de que nosso primeiro filho fosse homem. Um menino como primeiro filho seria bom, pensei comigo mesma, mas eu sempre quisera uma filha pequena para poder cobri-la com vestidos de babados e fazer tranças em seu cabelo longo. Mas, na verdade, como a maioria das mães, não desejava nada além de que Deus me desse um bebê saudável.

Todos estavam mais do que felizes com o evento futuro. Meu marido e sua família foram solícitos em relação à minha saúde e a meu estado mental durante todos os nove meses, de modo que fui uma grávida mimada. Não havia nada de que eu precisasse que não me fosse dado. Agradeci a Deus por não sofrer durante os meses que antecederam o nascimento de meu primeiro filho. Meus pais foram informados e também ficaram satisfeitos, mas entristecidos porque não estariam com a filha durante a feliz ocasião.

Depois de uma gravidez tão descomplicada, fiquei surpresa com o grau de dificuldade e dor do parto. Não fui ao hospital, fui atendida em casa por uma parteira bem-treinada. O nascimento foi tão aflitivo para mim que meu marido ansioso anunciou: "A partir de agora, Najwa será levada a um hospital para o nascimento de nossos filhos."

Jamais fiquei tão feliz ao ver um rosto quanto quando vi o de nosso primeiro filho. Era um bebê saudável, graças a Deus por essa bênção. Demos o nome de Abdullah ao nosso pequeno filho e estávamos felizes de tê-lo conosco. Esse nascimento foi há muito tempo, em 1976, mas lembro-me de que havia alguns problemas na hora de alimentá-lo. Eu era uma mãe jovem e inexperiente, e não tinha respostas para todas as perguntas. Felizmente, tudo foi resolvido com o tempo e Abdullah cresceu e se tornou uma criança saudável.

Depois do nascimento de Abdullah, Osama contratou uma segunda empregada etíope, Naeemah. Que dias felizes foram aqueles! Éramos um casal jovem sem as preocupações costumeiras de tantos recém-casados. Tínhamos nosso filho saudável, desfrutávamos de estreitas relações com nossos pais e tínhamos dinheiro suficiente para nossas necessidades. Éramos abençoados.

Como eu gostaria de poder ter ficado para sempre naquele lugar feliz.

Estávamos tão ocupados com nossa jovem família, e meu marido estava tão envolvido com o trabalho e com os estudos, que o tempo passou rapidamente como um vento forte. Tudo parecia igual para meu coração e minha mente, mas mesmo assim tudo estava mudando.

Um ano depois de nascer, Abdullah era um bebê precoce que já andava, e eu estava novamente grávida. Em 1978, ano em que deixei de ser adolescente e completei 20 anos, fomos abençoados com um segundo filho, Abdul Rahman.

No começo de 1979, voltei a engravidar, sentindo que dessa vez, com certeza, Deus me abençoaria com uma filha. Muitas mulheres sauditas me invejavam, pois filhos homens são muito valorizados em minha cultura. Ainda assim, secretamente, eu sonhava com uma menina.

Meu marido, prestes a completar 22 anos, cursava a Universidade Rei Abdul Aziz. Ele estudava principalmente economia e administração, apesar de ter um interesse especial pelas aulas de religião. Meu marido também dedicava tempo ao trabalho de caridade, que é muito importante para um fiel verdadeiro.

Apesar de jamais ter me envolvido com a vida pública, entreouvi várias conversas sobre os eventos que estavam moldando o mundo. Ouvi algo sobre os problemas no Irã, uma nação muçulmana próxima à Arábia

Saudita, onde cidadãos estavam insatisfeitos com o Xá e reividicavam um governo religioso no lugar dele. Em janeiro de 1979, como era de se esperar, o Xá e sua família foram obrigados a fugir, abrindo caminho para um clérigo muçulmano chamado Khomeini governar aquele grande país.

À medida que meu marido envelheceu e aprimorou sua instrução, percebi que uma consciência nova e mais abrangente do mundo exterior começou a ocupar sua mente. Ocasionalmente, ele comentava sobre sua decepção com a política no mundo, particularmente com o fato de o Islã não ser muito respeitado. Ninguém em nossa família ficou ressentido com a nova consciência política nem com religiosidade de Osama. Ele era muito elogiado pelo interesse profundo em apoiar o Islã.

Certa noite, Osama chegou em casa e anunciou uma surpresa: "Najwa, vamos viajar para os Estados Unidos. Nossos filhos irão conosco."

Para dizer a verdade, fiquei chocada, pois seria a primeira vez que acompanharia Osama em uma viagem. Na época, Abdullah começara a andar e Abdul Rahman ainda era um bebê de colo, com menos de um ano. Grávida e ocupada com dois bebês, recordo de poucos detalhes da viagem, exceto que passamos por Londres antes de voarmos para um lugar sobre o qual jamais ouvira falar, um estado norte-americano chamado Indiana. Osama me disse que se encontraria com um homem chamado Abdullah Azzam. Como os negócios de meu marido não me diziam respeito, não fiz perguntas.

Eu estava preocupada com Abdul Rahman porque ele ficara bastante doente durante a viagem e estava com febre alta. Osama providenciou para que fôssemos a um médico em Indianápolis. Relaxei depois que um gentil médico nos assegurou que ele logo ficaria bem.

Quando as pessoas fazem a inusitada descoberta de que visitei os Estados Unidos, às vezes perguntam qual é minha opinião a respeito do país e de seu povo. É algo surpreendentemente difícil de responder. Ficamos lá por apenas duas semanas e Osama passou uma delas em Los Angeles, onde encontraria alguns homens. Os meninos ficaram comigo na companhia de uma amiga cujo nome prefiro não revelar em prol da privacidade e da segurança dela.

Minha amiga era gentil e me guiou em pequenos passeios para fora de sua casa, pois eu jamais teria me aventurado sozinha. Chegamos a visitar um grande shopping center em Indianápolis.

Fiquei supresa ao ver que a paisagem era tão plana e, em muitos aspectos, tão diferente da Arábia Saudita. Quanto às pessoas, pelo que experimentei no breve passeio, passei a acreditar que os americanos eram gentis e agradáveis, pessoas fáceis de se lidar. Quanto ao país em si, meu marido e eu não odiávamos a América, porém tampouco a amávamos.

Houve um incidente que me lembrou de que alguns americanos não têm consciência de outras culturas. Quando chegou a hora de deixarmos a América, Osama, eu e os dois meninos esperávamos pela partida de nosso voo no aeroporto. Eu estava sentada quieta em minha cadeira, relaxando e grata por nossos filhos estarem tranquilos.

De repente, meus instintos me avisaram para olhar ao redor. E, como era de se esperar, vi um homem americano olhando para mim descaradamente. Sem perguntar, eu sabia que essa atenção nada bem-vinda fora atraída pela minha vestimenta saudita preta, composta por um véu para o rosto, um lenço sobre a cabeça e a abaya. Aquele homem curioso já devia estar exausto de andar de um lado para o outro diante de mim.

Ele mal poderia saber que, sob o véu, meus olhos também estavam fixos nele. Aquele homem engraçado, com sapatos que iam de um lado para o outro, aproximava-se de mim a cada passo. Com o queixo caído em surpresa e com olhos curiosos arregalados como grandes besouros saltando de seu crânio, ele efetivamente parou para encarar meu rosto coberto pelo véu. Obviamente, não reagi, apesar de o homem ter gastado tempo suficiente para me olhar de todos os ângulos possíveis.

Perguntei-me o que meu marido estaria pensando. Dei um único olhar para Osama e vi que ele estava estudando atentamente o homem curioso. Eu sabia que meu marido jamais permitiria que ele se aproximasse de mim, de modo que não estava preocupada com o que poderia acontecer.

Depois, quando meu marido e eu falamos sobre o incidente, estávamos mais impressionados do que ofendidos. O homem nos rendeu umas boas risadas, pois estava claro que não tinha nenhum conhecimento sobre mulheres cobertas, ou de que a mulher muçulmana sob a capa cobria o rosto e o corpo porque queria.

Retornamos à Arábia Saudita ilesos.

Felizmente, a saúde de Abdul Rahman melhorou e o período em torno do nascimento de meu terceiro filho foi tranquilo. Sa'ad chegou para nós como um bebê sorridente. Obviamente, Osama recebeu muitas congratulações por ser pai de três filhos homens consecutivos.

Outros eventos dramáticos ocorreram em 1979, trazendo muitas preocupações para os muçulmanos. Apesar disso, para dizer a verdade, eu estava tão ocupada com três bebês que percebia pouco do mundo além de minhas quatro paredes.

Um evento importante afetou adversamente minha própria família, incluindo as vidas dos meus filhos que ainda estavam por nascer. Em dezembro de 1979, a União Soviética invadiu o Afeganistão e iniciou uma ocupação brutal contra nossos irmãos muçulmanos. Muitos sauditas e muçulmanos de outras terras ficaram angustiados com o ataque, mas meu marido parecia mais agitado do que a maioria. Ele procurava constantemente por notícias sobre o que estava acontecendo no Afeganistão, fossem de fontes muçulmanas ou da mídia jornalística internacional. Quanto mais sabia, mais ficava ansioso.

Eu não tinha ideia do que poderia estar acontecendo naquela terra distante, mas, o que quer que fosse, meu marido foi profundamente afetado. Quando consegui reunir coragem para pressioná-lo por informações, Osama disse simplesmente que um grande mal havia tomado conta de uma terra muçulmana. Ele ficava irritado, de uma forma que eu jamais tinha visto, no que dizia respeito a mulheres e crianças muçulmanas inocentes sendo presas e torturadas até a morte.

Os relatos a que ele teve acesso mas se recusava a compartilhar deviam ser terríveis, pois parecia que o coração de meu marido havia sido carbonizado.

Nessa época, Osama era um adulto em todos os aspectos, e suas reações foram as de um homem que sabia o que deveria fazer. Ele estava na linha de frente da campanha saudita para oferecer assistência aos nossos irmãos castigados no Afeganistão. No começo, sua movimentada campanha enfatizava a arrecadação de dinheiro para apoiar os líderes tribais no Afeganistão que estavam travando uma guerra sem precedentes contra o invasor. Houve arrecadações de dinheiro bem-sucedidas nas mesquitas e também dentro da unidade familiar dos Bin Laden, pois tratava-se de uma família muito generosa. Todos queriam contribuir, mas poucos se esforçaram mais do que Osama para angariar fundos em prol das vítimas no Afeganistão.

Em pouco tempo, a guerra no Afeganistão começou a tomar conta da vida de meu marido.

Osama fez planos para viajar ao Paquistão, um país vizinho ao Afeganistão onde muitos muçulmanos estavam se reunindo. Meu marido disse que levaria os fundos de caridade que arrecadara e compraria alimentos, suprimentos médicos e armas. Assim que chegou ao Paquistão, providenciou caminhões e motoristas para entregar os suprimentos aos combatentes afegãos.

Antes de partir, Osama surpreendeu-me ao comprar um grande prédio com 12 apartamentos, em Jidá, não muito longe da casa de sua mãe, dizendo que seria nossa nova casa. Meus sentimentos se misturavam; eu estava feliz porque nossa família em crescimento precisava de espaço, mas também fiquei triste porque me acostumara com a companhia da mãe de Osama e de sua família e amava a todos.

Osama levou-me para ver nosso novo prédio, localizado na Vila Azazia 8, perto da rua Macarona. O prédio era belamente construído com pedras de cor clara. Fiquei muito impressionada com o tamanho do lugar, pensando comigo mesma que eu jamais poderia ter bebês suficientes para ocupar todo aquele prédio gigantesco.

Quando entramos, vi que o apartamento tinha muitos quartos comuns decorados de modo simples com tapetes persas tradicionais e almofadas no estilo árabe encostadas nas paredes. Eu sempre sonhara que nossa casa seria adornada com tapeçarias, móveis e decorações especiais, mas quem sabia quando Osama voltaria do Paquistão? Para mim, seria impossível circular pela cidade sozinha para comprar móveis novos.

Pouco depois do passeio, Osama tomou providências para que nossa família se mudasse para o novo prédio e deixou Jidá rumo ao Paquistão.

Apesar de meu marido jamais ter deixado de ser um parceiro gentil, eu podia ver que sua mente estava sobrecarregada de assuntos não relacionados ao nosso lar ou aos filhos. Sempre ofereci apoio, e eu desejava que ele obtivesse sucesso no campo de batalha por dois motivos: primeiro, para que os afegãos pudessem viver sem perigo e reconstruir sua nação destruída. Segundo, para que meu marido e pai dos meus filhos voltasse para casa a fim de poder retornar à vida que um dia conhecemos.

E então me vi sozinha com três bebês.

Felizmente, eu não tinha consciência de que jamais voltaríamos a levar uma vida normal. A partir daquele momento, Osama passou a ficar a maior parte do tempo fora da Arábia Saudita. Aquele prédio enorme jamais se tornou o lar elegante que eu vislumbrara ao longo dos primeiros anos de casamento.

Mesmo com empregadas para me ajudar com os três meninos e com um motorista responsável pela compra de suprimentos, minha vida parecia uma roleta girando muito rapidamente. Eu não queria perder um instante sequer do período no qual meus filhos ainda fossem bebês, e assim eu ficava cansada com frequência. Para aumentar minha exaustão, em julho de 1980 descobri que estava grávida novamente.

O quarto filho que carreguei chutava com tanto entusiasmo que eu sofria de dentro para fora. Certamente, depois de três filhos, chegara a hora de ter uma graciosa filha. No entanto, era difícil imaginar que o bebê dentro de mim que transbordava energia em abundância fosse uma menina delicada. Provavelmente, o filho seria homem!

Felizmente, Osama foi cuidadoso ao marcar a data de retorno do Paquistão para março de 1981, a fim de estar ao meu lado quando chegasse a hora de dar à luz. Quando eu lhe disse que precisava ir ao hospital, ele ficou tão empolgado quanto ficara com os três primeiros filhos. Meu marido era um homem com uma missão. Osama me colocou em seu carro e foi a toda velocidade para o hospital Bukshan, dirigindo tão rapidamente pelos bairros de Jidá que os prédios familiares se tornaram um borrão.

Apesar da intensidade das dores de parto que traziam sofrimento ao meu corpo, eu me sentia a mulher mais afortunada do mundo.

Uma nota sobre as atividades políticas de Osama bin Laden

JEAN SASSON

Logo que se casou, Najwa mudou-se para a Arábia Saudita e começou a ter filhos; Osama bin Laden concluiu o ensino médio na Escola Modelo Al-Thager, em Jidá, e se matriculou em 1976 na Universidade Rei Abdul Aziz, na mesma cidade, onde estudou economia e administração. Najwa diz que, apesar de relatos que alegam o contrário, Osama nunca se formou, tendo abandonado a faculdade três ou quatro anos depois de se matricular, poucos períodos antes da formatura. Seu despertar pessoal o estimulara a ingressar no movimento político que varria todo o Oriente Médio.

Na verdade, ao longo dos anos de formação escolar de Osama, o Oriente Médio muçulmano passou por um despertar islâmico, chamado de Salwa. As origens da Salwa podem ser rastreadas até a guerra de 1967 contra Israel, quando o Egito, a Jordânia e a Síria sofreram uma derrota militar desmoralizante. Foi nesse período que milhares de homens árabes jovens começaram a questionar seus líderes e os problemas internos de seus países, assim como as perdas sofridas para Israel. O despertar islâmico ganhou força quando muitos jovens árabes começaram a exigir mudanças.

Apesar de Osama não ter se manifestado politicamente durante esses anos, a paixão dele pelo Jihad, a guerra sagrada, já estava se formando. Nesse período, Osama conheceu seu primeiro mentor, o ativista palestino, escritor e professor Abdullah Azzam, que o inspirou a dedicar a vida a algo que não fosse aumentar a fortuna dos Bin Laden.

Abdullah Azzam nasceu em 1941 em Hartiyeh, na Palestina, ano em que os ingleses estavam ocupando o país. Ele foi à escola em sua aldeia natal antes de estudar na Faculdade Khadorri. Então, trabalhou como professor na Jordânia, antes de obter o bacharelado em Damasco. Quando os israelenses ocuparam a Cisjordânia, após vitória pela Guerra dos Seis Dias, em 1967, Abdullah fugiu para a Jordânia, onde ingressou na Irmandade Muçulmana Palestina.

Na Jordânia, Abdullah Azzam tornou-se membro da coalizão de resistência palestina, mas ficou desdenhoso dos governantes árabes da época, acreditando que eles estavam muito confortáveis preservando o status quo. Abdullah Azzam foi irredutível ao defender que o mapa do Oriente Médio traçado pela Grã-Bretanha e pela França depois da Primeira Guerra Mundial fosse redesenhado pelos árabes.

Então, em 1978, problemas que passavam a ferver lentamente no Afeganistão se tornaram um incêndio. Depois de imporem uma influência maior na região, os soviéticos apoiaram um golpe no país em questão para instalar um governo estritamente comunista. Um segundo golpe derrubou o governo fantoche comunista e o presidente afegão foi assassinado junto com a maioria dos membros de sua família. Um presidente apoiado pela Rússia foi colocado no poder. Tanques e tropas soviéticas tomaram totalmente o Afeganistão em dezembro de 1979.

Quase imediatamente, guerrilhas muçulmanas lançaram um Jihad contra os ateus russos. Os Estados Unidos, a Grã-Bretanha e algumas nações muçulmanas apoiaram as guerrilhas. Os soviéticos foram surpreendidos pela resistência pesada e, em pouco tempo, sofreram perdas consideráveis.

Atiçado pela mensagem política de Abdullah Azzam, Osama estava mentalmente pronto para reagir à invasão soviética no Afeganistão. Pouco depois, abandonou a faculdade para dedicar seu tempo a trabalhar em prol dos combatentes da resistência afegã, conhecidos como os mujahidin. Abdullah Azzam era parceiro de Osama, e os dois se encontraram em Peshawar, na fronteira do Paquistão com o Afeganistão, trabalhando em conjunto para organizar um método de entrega de alimentos, suprimentos médicos e armas aos mujahidin.

Capítulo 3

Mãe de muitos filhos

NAJWA BIN LADEN

Logo descobri que meu quarto filho também seria um menino. Apesar de ter sentido uma pontada de decepção quando o médico não anunciou o nascimento de uma filha, todos ao meu redor estavam tão felizes que meu rosto enrubesceu de prazer. Lembrei a mim mesma que são muitas as mulheres na Arábia Saudita cujas preces sinceras por filhos homens não são atendidas.

Meninos são tão preferidos na Arábia Saudita que uma mulher que só dá à luz filhos homens é considerada abençoada pela mão de Deus. Agora que eu tinha quatro filhos, percebia muitos rostos invejosos.

Meu marido e eu demos ao nosso quarto filho o nome de Omar Osama bin Laden. Desde o primeiro instante em que olhei nos olhos expressivos do bebê, admito ter sentido uma ternura especial. Apesar de ter amado todos os meus filhos com todo o coração, algo em Omar atingiu meu âmago. Talvez tenha sido por isso que eu amamentei por mais tempo do que a meus outros filhos.

Meu marido ficou profundamente satisfeito; repetiu mais de uma vez que o nascimento de nossos filhos estavam nas mãos de Deus e que Omar fora enviado por Ele, mais uma bênção para nossa família, que continuava a crescer.

Pouco depois, meu marido fez outra viagem ao Paquistão para apoiar nossos irmãos muçulmanos no Afeganistão. Algumas das viagens duravam mais de um mês, o que acarretou em mais tempo para eu me entreter com o pequeno Omar. Um dia, percebi que o cabelo louro do menino estava crescendo. Sem pensar, comecei a fazer tranças e a arrumá-lo em vários estilos chiques, alguns dos quais lembrando as tranças que eu vira amarradas nas caudas de alguns dos cavalos de meu marido.

Omar era um bebê tão extraordinariamente bonito que meus impulsos me levaram além dos penteados. Vi-me desenhando e costurando pequenos vestidos de menina, usando o menino como modelo para as roupas. Parecia algo natural deixá-lo com aquelas roupinhas doces, afinal de contas, ele era apenas um bebezinho que não tinha ideia do que vestia. Em pouco tempo, comecei a vesti-lo apenas com roupas de menina. O rosa era a melhor cor para ele porque o tom contrastava muito com sua pele, lisa e macia como veludo.

Como me divertia com aquele bebê precioso! Era estimulada quando minhas amigas disseram que Omar ficava mais belo a cada dia. Ninguém ao meu redor fez críticas, de modo que não percebi as consequências de minhas ações até meu marido voltar para casa. Assim que viu Omar, no quarto, meu marido reparou seu cabelo comprido e suas roupas femininas. Meu estômago contorceu-se de nervosismo enquanto eu observava Osama para ver o que ele diria ou faria.

Inicialmente, via-se no rosto de meu marido uma expressão perplexa; ele se agachou no chão e tocou com os dedos magros os cachos de Omar vestido com roupa de menina. Ele olhou para Omar, depois para mim e voltou a olhar para nosso filho. Osama, com os dedos compridos deslizando pelo belo vestido que nosso filho vestia, anunciou calmamente: "Omar, o vestido que você está usando é para meninas. Você é um menino." Ele acariciou levemente o cabelo de Omar com a mão. "Este penteado é para meninas. Você é um menino."

Meu coração afundou de angústia, pois jamais busquei o desprazer de meu marido. Na verdade, eu era conhecida como a mais obediente das esposas.

Finalmente, meu marido levantou o olhar para mim. Ele não gritou. Na verdade, falou com ainda mais delicadeza do que de costume, com a voz suave como seda: "Najwa, Omar é um menino. Vista-o com roupas de menino. Corte esses cabelos compridos."

Concordei em silêncio e fiz o que Osama mandara, só que temporariamente.

Minha fantasia divertida havia chegado ao fim, mas apenas quando meu marido estava em casa. Eu ainda me sentia travessa por dentro, pelo menos no que dizia respeito àquela questão. Assim que Osama retornou ao Paquistão, minha rebeldia emergiu novamente. Eu era seduzida tão facilmente pela beleza de Omar que, instintivamente, voltei a vesti-lo com os trajes femininos. Minha pequena alegria perdurou até certa tarde, quando meu marido entrou inesperadamente em casa, e fui pega admirando um belo vestido rosa em Omar, cujo cabelo tremulava em cachos.

Osama não disse nada; ficou de pé, olhando com uma expressão que me dizia que, a partir daquele momento, eu não deveria provocar o destino. Assim, abri mão de meu pequeno pecado, fazendo novamente um corte masculino no cabelo de Omar e dobrando em silêncio os pequenos vestidos. Mas a esperança de que um dia uma filha agraciasse nosso lar para vestir aqueles vestidos preciosos permaneceu viva.

Apesar de ter havido muitas ocasiões felizes, aquele período também foi repleto de preocupações. Depois do nascimento de Omar, meu marido começou a passar muitas semanas no Paquistão. Quando acidentalmente entreouvi Osama dizer a outros membros da família que algumas de suas viagens agora incluíam o Afeganistão, me senti mal em pensar que o pai de meus filhos estaria correndo perigo. Mas não ousei reclamar, pois meu marido deixara bastante claro que não cabia a mim comentar nada relativo ao que acontecia fora de casa.

Não tínhamos televisão, pois meu marido acreditava que a família não deveria ser corrompida pelas imagens, mas descobri por meio de conversas com amigas e com outros membros de meu círculo limitado que Osama se tornara um conhecido herói saudita. Ouvi bobagens como as que diziam que muitas pessoas queriam respirar o mesmo ar que Osama respirava.

Apesar de não ter sido surpresa que ele e os irmãos da grande família Bin Laden dessem muito dinheiro para ajudar a causa, pois os devotos são bastante conhecidos por serem generosos em relação a instituições de caridade muçulmanas, todos ficaram impressionados por saber que um filho rico de Bin Laden efetivamente corria o risco de morrer ou de ser ferido nas frentes de combate.

Sem saber os detalhes da vida política ou militar de meu marido, eu tinha um forte sentimento de que havia perigo nos ares do Afeganistão. Todos os dias, eu rezava para que Deus o mantivesse em segurança para mim. Eu soube que minhas preocupações não eram infundadas quando ele retornou a Jidá com cicatrizes vermelhas e inchadas por todo o corpo.

Meus próprios olhos me diziam que Osama continuava envolvido em missões perigosas, pois ele fora ferido mais de uma vez.

Também fiquei preocupada quando Osama confessou que aprendera a pilotar um helicóptero. Depois de observar minha expressão angustiada por alguns dias, meu marido pegou uma grande vara arredondada e a colocou em minhas mãos.

"Agora, Najwa", ele instruiu, "segure confortavelmente a vara com as duas mãos, desse jeito, e movimente-a de um lado para o outro enquanto caminha pelo quarto."

Fiz o que meu marido mandou.

"Você achou difícil fazer isso?"

"Não", admiti.

"Então não se preocupe com minha segurança. Pilotar um helicóptero é tão fácil quanto mover a vara."

Noutra ocasião, quando fiz algumas perguntas, Osama ordenou: "Najwa, pare de pensar."

E foi o que aconteceu! Depois disso, tentei evitar pensar sobre o que Osama estaria fazendo quando não estava ao meu lado.

Mas, um dia, quando estava especialmente de bom humor, Osama me contou uma pequena história que achava interessante. Feliz por ele finalmente compartilhar comigo algo de suas aventuras, sentei a seus pés de modo tão solene quanto uma criança hipnotizada, tão envolvida na história que me senti como uma participante da aventura.

"Certa noite, partimos em uma missão especialmente perigosa no interior do Afeganistão, perto da fronteira com o Paquistão. O terreno naquela região montanhosa é tão acidentado que só era possível seguir a cavalo. Havia uma batalha em andamento e nossos homens precisavam de armamentos. Nossa missão era entregar armas aos nossos soldados o quanto antes, de modo que precisamos viajar por uma rota excepcionalmente perigosa. Nossa fila de cavalos estava tão próxima dos soldados russos que seríamos vistos caso eles levantassem os olhos para observar o perímetro de seu campo. Sabíamos que precisávamos atravessar a área inimiga tão silenciosamente quanto uma pena caindo do céu.

"Mas havia uma preocupação especial. Um de nossos soldados estava em um cavalo barulhento que emitia sons com a boca. Como aquele bicho gostava de gemer. Meus homens e eu discutimos formas de manter o animal barulhento quieto. Finalmente, meu amigo mais próximo na missão teve uma ideia inteligente. Ele tirou de sua bolsa um pequeno saco feito de fibras de coco. Ele acenou para mim, com um contido sorriso irônico estampado no rosto, balançando aquele saco áspero. Eu não tinha ideia de como ele achava que poderia resolver o problema, mas descobri quando ele se inclinou para a frente, equilibrando-se a fim de se aproximar do rosto do pequeno cavalo. Quando o cavalo ruidoso voltou a abrir a boca, meu amigo enfiou o saco dentro dela. Sentindo a pressão do saco, o cavalo assustado fechou a boca rapidamente.

"Sempre que o cavalo pensava em abrir a boca para falar, o saco era enfiado nela. Precisei me forçar a olhar para outra direção, do contrário teria caído em gargalhadas, revelando nossa posição ao inimigo."

Meu marido, que era a pessoa mais séria que já tinha conhecido, raramente expressava até mesmo o divertimento mais casual. Contudo, repentinamente ele riu ao lembrar dessa história. Também ri, imaginando a expressão de surpresa no pequeno rosto do cavalo tagarela.

Em outras ocasiões, escutei com atenção Osama falar com os filhos mais velhos sobre sua vida militar. Não me recordo da data e tampouco das idades de nossos filhos na época, mas lembro de certa vez, quando meu marido estava em casa havia várias semanas, tendo passado tempo suficiente para que a tensão em sua mente e em seu corpo não fosse mais tão aguda. Ele estava sentado segurando uma xícara de chá e chamou nossos filhos mais velhos para a sala de estar, convidando-os com uma das mãos a se sentarem. Sabendo que a maioria dos garotos pequenos sonha em se tornar soldado, ele decidira compartilhar algo de sua vida com eles.

Os garotos pareciam um pouco nervosos. Normalmente, Osama estava ocupado demais para dedicar tempo a eles, de modo que ficaram preocupados com o motivo pelo qual haviam sido chamados, temendo terem cometido algum ato desobediente e estarem prestes a ser punidos.

Apesar de ser impróprio para mim ficar sentada em um círculo de homens, mesmo que este fosse formado por meu marido e meus filhos, permaneci na sala, ocupando-me com uma coisa ou outra para que pudesse entreouvir a conversa.

Meu marido estava com um bom humor raro, entretendo os garotos com sua história: "Um dia, estávamos em combate quando, do nada, surgiu um helicóptero russo. Era difícil escapar sem ferimentos quando algo assim acontecia no campo de batalha.

"Naquela noite, estávamos em uma região específica do Afeganistão na qual havia uma área plana extensa, a partir de onde o terreno ganhava altitude até alcançar algumas cavernas nas montanhas. Eu estava dentro de uma delas quando ouvi o helicóptero se aproximar. Fui até a entrada da caverna para observar nossos soldados expostos. Estando em uma área aberta, sem tempo para procurar abrigo, eu sabia que havia pouco que pudéssemos fazer para salvá-los. Eu estava destinado a ficar ali e a observar um massacre, ou era isso que eu pensava que aconteceria.

"Meu coração batia muito forte enquanto eu observava meus solda-dos se espalharem. Quando o atirador do helicóptero iniciou os disparos contra meus homens, estes começaram a atirar de um lado para o outro. Alguns começaram a correr de costas, e depois de frente. Fiquei satisfeito ao ver que lembraram do treinamento no qual foram instruídos a permanece-rem como alvos móveis. Com aqueles movimentos rápidos e imprevisíveis, nossos soldados corajosos não facilitavam a mira do atirador russo."

Olhei para meus filhos jovens. Sendo imaturos, eles sentiam toda ex-citação da história, não o perigo. Seus rostos brilhavam maravilhados en-quanto escutavam o pai falar sobre vida e morte em uma batalha intensa. Suas mentes de garoto imaginavam os soldados ágeis correndo para lá e para cá sob as luzes e os projéteis da máquina mortífera.

Meu marido olhou para nossos filhos, satisfeito com a reação deles à história, e continuou:

"O atirador do helicóptero estava imerso no calor da batalha. Ele es-tava determinado a matar todos os homens no solo. Finalmente, a batalha se intensificou tanto que os projéteis reluziam no ar como se fossem parte de uma tempestade violenta. Muitos dos meus soldados ficaram tão de-sorientados por serem pegos em uma área aberta que pararam de correr. Observei que se ajoelhavam na areia. Por um breve instante, pensei que fossem rezar. Mas, em vez disso, começaram a cavar buracos, freneticamente. Depois, inclinaram-se para a frente a fim de enterrarem as próprias cabeças nos pequenos buracos. Eles me lembravam insetos enterrando-se no solo. Até apalparam a areia em torno de suas cabeças."

Muitos de nossos filhos deixaram escapar uma gargalhada, imaginan-do os soldados com as cabeças enterradas na areia.

Osama continuou a explicação: "A visão estranha de todos aqueles traseiros levantados fez com que o piloto do helicóptero partisse. Possivelmente, ele pensou que os soldados estavam escavando uma nova arma da areia."

Nossos garotos gargalharam ruidosamente, felizes por serem inseridos na vida de aventuras do pai.

Em outra ocasião, meu marido contou mais histórias, sua voz suave mais alta do que de costume. Novamente, escutei em silêncio.

"Vocês, garotos, já me ouviram falar sobre Abdullah Azzam. Ele era o melhor coordenador, organizando reuniões em todo o mundo, arrecadando doações e recrutando muçulmanos para que fossem ao Afeganistão lutar contra os russos. Depois desse processo, Abdullah viajava para a zona de guerra e participava pessoalmente dos combates nas linhas de frente."

De repente, lembrei-me de que Abdullah Azzam era o homem que meu marido encontrara nos Estados Unidos quando visitamos o estado de Indiana. Ele não somente era muito inteligente, como também muito corajoso, segundo meu marido.

"Na última viagem que fiz, eu estava com Abdullah Azzam na linha de frente no Afeganistão. De repente, nossa posição foi atacada por um daqueles temidos helicópteros. Mísseis começaram a voar em todas as direções. Sabíamos que seríamos mortos, a menos que encontrássemos um abrigo.

"De repente, Deus proveu um refúgio! Vi duas aberturas na encosta rochosa de uma montanha. Havia duas cavernas pequenas, muito próximas uma da outra. Abdullah Azzam provavelmente as viu no mesmo instante que eu, pois os nossos pés criaram asas enquanto disparamos pelo campo de batalha. Não sei por que, mas quando entrei correndo em uma das cavernas, Abdullah Azzam correu para a outra. Olhei para trás assim que me abriguei em segurança e vi um míssil atingir perfeitamente a caverna na qual Abdullah Azzam havia entrado. O míssil causou um desabamento de terra e de pedras, que obstruíram completamente a entrada da caverna.

"Corri para o monte de terra e de rochas e comecei a remover o entulho e a cavar a terra. Eu mal abrira uma brecha no monte de pedras quando do o helicóptero retornou, esquentando novamente o ar com explosivos brilhantes. Fui forçado a recuar outra vez, mas com cuidado para manter meus olhos nos entulhos que ocultavam a entrada da caverna. Eventualmente, os disparos cessariam e eu resgataria Abdullah, pelo menos era o que eu achava. Mas Deus tinha outros planos."

Osama olhou para nossos filhos e perguntou: "Vocês sabem o que aconteceu?"

Nossos filhos murmuraram suavemente: "La, la." (Não, não.)

"Vi um milagre. Deus enviou um segundo míssil, que atingiu justamente o ponto de entrada da caverna na qual Abdullah Azzam estava preso; a caverna foi aberta como se tivesse sido escavada por especialistas." Ele abanou a cabeça, recordando. "Abdullah Azzam saiu da fenda feita por Deus tão tranquilamente quanto um homem que sai para um piquenique!"

Meus filhos ficaram impressionados ao pensar nos milagres de Deus.

Alguns dias depois, Osama me informou de que tinha planos que, acreditava, me deixariam feliz. Ele disse que na próxima viagem que fizesse a Peshawar, a cidade no Paquistão que lhe servia de base para reunir suprimentos e para organizar soldados que seguiriam para o Afeganistão, ele encontraria uma casa adequada para nossa família. Ele decidira que, ocasionalmente, quando nossos filhos mais velhos não estivessem em aula, a família iria com ele para Peshawar.

Eu jamais visitara o Paquistão, mas estava ansiosa pela viagem, desejando que o acompanhássemos o quanto antes.

Ao longo dos três últimos anos, a vida de Osama fora parecida com a de um pássaro operário que voa de um poleiro para o outro. De nossa casa na Arábia Saudita, ele ia de avião para Peshawar, no Paquistão, de onde entrava no Afeganistão para fazer contato com as forças árabes em solo. Quando Osama considerava essencial retornar a Jidá para levantar mais recursos para os soldados ou para trabalhar com os irmãos nos negócios dos Bin Laden, ele voltava para nós. Contudo, mesmo nessas vezes, o tempo que passava com a família era extremamente limitado — praticamente todas as horas do dia eram repletas de reuniões importantes sobre a batalha contra os soviéticos ou sobre os negócios de construção.

Fiquei satisfeita ao ouvir que passaríamos algum tempo no Paquistão. Eu estava cansada de permanecer em Jidá enquanto meu marido ficava fora por meses a fio. Além disso, nossos filhos estavam crescendo e precisavam do pai, principalmente o mais novo, Omar, ainda bebê, que parecia sentir mais saudades de Osama do que todos os outros garotos juntos.

Naquela época, Osama e eu estávamos casados havia oito anos. Apesar das tensões relacionadas ao trabalho dele no Afeganistão, de modo geral nosso casamento era ensolarado. Eu estava mais do que satisfeita com meu marido e seu comportamento deixava claro que ele estava igualmente feliz comigo.

Como eu poderia saber que, em pouco tempo, nossa vida de casados mudaria para sempre?

Capítulo 4

Filho de Osama bin Laden

OMAR BIN LADEN

Desde quando pude observar e raciocinar, percebi meu pai principalmente como sendo um homem tranquilo, não importava o que estivesse acontecendo. Ele era assim por acreditar que tudo na vida terrena está nas mãos de Deus. Portanto, é difícil para mim imaginar que ele tenha ficado muito empolgado quando minha mãe lhe disse que chegara a hora de meu nascimento a ponto de, por um momento, não ter conseguido encontrar suas chaves.

Disseram-me que, depois de uma busca frenética, ele colocou minha mãe apressadamente no carro antes de partir a uma velocidade inconsequentemente alta. Por sorte, ele comprara um carro novo havia pouco tempo, o último modelo da Mercedes, porque naquele dia ele testou todas as peças do carro. Disseram-me que o automóvel era dourado, algo tão belo que o imagino como uma carruagem de ouro cruzando rapidamente as avenidas amplas, com palmeiras, de Jidá.

Nasci pouco depois da viagem caótica, tornando-me o quarto filho de meus pais. Eu já tinha três irmãos: Abdullah, Abdul Rahman e Sa'ad.

Minha mãe me lembrava com frequência de que eu fui a gravidez mais penosa que teve, causando um desconforto genuíno com meus chutes incessantes. Ela vira aqueles meses nos quais fui intensamente ativo como um aviso, do mesmo modo que cientistas monitoram um vulcão em atividade. Minha mãe sabia que seu quarto filho teria uma personalidade forte.

Fui apenas um entre muitos integrantes de uma série dessas personalidades na família Bin Laden. Meu pai, apesar de, em muitos aspectos, ter uma natureza tranquila, sempre foi um homem a quem nenhum outro poderia controlar. Meu avô paterno, Mohammed Awad bin Laden, também era bastante famoso pela força de seu caráter. Depois da morte prematura do pai, que deixou uma viúva em luto e quatro crianças pequenas, vovô Bin Laden saiu em busca de fortuna sem a menor pista de onde chegaria. Aos 11 anos, ele era o mais velho.

Como o Iêmen oferecia poucas possibilidades na época, meu avô abandonou corajosamente a única terra e as únicas pessoas que conhecia, levando consigo o irmão mais novo, Abdullah, juntando-se a uma das muitas caravanas de camelos que viajavam pela região.

Depois de percorrer as aldeias empoeiradas e as cidades do Iêmen, eles chegaram ao porto de Aden, de onde navegaram uma distância curta ao longo do Golfo de Aden rumo à Somália, no continente africano. Na Somália, os dois garotos Bin Laden foram empregados por um patrão cruel, conhecido por suas explosões furiosas. Um dia, ele ficou tão irritado com meu avô que bateu na cabeça dele com uma vara pesada.

O ferimento resultou na perda da visão de um olho. Meu avô e meu tio foram obrigados a retornar para a aldeia deles até que o primeiro estivesse recuperado. No ano seguinte, partiram novamente, viajando dessa vez para a direção contrária, rumo ao norte, para a Arábia Saudita. Tenho certeza de que estavam ansiosos para parar em muitos postos fronteiriços, mas nada parecia ter a magia que procuravam. Os dois garotos, jovens e iletrados, ficaram parados somente até que tivessem dinheiro suficiente para aplacar a fome e seguir no que deve ter parecido uma viagem interminável. Algo em Jidá, na Arábia Saudita, atraiu meu avô, porque aquela cidade envolta pelo Mar Vermelho marcou o final da árdua viagem.

Uma vez, ouvi que um homem que não tem um centavo sequer só pode ascender no mundo terreno. Isso certamente foi verdade para meu avô Bin Laden, que era pobre mas cheio de energia e determinação. Ele não tinha vergonha de aceitar qualquer trabalho honesto. Jidá era o lugar ideal para tal comportamento, pois a cidade e o país estavam em plena mudança na economia. No começo da década de 1930, o vigor, a força mental e a atenção para detalhes de meu avô chamaram a atenção de um assistente de Abdul Aziz, primeiro rei da Arábia Saudita, que acabara de vencer muitas guerras tribais e formara um novo país, o reino da Arábia Saudita.

O rei Abdul Aziz era conhecido pelo brilhantismo com que obtinha os melhores homens. Ele sabia que precisava de pessoas espertas e dedicadas para ajudá-lo a modernizar o reino, pois os cidadãos careciam de hospitais, estradas, negócios e casas. O rei estava frustrado porque tinha muitos planos, mas poucos construtores competentes para concretizá-los.

O assistente que reparou na qualidade do trabalho de meu avô recomendou-o ao rei. Meu avô gostou sinceramente do rei imponente, que era forte física e mentalmente. Quando o monarca pedia ao meu avô para que fizesse certos consertos, ele fazia rapidamente o trabalho de modo que o rei ficasse satisfeito. Com o sucesso do primeiro emprego, surgiram outros em seu caminho.

Ninguém sabia na época, mas a Arábia Saudita estava prestes a se tornar um dos países mais ricos e influentes do mundo. Depois da formação do reino, em 1932, e da descoberta de petróleo, em 1938, ela entrou em uma onda de construções jamais vista. Quando o rei queria construir um novo prédio ou uma nova estrada, recorria ao meu avô. A diligência e a honestidade de seu novo empregado agradaram tanto ao rei que ele foi colocado à frente do trabalho mais cobiçado por um fiel: a expansão da Grande Mesquita de Meca.

Todos em nossa família sabem que nosso avô Bin Laden tinha duas grandes paixões: o trabalho e as mulheres. Ele era extremamente bem-sucedido nas duas arenas. Sua ética de trabalho duro e de sinceridade absoluta fizeram com que conquistasse a confiança total do rei. Com o árduo ofício vieram recompensas financeiras, as quais permitiram que meu avô satisfizesse sua segunda paixão: as mulheres.

Em minha cultura, é comum que homens, especialmente os muito ricos e os muito pobres, tenham quatro esposas ao mesmo tempo. Logo, meu avô ficou tão rico que não apenas se casou com quatro mulheres como também continuamente deixava algumas dessas esposas para poder arrumar outras.

Com tantas esposas e ex-esposas, meu avô teve tantos filhos que era difícil para ele manter uma relação com cada criança. Como era o costume, ele dava atenção extra aos mais velhos, mas a maioria dos filhos só era vista em ocasiões importantes, o que não significa que não acompanhasse o desenvolvimento de sua prole. Ele reservava tempo em sua agenda ocupada para fazer conferências superficiais a fim de se assegurar de que os filhos estivessem progredindo na escola ou de que as filhas conseguissem bons casamentos.

Como meu pai não era um dos filhos mais velhos, ele não estava em uma posição que lhe permitiria ver o pai regularmente. Além disso, o casamento de meu avô com a mãe síria de meu pai, vovó Allia, foi breve. Depois do nascimento de meu pai, minha avó engravidou pela segunda vez de vovô Bin Laden, mas, quando sofreu um aborto e perdeu o bebê, ela pediu o divórcio. Por alguma razão, o divórcio foi obtido facilmente, e vovó Allia ficou livre, casando-se em pouco tempo com Muhammad Attas e tornando-se mãe de mais quatro crianças.

Apesar de seu padrasto ter sido um dos homens mais distintos da Arábia Saudita, a vida de meu pai não evoluiu como ele gostaria. Como a maioria dos filhos de pais divorciados, ele sentia a perda, pois não estava mais envolvido intimamente com a família de seu pai. Apesar de meu pai nunca ter reclamado, acredita-se que ele tenha sentido severamente a falta de status e sofrido genuinamente com a falta de amor e de carinho por parte de meu avô.

Eu sei como meu pai se sentia. Afinal de contas, sou um entre vinte filhos. Muitas vezes senti a mesma falta de atenção.

Meu pai era conhecido por todos dentro e fora da família Bin Laden como o sóbrio garoto Bin Laden que se ocupou cada vez mais com ensinamentos religiosos. Como seu filho, posso confirmar que ele jamais mudou. Era infatigavelmente devoto, sempre levando a religião mais a sério do que a maioria das pessoas levava. Ele jamais perdia as orações e dedicava muitas horas ao estudo do Alcorão e de outros ditados e ensinamentos religiosos.

Apesar de a maioria dos homens, independentemente de sua cultura, ser tentada pela visão de uma mulher diferente daquelas do próprio convívio, meu pai não era assim. Na verdade, era conhecido por olhar em outra direção sempre que uma mulher que não fosse da família entrasse em seu campo de visão. Para manter-se afastado da tentação sexual, ele acreditava em casamentos precoces. Foi por isso que decidiu se casar quando tinha apenas 17 anos.

Fico satisfeito por minha mãe, Najwa Ghanem, prima de primeiro grau de meu pai, ter sido a primeira esposa dele. A posição de primeira esposa, em minha cultura, é de muito prestígio, e este é triplicado se ela for prima de primeiro grau e mãe do primeiro filho. Meus pais eram ligados pelo sangue e pelo casamento.

Jamais ouvi meu pai levantar a voz com raiva para minha mãe. Ele sempre pareceu muito satisfeito com ela. Na verdade, quando eu era muito pequeno, havia momentos em que os dois se recolhiam em seu quarto e não eram vistos pela família por vários dias, portanto sei que meu pai apreciava sua companhia.

Compreendo a lealdade que ele tinha à minha mãe porque ela era uma esposa dedicada e uma mãe maravilhosa. O amor dela pelos filhos era indestrutível. Apesar de ser casada com um homem rico e de ter contado, nos primeiros anos do casamento, com várias empregadas que a ajudavam, ela cuidava pessoalmente de nossas necessidades, chegando a nos dar comida na boca quando ficávamos doentes.

Pelos olhos de filho, minha mãe era uma mãe perfeita.

Meu pai era outra história. Apesar de não poder simplesmente ordenar que meu coração pare de amá-lo, não concordo com seu comportamento. Existem momentos nos quais sinto meu coração inflar de raiva por causa das ações dele, as quais fizeram mal a muitas pessoas, estas que ele não conhecia, bem como aos membros de sua própria família. Como filho de Osama bin Laden, lamento verdadeiramente todas as coisas terríveis que aconteceram, as vidas inocentes que foram destruídas e a dor que ainda permanece em muitos corações.

Nem sempre meu pai foi um homem tomado pelo ódio. Nem sempre ele foi odiado pelos outros. Houve uma época em que muitas pessoas falavam de meu pai usando os maiores elogios. A História mostra que, um dia, ele foi amado por muitas pessoas. Apesar de nossas diferenças, não tenho vergonha de admitir que o amei com a paixão habitual que um filho tem pelo pai. Na realidade, quando era garoto, eu o idolatrava, acreditando que ele era não somente o homem mais brilhante do mundo, como também o mais alto. Eu precisaria ir ao Afeganistão para encontrar alguém mais alto do que ele. Na verdade, eu teria que ir lá para passar a conhecer realmente meu pai.

Tenho boas memórias de minha infância. Uma recordação recente envolve provocações quanto a um homem ter mais do que uma esposa. Muitas vezes, quando meu pai estava reunido com os amigos homens, ele me chamava para me juntar a eles. Animado, eu seguia o som de sua voz. Quando eu aparecia no quarto, meu pai sorria para mim antes de perguntar: "Omar, quantas esposas você terá?"

Apesar de ser novo demais para saber qualquer coisa sobre homens, mulheres e casamento, eu sabia a resposta que ele procurava. Eu levantava quatro dedos e gritava alegremente: "Quatro! Quatro! Terei quatro esposas!"

Meu pai e os amigos gargalhavam, encantados.

Eu amava fazer meu pai rir. Ele ria muito raramente.

Muitas pessoas consideram meu pai um gênio, particularmente no que diz respeito a habilidades matemáticas. Foi dito que meu avô era um gênio da matemática que conseguia somar mentalmente grandes colunas de números.

Meu pai era tão conhecido por tal habilidade que havia momentos em que homens vinham à nossa casa e lhe pediam para comparar sua inteligência com a de uma calculadora. Às vezes ele concordava, outras se recusava. Quando aceitava de bom grado o desafio, eu ficava tão nervoso que esquecia de respirar.

Eu acreditava todas as vezes que ele fracassaria no teste, mas sempre me enganava. Todos ficávamos impressionados ao ver que nenhuma calculadora equiparava-se à habilidade notável de meu pai, mesmo quando lhe apresentavam as equações mais complicadas. Meu pai fazia longos e complexos cálculos mentalmente, enquanto seus amigos se esforçavam para acompanhar o mago da matemática com suas calculadoras. Ainda fico impressionado e me pergunto muitas vezes de que forma qualquer ser humano pode ter essa habilidade naturalmente.

A memória fenomenal de meu pai fascinava muitas pessoas que o conheciam. O livro favorito dele era o Alcorão, de modo que, ocasionalmente, ele entretia a quem lhe pedisse, recitando o Alcorão palavra por palavra. Eu ficava quieto em um canto, muitas vezes com o Alcorão nas mãos, conferindo cuidadosamente o que ele declamava. Meu pai jamais esqueceu uma palavra sequer. Hoje posso dizer a verdade: conforme fui envelhecendo, fui passando a ficar secretamente decepcionado. Por algum motivo estranho, eu queria que meu pai errasse uma palavra aqui e ali. Mas isso nunca aconteceu.

Certa vez, ele confessou que alcançara tal feito durante um período de grande agitação mental, quando tinha apenas 10 anos, depois de seu pai ter morrido em um acidente aéreo. Seja qual for a explicação para o dom raro, seu excelente desempenho proporcionou muitos momentos extraordinários.

Também tenho memórias ruins, além das boas. Para mim, o mais imperdoável foi ele ter nos mantido prisioneiros em nossa casa em Jidá.

Havia muitos perigos à espreita para aqueles que se envolviam na situação difícil e cada vez mais complexa que surtira com a invasão do Afeganistão pelos soviéticos, dois anos antes de meu nascimento. Meu pai se tornara uma figura tão importante na luta que o avisaram sobre adversários políticos poderem sequestrar um de seus filhos ou até mesmo assassinar membros de sua família.

Por causa de tais avisos, meu pai ordenou aos filhos que ficassem dentro de casa. Não tínhamos permissão para brincar lá fora, nem mesmo em nosso jardim. Depois de algumas horas brincando desanimadamente pelos corredores, meus irmãos e eu passávamos muitas longas horas olhando pelas janelas do apartamento, desejando nos juntar às muitas crianças que víamos brincando nas calçadas, pedalando suas bicicletas ou pulando corda.

A devoção de meu pai fazia com que ele fosse rígido em outros aspectos. Apesar de morarmos em Jidá, na Arábia Saudita, uma das cidades mais quentes e úmidas em um país conhecido por ter clima quente, meu pai não permitia que minha mãe ligasse o ar-condicionado que o construtor instalara no prédio e muito menos que ela usasse a geladeira que ficava na cozinha. Ele anunciou: "As crenças islâmicas são corrompidas pela modernização." Portanto, nossa comida estragava se não a comêssemos no dia em que era comprada. Quando minha mãe pedia leite para os bebês, meu pai o requisitava diretamente das vacas mantidas na fazenda da família justamente para tal propósito.

Minha mãe tinha permissão para cozinhar em um fogão a gás, e a família podia usar iluminação elétrica, de modo que pelo menos não tropeçávamos no escuro nem precisávamos de velas para iluminar quartos escuros ou cozinhar sobre fogo aberto.

Meus irmãos e eu detestávamos tais diretrizes nada práticas, apesar de minha mãe jamais ter se queixado.

Havia um lugar onde nós, os filhos de Osama bin Laden, levávamos uma vida razoavelmente normal. Era nossa fazenda, localizada a uma curta viagem de carro para o sul de Jidá, onde meu pai construiu um complexo familiar. A propriedade era vasta e o complexo era grande, com muitas construções. Todas as casas da família eram pintadas em um tom pêssego adorável, para que se misturassem com a cor tranquila do deserto. Havia uma mesquita lá, pois meu pai não podia perder as cinco orações diárias obrigatórias. A construção favorita dele era o estábulo, feito especialmente para seus lindos cavalos.

Meu pai amava a natureza. Ele montou cuidadosamente um orquidário, plantando na área centenas de árvores, incluindo palmeiras e outras espécies. Ele também produziu um caro oásis artificial, cultivando junco e outras plantas aquáticas. Os olhos de meu pai se iluminavam com grande felicidade diante da visão de uma planta ou uma flor bonita, ou com orgulho diante do espetáculo de um de seus cavalos saltitantes.

Foi bom termos a fazenda para brincar, porque brinquedos eram proibidos, não importava o quanto implorássemos. Papai nos dava alguns bodes com os quais podíamos nos divertir, dizendo que não precisávamos de nada além das dádivas naturais de Deus para sermos felizes. Em um momento de descontração, ele apareceu com um filhote de gazela.

Minha mãe não ficou nada satisfeita quando meus irmãos e eu passamos a gazela por uma janela aberta para colocá-la dentro de nossa casa na fazenda. A gazela estava trocando de pelo, e, quando minha mãe encontrou pelos de gazela nos móveis, ela levantou a voz, o que era incomum. Depois, percebemos que ela só fingiu estar com raiva porque a pegamos rindo secretamente de nossas travessuras.

Lembro-me de quando meu pai ganhou um filhote de camelo de presente. Ficamos entusiasmados em tê-lo na fazenda, mas logo percebemos que ele era novo demais para ser afastado da mãe. O pobre bebê estava muito solitário e chorava de modo tão comovente que meu pai decidiu levá-lo para uma das fazendas do irmão dele. Mas o filhote foi atacado pelos outros camelos, de modo que não pôde compartilhar do lar deles. Jamais soubemos o final dessa triste história, mas fui assombrado pelo sofrimento do filhote por vários dias, pois sempre amei os animais e fico terrivelmente triste quando sofrem.

Um dia, um dos meio-irmãos de meu pai chegou inesperadamente na fazenda com o carro repleto de brinquedos! Nunca tínhamos ficado tão animados. Para nós, era o Eid (um feriado muçulmano similar ao Natal) multiplicado por cem! Meu pai ocultou a raiva do irmão, mas não de nós, permanecendo irritado até que todos os brinquedos fossem destruídos. Mas a bondade de nosso tio havia nos proporcionado um dos dias mais felizes de nossas vidas. Relembrando hoje, suponho que meu tio sentisse pena de nós.

Meu pai cedia quando o assunto era futebol. Lembro-me do choque de quando levamos uma bola para casa e o vimos sorrir com doçura ao ver o quanto os filhos ficavam felizes por verem a bola. Ele confessou que gostava de jogar futebol e que jogaria com a gente quando tivesse tempo.

Havia um segundo jogo, chamado "jogo do chapéu", que jogávamos ocasionalmente com meu pai. Eu saltitava de alegria quando meu pai instruía meu irmão mais velho a sair de casa e marcar o chão para esse jogo. Meu irmão riscava uma linha em uma área do quintal na qual a areia fora compactada intencionalmente para que ficasse quase tão dura quanto concreto.

Em seguida, meu pai colocava um chapéu de homem sobre a linha. Depois, ele ia para o lado oposto da linha e ficava ali, com ar de seriedade, enquanto avaliava os adversários, seus filhos pequenos.

Meus irmãos e eu nos reuníamos para formar uma fila na ponta oposta à do nosso pai, igualmente sérios. O objetivo do jogo era derrotar o adversário e conquistar o chapéu para depois correr com segurança de volta para a linha inicial. Cada pessoa competia sozinha. Ao final da contagem regressiva, o primeiro garoto na fila corria para agarrar o chapéu.

Meu pai, observando do outro lado, esperava até o oponente começar a correr em direção ao chapéu, pegá-lo e retornar para a linha de chegada. O objetivo dele era alcançar um de nós antes que chegássemos à linha final. Meu pai tinha pernas inacreditavelmente longas, além de ser magro e estar em forma, mas seus filhos pequenos corriam rápido como vento. Apesar de nossa capacidade de nos movimentarmos rapidamente, meu pai sempre era o vencedor, porque meus irmãos e eu assegurávamos que fosse assim.

Em minha cultura, tomamos cuidado para nunca derrotar alguém mais velho, e certamente nunca gostamos de vencer nossos pais. Portanto, por respeito, meus irmãos e eu sempre corríamos mais devagar para que tivéssemos certeza de que nosso pai nos alcançaria antes que retornássemos em segurança para a linha.

Eu não gostava de jogar, pois não achava justo fingir, deixar alguém ganhar. Sem confessar aos meus irmãos, um dia decidi que derrotaria meu pai. Eu agarraria o chapéu e correria a toda velocidade de volta para a base. Eu não o deixaria me alcançar.

Na vez seguinte em que jogamos, eu sabia que venceria. Até chegar a minha vez, as corridas transcorreram como de costume, com meus irmãos permitindo que meu pai os alcançasse. Mas eu disparei, veloz e certeiro, alcançando rapidamente o chapéu e dando meia-volta para retornar apressadamente para a linha da base. Meu pai ficou chocado quando se deu conta de que eu estava correndo rápido demais para que pudesse me alcançar. Ele voou e senti suas mãos encostarem em um de meus pés. Mas escapei com algumas reviravoltas astutas. Ouvi meus irmãos gritarem quando nosso pai caiu com os cotovelos na terra compactada.

Sofrendo o impacto da queda, ele machucou os cotovelos e deslocou o ombro direito. A expressão no rosto de meu pai demonstrou que ele estava realmente sentindo dor. Fiquei parado, chocado e perturbado por ter causado o desastre. Fiquei assustado ao vê-lo ser colocado em um carro rumo ao hospital em Jidá.

Mesmo depois do tratamento médico inicial, disseram-nos que meu pai precisaria suportar injeções de cortisona e sessões de fisioterapia durante os seis meses seguintes. O doloroso ferimento era grave e por isso meu pai não poderia viajar ao Paquistão para retomar o trabalho importante que fazia pelo Islã.

Meus irmãos ficaram irritados comigo, pois passaram a não gostar da presença de meu pai em Jidá. Eles queriam que ele retornasse para o Paquistão, pois diziam que era rígido demais quando estava conosco.

A essa altura, você já deve ter percebido que meu pai não era um homem afetuoso. Ele jamais fazia carinho em mim ou em meus irmãos. Tentei forçá-lo a demonstrar afeto e ele me disse que eu estava sendo um estorvo. Quando meu pai estava em casa, eu ficava perto dele, fazendo travessuras, para chamar a atenção, sempre que tinha coragem.

Nada despertava seu calor paterno. Na verdade, meu comportamento irritante o estimulou a começar a usar a bengala que se tornou sua marca registrada. Com o passar do tempo, meu pai começou a bater com o objeto em mim e nos meus irmãos diante da menor das infrações.

Felizmente, meu pai agia de forma diferente no que dizia respeito às mulheres da família. Jamais o ouvi gritar com a mãe dele, com suas irmãs, com minha mãe ou com minhas irmãs. Nunca o vi bater em uma mulher.

Ele reservava todo o tratamento ríspido para os filhos.

Apesar da crueldade, eu amava tanto meu pai que não conseguia conter a felicidade quando ele voltava de uma viagem longa. Por ainda ser criança, eu compreendia muito pouco a situação no Afeganistão, apesar de ter ouvido alguns homens falarem que não gostavam dos russos. Mas eu não odiava os russos por eles terem ocupado o Afeganistão. Eu os odiava porque afastavam meu pai de mim.

Recordo de uma ocasião específica, quando ele ficou longe de casa mais tempo do que de costume. Eu estava desesperado para conquistar sua atenção. Ele estava sentado no chão estudando tranquilamente mapas militares intricados. Desejando que não me mandasse para fora do quarto, observei-o abrir o mapa cuidadosamente no chão com seu rosto honesto mergulhado em pensamentos, estudando meticulosamente cada montanha e cada vale, preparando-se mentalmente para a próxima campanha militar.

Incapaz de me conter por mais um instante sequer, corri repentinamente e passei por ele, rindo alto, saltitando, colocando os pés em várias posições hábeis, esforçando-me para capturar sua atenção. Ele me dispensou, dizendo severamente: "Omar, saia do quarto." Atravessei a porta correndo e olhei para ele por alguns instantes. Depois, incapaz de conter minha excitação infantil, entrei correndo outra vez no quarto, rindo, saltitando e fazendo mais algumas travessuras. Depois de aparecer onde ele estava pela quarta ou quinta vez, meu irritado pai olhou para mim. Ele estudou por um minuto minha figura dançante e depois ordenou com sua voz tranquila: "Omar, vá e reúna seus irmãos. Traga-os até mim."

Saltei de alegria, acreditando que havia seduzido meu pai a abandonar o trabalho militar. Agora eu tinha certeza de que ele deixaria as preocupações de lado para se juntar aos filhos pequenos e jogar bola. Sorri de felicidade, correndo tão rapidamente quanto minhas pernas pequenas permitiam. Eu sentia orgulho de mim mesmo, pensando que era o único com charme suficiente para lembrá-lo de que tinha filhos pequenos.

Reuni todos os meus irmãos, falando rapidamente em um tom de excitação: "Venham! Papai quer ver todos nós! Venham!"

Não percebi que meus irmãos mais velhos não estavam tão ansiosos por conquistar a atenção de nosso pai.

Eu ainda tinha esperanças de me divertir, mesmo depois de meu pai ter ordenado que formássemos uma fileira. Ele estava de pé, tranquilo, observando enquanto nos posicionávamos obedientemente, segurando a bengala de madeira com uma das mãos. Eu sorria de felicidade, certo de que algo muito especial estava prestes a acontecer. Fiquei inquieto, perguntando-me que tipo de jogo ele estava prestes a nos ensinar. Talvez fosse algo que jogasse com seus soldados, entre os quais, eu ouvira, havia homens muito novos.

Vergonha, angústia e terror tomaram meu corpo quando ele levantou a bengala e começou a caminhar ao longo da fileira humana, batendo em um filho de cada vez. Um pequeno nó formou-se em minha garganta.

Meu pai não levantou sua voz suave ao repreender meus irmãos, batendo neles com a bengala; suas palavras mantinham a cadência: "Vocês são mais velhos do que seu irmão Omar. Vocês são responsáveis pelo mau comportamento dele. Não consigo terminar meu trabalho por causa da maldade dele."

Eu estava extremamente angustiado quando ele parou diante de mim. Eu era muito pequeno na época e, aos meus olhos infantis, ele parecia mais alto do que as árvores. Apesar de ter visto meu pai bater em meus irmãos, eu não conseguia acreditar que ele bateria em mim com aquela bengala pesada.

Mas ele bateu.

A humilhação era insuportável, mas nenhum de nós gritou, sabendo que tal manifestação emocional não seria digna de homens. Esperei ele se virar para ir embora e corri na direção oposta. Eu não conseguia encarar meus irmãos, sabendo que com certeza me culpariam por ter feito meu pai bater com a bengala em suas pernas e nas costas.

Procurei consolo no estábulo, com meu cavalo favorito, uma linda égua árabe chamada Baydah. Ela tinha cerca de quatorze palmos de altura, cauda e crina pretas como carvão. Eu pensava que ela era uma rainha, com seu porte forte e orgulhoso. Baydah também me amava e conseguia me encontrar em meio a uma multidão, galopando em minha direção para pegar uma maçã suculenta de meus dedos. Fiquei horas com Baydah, tão abalado que não conseguia pensar com coerência. Quando o sol começou a deixar o céu, forcei-me a voltar para casa, pois estava assustado demais para gerar mais confusão. Entrei em casa sem ser percebido, querendo evitar meus irmãos, que com certeza me culpariam pela surra que tinham levado. Uma vez na cama, a represa de tristeza explodiu repentinamente em uivos altos e inesperados que vinham das profundezas de meu ser.

Meu choro era tão alto que minha mãe, preocupada, entrou no quarto e perguntou: "Quem está chorando?"

Mortificado, enterrei a cabeça no travesseiro para abafar os sons de meu sofrimento.

Agora que sou adulto, acredito que talvez meu pai tenha tido filhos demais quando ainda era muito jovem. Ou talvez estivesse tão envolvido com o trabalho na guerra que nossa importância não fosse registrada em contraste com uma causa tão gigantesca quanto a de combater os russos.

Lembro-me de um momento mágico em minha infância, quando meu pai me segurou em seus braços. O incidente encantado estava ligado à hora de rezar.

Quando estava em casa, meu pai ordenava que os filhos o acompanhassem até a mesquita. Um dia, quando estávamos na fazenda, ouvimos o chamado dos Muezzin para a oração do meio-dia. Meu pai, por sua vez, nos chamou para que nos juntássemos a ele. Eu estava animado, vendo a hora da oração como uma ótima desculpa para estar perto de meu pai. Naquele dia, esqueci-me de colocar as sandálias, as quais deixávamos sempre perto da porta principal, um costume em nosso país.

Ao meio-dia, a areia fica escaldante. Correndo sem sandálias, em pouco tempo as solas descalças de meus pés começaram a queimar. Comecei a saltar de um lado para o outro, gritando de dor. Meu pai me impressionou quando curvou sua figura alta e levantou-me em seus braços.

Minha boca secou de espanto. Eu não me lembrava de já ter sido pego no colo por meu pai. Fiquei feliz no mesmo instante, aproximando-me dele. Meu pai sempre usou o maravilhoso incenso Aoud, que tem um aroma agradável parecido com o de almíscar.

Olhei para baixo, vendo meus irmãos do alto de meu poleiro favorito, e sorri em júbilo, como o anão privilegiado sobre os ombros do gigante, vendo além do que o gigante conseguia enxergar.

Eu tinha apenas 4 ou 5 anos na época, mas era robusto. Meu pai era alto e magro e, apesar de estar em forma, não era muito musculoso. Mesmo antes de chegarmos à porta da mesquita, pude sentir que havia me tornado um fardo pesado. Ele começou a respirar ofegantemente e lamentei por isso. Contudo, eu estava tão orgulhoso de estar aninhado em seus braços que me segurei com firmeza, querendo permanecer para sempre naquele porto seguro. Ele me colocou no chão e se afastou cedo demais, deixando-me para rastejar atrás dele. Minhas pernas curtas não conseguiam acompanhar seus passos inacreditavelmente longos.

Em pouco tempo, meu pai parecia tão ilusório quanto uma miragem distante.

Capítulo 5

Surpresas no casamento

NAJWA BIN LADEN

Quando engravidei de meu quinto filho, Osama levantou um assunto inesperado; ele disse que estava pensando em ter uma segunda esposa. Apesar de a poligamia ser uma prática reconhecida em minha cultura, poucas mulheres dançam de felicidade quando vislumbram compartilhar o marido com outra mulher.

Apesar do desconforto diante da sugestão, eu compreendia que era mais afortunada do que a maioria das mulheres. Eu ouvira a respeito de maridos sauditas que se casavam com outras mulheres sem jamais ter discutido tais planos com a esposa atual. Portanto, senti alívio quando Osama prometeu não colocar outra mulher em nossas vidas a menos que eu concordasse com a decisão.

Eu acreditava que Osama quisesse uma segunda esposa para seguir as ações do nosso profeta. Maomé tinha 25 anos quando se casou com a primeira esposa, Khadijah bint Khuwaylid. Khadijah era quinze anos mais velha do que o marido, mas o casamento durou 25 anos, e o profeta não teve outra esposa no decorrer desse tempo. Depois da morte de Khadijah, Maomé casou-se com outras mulheres; muitas das esposas eram mulheres mais velhas cujos maridos haviam morrido no campo de batalha e elas precisavam da proteção obtida com o casamento. Os estudiosos acreditam que Maomé tenha se casado com 12 ou 13 mulheres ao longo da vida.

A referência ao número de esposas legítimas é clara em nosso livro sagrado, o Alcorão, na Sura 4:3:

> *Se você teme não poder agir com igualdade em relação aos órfãos, case*
> *com tantas mulheres quanto quiser, sejam duas, três ou quatro. Mas se*

você teme não conseguir agir de maneira igual (em relação a tantas),
case-se com apenas uma ou com as escravas que tenha adquirido.

Tendo por base esse verso, os acadêmicos islâmicos têm a opinião de que um fiel pode se casar com até quatro esposas, mas não pode fazer isso se não puder tratar todas as esposas igualmente, e esta é a parte difícil.

Apesar de minhas crenças religiosas fortes e de minha completa fé em Deus, ainda sou uma mulher, e hesitei quanto ao plano de Osama de inserir outra mulher em nossas vidas. Em minha cultura, espera-se que as esposas do mesmo homem fiquem amigas e que os filhos delas brinquem juntos.

Meu marido me acalmou repetindo diversas vezes que, se eu não aprovasse, ele não teria outras esposas. Seu coração não suportaria magoar o meu por causa de tal questão. Meu marido disse que deixaria uma das decisões pessoais mais importantes de sua vida inteiramente em minhas mãos.

Eu sabia que poucas esposas na Arábia Saudita receberiam tamanho respeito e consideração. Sendo assim, permiti que a ideia se acomodasse em minha mente.

Ao longo de alguns meses, o assunto do casamento de Osama com outra mulher permaneceu sendo um grande tópico de discussão entre nós. Certa noite, meu marido revelou seus pensamentos mais profundos, confessando que seu objetivo era simplesmente dar muitas crianças ao Islã. Ouvindo suas palavras, vi-me repentinamente mais relaxada diante da ideia. Meu marido não estava procurando uma segunda esposa porque estava infeliz comigo, e sim pelo bem maior do Islã.

Ao final da conversa, Osama notou que eu estava percebendo a sabedoria na ideia de ele se casar com outras mulheres. Ele lembrou-me delicadamente de uma verdade muito importante: "Najwa, se você estiver feliz em seu coração em relação ao meu casamento com uma segunda esposa, você conquistará o paraíso. É certo que isso acontecerá."

Finalmente, meu coração ficou tranquilo, sentindo a certeza de que minha atitude compreensiva intensificaria a religiosidade em minha própria vida. Foi nesse ponto que Osama ficou suficientemente confortável para começar a procurar uma segunda esposa. Eu não pedi, nem recebi, permissão para ter voz na escolha da nova mulher de Osama.

E foi assim que meu marido se casou novamente. Não compareci ao casamento, mas a cerimônia foi realizada de acordo com as exigências de nossa fé. A segunda esposa era uma mulher saudita cujo primeiro nome era Khadijah, o mesmo nome de uma mulher que se casou com nosso profeta. Disseram-me que ela era da respeitada família Sharif, descendente do profeta Maomé. Ela era poucos anos mais velha do que Osama, bem-educada e professora de meninas em uma escola em Jidá.

É sempre bom quando um muçulmano segue as ações de Maomé. Portanto, dei graciosamente as boas-vindas a Khadijah à nossa grande casa, onde ela soube ter ganhado o próprio apartamento cheio de cômodos, apesar de que, honestamente, eu deva dizer que levou algum tempo até que eu aceitasse com facilidade o fato de que agora compartilharia meu marido igualmente com outra mulher.

A partir daquele dia, Osama passou a dizer que precisaria obedecer aos ensinamentos do Islã em relação a ter várias esposas. Khadijah e eu receberíamos tratamento igual, o que significava que tudo de meu marido seria compartilhado igualmente: seus pensamentos, seu tempo e até mesmo seus presentes.

Sendo tão preciso quanto a todas as exigências islâmicas, eu sabia que Osama alternaria as noites entre nossa casa e a da nova esposa. E como uma boa esposa muçulmana, eu sabia que deveria aceitar a situação com pensamentos límpidos e um bom coração. Do contrário, não seria recompensada com o paraíso.

Contudo, eu não estava preparada para a sensação de vazio em nossa casa nas noites em que Osama não aparecia. Como uma mulher que raramente colocava os pés para fora de casa, eu sentia falta de meu marido e da excitação ocasionada por sua chegada. Esforçando-me para ser uma boa muçulmana, lutei contra minha sensação de vazio, pois sabia que o que meu marido estava fazendo era aprovado pelo Islã.

Meus filhos foram instruídos a honrar e a respeitar a segunda esposa de meu marido, e ensinei-os a chamá-la de "Khalti", que significa "tia por parte de mãe".

Tudo se acomodou tranquilamente e em pouco tempo eu e a segunda esposa de Osama passamos a nos visitar mutuamente, ocasiões nas quais trocávamos livros, líamos juntas ou mesmo fazíamos juntas a refeições. Eu desfrutava da companhia de Khadijah e aguardava ansiosa pelas horas que passávamos juntas. Com o passar do tempo, ficamos amigas.

Não muito depois, dei à luz meu quinto filho, Osman. Fiquei tão feliz ao ver seu rosto doce que, pela primeira vez, não lamentei não ter tido uma filha.

Um ano depois do casamento, Khadijah teve seu primeiro filho, um menino chamado Ali. A partir do nascimento de Ali, Khadijah passou a ser chamada pelo título honorável de Um Ali, que significa "mãe de Ali". Da mesma maneira, eu passara a ser chamada de Um Abdullah a partir do momento em que meu filho nasceu. Aqueles familiarizados com meu marido chamavam-no de Abu Abdullah, pois um homem também recebe um título em função do nome do primeiro filho.

A partir daquele momento, Khadijah e eu passamos a criar nossos filhos em conjunto. Meus filhos mais novos tornaram-se amigos de brincadeiras de Ali.

Não muito depois do nascimento de Ali, Osama tomou providências para levar a família ao Paquistão pela primeira vez. Vários anos haviam passado desde que Osama prometera que providenciaria uma casa para nós em Peshawar, mas as gestações e seu segundo casamento adiaram nossa viagem.

Quando nós, as duas mulheres e os seis filhos animados de Osama, embarcamos em um voo comercial em Jidá rumo ao aeroporto internacional de Peshawar, eu estava ansiosa por conhecer o que meu marido tinha visto ao longo dos últimos cinco anos.

Comparada às restrições da Arábia Saudita, Peshawar parecia um lugar animado para uma cidade muçulmana, com pessoas em vários trajes étnicos passeando em ônibus e táxis de cores extravagantes. Estando acostumada ao isolamento, achei a cidade estonteante. Depois que os russos invadiram o Afeganistão, em 1979, Peshawar tornara-se um campo virtual de refugiados para os pachtuns do Afeganistão, de modo que havia até mulheres de burca fazendo compras nos bazares de rua. A burca serve ao mesmo propósito da abaya, que é o de cobrir uma mulher muçulmana modesta dos pés à cabeça, apesar de os estilos dos dois trajes serem diferentes. Enquanto a abaya saudita é preta, uma burca pode ser azul-pastel, amarela, marrom ou de outras cores. O design do traje é bastante chamativo, com uma tela de treliça cobrindo os olhos da mulher, padrões bordados na parte da frente e dobras diminutas elevando-se na parte posterior.

Osama encontrara uma linda *villa* com espaço suficiente para sua família, que continuava crescendo. Apesar de desfrutarmos da mudança de cenário, Khadijah e eu continuamos vivendo virtualmente isoladas, com a vida familiar prosseguindo como de costume, enquanto Osama continuava tratando de seus negócios fora de casa e fazendo viagens frequentes ao Afeganistão. Fiquei satisfeita ao ver que ele estava dedicando mais tempo aos nossos filhos, chegando em uma ou duas ocasiões a levar consigo o mais velho, Abdullah, que tinha 8 anos, ao Afeganistão.

Depois de passar os três meses de verão em Peshawar, Osama disse que nos acompanharia de volta a Jidá, pois nossos dois filhos mais velhos já estavam matriculados na escola. Como a viagem transcorrera bem, a partir daquele momento foi comum que passássemos os verões em Peshawar.

Um ano depois do nascimento do primeiro filho de Khadijah, Ali, descobri que eu estava grávida mais uma vez. Dessa vez, depois de cinco filhos, eu estava certa de que teria uma filha. Apesar de meu marido estar ainda mais envolvido com a guerra no Afeganistão, ele voltou a Jidá a fim de ficar comigo para o nascimento. Quando soubemos que nosso sexto filho também era homem, demos a ele o nome mais especial para um muçulmano, Mohammed.

Meus seis filhos, mais Ali, tornavam o lar dos Bin Laden decididamente animado. Tenho certeza de que muitos homens admiravam meu marido e seu lar com sete filhos.

Pouco depois do nascimento de Mohammed, meu marido me abordou a respeito de ter uma terceira esposa. Segundo ele, estava chegando a hora na qual o Islã precisaria de muito mais seguidores e ele queria ter mais filhos e filhas para levar adiante a mensagem de Deus. Nessa ocasião, Osama deu a entender que ficaria satisfeito se eu encontrasse uma esposa adequada para ele. Depois de pensar sobre o assunto por apenas alguns dias, concordei. Meu coração me dizia que se eu fizesse isso, que era importante, por ele e pelo Islã, meu amor por meu marido viveria e cresceria ainda mais.

Com certeza, Deus estava me guiando nessa tarefa importante, pois poucas semanas depois de nossa conversa conheci uma adorável mulher saudita de Jidá. Seu nome era Khairiah Sabar, uma professora de crianças surdas-mudas altamente especializada.

Para mim, era importante que as mulheres com as quais meu marido se casasse fossem devotas. Khairiah era muito religiosa, mas tinha outras qualidades que me atraíram. No primeiro instante em que vi seu rosto charmoso, gostei dela. Cada nova descoberta sobre sua vida religiosa e sua boa família, os Sabar, aumentava meu afeto. Agi como intermediária entre Osama e a família de Khairiah, chegando aos acordos rotineiros a respeito do dote e de outros pontos, para que pudesse providenciar o noivado.

Quando o casamento foi realizado, eu passara a amar Khairiah como a uma irmã preciosa. Meus sentimentos sinceros em relação a ela cresciam a cada ano que passava.

Ajudei Khairiah a se instalar em seu próprio apartamento em nossa grande casa. O frescor de sua presença aumentava meu prazer e passávamos muitas horas lendo e discutindo o Alcorão e outros aspectos de nossa religião.

Enquanto o terceiro casamento de Osama fizera de 1985 um ano excitante, 1986 foi mais tranquilo, pelo menos para as esposas e os filhos. Pela primeira vez em muito tempo, não houve o nascimento de novos bebês durante o ano.

Para nós, as esposas, a maior preocupação era com o cuidado e a felicidade de nossos filhos pequenos e a administração de nossa casa. Era esperado que supervisionássemos as empregadas e as serventes, além de assegurarmos que as crianças cumprissem seus deveres, pois o mais velho havia atingido a idade escolar. Com três esposas, sete garotos ativos, alguns dos quais estavam na escola, muitos empregados, serventes, cozinheiros e motoristas, nossa casa era uma colmeia movimentada. Pouco importava que fosse gigantesca, com 12 aposentos grandes, pois com tantas pessoas se apressando para completar suas muitas tarefas, o tráfego humano gerava uma movimentação e um barulho ensurdecedores, mesmo em um dia de atividades rotineiras.

As esposas de Osama costumavam brincar dizendo que nossa casa em Jidá era uma miniatura virtual das Nações Unidas, com empregados das Filipinas, do Ceilão, da África, do Egito, do Iêmen e de muitos outros países. Apesar de Osama ter contratado diversos motoristas para levarem nossos filhos à escola e para comprarem verduras e produtos necessários, as três esposas ficavam ocupadas mantendo tudo em ordem.

Sendo a primeira esposa de Osama, considerada a mais importante na sociedade muçulmana, todos me respeitavam muito, incluindo as duas novas esposas. Contudo, jamais me senti acima de Khadijah ou de Khairiah; elas haviam se tornado minhas amigas. Conflitos não eram conhecidos pelas esposas de Osama bin Laden.

Engravidei novamente em 1986. Eu esperava sinceramente que Khairiah anunciasse que esperava um filho, mas aquele dia feliz ainda não chegara.

Em torno desse período, meu marido veio a mim e anunciou que se casaria com uma quarta esposa em breve. Ele compartilhou seus pensamentos comigo, mas não pediu minha aprovação expressa ou participação. Além disso, eu sentia que ter encontrado uma esposa para Osama já era o bastante.

A nova esposa de Osama era irmã de um de seus combatentes sauditas no Afeganistão. A família era de Medina, e ela se chamava Siham. Não compareci à cerimônia, apesar de tê-la ajudado a se instalar em nossa casa.

Pouco depois do quarto casamento, Osama deu uma notícia que eu jamais teria esperado receber. Nossa família se mudaria para Medina, 360 quilômetros ao noroeste de Jidá, porque Osama supervisionaria um projeto de construção dos Bin Laden naquela cidade.

Apesar de eu preferir morar em Jidá, Medina é uma cidade importante no Islã porque o profeta Maomé fugiu para lá quando foi expulso de Meca por infiéis. É lá que ficam o lar do profeta e sua sepultura. Medina é conhecida pelos muçulmanos como "A Cidade Radiante" ou "A Cidade do Profeta" e é tão sagrada que fica em segundo lugar no coração dos muçulmanos, atrás apenas de Meca.

Nossa rotina de costume chegara ao fim com o anúncio de Osama. O caos imperou enquanto organizávamos nossos itens pessoais para os empacotadores de meu marido.

No começo da vida de casados, Osama era bastante generoso, mas tornou-se austero com o passar do tempo, acreditando que para ser um bom muçulmano era necessário abraçar a simplicidade. Com esse novo pensamento firme em sua mente, ele decretou que nossos móveis deveriam ser simples, que devíamos ter poucas roupas e que nossa comida seria modesta. A única área na qual Osama esbanjava era na de seus automóveis, que sempre eram dos modelos mais recentes. Portanto, as esposas e os filhos de Osama jamais adquiriram grandes quantidades de bens domésticos ou de itens pessoais amados por tantas pessoas do mundo moderno. Apesar disso, a família era tão grande que até mesmo as necessidades vitais mais básicas encheram muitos caixotes.

Apesar de amar Medina — pois quem poderia não amar uma cidade especial para nosso profeta Maomé? —, eu não estava feliz com a perspectiva de deixar Jidá. Ali era onde eu me sentia mais confortável, com tia Allia e sua família perto de nós, assim como algumas amigas. A fazenda da família usada para viagens nos finais de semana ficava próxima. A viagem de carro de quatro horas para Medina era o suficiente para desencorajar visitas ocasionais à família de Osama ou viagens espontâneas à fazenda. Como estava grávida, eu não fiquei feliz por estar longe de locais familiares quando meu filho nascesse.

Mas não havia nada que eu pudesse fazer para reverter a situação.

Em Medina, fomos morar em uma propriedade de Osama, uma elegante e espaçosa casa de campo. Lá era enorme, pelo menos quatro vezes o tamanho de uma casa normal, com quatro andares amplos. Mas, com quatro esposas, quase oito filhos e com muitos empregados, nossa família ocupava facilmente boa parte do espaço.

Como primeira esposa de Osama e mãe de seu primeiro filho, eu morava no andar superior, mas cada uma de nós tinha o próprio andar, incluindo quartos, banheiros, salas de estar e cozinhas. Apesar de a excitação por morar na "Cidade do Profeta" jamais ter chegado ao fim, logo ficou claro que a maioria dos membros da família sentia saudades de Jidá.

Contudo, em pouco tempo meu sétimo filho animou nossas vidas.

Apesar da mudança, a gravidez foi tranquila. Depois de dar à luz seis filhos, estar grávida tornou-se uma rotina em minha vida. Eu finalmente me contentava em ser a mãe de muitos filhos homens. Eu até treinara meus pensamentos para impedi-los de devanear a respeito dos tons pastéis das roupas de menina, que permaneciam guardadas.

Osama assegurou-se de que estivesse em casa quando nosso sétimo filho nascesse e, mais uma vez, fizemos a previsível viagem a toda velocidade para um hospital em Medina. Felizmente, os partos iam acontecendo cada vez mais facilmente e o bebê nasceu logo. Através de uma névoa, ouvi meu médico falar, trazendo notícias que me tiraram o fôlego. Depois de

13 anos de casamento e de seis filhos, Najwa Ghanem era a mãe de uma menina! Uma descarga de ansiedade correu pelo meu corpo. Quando vi um rosto tão doce que me fez achar que estava olhando para açúcar puro, a sensação em meu coração não se parecia com nenhuma outra.

Osama também parecia satisfeito, mas disse que a felicidade era resultado de ver meu evidente prazer. Demos o nome de Fatima para nossa querida menina, um dos nomes preferido entre os muçulmanos para as meninas, porque Maomé o dera à própria filha.

Senti pressa para voltar para casa com minha preciosa filha para que pudesse mergulhar nas caixas repletas de roupas de menina. Que alegria! O primeiro ano com essa menininha foi um dos mais felizes de minha vida.

Capítulo 6

Crescendo como um Bin Laden

OMAR BIN LADEN

Nós, filhos de Osama bin Laden, achávamos normal que nosso pai se casasse com outras mulheres além de nossa mãe e as trouxesse para morar em casa. Eu tinha 2 anos quando meu pai se casou com a segunda esposa; 4 anos quando se casou com a terceira e 6 quando se casou com a quarta.

Eu não dava muita importância ao fato de haver quatro mulheres casadas com o mesmo homem, meu pai, e morando sob o mesmo teto. O comportamento de minha mãe parecia positivo, então não havia motivo para que os filhos agissem de outro modo. Na verdade, minha mãe nos ensinou com doçura a respeitarmos as mulheres com as quais meu pai havia se casado.

Existem muitas razões pelas quais ter várias esposas seja visto tão favoravelmente na Arábia Saudita. A cultura saudita é dominada pelos homens. Apesar de haver algumas mulheres emblemáticas em organizações que lidam somente com questões femininas, são os homens que tomam todas as decisões importantes. Quanto à vida particular, é verdade que algumas mulheres determinam regras em relação à organização de seus lares, mas suas ações são baseadas na esperança de satisfazer os maridos.

Em nossa casa, as esposas de meu pai eram instruídas sobre o comportamento que se esperava delas e dos filhos, apesar de minha mãe ter dito que meu pai costumava discutir assuntos pessoais com ela antes de tomar a decisão final.

Esse sistema patriarcal predomina na península árabe desde o início dos tempos. Na antiguidade, os homens casavam com quantas mulheres quisessem e a quantidade poderia chegar a centenas. Quando um homem se cansava de uma mulher, podia abandoná-la sem qualquer obrigação legal. O mesmo valia para bebês do sexo feminino. Era comum que filhas indesejadas fossem enterradas vivas. Simplesmente, as mulheres eram propriedade dos homens e poderiam ser descartadas pela vontade do homem responsável por seus destinos, fosse ele seu pai, marido, tio ou filho.

Depois que o profeta Maomé estabeleceu a formação da fé islâmica, a vida das mulheres melhorou significativamente. O Islã proibiu a matança de bebês do sexo feminino. As mulheres receberam direitos financeiros específicos, incluindo o direito à propriedade. O Islã limitou os homens a terem no máximo quatro esposas, com a condição importante de que cuidasse de cada esposa exatamente da mesma maneira.

Alguns acadêmicos islâmicos acreditam que tal poligamia seja essencialmente inatingível, e esse foi o raciocínio por trás da limitação do profeta Maomé. Outros estudiosos têm opiniões diferentes, a maioria deles dizendo que é inteiramente possível para um homem equilibrado tratar quatro mulheres igualmente. Por essa razão, os homens sauditas permanecem livres para casarem com até quatro esposas.

Sempre gostei do sexo oposto. Eu ainda nem estava na escola quando me dei conta pela primeira vez de que o amor entre um homem e uma mulher era um sentimento muito poderoso. As mulheres estavam em minha cabeça, pois meu pai acabara de se casar mais uma vez.

Apaixonei-me pela primeira vez quando era muito novo. Apesar de minha imaturidade, fui acometido por um sentimento tão forte que era como se um raio tivesse colidido com meu coração. Minha amada era uma "mulher mais velha", uma linda menina de 8 anos, filha de uma amiga de minha mãe. Ela era alta e tinha cabelos castanhos que iam até a cintura, pele macia cor de oliva e olhos de cervo pretos e exóticos. Seu magnetismo físico era tão poderoso que eu apenas olhava fixamente para ela. Nada aconteceu, obviamente, por causa de minha pouca idade.

Enquanto isso, descobri muita alegria nos cavalos e em cavalgar. Meu pai, um cavaleiro natural, apresentou o amor pelos cavalos aos filhos quando ainda eram bem novos.

Cavalguei pela primeira vez aos 4 ou 5 anos. Eu estava com Abdullah, meu irmão mais velho, que na época tinha 9 ou 10 anos. Meu pai confiara ao primogênito a honra de apresentar aos mais novos o mundo dos cavalos. Abdullah assumiu a responsabilidade de bom grado.

Recordo pouca coisa daquele dia além do básico. Lembro-me de ter sido colocado cuidadosamente sobre uma sela, com Abdullah atrás de mim. Estando pela primeira vez montado em um cavalo, fiquei animado e logo perdi o equilíbrio. Eu era uma criança robusta, e segurei os braços e o pescoço de meu irmão com tanta força que o derrubei comigo quando caí na terra dura sob os cascos do cavalo. Felizmente, a égua estava acostumada com crianças e conseguiu dançar em torno de nossos pequenos corpos no último instante.

Meu irmão ficou abalado com a queda e bastante preocupado com a possibilidade de levar a culpa se eu tivesse me machucado, de modo que anunciou que tínhamos "aprendido o suficiente sobre cavalos para um dia".

Apesar de ter caído na primeira tentativa, eu estava ansioso por tentar novamente. Dentro de um ou dois anos, eu já cavalgava sem selas com meus irmãos.

Ocasionalmente, eu também cavalgava com minha mãe. Ela gostava desse hobby, apesar de enfrentar dois obstáculos para praticá-lo. O primeiro era que estava grávida durante boa parte de minha infância e sabia que cavalgar poderia ser perigoso para ela e para a criança que carregava. O segundo era que não podia ser vista no cavalo de nenhum homem que não fosse parte do círculo familiar mais íntimo, de modo que os passeios precisavam ser planejados com cuidado.

Os cavalos tornaram-se o centro de minha vida. Eu odiava o fato de meu pai permitir que eu cavalgasse somente os cavalos mais mansos de seu estábulo e estava ansioso para cavalgar os garanhões mais poderosos, como faziam meus irmãos.

Não me lembro de quantos anos eu tinha quando cavalguei em um garanhão pela primeira vez, mas sei que só praticava há poucos anos quando, com meus três irmãos mais velhos, acompanhei meu pai e um grupo de sete amigos até o deserto. Os adultos cavalgavam. Por algum motivo que não consigo me lembrar, os filhos de meu pai seguiam o grupo em um veículo com tração nas quatro rodas.

De repente, o motorista freou o carro, assim derrapando; um dos amigos de meu pai fora derrubado de um cavalo bravio. Felizmente, o homem não sofreu grandes ferimentos e foi capaz de sair mancando do local onde ocorrera o incidente, mas decidiu continuar o passeio daquele dia no automóvel. Foi nesse instante que meu pai veio galopando com a rédea do cavalo pendurada nos dedos. Ele inclinou-se, olhou para dentro do carro e perguntou: "Quem quer cavalgar?"

Meus três irmãos mais velhos evitaram o olhar de nosso pai. Eu fiquei surpreso, considerando aquela uma grande oportunidade. Já sendo ousado para minha idade, saltei do carro falando: "Eu vou! Eu vou cavalgar!"

Eu jamais tivera permissão para andar em um cavalo tão grande e poderoso, e temia que meu pai não aceitasse, mas ele encolheu os ombros, concordando. Eu era tão pequeno que ele precisou desmontar do cavalo para me colocar sobre a sela. Apesar de meu tamanho, eu me sentia como um homem grande, feliz com a chegada do momento no qual poderia provar o quanto cavalgava bem.

O choque veio rapidamente. Antes mesmo de ter me ajeitado sobre a sela, meu pai e os amigos começaram a galopar abruptamente. Sem qualquer aviso, meu grande garanhão saltou para a frente, seguindo os outros animais. Será que meu cavalo tinha asas? Foi o que me perguntei, pois eu voava tão rapidamente pelo deserto que não conseguia saber para que direção estava seguindo, posicionado tão acima do solo que sentia como se estivesse no topo de uma montanha. Agarrando-me para salvar minha vida, tentei parar o cavalo recorrendo a todos os truques que conhecia, mas ele ignorou todos os comandos de seu passageiro. Na verdade, em vez de diminuir a velocidade, o cavalo acelerou. Descobri tarde demais que, apesar de ser um cavaleiro proficiente para minha idade, aquilo não significava que eu fosse capaz de lidar com qualquer situação. Gritei para meu pai: "Pai! Pare o cavalo! Pare o cavalo!"

Graças a Alá, meu pai finalmente ouviu meus gritos de socorro. Ele deu meia-volta e veio até mim, retirando habilmente a rédea do cavalo de minha mão, fazendo o garanhão parar completamente.

Tentei não demonstrar o alívio imenso que senti, apesar de ter admitido silenciosamente que minha habilidade com cavalos ainda não era perfeita. Desmontei do garanhão travesso, determinado a caminhar pelo resto do passeio. Considerando que eu estava em segurança, meu pai e seus amigos me deixaram na areia. Pouco depois, o automóvel que transportava meus irmãos passou por mim. Sentindo que estavam se divertindo às minhas custas, tomei cuidado para não estabelecer contato visual com nenhum deles. O veículo passou lentamente por mim.

Rapidamente, os cavaleiros, os cavalos e o carro desapareceram na névoa do deserto. Eu estava completamente sozinho, minhas mãos pequenas segurando a rédea de um cavalo que eu sabia não conseguir controlar. Senti um nó de nervosismo pulsar em minha garganta.

De repente, algo assustou o cavalo. Ele levantou-se o mais alto que conseguia, com as patas da frente dobradas e as traseiras dançando; sua força intensa puxava a rédea. Segurei-a com força em uma tentativa frustrada de mantê-lo sob controle e, apesar de forte para minha idade, não tinha os músculos necessários para contê-lo, nem mesmo para continuar segurando a rédea. O cavalo deu um último pinote antes de disparar. Aterrorizado com as consequências de por acaso perder um dos preciosos cavalos garanhões de meu pai, saltei para agarrar um estribo, pegando-o milagrosamente com a mão. Segurei firme, sentindo dor nos joelhos e nos pés enquanto era balançado violentamente de um lado para outro no chão e arrastado sobre artemísias, terra e pedras pequenas.

Meu percurso descontrolado terminou quando o estribo arrebentou. O mundo ao meu redor parou. Eu estava encolhido na terra, cuspindo areia e tossindo poeira, mas ainda segurava o estribo arrebentado. Quando olhei para o animal que escapara, sob minha responsabilidade, tive um último vislumbre de seu quadril e de sua cauda enquanto ele se movia como o vento. O insuportável ocorrera. Além de não ter sido capaz de controlar um dos preciosos garanhões de meu pai, também havia perdido o cavalo. Fiquei sentado, quieto, olhando ao redor e me perguntando o que fazer em seguida.

Pouco depois, o deserto ganhou vida com um bem-vindo tropel. Nosso motorista, preocupado, voltara para ver como eu estava. Levantei de um salto. Sobrepondo-se ao barulho do automóvel, eu conseguia ouvir o som das gargalhadas de meus irmãos. O carro parou ao meu lado. Eu estava tão envergonhado que não sabia o que fazer, então fingi não ter qualquer preocupação.

Meu pai chegou galopando logo em seguida, surpreendendo-me com sua preocupação visível quanto ao meu bem-estar. Quando revelei hesitantemente o que ocorrera, meu pai deu uma rara gargalhada, dando aos meus irmãos coragem para rirem com tanta força que chegaram a expor os dentes, o que não era permitido em nossa família.

O som do motor do carro não conseguia abafar os risos de meus irmãos. Todos estavam rindo de mim, exceto o motorista iemenita. Como eu amava aquele homem bondoso. Ele era nosso motorista desde que eu era pequeno e, apesar de ter os próprios filhos, tinha um interesse especial por nós. Olhei para ele com gratidão.

Enquanto meus irmãos continuavam gargalhando, minha humilhação aumentou. Eu não queria que meu pai ou meus irmãos soubessem que estava envergonhado, então comecei a gargalhar junto. Em pouco tempo, foi impossível parar de gargalhar, minha alegria alcançou um grau tão excessivo que lágrimas saíram de meus olhos e rolaram pelo meu rosto.

Houve somente uma boa notícia naquele dia tão desagradável. Depois de me abandonar à própria sorte, o cavalo garanhão de meu pai galopara de volta para a fazenda, onde o encontramos depois, esperando impacientemente à entrada do estábulo.

À medida que fui envelhecendo, tive mais surpresas em relação a como se esperava que os filhos de Osama bin Laden vivessem. Como todos descobrimos, meu pai tinha muitas ideias incomuns a respeito do que chamava de "males da vida moderna".

Por exemplo, meus irmãos e eu tínhamos asma e passamos por várias crises graves no decorrer da infância, especialmente quando praticávamos esportes no clima quente do deserto. Em uma série de ocasiões, fui levado às pressas ao hospital para receber oxigênio. Temendo que eu e meus irmãos tivéssemos asma crônica, os médicos aconselharam nosso pai a manter um suprimento de Ventolin à mão e a fazer com que usássemos um inalador, mas meu pai foi irredutível e não concordou que tomássemos remédios modernos, não importando a gravidade de nossa doença.

Quanto a todas as coisas, exceto transportes modernos, nosso pai decretou que, sempre que possível, deveríamos viver exatamente como Maomé vivera. Uma vez que medicamentos modernos não existiam na antiguidade, nós não os tomaríamos. Na verdade, a menos que um de nós estivesse perto da morte, meu pai recusava qualquer tratamento médico moderno.

Para a asma, ele recomendava quebrar um pedaço de favo de uma colmeia e respirar através dele. Aquilo não ajudava muito, mas ainda assim nosso pai não cedia, defendendo primeiro sua posição em relação à vida do profeta e depois nos avisando que o Ventolin destruiria nossos pulmões.

Muitas vezes, senti como se estivesse lutando para respirar por meio de um canudo, mas, a menos que a morte batesse à porta, meu sofrimento era ignorado. Quando Abdullah ficou mais velho, ele ouviu a respeito do Ventolin, escapou de casa e o comprou. Ele me deu permissão para usar seu inalador.

E foi o que fiz quando tive outra crise. Depois de inspirar duas vezes, minha vida se transformou. Minha mãe descobriu que estávamos desobedecendo as ordens de nosso pai, utilizando inaladores, mas, felizmente, jamais comunicou nosso desrespeito a ele. Ela só se importava com o fato de não sofrermos mais.

Até a adolescência quando fomos morar no Afeganistão, nenhum de nós havia conhecido alguém que compartilhasse das opiniões severas de nosso pai. Quando atingíamos a idade para conseguir falar, meu pai deixava claro que esperava que respeitássemos regras específicas que determinavam como um menino muçulmano deveria viver.

Como as crianças em todos os lugares, tentávamos burlar tais regras sempre que possível. Por exemplo, nosso pai não nos deixava consumir refrigerantes que vinham da América. Como amávamos o proibido! Obedecíamos o que decretara em relação a produtos americanos enquanto ele estava por perto, mas consumíamos com alegria Pepsi e outros refrigerantes sempre que tínhamos oportunidade.

Havia outras regras inusitadas que não tinham nenhuma relação com a aversão de meu pai aos produtos ocidentais. Desde pequenos, ele exigia que nos dessem quantidades mínimas de água. À medida que crescemos, ele reforçou a importância de se beber água somente quando fosse absolutamente necessário. Ele explicava que seus filhos deveriam ser "rudes" e "pacientes", de modo que deveríamos condicionar nossas mentes a resistirem a qualquer tipo de alimento pelo máximo de tempo possível.

Regras idênticas foram estabelecidas para suas filhas, mas ele encarregou nossa mãe de incutir disciplina nelas. Minhas irmãs tiveram mais sorte porque nossa mãe achava impossível resistir ao choro e às súplicas de suas meninas por água ou comida.

Mesmo quando éramos muito novos, nosso pai nos levava para o deserto seco, nos arredores da fazenda de Jidá, exigindo inflexivelmente que o acompanhássemos em longas caminhadas, apesar de todos sermos propensos a ter crises de asma. Sua regra mais severa era a de que não poderíamos beber água até que retornássemos da caminhada. Ele disse que não deveríamos nem mesmo "pensar" em água. Com certeza, qualquer pessoa sabe que caminhar no deserto desidrata o corpo perigosamente. Na verdade, o governo recomenda às pessoas que visitam os desertos da Arábia Saudita que bebam o máximo possível de água.

Os filhos de Osama bin Laden aprenderam o contrário, ou seja, que precisamos treinar para ficarmos longas horas no deserto sem consumir qualquer tipo de líquido. Os filhos de Bin Laden precisavam aprender a ser fisicamente imunes ao calor inóspito do deserto, a tornar seus corpos e mentes fortes e resistentes. Éramos alertados repetidas vezes de que deveríamos estar preparados para travar combates no deserto quando o ocidente infiel atacasse o mundo muçulmano, crença que se desenvolveu pela primeira vez na mente de meu pai quando eu era um bebê e que aumentava a cada ano que passava.

Foram tantas especificações desse tipo que a maioria delas se fundiu em minha mente, mas recordo de um passeio em especial quando meu pai anunciou: "Hoje acrescentaremos um treinamento rigoroso ao nosso programa. Incluiremos o montanhismo. Selecionei uma área na qual há muitas colinas íngremes." Sua voz suave ficou mais baixa. "Não haverá água até que desçamos as montanhas." Apesar disso, sabíamos que ele costumava carregar um pequeno recipiente com água para o caso de alguém desmaiar por causa do calor.

Meus irmãos e eu ficamos desanimados com tal perspectiva, mas não protestamos. Já havíamos tentado argumentar com nosso pai anteriormente. Em vez de me envolver em uma discussão inútil, decidi me preparar mentalmente.

Partimos com nosso motorista, que sempre recebia a ordem de nos acompanhar em tais excursões, seguindo os passos de nosso pai obedientemente. Subimos caminhando, com o escaldante sol saudita ardendo sobre nossas cabeças, e nossas pernas logo enrijeceram com a subida íngreme. Ninguém conseguia acompanhar meu pai. Ele treinava seu físico desde a juventude. Apesar de não ser um homem musculoso, ninguém caminharia com a persistência incansável de Osama bin Laden. Depois de observá-lo em muitas excursões ao deserto, eu tinha o pensamento infantil de que meu pai seria capaz de dar a volta ao mundo sem nenhum momento de repouso e sem tomar qualquer única gota-d'água.

Quando estávamos na metade da subida da alta colina, as pálpebras do pobre motorista iemenita se semicerraram. Observei enquanto seu rosto empalidecia, seus passos perdiam o ritmo e sua respiração ficava pesada. A voz dele me deu pena quando falou roucamente: "Água... Preciso beber água..."

Inicialmente, meu pai o ignorou; só cedeu quando o pobre homem, cuja idade já fazia cabelos brancos brotarem em sua barba, caiu no chão e começou a implorar. "Morrerei sem água, xeique Osama. Morrerei. Apenas uma gota, por favor, uma gota..."

Fiquei tão aliviado quando a sede dele foi saciada que cheguei a suspirar. Infelizmente, tal histeria de nosso motorista tornou-se contagiosa. Logo depois, um de meus irmãos mais velhos começou a chorar, acreditando que também pereceria sem beber um pouco de água. Eu caminhava regularmente, olhando fixamente para meus pés, mas ouvi quando um de meus irmãos desistiu, implorando ao nosso pai por um pequeno gole de água.

Meu pai estalava os lábios em reprovação conforme repartia a água, dando alguns poucos goles para cada um de meus irmãos. Estudei a expressão em seu rosto, tão branda de insensibilidade. Uma raiva fervente aqueceu meu coração e minha mente ainda mais do que o sol do deserto! Decidi que preferiria morrer a implorar. Seria benfeito caso meu pai precisasse dizer à minha mãe que ele matara um de seus filhos.

Com a cabeça latejando no mesmo ritmo das batidas altas de meu coração e com a garganta tão seca que minha língua começava a inchar, recusei-me a permitir que as palavras que desejava gritar escapassem de meus lábios. Jamais desejei água com tanta intensidade. Mas nunca vacilei. Caminhei regularmente até dar o último passo na base da montanha.

Olhei para meu pai com um ar de triunfo. Eu havia passado em seu teste desumano; eu não implorara por água. Nós dois fomos os únicos que conseguiram chegar até a base da colina sem beber água.

Em retrospecto, sei agora que meu pai ficou surpreso ao ver que um dos filhos mais novos na trilha fora o último homem a permanecer de pé.

Havia outras regras absurdas em relação à nossa conduta. Tínhamos permissão para falar na presença dele, mas devíamos manter a voz baixa e medir as palavras cuidadosamente. Melhor dizendo, não deveríamos "falar demais". Diziam que não deveríamos ficar animados em nenhuma situação, ser sérios em relação a tudo. Não podíamos contar piadas. Fomos ordenados a não expressar alegria diante de nada. Ele disse que nos permitiria sorrir desde que não gargalhássemos. Se perdêssemos o controle das emoções e ríssemos demais, deveríamos tomar cuidado para não expor nossos dentes caninos. Estive em situações nas quais meu pai efetivamente contou os dentes expostos, repreendendo os filhos de acordo com o número revelado pela alegria.

Todos os filhos mais velhos de Osama bin Laden foram afetados adversamente pelo fanatismo dele. Na infância, Abdullah, o primogênito, jamais tentou travar amizade com outros meninos, preferindo uma vida solitária. Sua maior alegria era pilotar uma motocicleta. Quando estávamos na fazenda, Abdullah subia em sua moto e desaparecia por horas; conforme ele ia desaparecendo no deserto, seu cabelo voava com o vento.

Meu segundo irmão mais velho, Abdul Rahman, nascido em 1978, tinha uma personalidade solitária, tendo o hábito de ficar sentado a sós olhando fixamente para o nada. Lembro-me de que, quando menino, ele tinha surtos descontrolados de atividade, destruindo objetos da casa ou talvez buscando atividades mais contidas, como brincar por horas a fio com pedaços de papel.

Seja lá qual fosse o problema, acredito que Abdul Rahman era incapaz de delinear os limites usuais entre ele próprio e as outras pessoas. Por exemplo, apesar de ficar encantado com animais, especialmente com cavalos, houve momentos na infância em que sua personalidade sofria uma alteração e ele se tornava cruel com os mesmos animais que dizia amar. Essa característica se manifestou pela primeira vez quando Abdul Rahman ainda era muito novo.

Meu pai também reparara em problemas durante os primeiros anos de Abdul Rahman e, certa vez, compartilhou comigo um incidente perturbador: "Omar, lembro-me de ter visitado minha mãe quando seu irmão ainda era um bebê. A gata de estimação de minha mãe entrou na sala. Abdul Rahman correu para agarrar o animal. Ele a segurou com força entre as mãos. Eu não sabia o que ele pretendia fazer, e de repente Abdul Rahman fez uma coisa surpreendente: ele a mordeu. Antes que pudéssemos tirá-la suas mãos, a pobre gata arranhou seu irmão e fugiu. Acreditamos que tinha sido um incidente passageiro, porém mais tarde, à noite, peguei Abdul Rahman espreitando a gata. Movendo-se rapidamente, ele a agarrou e a mordeu novamente até que ela berrasse de dor."

Meu pai balançava a cabeça com tristeza, sem dizer mais nada.

Sa'ad, o terceiro filho, era o oposto de Abdul Rahman; era um comediante natural e gostava de falar mais do que qualquer ser humano que já tenha conhecido. Ele conversava expansivamente sobre os assuntos mais fúteis, qualquer coisa que surgisse em sua cabeça, fosse sobre o novo filhote de bode, a última travessura feita por um dos irmãos bebês ou talvez sobre a consistência do iogurte que tomara no café da manhã. Com frequência, Sa'ad parecia fora de controle com sua falação interminável, ocasionalmente confessando informações pessoais íntimas que ninguém queria ouvir.

A agitação ilimitada resultava constantemente em problemas para Sa'ad, pois, entre todas as crianças, era o único que continuava desrespeitando as rígidas regras de conduta de nosso pai. Os braços e as pernas de Sa'ad moviam-se tão rápido quanto sua língua. Meu irmão jamais caminhava para algum lugar; ele corria incessantemente, até que, um dia, correu diretamente de encontro a um automóvel.

Isso aconteceu quando nosso pai estava no Afeganistão e nós estávamos em Jidá. Nosso motorista iemenita, que ficara encarregado da casa, havia caminhado conosco até a mesquita do bairro. Como sempre, Sa'ad estava correndo muito à frente de todos nós. Ele estava tão apressado que, imprudentemente, não olhou para os lados antes de atravessar a rua. Houve um baque nauseante quando Sa'ad colidiu com um carro em movimento.

Corremos até o local do acidente. Todos estavam agitados, mas ninguém ficara mais perturbado do que o motorista do carro envolvido, que era engenheiro da empresa de nossa família e dirigia um carro da companhia. Quando aquele pobre homem compreendeu que havia atropelado um filho de Osama bin Laden, ficou transtornado, assim como nosso motorista, que assumira por nosso pai a responsabilidade pela segurança de seus filhos. Tenho certeza de que os dois homens já vislumbravam a perda de bons empregos, ou talvez longas sentenças na prisão, pois motoristas envolvidos em acidentes de carro com feridos podem ser mantidos presos enquanto esperam por uma decisão das autoridades.

Meus irmãos e eu formamos um círculo ao redor de Sa'ad. Nem mesmo o acidente acalmara sua língua; meu irmão estava balbuciando e gritando. Em pouco tempo concluíram que, provavelmente, os ferimentos não eram graves. Observamos uma ambulância levar Sa'ad às pressas até o hospital enquanto nosso motorista corria para casa a fim de informar nossa mãe sobre o acidente.

Nós, os garotos, ficamos por perto para ver o que aconteceria a seguir.

Para a sorte do motorista envolvido no acidente, o capitão de polícia deixou o incidente nas mãos da família Bin Laden. O motorista ficou claramente aliviado, até que suas preocupações voltaram quando ele se deu conta de que nosso pai ainda precisava ser informado. Não lembro quem, mas alguém em uma posição de autoridade na família decidiu que, como Sa'ad sobrevivera sem ferimentos graves, nosso pai poderia viver sem tomar conhecimento do incidente, pelo menos enquanto estivesse no Afeganistão.

Felizmente para todos, quando meu pai retornou à Arábia Saudita, Sa'ad estava totalmente recuperado dos ferimentos. Apesar de ter ficado chocado ao saber que o filho fora atropelado por um automóvel, meu pai não responsabilizou nenhum ser terrestre: "O acidente não foi culpa do motorista", ele disse. "Foi vontade de Deus que Sa'ad fosse atropelado e que sobrevivesse. Podemos agradecer a Deus."

Apesar de ser difícil para qualquer ser humano descrever com precisão a própria personalidade, conheço a mim mesmo o bastante para estar convencido de que a vida que meu pai decretou aos filhos também me moldou negativamente.

Os anos que precederam minha entrada na escola primária foram os melhores de minha vida. Eu consumia avidamente a atenção total de minha mãe antes do nascimento de meu irmão mais novo, Osman, pelo menos quando meu pai estava no Paquistão ou no Afeganistão. Depois do nascimento de Osman, que passou a consumir boa parte da atenção de minha mãe, comecei a passar mais tempo com nosso motorista iemenita, o homem bondoso sobre quem falei anteriormente.

Quando nosso pai estava fora, nossas manhãs começavam com a primeira oração do dia. Depois, nossa mãe nos aguardava com um café da manhã simples, incluindo pão, queijo e ovos. Em seguida, meus irmãos eram levados para a escola por nosso motorista. Após o nascimento de Osman, comecei a acompanhá-los no carro.

Na época, eu sentia tristeza por não poder ir à escola com meus irmãos, pois me sentia solitário quando não estavam comigo. Às vezes, depois de voltar para casa, eu brincava com os filhos do motorista, que moravam com os pais em nossa casa. Caso ficasse entediado, eu me juntava à minha mãe e a seguia durante algum tempo antes que ela me colocasse para tirar um cochilo. Depois de acordar, eu almoçava com minha mãe. Geralmente, comíamos saladas, frango e arroz.

Depois do almoço, nosso motorista podia me levar com ele para comprar comida e itens pessoais para a família. À tarde, retornávamos à escola para buscar meus irmãos.

Com o passar dos anos, fui ficando ainda mais solitário. Eu lia livros, sozinho. Eu brincava sozinho com os animais. Sendo um amante dos animais desde que nasci, eu me empolgava estudando qualquer pássaro que pousasse no jardim. Quando viajávamos para a fazenda, havia muitos animais; eu podia observá-los ou brincar com eles. Fiquei tão acostumado a ficar sozinho que comecei a apreciar tal condição. Quando nossa família viajava, eu gostava de encontrar um canto isolado para minha cama, mas com frequência meu pai percebia e me mandava colocá-la perto das de meus irmãos.

Com minha personalidade voluntariosa, testei a paciência de meus pais diversas vezes.

Em uma dessas ocasiões, eu queria ir a lojas a fim de comprar algo especial para mim. Eu sabia, por meio da experiência obtida ao observar nosso motorista, que as pessoas precisavam de moedas para trocá-las por produtos. Eu não sabia como conseguir algumas moedas. De repente, tive um lampejo de memória: minha mãe mantinha algumas moedas de ouro em um criado-mudo em seu quarto. As moedas eram um presente dado por membros da família cada vez que ela tivera um filho.

Fui ardiloso, atento para quando minha mãe estivesse ocupada. Na primeira oportunidade, entrei correndo em seu quarto, abri a gaveta do criado-mudo e vi duas moedas grandes. Hoje sei que cada moeda valia cerca de mil riais sauditas, algo em torno de 300 dólares.

Saí de casa correndo, escapando pela porta da frente, e segui até uma loja que eu visitava rotineiramente com nosso motorista. O dono da loja era do Egito, um homem muito agradável que disfarçou a surpresa quando entrei trotando pela porta. Senti-me todo importante quando ele me perguntou educadamente de que eu precisava. Apontei para alguns doces, um refrigerante e alguns lápis de cor, todos itens especificamente proibidos por meu pai. Paguei ao dono da loja com as duas moedas roubadas. Tendo sido bem-sucedido em minha missão, entrei em casa sem ser visto e escondi minhas compras para que meus irmãos não exigissem ficar com parte delas.

Para meu azar, meu pai foi fazer compras na loja alguns dias depois. Quando ele entrou, o egípcio pegou as moedas e as deu ao meu pai, junto com a notícia de que Omar, seu filho pequeno, fizera uma visita não supervisionada à loja para fazer algumas compras incomuns.

Meu pai ficou tão satisfeito com a honestidade do homem que o recompensou presenteando-o com uma das moedas. Obviamente, ele não ficou nada satisfeito comigo. Fui punido severamente por minha travessura e pelo roubo. Contudo, nada disso pôs fim ao meu mau comportamento. Em pouco tempo, fui acometido novamente pelo vírus das compras. Assim como antes, entrei na ponta dos pés no quarto de minha mãe em busca de dinheiro. Dessa vez, achei dinheiro em notas e peguei cerca de 500 riais sauditas.

Sabendo que meu pai alertara os empregados para que me observassem atentamente, dei-me conta da dificuldade de escapulir sem ser visto. Entrei em um dos quatro banheiros e fugi pela janela, descendo por um cano antes de atravessar o jardim. Fiquei aliviado ao ver que o grande portão de ferro não estava trancado, o que me poupou de uma escalada perigosa para pular o muro alto que cercava nossa casa. Corri para as lojas, mas fiquei decepcionado quando descobri que estavam fechadas. Estava mais tarde do que eu imaginara.

Refiz meus passos de volta para casa e recoloquei o dinheiro no esconderijo de minha mãe. Querendo me gabar da aventura, cometi a tolice de confessar o que fizera ao meu irmão mais velho, Abdullah. Ele olhou severamente para mim antes de ir até minha mãe para informá-la sobre minha fuga na madrugada. Só escapei de uma punição rigorosa porque minha mãe era incapaz de ser dura com qualquer um dos filhos, mesmo quando mereciam ser repreendidos.

Quando meu pai soube de minhas escapulidas, chamou-me de "pequeno vilão" e ordenou os empregados a instalarem uma cerca de arame farpado no topo do muro que cercava nosso terreno; eles foram eficientes ao fazerem uma cerca "à prova de travessuras", como a definiram. A proteção foi erguida em forma de Y para que fosse impossível de ser escalada. Orgulhosos do trabalho, os homens se parabenizaram mutuamente, falando sobre como o filho do xeique jamais escalaria a cerca, acrescentando que nem mesmo o ladrão mais astuto conseguiria roubar o lar dos Bin Laden.

Estávamos trancados dentro de casa e o mundo estava trancado do lado de fora.

Na mesma semana, realizei a primeira de muitas fugas, tendo descoberto que se escalasse o muro sob a guarita onde os guardas ficavam, havia um ponto onde era possível me pendurar pelas pernas e arremessar meu corpo para o poste de iluminação da rua, agarrando-o primeiro com as mãos e depois descendo facilmente até que minhas pernas curtas tocassem a calçada.

Quando os homens que instalaram a cerca descobriram que eu havia superado a cerca "à prova de travessuras" para escapulir diariamente, eles se sentiram humilhados. Depois do incidente, meu pai passou a me manter ao lado dele sempre que estava em Jidá, levando-me para todos os lugares aonde ia, alegando que era eu quem levava os outros filhos a fazerem travessuras, pois àquela altura meus irmãos estavam começando a me imitar.

Meu irmão Osman foi o próximo a nascer depois de mim. Durante anos, foi o menor dos filhos, mas um dia começou a crescer e não parou mais, engordando e permanecendo acima do peso por vários anos. Então Osman começou a emagrecer rapidamente e ficou muito magro, ganhando cada vez mais altura até se equiparar ao nosso pai. Osman era um garoto tão quieto que jamais entendeu o propósito de uma piada. Na verdade, ficava com raiva quando alguém contava uma, o que o levava a se afastar, amuado. Ele era religioso, mas não tão exageradamente quanto nosso pai era. Ele se parecia com os irmãos em dois aspectos: amava os animais e tinha o hábito de cavalgar.

Mohammed também foi o filho mais novo durante anos, e concentrava-se em brincar. Nosso pequeno irmão ansiava por carros de brinquedo, mas, como nosso pai os proibia, nós, os irmãos mais velhos, assumimos a tarefa de escapulir até as lojas e comprá-los para nosso irmãozinho.

Sendo a primeira menina depois de seis filhos, nossa irmã pequena, Fatima, era uma novidade, uma mascote amada por todos nós. Ela entreteve a família por horas quando começou a aprender a engatinhar e, depois, a andar. Minha mãe sonhara durante tantos anos com uma filha, de modo que amava brincar com Fatima e vesti-la com roupas de babados. Nossa irmãzinha tinha um rosto lindo e seu cabelo era cacheado, crescendo tanto que descia por suas costas. À medida que ficava mais velha, passou a observar a mãe e a imitar tudo que ela fazia.

Muitas vezes, estudei a conduta de meu pai em relação aos meus irmãos mais novos. Ele parecia gostar de passar o tempo no chão, rolando com as crianças, permitindo que Mohammed e Fatima subissem em sua cabeça e em seu peito. Ele até os abraçava e beijava. Eu não conseguia me lembrar de meu pai sendo tão afetuoso quando eu era bebê, apesar de minha mãe dizer que recorda de tais momentos.

Pouco depois de meu pai se casar com a quarta esposa, descobri que toda a família se mudaria para Medina. Não fiquei nem um pouco preocupado, pois era novo demais para compreender as implicações de deixar Jidá.

Capítulo 7

De mudança para Medina

OMAR BIN LADEN

No começo, Medina era um lugar empolgante para se morar. Meus olhos se esbugalharam quando vi a enorme mansão — ainda maior do que nosso prédio em Jidá —, que seria nossa casa. Mas a decepção estava por vir. Por fora, nossa casa parecia uma mansão, mas descobrimos que o interior era simples, austero. A ampla área interna estaria vazia, não fossem alguns tapetes persas baratos no chão, almofadas arrumadas ao longo das paredes e colchões finos para dormirmos.

Muitas vezes, perguntava-me por que nossas belas mansões eram tão parcamente decoradas. Uma vez, perguntei à minha mãe e ela confessou que, quando era uma jovem noiva, sonhava em ter uma casa belamente decorada. Mas ela havia abandonado esse sonho há muito tempo.

As ausências frequentes de meu pai, somadas às gestações quase contínuas de minha mãe, haviam tirado dela a oportunidade de cuidar da decoração nos primeiros anos de casados. Mais tarde, depois de se mudarem para a própria casa, meu pai mudou de opinião e decretou que a família deveria levar uma vida simples; disse que não permitiria que ela gastasse o dinheiro dele em móveis rebuscados.

Lembrando da mobília simples da casa em Medina, eu classificaria os aposentos de minha mãe como uma cobertura sem luxo.

Apesar de estarmos juntos como uma família, a maioria de nós sentia saudades de Jidá. Apenas Siham, a quarta esposa de meu pai, que vinha de Medina, parecia mais feliz, pois podia ver sua família com mais frequência. O resto de nós havia deixado os corações em Jidá, a única cidade que conhecíamos, que ficava perto de nossa amada fazenda da família. Jamais tínhamos imaginado o quanto nossa vida se tornaria infeliz sem a liberdade daqueles finais de semana de descanso na fazenda.

Ainda assim, tivemos alguns momentos bons em Medina. Lembro-me de um incidente curioso que ocorreu pouco depois de nos mudarmos para a cidade.

Eu e meu irmão mais esperto, Sa'ad, estávamos entediados, andando de um lado para outro em nossa casa vazia, buscando algo divertido para ocupar nosso tempo. Ouvindo o som bem-vindo de alguém batendo na porta da casa, corremos para ver quem vinha nos visitar. Encontramos três mulheres usando véus, com as mãos estendidas, pedindo dinheiro.

Por natureza, os sauditas tendem a ser generosos, mas tal tendência é acentuada durante feriados religiosos. Portanto, nesses períodos, mulheres sauditas pouco privilegiadas vagam pelos bairros ricos, batendo nas portas e pedindo ajuda caridosa.

Sa'ad e eu éramos novos e nenhum de nós compreendia exatamente o que deveria fazer, especialmente porque não tínhamos moedas para dar às mulheres. Inicialmente, dissemos que deveriam ir embora, mas de repente Sa'ad mudou de ideia e falou: "Esperem! Vocês não podem partir!"

Olhei com curiosidade para Sa'ad, assim como nossas visitantes cobertas pelos véus. Por alguns instantes, elas olharam para nós através do tecido preto que as cobria, e em seguida se viraram ao mesmo tempo a fim de partir.

A voz de Sa'ad adquiriu um tom de urgência: "Não! Vocês não podem ir embora!", ele gritou novamente. Ele fez uma pausa e então gritou: "Nosso pai quer casar com vocês!"

Lembrando que meu pai realmente parecia apreciar ter muitas mulheres por perto, achei muito boa a ideia de Sa'ad. "Sim!", concordei. "Nosso pai gostaria de se casar com vocês!"

Eu e Sa'ad abrimos a porta o máximo possível, indicando com as mãos para que elas entrassem e se acomodassem para um casamento.

Percebendo que estávamos falando sério, as mulheres cobertas pelos véus deram meia-volta e fugiram, andando tão rápido quanto os véus pretos e suas longas abayas permitiam.

Em pânico, achando que esposas em potencial para nosso pai estavam escapando, Sa'ad e eu corremos atrás delas. Sa'ad jogou seu corpo ágil em frente às mulheres espantadas, implorando: "Voltem! Vocês devem entrar! É verdade! Nosso pai quer se casar com vocês!"

Pensando em como nosso pai ficaria feliz por ganhar três esposas de uma vez, eu estava determinado a não permitir que escapassem novamente.

Ficando agitadas com o episódio inusitado, as pobres mulheres nos empurraram para os lados e correram mais rápido ainda. Quando as vimos pela última vez, suas *abayas* pretas estavam tremulando.

Houve outro incidente que pareceu engraçado na hora, mas somente porque desconhecíamos o perigo real. Um de meus irmãos viu um ninho de pombos em um dos canteiros redondos construídos ao lado de fora de uma das janelas do quarto andar. Sempre em busca de um novo passatempo, nos ocupamos em ficar de olho. Em pouco tempo, havia dois ovos, dos quais saíram dois filhotes de pombos. Todos os dias, conferíamos como eles estavam.

Certa manhã, a mãe pomba não retornou no horário habitual e decidimos que precisávamos salvar os filhotes. Para alcançarmos os pombos no canteiro, rapidamente subimos a escada que dá para o telhado, onde Abdul Rahman se ofereceu para ficar pendurado a fim de chegar ao canteiro do quarto andar. Feito isso, ele esticou a mão para pegar os filhotes de pombo no ninho. Meus irmãos e eu observamos Abdul Rahman cambalear segurando os filhotes e tentando subir de volta para o telhado. Mas estávamos tão agitados que logo perdemos o interesse e descobrimos outra coisa para fazer. Fomos embora apressadamente, sem pensar em nosso irmão, e trancamos a porta do telhado para a escada.

Como em muitas casas sauditas, havia um vão circular no centro de nossa casa que subia do térreo até o telhado. Logo, Abdul Rahman estava gritando para nós do topo do vão. Em vez de subirmos de volta os quatro andares a fim de destrancar a porta, gritamos para que ele saltasse.

Abdul Rahman hesitou. Meus irmãos e eu formamos um coro: "Salte! Salte! Nós pegaremos você! Salte! Salte! Salte! Nós pegaremos você!"

Não nos demos conta de que se Abdul Rahman nos desse ouvidos, ele sofreria ferimentos graves ou até morreria. Dor e morte simplesmente não estavam em nossas mentes naquela manhã, apesar de conhecermos a dor por causa das sovas dadas por nosso pai e de termos ouvido sobre como muitos humanos passavam da vida para a morte em apenas um instante. Depois da morte, algumas pessoas iam para um lugar assustadoramente quente chamado inferno. Nossos instrutores religiosos costumavam se concentrar nos horrores desse local, de modo que não desejávamos fazer uma viagem para lá.

Realmente acreditávamos que Abdul Rahman poderia saltar do telhado para o térreo sem sentir dor ou morrer. Esticaríamos os braços e o pegaríamos.

Convencido pelo nosso coro, Abdul Rahman colocou os filhotes de pombo no chão e fez que ia saltar. No último instante, pensou melhor a respeito da ideia e agarrou instintivamente a borda do piso superior enquanto seus pés, movendo-se rapidamente, encontraram um pequeno apoio na parede interna.

Imediatamente, começamos a rir e a gritar: "Solte, Abdul Rahman! Nós pegaremos você!"

Não tenho ideia de por que nossa mãe ou alguma de nossas três tias não reagiram ao alvoroço. Em retrospecto, suponho que meu pai as tivesse treinado tão bem a ficarem atrás de portas trancadas que elas ignoravam tudo que se passava do lado de fora delas. Felizmente, nossos gritos alertaram um dos motoristas da família, que entrou correndo pela porta da frente para ver qual era o motivo da comoção. Ele acompanhou nossos olhares e viu Abdul Rahman pendurado. O motorista, com as mãos na cabeça, suspirou alto antes de dar alguns gritos e, em seguida, correu o mais rápido que pôde, subindo três degraus de cada vez, para chegar ao topo. Assim, agarrou as mãos de Abdul Rahman, esforçando-se para levá-lo de volta à segurança.

Agitados pelo tumulto que havíamos criado, seguimos escada acima, onde encontramos o pobre motorista visivelmente abalado. Ele nos deu uma bronca fora do comum, dizendo que quase caíra junto com Abdul Rahman. Falou que, se aquilo tivesse acontecido, ambos teriam morrido quando atingissem o chão duro de mármore quatro andares abaixo. Por sorte, o motorista salvara o dia.

Em Medina, ocorreu outro marco pessoal em minha vida. Completei 7 anos e fui matriculado na escola Obaiy bin Kahab, começando a fazer caminhadas diárias até a escola com meus irmãos mais velhos. Durante anos, eu desejara ir à escola com meus irmãos, e, apesar dos avisos que me davam dizendo que era eu quem tinha sorte por ficar em casa, jamais acreditei. Achei que estivessem se divertindo tanto que quisessem me deixar de fora.

Descobri tarde demais que meus irmãos não estavam me enganando. A escola se tornou uma tortura instantaneamente, pois o nome de nossa família gerava uma animosidade ferrenha nos professores. Fiquei chocado quando descobri que era odiado por ser um Bin Laden.

A família Bin Laden era conhecida como uma das mais prósperas e influentes do reino. Raramente os sauditas de classe média ou baixa tinham a oportunidade de estar perto de um membro da família fabulosamente rica de meu avô. Talvez os professores, intimamente, invejassem a riqueza e a influência dos Bin Laden. Seja lá qual fosse a razão, quando tinham a oportunidade de descarregar seu sentimento ruim sobre nós, eles o faziam. Apesar de nossas tentativas desesperadas de agradar os professores, nada ajudava a evitar a raiva que sentiam. Lembro de um professor que anunciara em aula que a riqueza e a influência não afetariam sua conduta. Aquele homem era o pior e me insultava mais do que os outros.

Era particularmente doloroso, porque alguns alunos imitavam as ações dele. Um grupo de garotos chegou a ameaçar meus irmãos e eu de estupro! Havia momentos nos quais precisávamos brigar para nos proteger ou, quando pegos a sós, corríamos como o vento.

Na Arábia Saudita, os professores têm o direito legal de baterem com bengalas em qualquer aluno, e alguns deles exerciam tal direito. Nossas notas costumavam ser ruins, ficando ocasionalmente abaixo do mínimo necessário para que fôssemos aprovados, mesmo que nosso trabalho tivesse ficado muito bom. Havia ocasiões em que as sovas e as provocações ficavam tão insuportáveis que implorávamos ao nosso pai para que nos matriculasse em escolas onde nosso nome não atraísse tanta hostilidade.

Meus irmãos e eu perguntamos por que os filhos de Osama bin Laden foram enviados à escola pública quando nosso pai, nossos tios e nossos primos estudaram somente nas melhores escolas particulares. Enquanto nossos primos eram preparados para uma vida privilegiada, nós éramos enviados para escolas abaixo do padrão, o que prejudicaria nosso futuro. E, realmente, nossos futuros foram determinados pelas escolas inferiores. Não somente os professores eram cruéis, como também recebemos uma educação inadequada.

Se nosso pai tivesse feito uma reclamação enfática à escola, os professores teriam ajustado seu comportamento. Mas ele ficou estranhamente impassível diante de nosso dilema, fazendo um sermão sobre suas crenças rigorosas: "A vida deve ser um fardo. A vida deve ser dura. Vocês serão adultos capazes, aptos a superar muitas dificuldades." Já que ninguém nos defendeu, os professores ficaram ainda mais ousados.

Por causa de minhas primeiras experiências na escola, um dos dias mais felizes de minha vida foi quando soube que retornaríamos para Jidá em 1988, um ano depois da mudança para Medina. Tudo em que eu conseguia pensar era: escaparei da Obaiy bin Kahab! Meus irmãos tentaram me avisar que na escola em Jidá seria igual, mas desconsiderei isso, acreditando que nada poderia ser tão ruim quanto a escola em Medina.

Todos os dias foram torturantes até que nossos pertences estivessem empacotados e que nós tivéssemos embarcado em veículos grandes para a mudança de volta. Abri um sorriso tão grande quando vi Jidá que um de meus irmãos mais novos me avisou que podia ver vários dentes meus. Quando começou a contá-los, parei de sorrir. Ainda assim, continuei feliz, pois a brisa fresca que vinha do mar de Jidá era como um bálsamo curativo.

Logo descobri que meus irmãos não haviam mentido a respeito da escola em Jidá. Fiquei tão desesperado que contei à minha mãe sobre os abusos. Ela ficou horrorizada, mas acredito que tenha temido falar com nosso pai, que era irredutível quanto a tomar todas as decisões em relação aos filhos.

É um milagre que nenhum de nós tenha sido espancado até a morte. Não sei quanto a meus irmãos, pois o assunto em questão é tão doloroso que não o abordamos, mas a crueldade extrema que os professores aplicaram ao meu corpo e à minha mente me deixaram marcado pelo resto da vida.

O único momento feliz do qual me lembro foi quando uma pintura minha foi escolhida para ser pendurada na parede da escola. Antes disso, eu jamais recebera qualquer reconhecimento na escola. Minha mãe também ficou satisfeita, pensando que eu herdara seu dom para as artes, e acredito que esse tenha sido o caso.

Enquanto a escola permanecia como uma fonte de sofrimento constante, houve outras mudanças em nossa vida. Até onde conseguia lembrar, meu pai sempre estivera indo e voltando para o Paquistão e o Afeganistão para lutar pela causa do Jihad.

O Jihad é um dever religioso dos muçulmanos, é a luta pelo caminho de Deus, e pode ser violenta ou não. O que não é violento representa uma luta interior, como a daqueles que combatem seus impulsos básicos para levarem uma vida correta. No caso de meu pai, o conceito do Jihad incluía lutas armadas e violentas contra o Exército soviético que oprimia uma terra muçulmana.

Quando um fiel muçulmano é convocado a se envolver em uma luta armada, ele passa a ser conhecido como um mujahid. Um grupo que luta em conjunto contra a opressão é chamado de mujahidin. Os mujahidin mais conhecidos eram os soldados que lutavam no Afeganistão, incluindo meu pai e seu grupo de combatentes árabes. Na verdade, o movimento de luta contra os invasores russos no Afeganistão tornou-se tão popular que os Estados Unidos, ao longo dos governos de Jimmy Carter e de Ronald Reagan, ajudaram a financiar os mujahidin, com o presidente Reagan elogiando-os publicamente como combatentes da liberdade.

Naquela época, meu pai também era um grande herói para o Ocidente.

De repente, começou a se falar que o impossível havia acontecido: o Exército soviético estava se retirando do Afeganistão — derrotado por um grupo desorganizado de mujahidin, alguns dos quais eram liderados pelo meu pai!

Lembro-me de ter especulado sobre o que meu pai faria com o tempo livre, já que sua vida se concentrara totalmente naquela guerra distante por muitos anos. Para minha surpresa, meu pai ficou mais ocupado do que nunca, pois foi muito solicitado por ser herói de guerra da Arábia Saudita. O governo saudita, assim como cidadãos sauditas particulares, haviam doado quantias enormes à causa afegã. Além disso, muitos homens sauditas haviam se oferecido como voluntários para lutar nos campos de batalha do Afeganistão, dentre os quais muitos pais e filhos ficando gravemente feridos ou até morrendo. Depois de tais sacrifícios, os sauditas sentiram que tiveram uma participação significativa na guerra.

Todos no país celebraram a vitória islâmica. Como representante daqueles heróis, meu pai era altamente reverenciado por muitos sauditas e por muçulmanos em outras terras. Muitos homens queriam conhecê-lo para ouvir suas experiências pessoais nos campos de batalha. Apesar de meu pai não procurar nenhuma atenção especial, ele concordou em falar na mesquita e em eventos privados.

Nossa vida adquiriu mais rotina, algo que nenhum de nós jamais conhecera. Nosso pai era como os outros pais, saindo todos os dias para trabalhar nos negócios da família, apesar de permanecer intensamente ocupado com a fé islâmica, e passava muito tempo se encontrando com outras pessoas para tratar de suas obrigações como fiel.

Felizmente para nós, durante aproximadamente um ano, ele ficou menos mal-humorado, apesar de ainda esperar que os filhos se comportassem de um modo excessivamente solene. Mesmo com as regras inflexíveis de nosso pai, fiquei perturbado ao ouvir meus irmãos mais velhos reclamarem de que os únicos momentos em que desfrutaram de liberdade tinha sido quando nosso pai estivera fora, combatendo os russos. Eles lamentavam que a guerra tivesse chegado ao fim!

Quando criança, eu não queria nada além de companheirismo e aprovação de meu pai. Mas aqueles anos haviam passado há muito tempo. Apesar de ainda reverenciar meu pai e de desejar sua aprovação, eu não necessitava mais do seu companheirismo. Depois de pensar muito sobre a questão, fui tomado por uma triste realidade. Meus irmãos disseram uma verdade que eu não podia negar: a vida *era* mais agradável quando meu pai estava longe, muito longe.

Capítulo 8

Muitos filhos para Osama

NAJWA BIN LADEN

Em 1988, a última esposa de Osama, Siham, deu à luz outra menina, Kadhija. E foi assim que nossa família passou a ser formada por quatro esposas e nove filhos. O ano seguinte nos trouxe a bênção de mais dois filhos, e não parávamos de ganhar mais integrantes. Siham logo engravidou pela segunda vez em dois anos e demos as boas-vindas a seu primeiro filho, o bebê Khalid. A partir daquele momento, Siham ficou feliz por ser conhecida como Um Khalid.

A maior alegria para mim foi quando minha doce amiga Khairiah, a terceira esposa de Osama, deu à luz seu primeiro filho, um menino chamado Hamza. Ela agora também ostentava o título valoroso de Um Hamza.

Todas podíamos dizer com orgulho que éramos mães de filhos homens, o que é uma distinção importante para as mulheres na Arábia Saudita.

Subitamente, Osama passou a viajar menos para o Paquistão e o Afeganistão. Senti meu espírito se elevar quando soube que a guerra no Afeganistão finalmente chegara ao fim. Os soviéticos deixaram esse território em 15 de fevereiro de 1989, o que era particularmente favorável, sendo também a data do trigésimo segundo aniversário de Osama. Apesar de os muçulmanos não celebrarem aniversários, Osama disse que sentia que aquele dia fora preenchido pelo presente mais importante a todos, pois a vitória na guerra que travara durante tanto tempo havia sido finalmente conquistada.

Para mim, o presente mais importante foi o pensamento de que meu marido poderia agora retomar a vida de um dedicado homem saudita de negócios. Osama não seria mais um guerrilheiro. Eu não passaria mais horas repletas de preocupação com a possibilidade de receber uma mensagem informando que meu marido fora morto no campo de batalha.

Disseram para mim que meu marido era um herói aos olhos de muitos muçulmanos. Mas Osama parecia um herói relutante, incapaz de me elucidar sobre os muitos prêmios que recebeu e a adoração disseminada que colocava seu nome na ponta de várias línguas.

Osama logo se acomodou na rotina de ir ao trabalho de manhã, voltando para casa à tarde, apesar de agora ter quatro esposas e alternar seu tempo com cada família, o que significava que meu marido vinha a mim somente uma vez a cada quatro noites. Quando íamos todos para a fazenda, o procedimento era o mesmo.

Meu marido estava certamente atingindo o objetivo de ter muitos filhos para o Islã. Na verdade, 1990 trouxe mais três bebês para nossas movimentadas vidas. Foi nesse ano que a segunda esposa de Osama, Khadijah, teve o segundo filho, também homem, Amer. Na mesma estação do ano, duas outras gestações ocorreram quase simultaneamente, com uma conclusão curiosa.

Engravidei de meu oitavo filho ao mesmo tempo em que a quarta e mais nova esposa de meu marido, Siham, estava grávida do terceiro, apesar de o parto dela ter sido previsto para alguns meses depois do meu.

Como de costume, Osama esteve presente durante a proximidade de meu parto. Como Deus quis, no momento em que comecei a sentir contrações, uma das empregadas veio correndo do apartamento de Siham com a notícia de que sua patroa estaria tendo um parto prematuro. Inicialmente, achamos que as dores de Siham talvez não tivessem a ver com o nascimento precoce, pois ainda faltavam dois meses para a data prevista. Mas logo percebemos que não era esse o caso.

As circunstâncias foram inacreditáveis. Se não estivesse me sentindo tão mal, eu teria sorrido ao ver meu marido lutando para acomodar duas mulheres grávidas no banco traseiro de seu Mercedes novo.

A viagem de carro foi bastante incomum, com Siham e eu sentadas lado a lado, agarradas às barrigas, desejando nada além de algum alívio das dores. Como era de se esperar, houve certa confusão no hospital, uma vez que os funcionários se apressavam para admitir ao mesmo tempo duas mulheres às salas de parto. A comoção foi tanta que muitas enfermeiras nem tinham ideia de que estávamos todos juntos.

O momento mais engraçado aconteceu depois que uma enfermeira de olhos brilhantes viu Osama correndo do meu quarto para o de Siham. A mulher era uma filipina elegante, mas foi muito dura, repreendendo meu marido, que era um homem de porte, dizendo-lhe que deveria permanecer no quarto da esposa. A pequena enfermeira lhe avisou: "Você terá problemas sérios por olhar para outra mulher!"

Tenho certeza de que ela ficou surpresa quando Osama, agitado, gritou: "Não estou bisbilhotando ilegalmente! As duas mães são minhas esposas."

Quanto a mim, fiquei muito satisfeita por saber que tivera uma segunda filha, uma menina a quem demos o nome de Iman. Em uma casa com tantos homens, eu temia que minha primeira filha, a delicada Fatima, se sentisse isolada.

Siham também foi mãe de uma menina, chamada Miriam, mas, como dera à luz cedo demais, sua pequena filha precisou de cuidados especiais, ficando no hospital uma semana a mais do que a mãe.

O final de 1990 trouxe uma notícia menos feliz: o presidente do Iraque tinha invadido o Kuwait, um país vizinho. Na época, temi por todas as pessoas na região, mas, sendo uma mulher cuja única ocupação era com o lar e as crianças, não havia nada que pudesse fazer além de ficar ansiosa. Sei hoje de certos fatos somente porque meus filhos, crescidos, compartilharam a informação comigo. Eles disseram que Osama estava totalmente convencido de que o Exército iraquiano atravessaria a fronteira do Kuwait com a Arábia Saudita, e dava discursos alertando sobre esse perigo. Contudo, ninguém mais acreditava que o presidente iraquiano cometeria tal tolice.

A guerra chegou à região, mas enterrei minha cabeça na areia como aqueles soldados que Osama descrevera no Afeganistão. Cuidei de meus filhos e não duvidei de que meu marido nos protegeria.

Depois que a guerra terminou e os iraquianos correram pelo deserto de volta ao próprio país, todos presumimos que a tranquilidade retornaria. Não foi esse o caso, pelo menos não para minha família. Percebi que o comportamento de meu marido se agravava a cada mês que passava. Ele insistiu para que eu viajasse com meus filhos mais novos para a Síria, dizendo-me para fazer uma visita longa e agradável. Quando lhe perguntei por que achava que eu deveria deixar a Arábia Saudita em um momento tão tenso, ele respondeu: "Najwa, o tempo pode se desenrolar em anos até que você veja novamente seus pais e irmãos."

E foi assim que Abdul Rahman e eu pegamos minhas filhas, Fatima e Iman, e fomos tirar férias na Síria. Apesar de preocupada com os acontecimentos na Arábia Saudita, gostei de compartilhar minhas filhas pequenas com meus pais, irmãos e outros parentes. Mesmo tendo ido à Síria nas férias, as visitas não eram tão frequentes quanto gostaríamos.

O período da visita foi totalmente adorável, mas, com o passar do tempo e o dia de dizer adeus se aproximando, um sentimento estranho passou a me visitar. Eu ficava animada em um momento, e, de repente, uma nuvem negra cobria meu coração, como se alguém tivesse jogado a "rede da infelicidade" sobre mim. No passado, quando eu partia da Síria após as férias, todos nos despedíamos em meio a conversas alegres, relembrando os bons momentos que tínhamos passado na praia ou nas montanhas.

Mas, durante esse adeus, tive dificuldade para encontrar um sorriso. Não compartilhei minhas estranhas preocupações. Eu apenas sabia que algo terrível aconteceria comigo ou com minha família. E, realmente, antes que eu os visse novamente na Síria, algo incrivelmente inesperado aconteceria, não somente a mim e aos meus filhos, como também a muitas outras pessoas no mundo. Eu era uma mulher confinada no próprio lar, então não havia nada que pudesse fazer para alterar o futuro de ninguém, nem mesmo o meu.

Uma nota sobre as atividades políticas de Osama bin Laden

JEAN SASSON

Ao longo dos anos que Najwa continuou a ter mais filhos e Omar atingiu a idade na qual percebeu que sua vida era diferente da de outras crianças, Osama bin Laden esteve totalmente envolvido com o conflito no Afeganistão. A guerra mudara, com os russos ocupando as cidades principais e os combatentes mujahidin (Osama era um deles) travando uma guerrilha. Na verdade, de 1980 a 1985, houve nove grandes ataques russos que resultaram em combates pesados.

Em 1985, Abdullah Azzam e Osama montaram um escritório oficial, chamado de Escritório de Serviço, para onde voluntários muçulmanos eram enviados para treinamento, e de lá encaminhados para unidades de combate no Afeganistão. Osama não estava mais satisfeito em limitar suas atividades à arrecadação de dinheiro e à organização da entrega de suprimentos, então expandiu sua participação no Jihad ajudando a criar campos de treinamento, a pavimentar estradas e a formar sua própria unidade de combate formada por combatentes árabes. A essa altura, Osama participava das batalhas, arriscando a vida ao lado de seus homens e sofrendo ferimentos.

Osama também conheceu os principais jihadistas egípcios, os quais o inspiraram ainda mais. Todos pensavam da mesma forma, querendo reconstruir o mundo muçulmano assim que os soviéticos fossem derrotados. Posteriormente, esses homens se tornariam alguns dos seguidores mais fiéis de Osama, incluindo Mohammed Atef, o doutor Ayman al-Zawahiri, Abu Ubaidah al-Banshiri, Abdullah Ahmed Abdullah e Omar Abdel Rahman, o clérigo cego do Egito.

Como Osama passava mais tempo no Paquistão e no Afeganistão do que na Arábia Saudita, ele providenciou uma casa para a família em Peshawar, no Paquistão, para que as esposas e os filhos pudessem se juntar a ele em visitas de verão. Osama introduziu seu primogênito, Abdullah, ao conflito no Afeganistão, levando-o para o campo de combate em Jaji, onde o garoto foi exposto a um grande perigo. Osama recebeu críticas inesperadas por parte da família e de outros líderes do Jihad, incluindo Abdullah Azzam, por tal ato. No entanto, foi apenas a primeira de muitas ocasiões nas quais Osama empurrou seus filhos nada entusiasmados para a linha de frente de sua paixão pessoal pelo Jihad.

Em abril de 1988, nove anos e quatro meses depois de as tropas soviéticas invadirem o Afeganistão pela primeira vez, representantes deste país, da União Soviética, dos Estados Unidos e do Paquistão se reuniram para assinar um acordo convocando o Exército russo a retirar suas tropas. Afeganistão e Paquistão concordaram em parar de interferir nas questões políticas e militares um do outro, e os Estados Unidos concordaram em parar de oferecer apoio aos grupos antissoviéticos afegãos.

O mentor de Osama, Abdullah Azzam, defendeu a criação de uma fundação abrangente a partir da qual os fiéis pudessem iniciar a luta por um mundo islâmico perfeito. De pleno acordo, Osama convocou a reunião de planejamento do que seria chamado de al Qaeda al Askariya, que significa "a base militar". Tal nome, posteriormente, foi reduzido para al Qaeda, "a base", ou "a fundação". A primeira reunião foi realizada na casa da família de Osama em Peshawar, no Paquistão, em agosto de 1988.

Os membros fundadores determinaram que essa organização seria uma cruzada mundial, tendo tanto uma ramificação islâmica como outra militar, para que ela pudesse apoiar o Islã utilizando de meios violentos ou não. Os objetivos incluíam livrar o mundo muçulmano da influência ocidental, derrubando monarquias e governos seculares, e fazer do islamismo a única religião no mundo. À medida que a guerra no Afeganistão perdia intensidade, Osama obtinha mais tempo para se dedicar aos objetivos islâmicos da al Qaeda.

Depois que Osama assumiu um papel de liderança no movimento, houve tensão entre alguns de seus seguidores, mais notavelmente Abdullah Azzam e o doutor Ayman al-Zawahiri; os dois disputavam o apoio de Osama, tanto na área financeira como em outras. Enquanto Abdullah Azzam não era a favor da violência contra companheiros muçulmanos, Zawahiri não tinha tais escrúpulos. Com o passar do tempo, a tensão entre eles tornou-se problemática para o movimento.

Em 15 de fevereiro de 1989, o último soldado russo deixou o Afeganistão. Osama e seus combatentes clamaram uma grande vitória. Tragicamente, com a partida dos russos, os senhores da guerra afegãos começaram a lutar entre si, liderando facções determinadas a conquistar a liderança do país maltratado pela guerra. Osama fez alguns esforços para unir os senhores da guerra, mas não obteve sucesso.

Depois do final da guerra, com a al Qaeda tentando globalizar seu movimento, houve atentados contra a vida de Abdullah Azzam. Em 24 de novembro de 1989, ele e seus dois filhos morreram com a explosão de três minas terrestres, que detonaram quando uma caravana motorizada os levava para orar na mesquita de Peshawar. Houve muita especulação quanto a quem seria o culpado, mas a maioria acredita que o mentor do assassinato tenha sido Zawahiri.

Quando Abdullah Azzam morreu, aos 49 anos, ele provavelmente era a única pessoa que poderia ter alertado Osama a respeito de futuros ataques contra os governantes sauditas e os americanos.

Em pouco tempo, Osama voltou para Jidá, na Arábia Saudita, como um homem cujas visões política, religiosa e militante foram totalmente despertadas. A partir daquele momento, ele continuou a lutar pelo crescimento da al Qaeda e passou a se reunir ativamente com outros árabes que tinham pontos de vista similares.

Capítulo 9

Começa o pesadelo

OMAR BIN LADEN

A tranquilidade trazida para a região com o fim da guerra entre os soviéticos e o Afeganistão no dia 15 de fevereiro de 1989 não durou. Como já se poderia esperar, meu pai foi um dos primeiros a fazer soar um novo alarme, porque sua mente era como uma antena voltada para notícias regionais, sintonizada especialmente em todas as coisas muçulmanas. Apesar de os infortúnios do Afeganistão terem mantido meu pai lá por mais de dez anos, ele continuou atento, acompanhando cuidadosamente os eventos relacionados à guerra Irã-Iraque. Aquela guerra, que já durava dez anos, começara em 22 de setembro de 1980, um ano antes de meu nascimento, e chegara a um exaustivo fim em 20 de agosto de 1988, seis meses antes do término das hostilidades no Afeganistão. Não houve uma vitória clara do Irã ou do Iraque, e meu pai começou a monitorar os negócios do Iraque, acreditando que Saddam Hussein deveria estar tão insatisfeito com o resultado da guerra que não permaneceria em silêncio.

Meu pai jamais apoiara Saddam Hussein devido ao governo secular do ditador sobre uma terra muçulmana; costumava ridicularizá-lo por "não ser um fiel", e não existe insulto maior para um muçulmano; e também desdenhava da personalidade agressiva de Saddam, dizendo: "O líder de um Exército tão grande jamais deixará de procurar guerras."

Meu pai estava tão preocupado com a possibilidade de que Saddam, afundado em dívidas, pudesse ficar tentado pela riqueza de seus vizinhos ricos, que tornou público o que pensava a respeito do ditador, dando início ao perigoso hábito de usar a mesquita e fitas de áudio para transmitir seus sentimentos. Essas fitas eram amplamente distribuídas à população saudita, criando

116

pequenas ondas de desprazer à família real, mas a reprovação deles permanecia um assunto particular.

Lamentavelmente, os alertas de meu pai tornaram-se realidade. A partir de fevereiro de 1990, palavras fortes começaram a voar do Iraque para a Cidade do Kuwait e para Riade, com um Saddam Hussein desesperado por dinheiro, pedindo que os kuwaitianos e os sauditas perdoassem os quarenta bilhões de dólares em empréstimos feitos para que ele combatesse Khomeini e os iranianos. Os vizinhos de Saddam haviam sido generosos ao apoiar tal combate, pois os dois governos em questão ficaram cada vez mais desconfortáveis com a posição militar assumida pelo governo de Khomeini contra os governos sunitas na região. O Irã é um país persa xiita, enquanto a maioria das nações do Golfo são árabes sunitas. As hostilidades entre as duas seitas e as duas nacionalidades remontam aos primórdios da História. Mas os governos do Kuwait e da Arábia Saudita rejeitaram o pedido de Saddam, que ficou agressivo, pedindo mais trinta bilhões de dólares em empréstimos sem juros: "Que os regimes do Golfo saibam que, caso não me deem o dinheiro, eu sei como obtê-lo." Foi nesse ponto que o ditador iraquiano movimentou seu Exército gigantesco, posicionando 100 mil soldados treinados na fronteira com o Kuwait. Quando perguntado, Saddam alegou que seu Exército estava conduzindo exercícios de treinamento.

O rei Fahd movimentou-se para reunir todos os envolvidos, incluindo Saddam, em uma reunião de emergência em Jidá, no dia 31 de julho de 1990. Infelizmente, a reunião terminou com vários insultos em vez de uma solução. Foi naquela noite que meu pai disse que a guerra era iminente.

No amanhecer de 2 de agosto de 1990, o Exército de Saddam Hussein invadiu o Kuwait, ocupando facilmente o pequeno país. Meu pai repetia: "Saddam atacará a Arábia Saudita para obter posse dos campos petrolíferos da província oriental. Isso acontecerá assim que seu Exército consolidar o domínio do Kuwait."

Eu tinha 10 anos. Pela primeira vez, compreendi realmente o conceito de guerra, e como ela poderia afligir qualquer nação. Foi também quando reconheci a posição de meu pai: um herói de guerra tão reverenciado que suas ações costumavam passar despercebidas. Ele era o único civil na Arábia Saudita com permissão para dirigir carros com vidros escurecidos ou para pendurar uma metralhadora no ombro e caminhar pelas ruas de Jidá. A partir de então, comecei a reparar no que estava acontecendo em nossa parte do mundo, assim como as reações de meu pai aos acontecimentos.

A mente de meu pai começou a se preparar para a possibilidade de guerra dentro do reino. Um dia, ele voltou para casa com suprimentos de fita adesiva altamente resistente; então, instruiu os filhos para que o ajudassem a colar a fita nos vidros das janelas para impedir que se estilhaçassem caso Saddam bombardeasse a cidade. Ele providenciou um estoque extra de comida, velas, lampiões a gás, transceptores manuais e rádios de pilha. Ele comprou até máscaras de gás de qualidade militar para todos na família. Nós, crianças, tratávamos as lições de uso das máscaras de gás como um jogo, mas para nosso pai a situação jamais fora tão séria, pois ele previa que Saddam não hesitaria em utilizar armas químicas ou biológicas, como fizera contra os iranianos.

Quando nossa casa e a família estavam prontas, ele voltou suas atenções para a fazenda, onde estocou gasolina, alimentos e grandes caminhões. Ele chegara à conclusão de que a fazenda seria a melhor base militar, acreditando que a família real convocaria suas habilidades militares quando Saddam atacasse.

Meu pai chegou a comprar uma lancha que seria utilizada caso precisasse levar a família para um local seguro. O motor dela foi removido e substituído por outro mais potente, então, ela foi atracada na marina dos Bin Laden no porto de Jidá. Fiquei surpreso quando meu pai mencionou que batizara o barco em homenagem a Shafiq al-Madani, um herói de guerra que morrera no conflito entre russos e afegãos.

Com certeza, para meus olhos de criança, Shafiq al-Madani era um herói. Eu o conhecera quando meu pai levara a família para passar o verão no Paquistão. Eu só tinha 8 anos na época e, como de costume, estava em busca de atividades. Alguns dos homens de meu pai estavam organizando o carregamento de dois caminhões com alimentos e outros itens essenciais para os campos de treinamento no Afeganistão. Meus irmãos e eu ficamos animadíssimos quando eles nos pediram para ajudar no carregamento. Contraí-me por um instante quando vislumbrei uma bola de futebol na pilha de suprimentos. Eu a queria para mim. Consegui reunir coragem para perguntar a um dos homens: "Eles vão jogar futebol no acampamento?"

O homem respondeu: "Sim, eles jogarão."

Eu disse: "Acho que não jogarão." Em seguida, peguei a bola na esperança de conseguir escapar rapidamente antes que ele pudesse reagir.

A voz do homem teve um tom severo: "Sim, eles jogarão", disse ele, arrancando a bola de minhas mãos e jogando-a de volta no caminhão.

Naquele instante, um homem com cerca de 20 anos aproximou-se, pegou a bola, jogou-a para mim e disse: "Pegue!"

Consegui pegá-la, fiquei tão excitado que não pude conter a alegria. Ele sorriu. "Fique com ela. É sua."

Eu não conseguia acreditar em minha sorte. Perguntei seu nome, e ele disse: "Shafiq al-Madani." Jamais esqueci de sua bondade, e ainda hoje lembro de seu rosto quando penso nele. Ele não era muito alto, mas parecia inflexível e durão, com cabelos pretos curtos, uma barba fina e costeletas longas. Contudo, havia um brilho em seus olhos, pois ele obteve um prazer genuíno com minha felicidade.

Algumas semanas depois, fui tomado pela tristeza quando meu pai disse que o homem chamado Shafiq al-Madani havia sido morto na guerra. Durante uma batalha, Shafiq e dois outros homens se aventuraram na área perigosa entre onde estavam os russos e os afegãos e caminharam diretamente de encontro a uma fileira de tanques e de armamentos pesados. Os três homens bateram rapidamente em retirada, mas os russos os seguiram.

Sabendo que estavam em menor número e que seria impossível escapar, Shafiq ofereceu-se para dar cobertura aos homens enquanto fugiam, dizendo que todos morreriam a menos que um ficasse para trás. Os dois homens protestaram, mas Shafiq insistiu. Enquanto corriam para longe, os homens ouviram muitos tiros; no topo da subida, voltaram-se e viram Shafiq morto no chão, ainda agarrado à própria arma.

Meu pai ficou especialmente triste porque recordou de uma conversa melancólica que tivera com o jovem apenas uma semana antes de sua morte. Shafiq dissera: "Oh, xeique, minha única oração a Deus é para que Ele não cave uma sepultura para mim no Afeganistão. Não me importo em morrer, só não quero ser enterrado sob o solo."

Meu pai se lembrou do jovem herói quando comprou o barco, pois desejava que Shafiq tivesse sobrevivido para navegar pelas ondas em vez de estar enterrado em um buraco nas areias do Afeganistão. Admito que tive visões de nossa família realizando uma fuga ousada das tropas iraquianas invasoras, zarpando no barco *Shafiq al-Madani*.

Talvez a Arábia Saudita não fosse atacada, e meu pai pudesse me levar no *Shafiq al-Madani* para um passeio lúdico, e não para uma fuga fantástica.

Naquela época, meu pai era um patriota, leal a seu país e ao seu rei. Ele já sabia que havia desagradado a família real saudita com seus comentários públicos a respeito de Saddam, de modo que avisou a seus empregados: "Se, algum dia, qualquer um de vocês for atacado ou até mesmo preso pela polícia ou por soldados, não protestem. Levantem os braços em rendição e sigam pacificamente. Não fujam. Não se defendam. Providenciarei para que sejam libertados."

Constantemente, meu pai repetia: "A família Bin Laden apoia a família real. Meu pai era amigo de confiança de nosso primeiro rei, Abdul Aziz. Agora, os filhos de nosso pai apoiam os filhos de Abdul Aziz."

Sendo filho de Mohammed bin Laden e um herói de guerra, meu pai ainda mantinha um contato ocasional com a família real. Convencido de que o Iraque cruzaria a fronteira do Kuwait para invadir a Arábia Saudita, ele procurou a família real para expor suas ideias. Durante aquele período tumultuado, ele encontrou vários príncipes, porém ainda mais importante foi ter contactado o poderoso ministro do Interior, o Príncipe Naif bin Abdul Aziz al-Saud, irmão do Rei Fahd bin Abdul Aziz al-Saud. Meu pai ofereceu os próprios serviços à família real na luta contra Saddam, apresentando-se como voluntário para trazer 12 mil veteranos bem-armados da guerra afegã que permaneciam sob seu comando. Ele assegurou ao príncipe Naif que poderia equipar seus soldados para que defendessem a terra mais sagrada do Islã em velocidade-relâmpago. Eles precisavam somente da aprovação real.

Como dita o costume saudita, nenhuma decisão importante é tomada apressadamente. A família real não concordou nem discordou. Em vez disso, disseram ao meu pai que lhe dariam um retorno.

Enquanto isso, Saddam aumentou a tensão fazendo declarações públicas detestáveis a respeito dos governantes sauditas e ameaçando nossas fronteiras com seu exército gigantesco. Líderes americanos chegaram ao reino com muita pompa e tentaram convencer a família real a permitir que o Exército dos Estados Unidos tivesse acesso a Saddam pelo nosso território. Meu pai ficou chocado quando descobriu em pouco tempo que sua oferta para defender o reino havia sido ignorada.

Ele soube por meio da mídia árabe que haveria uma coalizão gigantesca de forças militares, liderada pelos Estados Unidos, a qual defenderia a Arábia Saudita. Meu pai acreditava que suas próprias tropas poderiam derrotar Saddam. Eu o ouvi perguntar, com muita raiva: "Será que os exércitos de Saddam são mais fortes do que os poderosos russos? Não!" E murmurou: "Nós *não* precisamos dos americanos!"

Apesar de transmitir seus sentimentos amargurados à família e aos amigos, ele não falou em público, pois continuava sendo um apoiador leal da família real saudita. Ao longo de muitos anos, as famílias Bin Laden e al-Saud vinham trabalhando lado a lado em prol do avanço da Arábia Saudita. A rejeição, portanto, foi desagradável, pois ele havia dito à família, aos amigos e aos conhecidos que havia oferecido seus serviços militares à família real.

Além do orgulho, havia outra questão importante. Para meu pai, toda a Arábia Saudita era uma terra sagrada islâmica e não deveria ser contaminada pela presença de soldados cristãos ou judeus dos Estados Unidos e de outras nações ocidentais.

Desde a formação do Estado judeu, em 1948, poucos muçulmanos consideram os americanos amigos dos árabes. Agora, muitas pessoas além de meu pai estavam convencidas de que o governo americano estava usando a crise como justificativa para estabelecer tropas na Arábia Saudita. Assim, poderiam usar nosso país como base para inundar a região com suas visões seculares nada bem-vindas.

A lealdade de meu pai à família real logo mudou.

Eu estava desfrutando de um dia agradável porque meu pai havia me convidado para acompanhá-lo em seus compromissos rotineiros em Jidá. Estávamos caminhando de um negócio para outro quando ele foi abordado por um empregado de confiança que estava perceptivelmente tenso, até mesmo para meus olhos de criança.

O homem sussurrou no ouvido de meu pai.

O rosto dele empalideceu.

Estou certo de que também fiquei pálido quando soube que as forças do governo haviam atacado nossa fazenda em Jidá naquela manhã. Disseram-nos que tropas sauditas pesadamente armadas tinham cercado a fazenda antes de prenderem nossos empregados e os veteranos de guerra.

Desde que voltara do Afeganistão, meu pai providenciara a obtenção de vistos de residência na Arábia Saudita para aproximadamente cem de seus antigos combatentes mujahidin, instalando-os na fazenda em Jidá. Muitos deles tiveram a entrada em seus próprios países recusada por um motivo ou outro, e acredito que por isso meu pai os trouxera para o nosso país.

Os empregados da fazenda e os veteranos seguiram as instruções de meu pai, erguendo os braços pacificamente e obedecendo às ordens que lhes eram dadas. Apesar do comportamento de sujeição deles, disseram-nos que haviam sido levados para a prisão. Todos os suprimentos que meu pai armazenara tão cuidadosamente foram confiscados. Depois de meses de trabalho e de milhões de riais sauditas gastos, não sobrou nada.

Meu pai ficou tão furioso que não conseguia falar. Mas ainda conseguia se movimentar com rapidez. Corri para acompanhar seus passos largos enquanto ele entrava às pressas em seu escritório em Jidá, de onde telefonou para o príncipe da coroa, Abdullah, meio-irmão do Rei Fahd e que, um dia, seria rei, Inshallah (se Deus quiser). Ouvi em silêncio ele relatar ao príncipe os detalhes do ataque.

A conversa entre os dois foi breve. Meu pai disse que Abdullah não soubera nada a respeito do ataque, mas prometera investigar a questão e retornar com uma explicação. Meu pai tinha muita consideração pelo príncipe da coroa e sentiu em seu coração que escutara a verdade. Ainda assim, a dor gerada pelo incidente alterara para sempre os sentimentos dele, lançando-o em um percurso trágico que destruiria muitas vidas.

Ele ficou ainda mais enraivecido por não terem lhe dado mais nenhuma explicação, apesar de ele ter conversado constantemente com diversos príncipes de alto escalão que diziam representar o Príncipe da coroa Abdullah ou o Rei Fahd. Ficamos aliviados quando a família real ordenou que os empregados da fazenda e os veteranos de meu pai fossem libertados da prisão.

Durante o outono de 1990, integrantes das Forças Armadas americanas chegaram à Arábia Saudita. Muitos homens sauditas se ofenderam com a visão de um exército essencialmente cristão e ocidental defendendo sua honra e ficaram duplamente traumatizados pela percepção plena do que significava serem protegidos pelos Estados Unidos e por outros aliados ocidentais: o reino da Arábia Saudita fora inundado por soldados do sexo feminino.

Quando viu pela primeira vez uma soldado mulher que aparentava certa competência, meu pai se tornou o oponente mais manifesto da decisão real de permitir a presença de exércitos ocidentais no reino, gritando: "Mulheres! Defendendo homens sauditas!"

Nenhum insulto poderia ser pior do que aquele. Meu pai ficou frustrado a ponto de declarar não poder mais aceitar a poluição que, segundo ele, pairava no ar em volta de qualquer não muçulmano. Ele se manifestou em forma de críticas verbais contra a família real, os americanos, os ingleses e todos aqueles que, para ele, trabalhavam contra o bem do Islã.

Meu pai discursou na mesquita local, distribuiu panfletos e gravou fitas de áudio, sempre criticando o governo, o qual, alegava, fizera da Arábia Saudita uma colônia dos Estados Unidos. A família real ficava cada vez mais insatisfeita, com razão, pois era responsável pelo bem-estar de todos os sauditas e havia tomado a sábia decisão de não colocar o destino do país nas mãos de meu pai e seus 12 mil mujahidin, mesmo que ninguém negasse serem combatentes corajosos.

Apesar de amar meu pai e de ter dificuldade em criticá-lo, devo dizer que acredito que a família real agiu com responsabilidade e pelo bem de todos os sauditas.

Meu pai não se tranquilizou quando a luta para remover as Forças Armadas de Saddam do Kuwait foi um grande sucesso, terminando rapidamente e com pouquíssimas vidas perdidas. Na verdade, a vitória fácil parecia intensificar sua ira ainda mais, fazendo-me acreditar que ele preferiria a derrota por uma espada muçulmana do que a vitória nas mãos de infiéis. Sua fúria aumentou quando a Guerra do Golfo chegou ao fim e ficou claro que alguns soldados americanos permaneceriam na Arábia Saudita. Ele discursou na mesquita, dizendo que "a permanência de soldados americanos é a prova de que minha previsão de poluição secular realmente começou".

Não sei todos os detalhes, pois ainda era novo, e meu pai não me considerava seu confidente. Mas eu sentia, pela insatisfação dele, que uma mudança nada bem-vinda aproximava-se de nossa família.

Obviamente, hoje sei que meu pai iniciou uma briga com a família real. Apesar de esta ter tentado pôr fim ao desentendimento com calma e sabedoria, meu teimoso pai rebatia seus apelos por um diálogo racional, multiplicando as reclamações até fazer com que o pequeno machucado se deteriorasse em um furúnculo ulcerado. Seus ataques se tornaram tão irracionais que a família real, exasperada, finalmente desistiu. O Príncipe Naif, ministro do Interior, informou ao meu pai que ele estava proibido de deixar o reino. Na Arábia Saudita, tal ação do governo costuma ser o primeiro passo para a perda de liberdade de uma pessoa. Estaria a prisão incluída no futuro de meu pai?

Meus tios mais velhos esforçaram-se para que ele encontrasse a paz, lembrando-o da lealdade que nossa família devia à família real, mas ele não cedeu, recusando-se a modificar suas atividades.

A tensão tomou conta de nosso lar. Todos os aspectos de nossas vidas pessoais giravam em torno de nosso pai. Quando ele ficava descontente, seu desprazer escorria para o círculo familiar, atingindo todas as esposas e todos os filhos. Em meio à crise, ele ordenou inesperadamente que minha mãe levasse Abdul Rahman e as duas filhas pequenas para uma longa viagem de férias a fim de visitar os pais e irmãos dela na Síria.

Exceto por Abdul Rahman, todos os meus irmãos permaneceram em Jidá. Um dia, meu pai simplesmente desapareceu sem nos dizer coisa alguma. Fomos informados por um de seus empregados que o xeique Osama havia deixado o reino para tratar de negócios. Meus irmãos e eu nos perguntamos de que forma ele realizara o impossível. Lembrando do potente barco *Shafiq al-Madani*, torci para que meu pai não tivesse realizado uma fuga ousada sem mim.

Fiquei aliviado quando descobri que isso não acontecera. Meu pai havia convencido um dos príncipes a permiti-lo deixar o reino para tratar de negócios importantes no Paquistão, dando sua palavra de que estaria de volta ao reino antes que sentissem sua falta.

Esperamos o retorno dele, mas foi em vão. Quando minha mãe voltou da Síria, a família foi informada de que nosso pai jamais retornaria e de que também partiríamos. A partir daquele momento, moraríamos na África.

Fiquei olhando para os arredores de nossa casa. Eu dava pouca importância a itens pessoais e não conseguia pensar em mais nada além de meus cavalos favoritos nos estábulos da fazenda. O que aconteceria com a bela égua Baydah? Ou ao nosso garanhão favorito, Lazaz, um árabe castanho com uma mancha branca na cabeça, e a Adham, que também era branco e tinha a crina e a cauda pretas? Adham era o cavalo especial de meu pai, um cavalo guerreiro digno de um rei.

Em pouco tempo, recebi a notícia arrasadora de que Baydah seria deixada para trás, pois havia leis sauditas que proibiam as éguas árabes de saírem do país. Meu único consolo foi ouvir que poderíamos levar Lazaz e Adham. Não havia nenhuma lei que proibisse a exportação dos garanhões.

Contudo, se soubesse o que o futuro guardava para os dois cavalos que tanto amava, eu teria feito qualquer coisa para mantê-los em segurança nas areias do reino.

SUDÃO

Osama bin Laden leva sua família para o Sudão ao final de 1991

Osama bin Laden é expulso do Sudão na metade de 1996

Omar bin Laden acompanha o pai na viagem para fora do país

Osama bin Laden leva as três esposas e os filhos para o Afeganistão ao final de 1996

FATOS SOBRE O SUDÃO

Nome completo: República do Sudão

Governado por: Governo republicano provisório

Chefe de Estado: Presidente Omar Hassan

Ahmad al-Bashir

Capital: Cartum

Área: 2.502.933 km²

Principais religiões: Islamismo e cristianismo

Principais línguas: Árabe, Núbia e outras

População: 38,6 milhões

Unidade monetária: Dinar sudanês

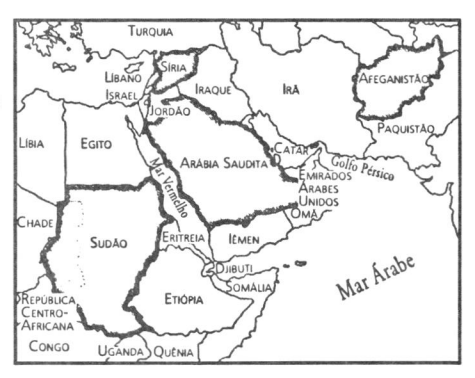

PARTE II

Nossa vida em Cartum

Capítulo 10

Rumo à África

NAJWA BIN LADEN

Acredito que Deus é quem decide tudo. Minha fé me sustentou mesmo quando eu estava embarcando no voo comercial da Saudia para deixar a Arábia Saudita, país que eu aprendera a amar com a mesma intensidade com que amava a Síria, onde nasci.

Minha devoção imperturbável a Deus estava ligada à confiança que eu tinha em meu marido. Eu confiava demais nele, exageradamente. Minha mente sempre confirmou ao meu coração que todas as suas ideias e seus planos eram para o bem das esposas e dos filhos. Afinal de contas, ao longo dos últimos 17 anos, Osama tomara todas as decisões importantes para sua família. Eu não tinha motivos para ser cautelosa em relação a nada que meu marido me dissesse ou escolhesse para mim.

Minha confiança cega resultou em uma influência consoladora, a qual, tenho certeza, meu rosto refletia. Desde criança sou incapaz de simular uma emoção que não esteja sentindo. Meu jeito sereno também moldou o comportamento de meus filhos, que expressavam principalmente curiosidade e felicidade. A maioria via nosso voo e a viagem como uma aventura que modificaria a rotina de ir à escola e ficar em casa.

Enquanto nossos pertences pessoais eram transportados em um cargueiro que se afastava da longa costa saudita, a família de meu marido logo estava voando, subindo ao céu azul-escuro de Jidá para planar sobre o deserto aberto.

Éramos 18 pessoas. Cada esposa recebera um assento ao lado dos filhos em várias partes do avião. Apesar da presença de passageiros desconhecidos entre nossos lugares, não reparamos nos viajantes. Trocávamos muitos olhares, olhando para a frente ou para trás, espiando através de nossos véus e perguntando silenciosamente se estava tudo bem com os outros. Com o passar dos anos, nós, esposas de Osama, havíamos nos tornado incomumente queridas entre nós, considerando que éramos todas casadas com o mesmo homem.

A primeira família de Osama era formada por mim e nossos oito filhos. Abdullah, um garoto querido que se preocupava demais com os irmãos mais novos, tinha 15 anos. Abdul Rahman, meu segundo filho, conhecido por se empenhar no que quer que lhe interessasse, estava com 13 anos. Os dois filhos mais velhos estavam muito quietos, comportando-se com responsabilidade.

O falante Sa'ad, muitas vezes chamado pelos irmãos de "piadista", estava com 12 anos. Como de costume, ele, agitado, parecia maravilhado em ter um público cativo, conversando com qualquer pessoa que lhe desse ouvidos.

Meu filho mais sensível, Omar, que na tenra idade de 10 anos começava a provar ser um conselheiro honesto e sincero para os irmãos, estava sentado rigidamente, com uma expressão tensa no rosto. Meu instinto materno me disse que Omar ainda estava perturbado com o destino das éguas na fazenda. Meu quarto filho amava os animais e estava sempre preocupado com alguma criatura.

Osman, com 8 anos, e Mohammed, com 6, estavam brincando com um bom humor jovial. Os dois se remexiam e riam por um motivo ou outro.

Minha filha de 4 anos, Fatima, estava delicadamente empoleirada ao lado da mãe. A alegria de meus olhos, minha filha Iman, com um ano, imitava todos os movimentos da irmã mais velha. Minhas filhas pequenas me traziam uma alegria muito profunda.

A segunda família de Osama era Khadijah e os filhos. Ela havia se instalado a poucas fileiras de mim junto com as crianças: Ali, que era um garoto de 7 anos muito sério e doce, e Amer, seu adorado filho de 2 anos.

A terceira esposa de Osama, Khairiah, era minha amiga mais próxima em nossa "família de esposas". Ela observava atentamente Hamza, seu filho agitado de 3 anos, que era cheio de trejeitos charmosos.

A quarta família de Osama consistia de Siham e seus três filhos. Havia Kadhija, sua bela filha de 4 anos; Khalid, seu filho alegre de 3 anos e, finalmente, a pequena Miriam, o bebê prematuro que nasceu no mesmo dia que minha preciosa Iman, mas que agora estava saudável, graças a Deus.

E foi assim que quatro esposas e 14 filhos partiram ao encontro de um único marido e pai.

O rosto de meu marido aparecia constantemente em minha mente. Eu estava feliz porque veria Osama, pois já haviam se passado algumas semanas desde que ele partira misteriosamente da Arábia Saudita. Contaram-me poucos detalhes a partir daquele momento além da instrução surpreendente que ele deixara: "Najwa, não deixe nem mesmo um prato na Arábia Saudita."

Eu sabia que Osama estaria esperando para nos receber quando chegássemos a nosso destino. Rezei para que os planos de Deus incluíssem resoluções justas para todos os problemas que meu marido estava enfrentando e para que Deus achasse apropriado entregar a ele as chaves para as portas recém-trancadas da Arábia Saudita. Então poderíamos retornar para o lar do qual acabávamos de partir.

Minhas reflexões, somadas às minhas duas vigorosas bebês, me mantiveram tão ocupada que as duas horas passaram rapidamente. Em pouco tempo o piloto do avião anunciou que deveríamos nos preparar para a aterrissagem.

Olhei pela pequena janela, que não era mais do que uma portinhola, à medida que nos aproximávamos de nosso novo lar, Cartum. Como nunca tinha visitado o país que agora chamaria de lar, eu estava cheia de curiosidade.

Pressionando o rosto contra a janela, eu conseguia ver vagamente através do véu e reparei no chão de terra se aproximando sob nós. Prédios pequeninos e estradas do tamanho de fios foram aumentando lentamente. Meus olhos logo viram que Cartum era consideravelmente diferente de Jidá.

A anteriormente pequena cidade de Jidá havia sido totalmente modernizada ao longo dos últimos dez anos, ostentando prédios contemporâneos altos e as estradas mais modernas. Em contraste, Cartum parecia constituída de prédios feitos com tijolos de barro assados ao sol, nenhum deles com mais do que alguns poucos andares. Eu não podia ter certeza partindo de meu ponto de vista, mas muitas estradas pareciam não ser pavimentadas. À medida que nos aproximávamos da aterrissagem, a poeira e o pó começavam a aumentar.

Apesar de ser verdade que o deserto sempre invadia os limites de Jidá, os sauditas estavam determinados a empurrar a areia de volta, retardando seu avanço sorrateiro pelas ruas da cidade. Esse não parecia ser o caso em Cartum. Pensei que talvez os sudaneses não tivessem os recursos financeiros que abençoavam Jidá.

Eu sabia de alguns fatos. O Sudão era o maior país do continente africano, com um governo islâmico. O Egito era vizinho a ele, assim como a Etiópia e a Eritreia, dois países sobre os quais eu sabia alguma coisa devido a algumas conversas com nossas serventes; mulheres jovens e inteligentes, nós as havíamos deixado para trás na Arábia Saudita a fim de que trabalhassem para outras famílias afortunadas. Como o Sudão era muito grande, fazia fronteira com uma série de países vizinhos: Egito, Eritreia, Etiópia, Quênia, Uganda, Congo, República Central Africana, Chade e Líbia. Assim como na Arábia Saudita, o Mar Vermelho marcava os limites de um dos lados do Sudão.

Cartum, a cidade em que aterrissamos, era a capital do Sudão, apesar de ser relativamente jovem, fundada em 1821. O Nilo Branco, que corre a partir do lago Vitória, e o Nilo Azul, que flui da Etiópia no oeste, encontram-se como gêmeos em Cartum, mas deixam a cidade como um único rio, fluindo para o norte rumo ao Egito, onde ficou famoso em todo o mundo.

Minhas filhas deram um pequeno salto e riram quando sentimos o avião tremular com suas rodas tocando a pista irregular. Fatima juntou-se a mim quando olhei mais uma vez pelas janelas, observando o cenário formado por campos abertos de terra e artemísias. Havia algumas árvores cobertas de terra que pareciam tão deslocadas naquele lugar que era possível se perguntar se teriam surgido inesperadamente do solo. Observamos homens e mulheres correndo perto de casas simples localizadas em pequenos assentamentos. As mulheres sudanesas usavam vestidos largos de cores vívidas e lenços na cabeça combinando. A maioria dos homens usava a tradicional jalabia, um robe que desce até os tornozelos, com tagias (chapéus) nas cabeças. Outros estavam vestindo *sirwals* e *ragis*, calças largas e túnicas que descem até a cintura, geralmente do mesmo tom pastel.

Pensei por um instante naquelas pessoas e no tipo de vida que levavam, mas perdi tal visão quando nos aproximamos do terminal, um prédio de concreto com cerca de três andares. Durante a aterrissagem, precisei me concentrar em meus filhos.

Carregando Iman em meus braços e incitando Fatima a permanecer ao meu lado, gesticulei para que meus seis filhos permanecessem perto de mim. As pessoas se apressaram para abrir a porta do avião e descer a escada que os funcionários do aeroporto haviam posicionado junto à porta.

No instante em que atravessei a porta do avião, reconheci a figura alta de meu marido, que estava de pé, ao lado de um carro preto e longo, do tipo que costuma ser associado a visitantes muito importantes, ou VIPs. Seguranças bem-armados circulavam pela área. Para manter a privacidade, as janelas do carro eram escurecidas, um costume da família de Osama. Havia outros carros parecidos enfileirados, todos aguardando para transportar a grande família de meu marido para suas casas particulares.

Aproximei-me de Osama. Eu o conhecia tão bem que, sem que dissesse qualquer palavra, pude ver que estava aliviado por termos chegado em segurança. Trocamos pouco mais do que um aceno com a cabeça e um cumprimento casual. Homens e mulheres muçulmanos não expressam emoções e tampouco se tocam em público, mesmo depois de muitos anos de casamento e de tantos filhos.

Tudo fora providenciado antecipadamente. Por causa da influência de meu marido, nossa família não era obrigada a passar pelas formalidades do controle de passaportes e da alfândega.

Quando todos estavam acomodados nos grandes carros pretos, veículos de segurança cercaram nosso desfile de automóveis, e os motoristas aceleraram, deixando o aeroporto. Enquanto minhas filhas pequenas saltavam de excitação por se verem livres da restrição imposta pelos cintos de segurança do avião, eu dava ocasionais olhadas pelas janelas escuras, vendo Cartum mais de perto.

Pouco depois, paramos em uma área elegante na qual vi muitas casas bonitas recém-construídas. Fui informada de que moraríamos naquela comunidade, um bairro de classe alta nas imediações de Cartum conhecido como Vila al-Riade. As casas eram espaçosas e construídas perto umas das outras.

Osama providenciara quatro casas na Vila al-Riade para sua família e para os homens que cuidavam de nossa segurança. A residência na qual a família moraria era muito agradável, uma casa grande com três andares. Como sempre, eu morava no andar superior; minhas amigas, as outras esposas, residiam nos andares abaixo de mim.

Meus filhos mais velhos escolheram rapidamente o local onde morariam, e eu tomei as decisões pelos pequenos. De modo geral, eu estava aliviada e satisfeita, sabendo que, enquanto estivéssemos todos juntos, tudo estaria bem. Meu marido passou a primeira noite em meu aposento particular. Achei a presença dele agradável.

Depois de duas semanas, entramos em uma rotina que, em muitos aspectos, era parecida com a da vida na Arábia Saudita. Meu marido providenciou para que duas mulheres da região ajudassem a cuidar da casa e das crianças, apesar de ele ter começado a insinuar que eu deveria cuidar sozinha das crianças. Em minha cultura, os homens da família tomam todas as decisões importantes, mas eu acreditava precisar de assistência para meus oito filhos, dos quais alguns eram bebês ou estavam começando a andar. Fui tranquilamente determinada nesse ponto, e no final Osama providenciou as duas garotas nativas, que eram muito prestativas e agradáveis.

Todas as manhãs, despertávamos ao nascer do sol para fazermos as primeiras orações do dia e depois dormíamos novamente. Após descansar por um período curto, assegurávamo-nos de que os garotos não se atrasassem para a escola. Como era o costume em Cartum, nossos filhos tomavam o café da manhã na escola.

Fiquei feliz ao saber que Osama providenciara para que os garotos mais velhos estudassem em uma escola particular muito boa. Àquela altura, eu já sabia que meus filhos eram muito infelizes nas escolas públicas de Jidá e de Medina. Em Cartum, estudariam na Al-Majlis Al-Afriiki Ta'leen Alkhaas, ou o Conselho Africano para Educação Especial. A escola ficava aberta seis dias por semana, com exceção da sexta-feira, que é, obviamente, o dia sagrado islâmico, no qual a rotina do dia a dia é interrompida por 24 horas.

Ver meus belos filhos em seus uniformes escolares obrigatórios apagou quase uma geração. Meus pensamentos se voltaram para os primeiros anos de casada, que repentinamente pareciam tão distantes. Senti a dor daqueles dias em que eu era uma jovem esposa, observando com tristeza meu jovem marido em seu uniforme cuidadosamente passado, quando me deixava para que eu sentisse saudades dele enquanto estudava e trabalhava.

Agora, nossos belos filhos estavam seguindo os passos do pai. Abdullah, Abdul Rahman, Sa'ad, Omar, Osman e até mesmo nosso filho mais novo, o pequeno Mohammed, faziam um alvoroço todas as manhãs enquanto saltavam para vestir suas calças verde-escuro e as camisas verde-claro. Se o pai deles não estivesse comigo, eles tinham permissão para fazer muito barulho. Eu sorria, observando enquanto ficavam agitados demais e tropeçavam uns nos os outros, saindo de meus aposentos correndo para encontrarem Ali, o filho mais velho de Khadijah. Juntos, os sete garotos disputavam uma corrida até o meio-fio da área do complexo, onde esperavam pelo ônibus escolar branco.

Meu apartamento ficava muito tranquilo depois da partida de meus seis filhos, deixando-me com minhas duas meninas, Fatima e Iman, que eram calmas como um céu azul após uma tempestade de areia. Nós tomávamos um café da manhã bom e agradável, e, em seguida, eu dedicava um tempo importante para brincar com elas, pois ainda eram novas demais para que aprendessem a ler o Alcorão ou para que ajudassem com as tarefas da casa. Quando eu estava disposta, brincávamos de esconde-esconde.

Depois, as empregadas continuavam a brincar com as meninas para que eu fizesse exercícios e me alongasse. À medida que fui ficando mais velha e menos disposta, fui descobrindo a importância de ser mais ativa fisicamente. Depois dos exercícios, eu podia riscar algumas coisas, pois ainda tinha muito prazer em desenhar rostos e, mais especificamente, olhos expressivos. Depois de deixar de lado os lápis e papéis, eu lia um pouco, concentrando-me principalmente no Alcorão. Todas as manhãs, nós, as quatro esposas de meu marido, nos visitávamos e conversávamos um pouco e, em seguida, líamos juntas textos religiosos.

Tínhamos um jardim particular muito grande, com grama, flores e pequenas árvores de troncos grossos. Quase todos os dias nos quais não houvesse ninguém por perto e não estivesse quente demais, eu levava as crianças mais novas para o jardim e as observava ali. Às vezes, as outras mães também levavam os filhos menores, e então cuidávamos de nossos filhos pequenos e brincalhões.

Com tanta coisa para fazer, as manhãs passavam rapidamente e os garotos voltavam à uma hora da tarde. Depois do esforço mental e físico, seus estômagos ficavam vazios, então eu me assegurava de que a cozinheira preparasse um bom almoço. Às vezes eu tirava um cochilo depois do almoço. Minhas meninas costumavam dormir comigo e os garotos passaram a ficar sozinhos à medida que foram crescendo.

Meu marido acreditava que as crianças não deveriam ter brinquedos modernos, mas mesmo sem eles os garotos encontravam muitas atividades. Recordo que, certa vez, despertei de um cochilo, olhei pelas janelas de meu apartamento e vi meus filhos ocupados na construção de casas nas árvores baixas do jardim. As casas nas árvores surgiram como construções elaboradas, com passarelas de uma casa para a outra. Não sei onde encontraram a madeira, mas é provável que alguns dos empregados de meu marido fornecessem os materiais de construção aos meus filhos.

Quando ficaram prontas, os garotos passaram a ficar durante muitas horas naquelas casas de faz de conta. Muitas vezes, observava cada um dos garotos empoleirado em sua casa na árvore, fazendo-me lembrar de um pássaro grande olhando para o céu azul ou sobre os muros altos que cercavam nossa casa. Às vezes, quando tinham tempo livre, eles dedicavam dias inteiros a ficar sentados e de fitar o espaço. Jamais saberei que sonhos passavam por suas cabeças.

Observei outro projeto especial durante muitas semanas, quando eles construíram um forno sob o solo, instalando canos para a passagem de ar. Depois, se dedicaram ao cultivo de feijão. Quando os feijões ficavam maduros, eles os colhiam e os cozinhavam em pratos variados.

Desde a mudança para Cartum, Osama teve mais tempo para os filhos. Meu marido dedicava horas para explicar-lhes a importância de cultivar bons legumes e outros frutos da terra. Ele dava como exemplo suas várias fazendas de cultivo de milho, de soja e até de girassóis. Talvez tenha partido daí a ideia dos garotos de plantar feijão.

Seja lá qual fosse o motivo, eu ficava feliz ao ver meus filhos se divertindo. Eles viviam tão isoladamente quando morávamos na Arábia Saudita que, agora, suas atividades de meninos traziam felicidade ao meu coração. Eles ficaram arrojados, fugindo ocasionalmente do complexo de al-Riade para explorar nosso bairro. Acredito que meu marido não tivesse conhecimento das aventuras ousadas de filhos. Sabendo que eram bons garotos que precisavam de pequenas liberdades, decidi ficar em silêncio, apesar de que jamais mentiria para meu marido se ele me perguntasse diretamente.

Havia outras coisas boas quanto a morar em Cartum. Eu estava feliz que meu marido não viajasse tanto e que parecesse mais tranquilo ao tra-

tar de seus vários projetos importantes. Ele tinha acordos com oficiais de alto escalão do governo sudanês para construir estradas, fábricas e vários negócios, incluindo as fazendas que citei. A atividade favorita de Osama era trabalhar a terra, cultivando o melhor milho e os maiores girassóis. Ele se esforçara muito mentalmente para descobrir novos meios de produzir os maiores girassóis do mundo. Nada deixava meu marido mais feliz do que exibir seus girassóis gigantescos.

Sorrio quando lembro daqueles dias gratificantes. Na verdade, algumas das memórias mais queridas que tenho são de quando o milho ou os girassóis estavam prontos para a colheita e partíamos rumo a uma das fazendas, geralmente para al-Damazin, ao sul de Cartum. Os passeios lembravam-me de quando costumávamos levar toda a família para visitar nossa fazenda em Jidá.

A colheita dos girassóis era a mais divertida. Eu escolhia um grande par de tesouras e ficava feliz acomodada em uma caravana de grandes carros pretos. Quando chegávamos na fazenda, Osama organizava o tempo para que houvesse horas privadas nas quais as esposas e os filhos pudessem trabalhar colhendo as flores sem que se preocupassem em encontrar estranhos acidentalmente. Apesar de nós, esposas, usarmos os véus habituais, quando não havia ninguém nas redondezas podíamos tirá-los de nossos rostos por estarmos concentradas em cortar os girassóis. Obviamente, caso ouvíssemos vozes humanas que não fossem familiares aos nossos ouvidos, ocultávamos prontamente nossos rostos expostos.

Alguns daqueles girassóis enormes eram muito maiores do que nossas cabeças. Muitas vezes, estudei, admirada, aquelas plantas gigantescas, sabendo que Osama era a razão de tal beleza. Essas são as melhores memórias, as de estar ocupada e a de ser parte de uma missão valorosa para produzir algo prático.

Em outras ocasiões, viajávamos para um lugar chamado al-Kuttiya. A viagem era muito longa e as estradas não eram pavimentadas, de modo que proporcionavam muitas emoções. Na temporada de clima seco, levantávamos tempestades de terra, e, na chuvosa, a terra transformava-se em lama; com frequência, nossos veículos atolavam na lama viscosa. Todos resmungavam de frustração com os atrasos. Na verdade, não ficávamos tão chateados quanto aparentávamos; nossas vidas eram tão tranquilas que não nos importávamos muito em ficar presos na estrada.

Omar e os irmãos esforçavam-se para liberar as rodas a fim de poder prosseguir com a viagem. Por algum motivo, tal visão era muito engraçada para mim e para as outras esposas, que observávamos nossos filhos fortes empurrarem, puxarem e fazerem força. Às vezes, o motorista ansioso pisava forte demais no acelerador e a lama voava para todos os lados. Nós ríamos sob os véus, observando os garotos saltarem para longe na vã tentativa de escapar da lama que voava.

Às vezes, no caminho para a fazenda ao sul, os garotos pediam que a caravana parasse em uma área específica, a qual só eles sabiam ser favorável à caça. Eles deixavam as mulheres e as crianças pequenas nos carros para escapulir e caçar alimentos. Havia um peru especialmente grande que era excepcionalíssimo e muito amado por todos os membros da família. Os garotos eram caçadores excelentes e sempre caçavam vários desses animais. Quando chegávamos à nossa casa, cozinhávamos os perus e depois removíamos as penas. Era um pouco triste comê-los, uma vez que eles eram muito bonitos com suas penas salpicadas de branco.

Noutras ocasiões, Omar pedia para pararmos quando seu olhar aguçado captava uma árvore especial que produzia frutas deliciosas. O nome da árvore foi perdido na memória, mas observávamos ansiosamente enquanto Omar subia nela e selecionava as melhores frutas. Meu doce filho me presenteava com elas para que eu as guardasse a fim de comermos quando chegássemos na fazenda.

Na fazenda havia alguns casebres adoráveis, como se fossem pequenos chalés. Eram pequenos e redondos, com telhados altos de sapê no formato de uma grande casquinha de sorvete. Os casebres redondos foram construídos no meio de uma floresta de árvores grandes, onde viviam grupos de macacos. Esses animais divertiam mais do que se fôssemos a um circo. Toda a família deles ficava animada com a nossa chegada e nos entretia fazendo bagunça. Depois de assistirmos por algum tempo a divertida exibição dos macacos, entrávamos nos casebres a fim de nos acomodar para um feriado prolongado que costumava durar quatro noites ou até Osama dizer que chegara a hora de partir.

Os casebres eram construídos com maestria a partir de pedaços secos de árvores, gravetos, folhas e galhos pequenos. Osama providenciara a instalação de várias camas estreitas nos casebres para que todos tivessem o próprio lugar onde dormir. Osama também providenciou para que tivéssemos mosquiteiros que cobrissem nossos corpos; ele nos avisou sobre a malária, que é uma doença fatal naquela parte da África, particularmente para crianças pequenas. Eu levava a sério a tarefa de cobrir meus filhos mais novos com essas redes.

Eu gostava principalmente das mangas deliciosas que frutificavam nas árvores bem ao lado do casebre. Tenho lembranças felizes de ficar sentada na porta do casebre, observando meu filhos brincarem sob as estrelas reluzentes enquanto eu comia aquelas mangas suculentas.

Mais comumente, viajávamos para a pequena fazenda de criação de cavalos de Osama, que ficava perto de nossa casa na Vila al-Riade. Enquanto os homens da família se ocupavam com os cavalos, as mulheres desfrutavam da piscina particular. Quando os homens partiam nas cavalgadas e nossa reclusão ficava assegurada, algumas esposas e filhas davam um mergulho refrescante. É claro que não tínhamos roupas de banho, nos enfiávamos na piscina usando nossos vestidos longos.

Meus filhos mais velhos aprenderam muito enquanto moramos em Cartum porque o pai deles começou a tratá-los como homens jovens. Osama até levava os seis garotos para acompanhá-lo quando realizava um projeto especial. Lembro-me das vezes nas quais o acompanharam para observar a construção de uma estrada de ferro. Meus filhos ficaram alegres ao me contar que Osama explicara até os mínimos detalhes de como os trilhos eram construídos e as etapas do trabalho dos engenheiros. Eles estavam convencidos de que o pai sabia tudo.

Meu marido sonhava que, um dia, seus muitos filhos estivessem à frente dos vários negócios que tinha no Sudão.

Houve outras experiências incomuns. Desde quando nossos filhos mais velhos eram novos na Arábia Saudita, Osama se concentrara em treiná-los a resistirem a longos períodos no deserto sem assistência externa. Um dia, Osama informou-nos de que o estado no qual o mundo se encontrava o levara a concluir que suas esposas e filhas também deveriam ser treinadas para que fossem pacientes e corajosas.

Ele desenvolveu planos para ajudar todos os membros da família a conquistarem personalidades fortes e adaptáveis. Como ele pensou nessas ideias singulares permanece um mistério para mim. Mas quando as concebeu, ele providenciou transportes para levar a família para fora de Cartum, aos limites de uma região não desenvolvida. Não tínhamos permissão para levarmos nossos suprimentos usuais para uma viagem de uma noite, mas reparamos em pás e em outras ferramentas de escavação empilhadas nas traseiras dos veículos.

Quando chegamos no deserto, em um local isolado, disseram-nos que passaríamos a noite sob as estrelas. Osama disse: "Durante esta missão de treinamento, todos devem limitar o consumo de líquidos e de outros víveres." Além disso, não teríamos nenhuma conveniência moderna como camas ou cobertores. Ficamos muito surpresos quando Osama disse: "Eu não trouxe mosquiteiros, mas não se preocupem. Os mosquitos raramente vêm até o deserto."

Enquanto as esposas e as filhas observavam, Osama comandou os filhos maiores e mais fortes no uso das ferramentas de escavação para que cavassem buracos grandes o bastante para que uma pessoa pudesse ficar totalmente esticada ao dormir.

Enquanto isso, Osama pregava: "Vocês devem ser bravos. Não pensem em raposas ou em cobras. Lembrem-se, vocês estão em treinamento. Provações desafiadoras nos aguardam. Chegará o dia em que vocês não terão um abrigo sobre suas cabeças. Vocês não terão um cobertor para cobrir seus corpos."

Pisquei os olhos, perguntando-me se cobras seriam comuns naquela região.

Osama apontou para os buracos que tomavam forma no solo. "Cada um de vocês dormirá sozinho em um buraco na terra."

Ninguém protestou, nem mesmo os bebês. Todos nós fizemos o que Osama disse, descendo lentamente nossos corpos para dentro dos buracos, esperando a passagem de uma noite longa, muito longa.

Lembre-se de que países como o Sudão fervem sob o sol durante o dia, mas, no instante em que o sol se põe, o deserto fica frio.

Ouvi uma voz suave reclamar do frio noturno.

Osama aconselhou ao queixante: "Cubra-se com terra ou grama." Ele fez uma pausa e depois falou de dentro de seu buraco: "Você ficará aquecido sob o que a natureza oferece."

Apesar de desconfortável com a ideia, por saber que insetos usam a terra como lar, finalmente fiquei com tanto frio que cobri, com terra e grama, meu corpo até a cintura. É verdade que a natureza fornece calor, justamente como Osama havia dito, mas eu ainda preferia minha cama e meu cobertor no meu aposento em Cartum.

Deitada naquele buraco, coberta de terra, olhando para o céu estrelado acima de mim, lembrei-me de que meu marido sabia muito mais a respeito do vasto mundo do que qualquer um de nós. Éramos todos pérolas para meu marido e ele queria nos proteger.

Além do mais, quem sabe? Talvez chegasse o período assustador no qual eu e meus filhos nos encontrássemos fugindo de guerreiros agressivos, e então ficássemos gratos pelas lições aprendidas com Osama. Não ficariam todos surpresos quando eu e meus filhos surgíssemos vivos porque sabíamos como suportar o clima rigoroso do deserto sem suprimento de água e sem o benefício das conveniências modernas?

Obviamente, eu não desejava que meus filhos pequenos sofressem daquela maneira, então fiz muitas orações a Deus, pedindo que jamais precisássemos passar por tal situação.

Capítulo 11

Assuntos de família

NAJWA BIN LADEN

Nossos filhos mais velhos se tornaram homens jovens nos anos em que vivemos em Cartum. Tinham um desempenho excelente nos esportes que pessoas de sua idade gostam, como futebol e artes marciais, e também em outros hobbies similares. Todos os nossos filhos eram bons nadadores; na verdade, os garotos costumavam atravessar o Nilo a nado por diversão, o que não é um feito pequeno, pois esse rio pode ser estreito, mas suas águas são traiçoeiras, com correntes descontínuas. O Nilo fica perto da Vila al-Riade, de modo que era comum que eles fossem nadar lá com o pai. Em outras ocasiões, dirigiam até o deserto para disputar corridas com os automóveis do pai. Todos os nossos filhos foram ensinados a dirigir automóveis aos 8 anos, pois esse é o esperado na Arábia Saudita. Eles tornaram-se caçadores habilidosos, capturando com facilidade animais em armadilhas ou matando-os com armas de fogo.

Recordo que, certa vez, eles construíram uma armadilha para tentar capturar um falcão shahin. Eu aprendera a respeito dos falcões shahin quando era uma menina, porque os árabes preferem esse pássaro predador a qualquer outro. Tais aves são interceptadas em armadilhas no deserto aberto para serem treinadas a mergulhar até o solo a fim de capturarem coelhos, codornizes e outras criaturas pequenas. Disseram-me que eles são muito específicos no modo como seguram as presas e realmente presenteiam os donos com as criaturas sem lhes dar uma mordida sequer, sem fazer nenhum arranhão. Sei pouco mais do que isso porque não sou uma caçadora.

Muitas das coisas com as quais estávamos acostumados mudaram durante os anos que passamos no Sudão, especialmente para os garotos. As

mulheres da família permaneciam dentro de nossa casa e se concentravam em atividades femininas, como sempre tínhamos feito e sempre faríamos. Minhas filhas, Fatima e Iman, ainda eram muito novas, de modo que ficavam contentes em circular por nossa grande casa, imitando a mãe na rotina diária. As duas garotas proporcionaram muita diversão à nossa casa, pois estavam na idade de fazer muitas travessuras típicas dos bebês. Osama ficava muito feliz com as bebês e as deixava engatinhar sobre todo seu corpo e até mesmo enrolar sua barba. Foram momentos alegres, momentos raros que eu não testemunhava há muitos anos. Observando meu marido e nossas filhas, pensei que talvez tudo acabasse bem para a família Bin Laden na África.

Mas também eram tempos assustadores. Pela primeira vez em nossa vida de casados, Osama ficou tão doente que cheguei a temer por sua vida. Misteriosamente, ele contraiu malária. Não conseguimos adivinhar como contraíra a doença, pois sempre que ele estava em uma área na qual era sabido haver mosquitos, usava um mosquiteiro.

A doença repentina de Osama me deixou com muito medo, pois meu marido era conhecido por ser o homem mais saudável do mundo. Na verdade, até aquele momento, não me lembro de tê-lo visto reclamar nenhuma vez sequer de dor, nem mesmo de uma dor de cabeça leve ou de dor de dente.

Ele estivera viajando a negócios e, logo que retornou, queixou-se de febre, enjoos e dores nas articulações. Nos dois primeiros dias, acreditamos que tivesse contraído uma virose. Mas ele ficou doente demais, tremendo de calafrios em um instante para logo depois suar de febre. Em pouco tempo, Osama começou a sentir dificuldade para ficar de pé e adquiriu um tom amarelado. Mas mesmo depois de ficar como essa coloração, ele se recusou a consultar um médico. Contudo, Osama não demorou a concluir que não havia outra explicação senão ter sido picado por um mosquito fêmea portador da malária.

Meu coração disparou diante do diagnóstico, pois eu sabia o que acontecia com muitas vítimas da malária. Depois de voltar para casa, ele estava com tanta febre e se sentindo tão mal que deixara de pensar em se proteger melhor. Acredito que tenha sido picado outra vez. Os novos mosquitos infectados espalharam a doença para outros membros da família. Meus quatro filhos mais velhos, Abdullah, Abdul Rahman, Sa'ad e Omar, contraíram a doença do pai, apresentando os mesmos sintomas assustadores.

Meus pobres filhos relataram que sentiam tonturas e falta de ar, com dores nas articulações e dores de cabeça latejantes. Apesar de servi-los com água e comida, nada do que eu fizesse aliviava o desconforto que sentiam. O pobre Abdul Rahman ficou perigosamente doente. O ar de sofrimento no rosto dele finalmente levou Osama a concluir que precisava procurar tratamento médico para ele e os outros filhos doentes. Apesar da fraqueza, Osama reuniu todos eles doentes e os transportou para uma clínica local.

Fiz muitas orações enquanto os observava irem embora de nossa casa, e rezei muito mais durante o curto período durante o qual ficaram fora. Graças a Deus, depois de receberem um tratamento médico especial, incluindo líquidos que foram injetados diretamente nas veias, todos retornaram, fracos, porém vivos. Foi quando Osama me disse que fora informado pelo médico de que não havia garantias de como evitar a malária, mesmo com o uso do mosquiteiro à noite. Ocasionalmente, os mosquitos picam as vítimas antes mesmo do anoitecer. Na verdade, não era possível estar completamente seguro, a menos que um mosquiteiro fosse usado sobre o corpo durante todo o dia.

Talvez fosse por isso que nós, mulheres, tivéssemos menos chances de sermos picadas, pois jamais saíamos de casa sem que estivéssemos cobertas da cabeça aos pés por nossas abaayas habituais.

Houve um ótimo dia no final de nosso primeiro ano em Cartum, quando meu pai viajou de férias para o Sudão. Seu rosto alegre foi a melhor visão da qual desfrutei em muitos meses. Apesar de eu ter permanecido em casa com minhas filhas, Osama acompanhou meu pai aos pontos mais interessantes de Cartum. Disseram-me que a cidade tinha um moderno centro comercial, apesar de os arredores serem muito simples. O mais agradável de tudo eram as horas relaxantes nas quais meu pai se sentava comigo e contava notícias sobre minha mãe, meus irmãos e outros parentes que moravam na Síria.

Eu desejava que meu querido pai pudesse retornar pelo menos uma vez por ano para tirar outras férias como aquelas. Contudo, pouco depois de sua visita a Cartum, recebi um telefonema extremamente preocupante de um familiar na Síria, que sussurrou que meu pai estava de cama por causa de uma infecção pulmonar. Nós, árabes, damos notícias ruins muito lentamente para não chocar os entes queridos, de modo que levou algum tempo até que meu parente confessasse que a infecção pulmonar era bastante grave e que, na verdade, ele estava com câncer.

Meu pai amava o mal do fumo desde quando era um jovem adulto. Os cigarros finalmente se voltaram contra ele, que não foi capaz de combater a doença maligna e perdeu rapidamente a capacidade de viver normalmente. Ele sentia tanta dor que não conseguia sair da cama.

Para minha tristeza profunda, descobri que mesmo depois do diagnóstico do câncer pulmonar, meu pai não conseguia conter o desejo de fumar. Disseram-me que ele perdera tanto peso que fora reduzido a nada além de ossos cobertos por um pouco de pele e que sentia tanta dor que precisava lutar para não gritar. Contudo, ali estava ele, um paciente com uma doença grave reclinado na cama com um cigarro pendurado entre os lábios. O hábito de fumar prosseguiu até o momento em que morreu; ele prendeu obstinadamente um cigarro entre os dentes até ser chamado por Deus para partir.

Como eu não podia viajar do Sudão para a Síria, meu amado pai acabou morrendo sem a filha Najwa ao seu lado. Isso feriu profundamente meu coração, porque qualquer filha se sente próxima de um pai tão carinhoso. Eu estava desamparada, tão longe na África. Eu podia apenas rezar a Deus para que Ele abençoasse a alma de meu pai e o levasse para o paraíso.

Apesar de ter conhecimento de que Deus sabe o que é o melhor para todos nós e de meu marido, Osama, ter me lembrado de que Deus decide todas as coisas e que tudo que Ele determina deve ser celebrado, jamais apaguei a tristeza de meu coração.

Também fui atormentada pela premonição que tivera em minha última visita à Síria, na época em que nossa família ainda não tinha deixado a Arábia Saudita. Lembrei do pressentimento sombrio que me envolveu, uma sensação intensa de que algo terrível aconteceria com alguém. Nesse momento, perguntei-me se talvez o próprio Deus tivesse me avisado sobre a morte de meu pai.

Recebemos outros visitantes da família. Alguns irmãos de Osama e suas esposas nos visitaram, o que foi uma ocasião feliz para todos nós. Até mesmo tia Allia e o marido, Muhammad Attas, viajaram para Cartum duas vezes, fazendo visitas adoráveis. Osama ficava com um humor particulamente leve quando a mãe estava por perto. Ele adorava lhe mostrar a cidade que agora era nosso lar, assim como suas fazendas, para que a mãe soubesse o que o filho estava produzindo para o Sudão e o mundo. Apesar de Allia, como eu, ter desejado que todos os problemas desaparecessem para que o filho, suas esposas e seus filhos pudessem retornar à Arábia Saudita, ela não se queixou comigo nem com Osama, pois sabia que não poderia mudar a situação.

Não houve muitas gestações entre as quatro esposas de meu marido durante os quatro anos em que moramos em Cartum. Na verdade, foram apenas três. Siham, a quarta esposa de Osama, foi a primeira, dando à luz pela quarta vez a sua terceira menina, Sumaiya. Então a segunda esposa de Osama, Khadijah, engravidou pouco depois de chegarmos ao Sudão; ela teve a primeira filha, que também foi a última concebida com meu marido, uma pequena menina chamada Aisha.

A família estava prestes a ter um choque. Pouco depois de a pequena Aisha ter se juntado à nossa família, que continuava crescendo, Khadijah decidiu voltar para a Arábia Saudita. Meu marido concordou com os planos dela. Muitas pessoas especularam sobre o divórcio, mas existem segredos especiais em todas as famílias, e eu jamais desonraria a mim e à minha família revelando-os. Tudo o que direi é o que já se sabe, que Khadijah retornou com os três filhos para a Arábia Saudita, onde vive até hoje. As esposas-irmãs de Khadijah sentiram muito sua falta e tenho certeza de que meus filhos sofreram por Ali e Amer, pois os garotos eram companheiros de brincadeiras desde bebês. Exceto Ali, que retornou a Cartum em uma visita ao Sudão quando estava com 11 anos, os filhos de Khadijah sumiram para sempre de nossas vidas.

Com a partida de Khadijah, de repente passamos a ser apenas três esposas e 13 filhos.

Felizmente, engravidei de meu nono filho no começo de 1993. Osama disse que eu deveria viajar para ficar com sua mãe, Allia, em Jidá, para fazer o parto no ótimo hospital que contava com excelentes médicas. Quando tinha a oportunidade, eu sempre escolhia ser atendida por uma médica por causa de minha timidez feminina.

Pouco antes da data prevista para o parto, soube que Osama não poderia viajar comigo para a Arábia Saudita. Apesar de decepcionada, não fiquei surpresa, pois eu tinha consciência de que problemas antigos mantinham meu marido fora do reino. Portanto, foi necessário que Osama escolhesse nosso filho mais velho, Abdullah, que faria 17 anos naquele ano e era responsável, para ser meu guardião.

Como já disse, as mulheres muçulmanas são proibidas de viajar sozinhas. Nossos companheiros de viagem não podem ser qualquer um, precisam ser um guardião apropriado, chamado de mahram, que só pode ser um membro da família com quem a mulher seja proibida de se casar pela lei religiosa. Mahrans de sangue incluem avós, pais, irmãos, maridos, filhos, netos ou sobrinhos da mulher; e existem mahrans por laços familiares, como sogros, genros, padrastos ou enteados. Há um último grupo de homens que podem se tornar mahrans para as mulheres. Se uma mulher for ama de leite, ela se torna a mãe de leite da criança, ou rada. Mahrans de sangue aplicam-se a este grupo de pessoas associadas à ama de leite, incluindo o marido, o pai, os irmãos, os filhos, os tios e outros parentes da mãe de leite.

Apesar de satisfeita por retornar a Jidá, fiquei desanimada com a ideia de deixar minha família em Cartum. Mesmo assim, houve muitos momentos felizes em Jidá. Fiquei maravilhada ao ver novamente aquela linda cidade. Fui visitada por amigas a quem não via havia muito tempo. Allia e os filhos, como sempre, foram extremamente gentis, atendendo a todas as minhas necessidades. Meus amigos e familiares até caminhavam comigo à tarde no jardim da família, algo que muitos sauditas evitam devido ao calor tremendo gerado pelo sol do deserto.

Antes de minha partida de Cartum rumo a Jidá, Osama decidiu que, se nosso filho fosse homem, ele receberia o nome de Ladin. Assim que estive em condições de viajar, meu filho mais velho, Abdullah, acompanhou a mãe e o irmão bebê, Ladin, de volta a Cartum em segurança.

Todos amaram Ladin porque ele era um bebê lindo e tinha um jeito especialmente encantador. Depois de nosso retorno a Cartum, por algum motivo meu marido mudou de ideia e decidiu que Ladin deveria se chamar Bakr. Apesar de este ser seu nome oficial e constar em todos os seus documentos, o nome Ladin foi adotado pelas crianças e por mim. Obviamente, tal situação gerava confusão para nosso garotinho, mas eu lhe disse que ele era tão especial que precisava ter dois nomes, e isso, aparentemente, deixou-o satisfeito.

Eventualmente, vi que outras mulheres se juntariam à nossa família como esposas de meu marido. Aproximadamente um ano após o divórcio de Osama e Khadijah, ele se casou com outra esposa. Mas o novo casamento terminou rapidamente por causa de um segredo. Existindo somente no papel (não tendo sido consumado), ela não foi inserida em nosso círculo familiar íntimo. Portanto, durante algum tempo, nossa unidade familiar permaneceu como estava, com três esposas e 14 filhos.

A vida muda. As coisas se alteram. Tais questões estavam fora de minhas mãos. Mas eu estava em paz pois, como fiel, deixo tudo nas mãos de Deus.

Capítulo 12

Tempos dourados em Cartum

OMAR BIN LADEN

Quem poderia saber que a alegria que eu procurava estava me aguardando no Sudão? Quando meus pés tocaram o solo empoeirado de Cartum, eu era apenas uma criança de 10 anos, prestes a completar 11. Meu pai nos encontrou no aeroporto com uma comitiva gigantesca, o que era comum. Percebi que muitos dos homens que o acompanhavam eram soldados mujahidin dos tempos do Afeganistão, enquanto outros eram seguidores apaixonados das crenças de meu pai, de modo que todos o reverenciavam.

Felizmente para seus filhos, a deferência dos homens estendia-se a nós. Meu pai era um príncipe, ou era isso que os homens diziam. Na verdade, poucas pessoas fora de nosso mundo compreendem o alto grau de amor que as massas árabes expressavam por meu pai. Apesar de ter sido obrigado a deixar a Arábia Saudita, o exílio foi resultado de seus desentendimentos com a família real de lá, não com cidadãos sauditas comuns.

Moraríamos em um bairro chamado al-Riade. Nossa residência particular era uma casa bege cercada por muros da mesma cor, do mesmo tipo dos que havíamos deixado para trás na Arábia Saudita. Havia um grande portão bege de metal. Vários homens de meu pai se apressaram para abri-lo para que nossa grande família entrasse na propriedade.

Troquei alguns olhares com meus irmãos e percebi que estávamos pensando na mesma coisa. Estávamos olhando para a nova prisão de minha mãe, pois ela vivia basicamente em purdah, um estado de isolamento quase total no qual as mulheres só socializam com membros da família e raramente, quando muito, deixam os limites da propriedade. Durante toda a vida de casada, minha mãe só teve permissão para sair de casa quando visitávamos parentes ou quando éramos transferidos para outro lar da família, como nossa fazenda nos arredores de Jidá. Eu acreditava que aquela grande casa também seria minha prisão. Os filhos de Osama bin Laden desfrutavam de pouquíssimas liberdades comuns. Mesmo assim, em comparação com as mulheres da casa, éramos livres como passarinhos.

Ao estudar os arredores da propriedade, dei-me conta de que a família de Osama bin Laden estava em decadência. Nossa nova casa era decididamente menor e mais modesta do que as mansões espaçosas que havíamos deixado para trás na Arábia Saudita; ainda assim, era maior do que qualquer casa que eu avistara durante o trajeto do aeroporto para lá. A casa parecia ter três andares distintos, de modo que esperava que fosse grande o bastante para quatro esposas e muitas crianças.

Meu pai seguiu à frente.

Meus irmãos mais velhos e eu seguimos quietos os passos de nosso pai, pois sabíamos que ele não tinha paciência com crianças que não conseguiam se comportar como adultos. Até mesmo os irmãos mais novos caminhavam em silêncio. Nossa mãe e nossas tias, cobertas com os véus, nos seguiram, pois é nosso costume que as mulheres vão atrás dos homens.

Depois de entrar no jardim, meu pai passou pelas portas duplas de madeira pintadas de marrom fosco. Obviamente, ele já havia tomado todas as decisões relativas a quem moraria onde. Fomos informados de que o quarto à direita era o quarto de hóspedes familiares para quando parentes nos visitassem, e à esquerda ficava o aposento de tia Khairiah, mãe do bebê Hamza. Ela ficou com o menor aposento porque só tinha um filho, mas ainda assim ele era amplo, com uma sala de estar, um banheiro e uma cozinha, além de dois quartos. O espaço restante no primeiro andar era formado pelo escritório particular e de estudo de meu pai.

Uma escadaria de mármore conduzia ao segundo andar. Tanto tia Khadijah como tia Siham tinham aposentos espaçosos no segundo andar, que era o intermediário.

Subindo mais um pavimento, para o terceiro e último andar, sempre a posição favorita de minha mãe em qualquer casa, chegamos aos aposentos de nossa família, onde encontramos quatro quartos, uma sala de estar, banheiros, uma terceira cozinha e uma escada que levava ao telhado. Assim como na Arábia Saudita, as casas sudanesas eram construídas com telhados planos, cuja área servia como um espaço aberto destinado à habitação.

A casa era bastante decepcionante para nosso gosto, mas não havia nada a fazer além de se acomodar e esperar pelo melhor. Sem dúvida, éramos crianças travessas e, no instante em que nossos pais trancaram a porta de seus aposentos privados, entramos em ação, explorando ansiosamente todos os quartos e discutindo com bom humor a respeito dos arranjos para dormir, apesar de tomarmos cuidado para manter a voz baixa e evitar despertar a ira lendária de nosso pai.

A casa era decorada com simplicidade, o que não foi uma surpresa. Nosso pai sempre desdenhara de qualquer coisa elaborada no que dizia respeito à família, declarando com frequência que não deveríamos ser mimados — e não o éramos. Havia tapetes persas baratos no chão e cortinas bege nas janelas. Havia almofadas azuis dispostas como assentos ao longo das paredes, como é de hábito em muitas casas árabes. Não havia decoração, nem mesmo um único quadro nas paredes, apesar de termos reparado nas evidências do trabalho de nosso pai pregadas nas paredes de seu estúdio no andar térreo. Tentamos entender alguns mapas e planos para as estradas e fábricas que ele estava construindo, mas não conseguimos. Como de costume, o estúdio ficava entulhado com centenas de livros, tanto em inglês como em árabe, principalmente relacionados a questões religiosas e militares. Nosso pai falava e escrevia em inglês fluentemente porque meu avô determinava que os filhos deveriam ser muito bem-educados.

Quando finalmente nos recolhemos, descobrimos que não havia espaço suficiente para que todos tivéssemos camas convencionais, de modo que dormíamos em colchões espalhados pelo chão, terminando com colchões que iam de uma parede à outra nos quartos. De manhã, era necessário enrolar e guardar nossos colchões para que fosse possível caminhar pelo quarto.

O jardim anexo à casa era bastante amplo, com espaço suficiente para um grupo de garotos brincar. Diferentemente da Arábia Saudita, que oferece pouco em termos de vegetação nos jardins, havia algumas árvores, arbustos fechados e canteiros de flores ao longo dele. Na verdade, tudo na propriedade física na Vila al-Riade nos agradava, incluindo um grande terreno desocupado perto de nossa casa, que esperávamos usar como campo de futebol.

As perspectivas eram boas.

Apesar dos primeiros sinais positivos, preocupações incomodavam minha mente. E as éguas que havíamos abandonado? Quando nossos cavalos garanhões chegariam a Cartum? Será que nosso pai compraria mais cavalos no Sudão? Será que eu encontraria amigos naquele novo ambiente? Será que eu precisaria ir a uma escola pública?

A escola era minha maior preocupação. E se minhas experiências nas escolas sudanesas se reduzissem a algo ainda mais terrível do que o que eu já suportara na Arábia Saudita? Rezei para que nosso pai estivesse ocupado demais a fim de encontrar uma escola para nós.

Em poucos dias, eu e meus irmãos recebemos, através de um dos motoristas de meu pai, a notícia sombria de que já estávamos matriculados em uma escola. Mas quando soubemos que estudaríamos na melhor escola particular do país, a Al-Majlis Al-Afriiki Ta'leen Alkhaas, veio o alívio.

Ficamos muito animados quando descobrimos que um ônibus escolar nos buscaria em nosso complexo. Os seis sortudos que iriam à escola comigo eram meus irmãos de pai e mãe Abdullah, Abdul Rahman, Sa'ad, Osman e Mohammed, o mais novo, matriculado aos 7 anos. Ali, com 8 anos, primeiro filho de nossa tia Khadijah, também foi matriculado na mesma escola.

Em nosso primeiro dia, estávamos ansiosos e animados. Depois das orações, corremos para casa para tirarmos nossas túnicas e vestirmos os uniformes. Assim que ficamos apropriadamente vestidos, corremos para o ponto de ônibus para esperar a condução que haviam nos mandado aguardar. Um ônibus branco e muito longo apareceu pontualmente às seis e meia da manhã. Em locais de clima quente, as escolas começam a funcionar e encerram as atividades cedo, de modo que o horário escolar era das sete da manhã à uma da tarde. Entramos gritando no ônibus para termos o maior choque de nossas vidas. Havia estudantes meninas no ônibus!

Meus irmãos e eu pensamos que havíamos embarcado no ônibus errado. Quase instantaneamente, vimos que também havia garotos, todos vestidos com uniformes idênticos aos nossos. Sem saber o que fazer, avançamos aos tropeços, reparando que as meninas e os meninos não se sentavam juntos.

Mesmo assim, tal fato jamais seria permitido na Arábia Saudita, onde tudo na vida pública é segregado pelo sexo, incluindo casamentos, festas, mesas em restaurantes e escolas. Na Arábia Saudita, as meninas têm suas escolas e os meninos, as deles. Se uma menina necessitasse cursar uma matéria que somente um homem poderia ensinar, a única maneira de obter permissão para acompanhar as aulas era assisti-las ao vivo via satélite ou em vídeos gravados. Sei de algumas alunas altamente conservadoras que chegam a usar seus véus quando assistem ao vídeo de um professor.

Muitos muçulmanos acreditam que, quando um homem e uma mulher não relacionados estão juntos em um quarto, na verdade existem três criaturas presentes, sendo a terceira o próprio diabo. Nada de bom poderia resultar de tal mistura, ou pelo menos é o que nós, sauditas, aprendemos.

No Sudão, as alunas eram obrigadas a se sentar no lado esquerdo do ônibus, e os alunos, no lado direito. Apressadamente, meus irmãos e eu encontramos assentos, falando pouco enquanto olhávamos ao redor para o interior do ônibus. Admito ter olhado mais de uma vez em direção às meninas, mas percebi que a maioria delas tomava cuidado para manter os olhos castamente afastados dos meninos. Ocasionalmente, uma garota mais ousada olhava para nós e seu rosto enrugava com um sorriso tímido. Contudo, elas essencialmente conversavam e riam entre si. Jamais tive coragem de puxar uma conversa. Em pouco tempo, percebi que o motorista parecia ter olhos atrás da cabeça e repreendia prontamente qualquer estudante que tentasse conversar com o sexo oposto. A imagem severa de meu pai visitou rapidamente minha imaginação. Eu achava que, quando ele descobrisse que os filhos estariam próximos de garotas que não pertenciam à nossa família, seríamos retirados da escola sem qualquer cerimônia.

Será que o primeiro dia seria também o último?

Meu pai reprovava a educação formal para mulheres. Suas próprias filhas não tinham permissão para ir à escola, aprendendo o básico em casa com tia Khairiah, que era uma mulher instruída.

Perguntei-me se compartilharíamos as salas de aula com o sexo oposto. Se fosse este o caso, eu sabia que nossa educação escolar estaria condenada. Felizmente, não o era, apesar de vez ou outra vislumbrarmos as meninas quando elas iam para outra sala. Tudo era bastante tranquilo na área de recreação, o que dava às garotas a coragem para escapulirem da área designada a elas a fim de se aventurarem em nossa área. Surpreendentemente, nenhum professor as mandava de volta para seus lugares. Contudo, se algum garoto tentasse entrar escondido na área de recreação feminina, era repreendido e encaminhado de volta à parte do pátio que lhe cabia.

Nosso novo mundo era realmente estranho.

Para nosso grande alívio, tanto os alunos como os professores eram amigáveis e respeitadores. Nossa rotina escolar no Sudão era simples, mas agradável. Como as aulas começavam muito cedo, todos os alunos tomavam o café da manhã quando chegavam à escola. Depois da simples refeição matinal composta por ovos cozidos, queijo e pão árabe, rezávamos novamente, pois o governo sudanês impunha um regime muçulmano. Em seguida vinham as aulas, com professores firmes, de vozes suaves e gentis. Nenhum instrutor desdenhava quando tirávamos notas baixas, mesmo que merecêssemos; nenhum deles incomodou a mim ou aos meus irmãos com bengaladas; nenhum deles estimulava os outros garotos a nos provocar.

Todas as manhãs, pouco depois das nove horas, os alunos tinham um intervalo no qual ficavam livres para encontrar outros garotos e comprar um lanche na cantina da escola. Como nosso pai proibira refrigerantes americanos em casa, meus irmãos e eu sempre comprávamos uma lata de Pepsi gelada e um saco de biscoitos ou de batatas fritas.

Como nossa escola era uma das particulares mais caras da cidade, muitos alunos vinham de famílias ricas. Também havia outros cujas famílias eram formadas por profissionais de classe média e, em poucos casos, por membros da classe trabalhadora mais pobre. Mesmo que fosse necessário guardar cada centavo e economizar a partir dos pequenos orçamentos familiares, os pais sudaneses esforçavam-se ao máximo para darem uma boa educação aos filhos, o que significava haver muita variedade de garotos em nossa escola, tornando a experiência muito mais interessante, pelo menos para mim.

Antes do fim do dia, praticávamos esportes. Na maior parte das vezes, meus irmãos e eu gostávamos muito de brincar com os alunos sudaneses, que eram amigáveis. Mas havia um jogo que disputávamos no pátio do qual jamais me esqueci, principalmente porque exigia uma brutalidade que não se detectava em nenhuma outra atividade.

Os garotos eram divididos em dois times. Uma área segura era determinada e os times se alinhavam a certa distância dela. O objetivo do jogo era que vários jogadores atingissem a área segura correndo mais rápido do que os membros do outro time. Se alguém tivesse o azar de ser pego, era espancado. Tais sovas não eram como as típicas nos pátios escolares. Não, os golpes eram dolorosamente significativos. Os mais lentos acabavam com olhos roxos, narizes quebrados e lábios extremamente inchados.

Desde os dias em que meu objetivo era correr mais rápido que meu pai com suas pernas longas no jogo do chapéu, assim como no período na Arábia Saudita durante o qual os valentões da escola me perseguiam, eu aprendera a correr como o vento. Enquanto estudava a brutalidade desse novo jogo e a distância que precisaria até chegar à segurança, eu sabia que precisava correr mais rápido do que jamais correra. Quando chegou a minha vez, eu poderia ter me classificado facilmente para as eliminatórias olímpicas. Meus pés praticamente voaram sobre o pátio e fui mais rápido do que todos os outros.

Sempre perguntava aos garotos por que participavam de um jogo tão violento, mas as únicas respostas que davam eram sorrisos afáveis, explicando de modo convincente que o jogo era baseado em sua cultura. Os sudaneses acreditavam que os garotos deveriam não apenas obter uma educação escolar, como também deveriam ser fortes e resistentes, e nada fortalecia mais o corpo do que uma boa sova. Os adultos com certeza compartilhavam das opiniões dos garotos, porque os professores observavam sem interferir mesmo quando um garoto apanhava até sangrar. Nenhum pai ia à escola reclamar que os filhos tinham sido feridos. Anos depois, quando ouvi a respeito das guerras brutais no Sudão e dos combates entre as diversas tribos, compreendi que os garotos sudaneses realmente precisavam aprender a ser fisicamente resistentes. Na vida real, guerreiros sudaneses atacavam-se mutuamente com a ferocidade de leões famintos.

Depois de toda aquela atividade enérgica, embarcávamos no ônibus à uma da tarde para uma viagem agradável de volta para a Vila al-Riade. Os mesmos garotos que se espancaram violentamente no pátio agora mantinham um comportamento exemplar. Fiquei chocado. Em meu mundo árabe, tais espancamentos jamais seriam esquecidos, e resultariam em anos de represálias ferozes entre famílias inteiras e até mesmo entre tribos inteiras. Na terra onde nasci, guerras tribais brutais foram iniciadas por menos.

O novo país que agora chamávamos de lar era fascinante. Eu gostava de observar pelas janelas do ônibus as cenas barulhentas nas ruas. Sudaneses em roupas coloridas pareciam celebrar. Os homens se misturavam às mulheres e tais agrupamentos em público são desconhecidos até mesmo entre os homens na Arábia Saudita. No país onde nasci, tudo na vida é ocultado por trás da privacidade de muros altos.

Além da escola regular, nós, os garotos mais velhos da família, tínhamos mais aulas em casa. Nosso pai contratara três instrutores, cada um deles altamente qualificado em tópicos como assuntos internacionais, matemática, geografia, história e língua árabe. Um dos três era um marroquino cuja especialidade era o treinamento religioso. Todos os três eram pacientes e gentis, e nós, garotos, tínhamos muito respeito por eles.

As aulas eram ministradas na casa de hóspedes, uma das mansões de nosso pai usadas principalmente para acomodar seus numerosos visitantes do mundo muçulmano e da Europa. A casa de hóspedes tinha três andares amplos, com 22 quartos espaçosos e uma área muito maior do que a da casa de nossa família. A casa fora pintada em um tom levemente rosado e tinha um característico portão preto brilhante.

Dentro da casa de hóspedes, havia um quarto especial reservado para as aulas, onde eu e meus irmãos passávamos três horas todas as tardes. Cansado de tantos estudos, eu absorvia pouco do que lia, sonhando com a liberdade para ver o pôr do sol ou jogar futebol.

Além de nossa residência particular e da casa de hóspedes, nosso pai tinha mais duas casas na área da Vila al-Riade, todas próximas ao lar da família. Essas casas também eram grandes e serviam de moradia para alguns dos muitos empregados de nosso pai, principalmente administradores, motoristas ou guardas de segurança, sendo que a maior parte dos homens era de antigos veteranos mujahidin da guerra russo-afegã. Meu pai não somente empregara os mesmos veteranos que moravam em nossa fazenda em Jidá, como também trouxera outros homens. Os que não moravam em nossa área ficavam espalhados pelo país em outras casas.

Exceto pelos poucos homens que trabalharam na fazenda de nosso pai perto de Jidá, raramente tínhamos estado perto dos soldados de nosso pai. Além disso, eu era novo demais quando vivi na Arábia Saudita para compreender plenamente tudo que testemunhara. De repente, comecei a entender melhor o mundo de meu pai, com seus vastos interesses políticos e de negócios, e pessoas de muitos países homenageando-o. Acredito que foi no Sudão que nosso pai começou a pensar nos filhos como futuros parceiros em potencial e lá fomos convidados pela primeira vez a vislumbrar seu mundo tumultuado de política e de atividades comerciais.

Depois de passar mais tempo com nosso pai em seus escritórios, começamos a conhecer os mujahidin e, lentamente, aprendemos as histórias de suas vidas. Foi quando descobrimos que poucos daqueles ex-soldados tinham permissão para retornar às próprias nações.

Todos os soldados tinham uma história interessante.

Enquanto a guerra russo-afegã se desenrolava, governos da região ajudaram meu pai e outros organizadores enviando grupos de jovens para lutarem na frente de batalha. Os soldados jovens estavam cheios de ideais, tendo recebido todos os motivos para acreditar que seriam recompensados por abrirem mão dos estudos, de suas carreiras e de possíveis casamentos, tudo isso para responderem ao chamado do violento Jihad, para ajudarem seus irmãos muçulmanos necessitados. Durante os anos em que estiveram em combate, escutaram vários discursos sobre a glória, mas, depois de vencerem uma guerra que todos diziam ser impossível vencer, seus governos os abandonaram. Alguns soldados não tiveram os passaportes renovados e outros que tentaram voltar para casa foram mandados de volta nas fronteiras.

Aparentemente, os líderes de seus países temiam que os mujahidin obtivessem conhecimento demais sobre a arte da resistência e da guerra. Caso retornassem, talvez representassem perigo para um regime repressor.

De repente, aqueles guerreiros corajosos descobriram que eram homens despatriados. Desesperados por empregos, procuraram meu pai. Apesar de a vida de meu pai ser conturbada a ponto de ele ter sido obrigado a fugir do próprio país, todos conseguiram empregos, com bons salários e moradia. Muitos veteranos disseram a mim e aos meus irmãos que nosso pai fora o único que jamais se esquecera deles e jamais quebrara uma promessa.

Muitos dos soldados endurecidos tornaram-se guardas de segurança de meu pai, zelosamente protegendo a ele e a sua família. Aqueles homens robustos pareciam capazes de matar meu pai esguio com as próprias mãos. Contudo, tratavam-no com reverência e respeito, permanecendo humildemente em segundo plano, jamais se pronunciando sem que ele falasse primeiro. Apesar de nosso pai não pedir a reverência dos homens, eles o adoravam com todo coração, motivados pelo desejo de agradá-lo.

Como filhos de Osama bin Laden, éramos beneficiados por essa adoração. Para proteger a família de meu pai, cada homem teria sacrificado a própria vida.

Inicialmente, éramos cautelosos em relação aos guardas, pois a lealdade ao meu pai fazia com que acreditássemos que os olhos dele estavam em suas cabeças. Éramos jovens demais para que nos déssemos conta de que precisávamos de proteção, de que havia pessoas no mundo que desejavam a morte de nosso pai e que, se fôssemos mortos no processo, isso não seria um problema. Acreditávamos que todos no mundo — exceto pelos professores na Arábia Saudita — reverenciavam nosso pai, porque a maioria das pessoas que encontrávamos o amavam a ponto de adorá-lo. "Seu pai é o príncipe", ouvíamos constantemente.

Apesar de nosso pai ter contado com muitos homens que cuidavam dos filhos dele, morar em um bairro movimentado fazia com que fugir dos guardas ficasse mais fácil. O movimento ao redor de nossa casa costumava ser intenso, de modo que aprendemos aos poucos maneiras para nos misturarmos à multidão ou para escapulirmos quando os guardas estivessem ocupados com uma coisa ou outra.

Com o tempo, conquistamos ainda mais liberdade. Gradualmente, os grilhões sudaneses que tanto temíamos foram se afrouxando. Será que nosso pai finalmente confiava em nós? Ou ele estava tão ocupado com tantos projetos que isso fez com que escapássemos de seus pensamentos? Eu jamais tive a resposta para esta pergunta.

Com certeza, nosso pai estava envolvido em muitos interesses relativos a negócios durante os anos que moramos no Sudão. Certa vez, ele nos surpreendeu ao dizer: "O Sudão agora é o nosso lar. Passarei minha vida nesta terra." Recordo da estranheza que senti ao ouvir tais palavras, perguntando-me como ele conseguiria suportar um rompimento permanente com a terra onde nascera.

Mas com sua lealdade então atrelada ao Sudão, meu pai ficou maravilhado com o objetivo de fazer com que aquele país empobrecido atingisse os padrões modernos. Desde o período em que vivera na Arábia Saudita, ele vinha testemunhando uma prosperidade econômica real e desejava o mesmo sucesso para o Sudão. Sem a riqueza do petróleo da Arábia Saudita, ele presumiu que as áreas férteis do Sudão seriam a solução para retirar a nação africana da pobreza. Na verdade, as terras que iam do sul de Cartum até a fronteira com a Etiópia eram conhecidas popularmente como a cesta de pão do Sudão. Era nessa região que meu pai possuía diversas fazendas, cultivando muitos tipos diferentes de legumes e girassóis. Ele também se envolveu em construções, na administração de fazendas e na criação de cavalos.

Pouco depois de chegarmos a Cartum, nosso pai nos informou que já havia comprado uma fazenda para a criação de cavalos. Não era nada elaborada como nossa fazenda perto de Jidá, mas ficava a apenas 15 minutos de carro da Vila al-Riade, de modo que íamos aos estábulos pelo menos uma vez por semana. Ele comprara alguns cavalos antes de chegarmos lá, os quais, somados aos garanhões importados da Arábia Saudita, totalizavam sete cavalos. Fiquei encantado com cada um deles, mas meu favorito era o garanhão Lazaz, um dos animais que meu pai conseguira trazer da Arábia Saudita. O belo Adham também estava prestes a chegar a Cartum.

Lazaz, nome que muitos muçulmanos reconhecerão como o do cavalo do profeta Maomé, era um garanhão árabe puro-sangue com crina e cauda castanhas, uma mancha branca contrastante na cabeça e três meias brancas, na pata dianteira esquerda e nas patas traseiras. Lazaz era orgulhoso, não sendo do tipo de cavalo que estimula brincadeiras casuais. Sua maior alegria era correr com seu harém de éguas e qualquer interrupção que sofresse constituía um desafio para os humanos que cuidavam dele.

Lembro-me do dia no qual Lazaz quase foi morto por ameaçar meu pai.

Lazaz chegara recentemente, transportado de Jidá, e estava arisco, pois não o cavalgavam há meses. Ele estava empinando em um cerco circular, ansioso por partir para tratar de seus assuntos equinos. Meu pai achava que chegara a hora de levá-lo para uma cavalgada revigorante. Lazaz tinha outras ideias. Quando meu pai tentou colocar a sela nele, o garanhão ergueu-se nas pernas traseiras, dançando enraivecido e pronto para atacar. Meu pai, que era um grande cavaleiro, estava igualmente irredutível quanto a amansar Lazaz.

Eles estavam brigando, um cavaleiro e seu garanhão igualmente obstinados. Meu coração saiu pela boca, porque Lazaz e meu pai haviam desfrutado de muitos dias de camaradagem entre cavalo e cavaleiro, mas agora, de repente, os dois eram adversários, disputando com força desigual mas com uma determinação muito parecida.

Nada que meu pai fizesse acalmava Lazaz. O cavalo atacou meu pai várias vezes, a fúria em seus olhos emitindo fagulhas de violência. De repente, percebi que um dos amigos de meu pai carregara e levantara sua arma, mirando diretamente na cabeça de Lazaz. O homem fiel não correria o risco de que Osama bin Laden fosse esmagado por um cavalo, não importava o quanto o garanhão Lazaz fosse valioso ou belo. Felizmente, meu pai percebeu tal ação com o canto do olho, mesmo enquanto permanecia ocupado tentando se desviar dos ataques de Lazaz com seus cascos. Meu pai, que amava cavalos mais do que qualquer outro homem, gritou: "Não! Saia! Traga mais homens!"

Alguém seguiu as instruções e, pouco depois, o cercado foi ocupado por cinco ou seis homens, dos quais nenhum, exceto meu pai, estava acostumado a domar cavalos.

Mas, em dado momento, o pobre Lazaz foi encurralado e preso. Naquele dia, meu pai ordenou que a orelha de Lazaz fosse "puxada", o que significa prender um pequeno laço de corda a um pedaço de madeira que é colocada em torno do focinho do cavalo e apertado até doer. Os árabes acreditam que o laço apertado libera uma substância química que controla um cavalo difícil.

Em pouco tempo, meu pai retornara Lazaz ao ponto no qual era possível cavalgá-lo, e, desde aquele dia, enquanto vivemos em Cartum, tal garanhão ficou relativamente contente.

Lamento hoje saber que, além das atividades boas que realizava, meu pai continuava envolvido com suas atividades militantes. Contudo, apesar de minha pouca idade, eu não tinha acesso a detalhes.

Enquanto isso, meu pai permanecia convencido de que, como muçulmanos, deveríamos viver do modo mais simples possível, rejeitando as conveniências modernas. Mesmo com permissão para usarmos luzes elétricas em nossa casa, todos eram proibidos de usar geladeiras, fogões elétricos, e os sistemas de aquecimento e condicionadores de ar. Novamente, minha mãe e minhas tias foram obrigadas a cozinhar refeições para suas grandes famílias em fogareiros portáteis a gás. E, com o clima quente do Sudão, todos sofríamos sem ar-condicionado.

Nenhum dos filhos concordava com o pai quanto a tais ideias, apesar de as esposas terem se recusado a manifestar as próprias opiniões. Inclusive, quando sabíamos que nosso pai viajara para fora de Cartum, meus irmãos mais velhos e eu nos esgueirávamos para ligar a geladeira ou até mesmo para ligar os interruptores do ar-condicionado. Mas nossa mãe tinha tanto horror de que nosso pai descobrisse a respeito da rebelião que logo voltávamos a seguir as regras dele.

Entreouvi alguns de seus fiéis mujahidin se queixarem em voz baixa por também não terem permissão para usar as conveniências modernas. Aqueles homens levaram vidas duras de combatentes durante muitos anos e não viam motivo para sofrimento desnecessário estando cercados de tais conveniências.

Nem mesmo quando visitantes de países ricos do Golfo chegavam para se hospedar na casa de hóspedes, as regras de meu pai eram amenizadas. Muitas vezes, vi executivos prósperos e príncipes reais suando profusamente, alguns irritados com a temperatura impossivelmente elevada. Depois de ouvir diversas queixas, meu pai finalmente comprou um suprimento de pequenos abanadores feitos com grama entrelaçada, vendidos pelos sudaneses no mercado aberto. Precisei conter o riso ao observar aqueles visitantes ilustres abanando freneticamente o ar quente que cercava suas cabeças e seus corpos.

Meus irmãos e eu passávamos muito tempo elaborando esquemas para fugirmos da al-Riade a fim de poder escapar do mundo louco de nosso pai. Sendo garotos ativos, outrora acostumados a viver como prisioneiros, começamos a testar os limites de nossa liberdade recém-descoberta, passando cada dia mais tempo fora da mansão da família.

No começo, só tínhamos coragem de ficar no jardim da família. Em busca de qualquer coisa que preenchesse nosso tempo vago, pedimos a alguns dos empregados de nosso pai que nos dessem materiais de construção para fazermos casas nas árvores do jardim. Os homens eram agradáveis e nos forneceram tudo de que precisamos. Nossas casas na árvore acabaram ficando bastante elaboradas, com cada garoto tendo seu espaço particular.

Nossa libertação inesperada teve um sabor doce! De repente, tínhamos liberdade para jogar ou para passear pelo bairro, justamente como as crianças em Jidá e Medina costumavam fazer, os "garotos da liberdade" que observávamos com tanta inveja.

Tínhamos até dinheiro para gastar, algo que nos era novo e atormentador, apesar de não obtê-lo de maneira puramente honesta. Nosso pai era da opinião de que os filhos jamais deveriam receber dinheiro, nem mesmo para comprar lanches na escola. Precisávamos de algum dinheiro para despesas básicas, mas ele disse: "Não. Vocês precisam sofrer. Pontadas de dor não farão mal a vocês." Improvavelmente, nosso pai era diferente de tantos pais que não queriam nada além do melhor para os filhos; ele parecia gostar de ver-nos sofrer, lembrando-nos de que era bom para nós que conhecêssemos a sensação de fome e sede, de nos virarmos enquanto outros tinham o bastante. Por quê? Ele dizia que acabaríamos nos tornando os mais fortes. Aqueles que tinham muito cresceriam para ser homens fracos, incapazes de defender a si próprios.

A opinião de nosso pai não encontrava um acordo com os filhos mas, obviamente, não tínhamos permissão para nos opormos a ele. Se protestássemos, não havia a menor possibilidade de uma discussão tranquila entre pai e filho. Em vez disso, ele ordenava tranquilamente que nos levantássemos para levar uma surra. A bengala de madeira era sua arma favorita, e havia momentos nos quais ele se empolgava tanto ao bater nos filhos que a bengala pesada partia-se ao meio. Quando isso acontecia, ele corria para pegar uma de nossas sandálias, que ficavam perto da porta, usando-a para nos surrar.

Era comum que os filhos de Osama bin Laden ficassem cobertos de calombos avermelhados nas costas e nas pernas.

No passado, nossos motoristas na Arábia Saudita ficavam consternados com nossa situação deplorável, percebendo que nosso pai era cruel. Aqueles pobres motoristas tentavam compensar sendo gentis e bondosos, e nos dando alguns trocados do dinheiro que eles mal tinham condições de dar. Contudo, no Sudão, não tivemos a mesma sorte. Os homens que trabalhavam para nosso pai não viviam tão próximos de nossa família e não tinham conhecimento de nossas situações pessoais.

No entanto, sendo garotos espertos, descobrimos meios de obter alguns trocados.

Naquela época, nossa mãe recebia uma mesada de nosso pai, de modo que tinha dinheiro de sobra. Desde o começo do casamento, ela adquiriu o hábito de esconder dinheiro em seu quarto. Ela enfiava notas embaixo de revistas, livros ou em gavetas. Nós conhecíamos todos os esconderijos. Meus irmãos e eu nos revezávamos na função de ficar atento à presença de nossa mãe enquanto um garoto corajoso entrava correndo no quarto dela para uma busca rápida.

Como nossa mãe jamais demonstrou sentir falta do dinheiro, concluímos que ela reconhecia nossas necessidades mas não desrespeitaria o desejo de nosso pai a ponto de nos dar dinheiro efetivamente. Em vez de desobedecer a ele, ela deixava o dinheiro onde sabia que o encontraríamos com facilidade. Se não fosse essa sua intenção, tenho certeza de que ela teria dado o alarme dizendo que seu dinheiro estava sendo roubado.

Depois de encontrar os esconderijos, escapulíamos de casa e corríamos para alguns dos pequenos mercados espalhados por nosso bairro, nos quais esbanjávamos em tira-gostos e refrigerantes. Para nosso grande alívio, nunca fomos descobertos, pois conhecíamos a punição por desobediências diretas.

Com nossos recursos recém-descobertos, chegamos até a adotar um hobby. Adquirimos interesse por pombos, um passatempo popular no Sudão. Ouvimos que a aldeia próxima ao nosso complexo era o melhor lugar para se comprar pombos de alta qualidade. Por sorte, tínhamos meios de transporte próprios, pois nosso pai decretara que os garotos mais velhos poderiam ter bicicletas. Isso acontecera pouco depois de deixarmos a Arábia Saudita, quando eu estava com cerca de 9 anos. Anteriormente, não podíamos ter bicicletas nem qualquer outro meio de transporte mecânico. Lembro-me de ter implorado ao meu pai por uma bicicleta ou uma moto, dizendo-lhe que precisava disso para percursos curtos. Jamais me esquecerei das palavras dele: "Se precisar viajar, Omar, vá de bode."

Mas, seja lá pelo motivo que tenha sido, um dia ele simplesmente mudou de ideia e mandou um dos motoristas da família comprar uma moto para Abdullah, uma Quad, e determinou que os outros garotos poderiam ter bicicletas, as mais caras que o dinheiro podia comprar. Foi um dos dias mais felizes de nossa juventude. Amávamos tanto nossas bicicletas que as trouxemos conosco da Arábia Saudita. Elas acabaram sendo muito úteis em Cartum. Na verdade, seriam usadas para nos aventurarmos fora de casa e para procurarmos pombos à venda.

Meus irmãos mais velhos e eu conspiramos sobre criar uma família de pombos. Planejamos tão cuidadosamente quanto se estivéssemos partindo em uma campanha militar. Sabíamos que precisávamos esperar até que nosso pai estivesse fora da cidade, pois ele não gostava de que saíssemos do bairro. Começamos a observar a hora em que os guardas de segurança paravam para descansar. Logo, percebemos que a maioria dos guardas descansavam por longos períodos, deixando seus postos durante as horas mais quentes do dia. Esperamos até que nosso pai partisse em uma viagem e reunimos nossas bicicletas para aguardar até que o sol do meio-dia ficasse escaldante. E, como havíamos previsto, um a um os guardas deixaram seus postos, seguindo para suas casas a fim de beber algo refrescante e cochilar. Foi nesse momento que saltamos em nossas bicicletas e atravessamos rapidamente a entrada desguarnecida da Vila al-Riade.

Pedalamos furiosamente, viajando pela estrada com o vento batendo em nossos rostos e os cabelos voando. A liberdade jamais fora tão doce. Nossa missão foi bem-sucedida porque encontramos o que procurávamos na aldeia vizinha. Os pombos eram famosos ali, e observamos todos os pássaros antes de comprarmos nosso primeiro casal reprodutor. O primeiro deles foi muito caro, custando-nos cinco mil libras sudanesas. Mas, com o tempo, nos tornamos mais ousados e pegávamos quantias mais altas dos esconderijos de nossa mãe. Ainda assim, ela jamais perguntou sobre o dinheiro desaparecido, de modo que *sabíamos* que ela *sabia*.

Apesar de nossa mãe ter vivido em reclusão extrema e de ter sido uma esposa que obedecia a todos os desejos do marido, no que dizia respeito aos filhos ela encontrava métodos criativos de nos ajudar a burlar as regras excessivamente rígidas de nosso pai. Nenhuma palavra jamais foi dita a respeito de tais assuntos, pois ela nunca se oporia diretamente ao nosso pai. Contudo, ajudava-nos a sobreviver em nossas vidas tristes. Minha mãe era uma mulher muito sábia em tais situações.

Nosso interesse pelos pombos aumentou. Uma pequena gaiola com dois pombos logo foi substituída por gaiolas maiores com novos casais reprodutores. Por algum motivo, nosso irmão mais velho, Abdullah, não tinha tanto interesse por essas aves, mas Abdul Rahman, Sa'ad, Osman e eu ficamos obcecados. Nós mesmos construíamos as gaiolas. Depois, ajudamos Mohammed a construir as gaiolas dele, porque era muito novo na época. Em pouco tempo, todo o jardim estava tomado por pombos engaiolados. Nós os amávamos e passávamos muitas horas cuidando de suas necessidades e celebrando o nascimento dos filhotes. Não nos preocupávamos com a reação que nosso pai poderia ter diante de nosso passatempo, achávamos que ele não o proibiria, pois pombos são populares entre os muçulmanos. Além disso, nos primeiros estágios de nosso hobby, reparamos nele quando chegou em casa para visitar nossa mãe. Naquele dia, ele olhara casualmente para uma pequena gaiola na qual os dois primeiros pombos estavam chocando. Sua expressão não mudou e ele simplesmente seguiu andando, de modo que baixamos a guarda.

Então, um dia, ele caminhou até o jardim e parou. Seus olhos adotaram um ar de descrença. Seu rosto adquiriu um tom rosado enquanto ele examinava as gaiolas enormes, os pombais e o que pareciam ser centenas de pombos. Meu pai estava visivelmente chocado.

Sabendo que teríamos muitos problemas, meus irmãos e eu tentamos nos esconder, mas ele localizou nossas figuras tímidas escondidas nos fundos do jardim.

Com uma raiva nos olhos que cintilava como relâmpagos, ele disse: "Venham aqui."

Nós nos movimentamos lentamente, acreditando que sentiríamos os efeitos de sua bengala pesada.

Ele não gritou, mas a fúria em sua voz suave era assustadora. "O que é isso?", ele perguntou movendo as mãos. Minha voz ficou presa na garganta e, sem nos dar um instante sequer para que respondêssemos, ele ordenou: "Livrem-se de todos os pombos. Se eles não estiverem fora do jardim até o anoitecer, eu mesmo degolarei cada um deles."

Com um olhar de raiva para cada um de nós, ele deu meia-volta e se afastou, sua figura alta enrijecida pela raiva.

Meus irmãos e eu sabíamos que ele era capaz de matar todos os pombos, então nos viramos para conseguir um lar para eles. Depois de implorarmos a um dos motoristas da família, ele concordou em transportar nossos animais de estimação para uma das muitas fazendas de nosso pai. Ao anoitecer, os pombos não estavam mais no jardim. Jamais soubemos o que aconteceu com eles depois disso.

Obviamente, ficamos tristes por perdê-los, pois passamos a amar cada um de nossos amigos emplumados.

Certas pessoas representavam um tabu tão grande quanto os pombos. Havia alguns sudaneses a quem nosso pai não nos permitia conhecer. Não sabíamos que ele tinha uma regra contra socializar com cristãos até termos problemas tentando conhecê-los.

Reparamos nas crianças cristãs pouco depois de chegarmos a Cartum. A família, formada por mãe, pai e vários filhos e filhas, morava em uma casa do lado oposto ao da nossa. Era difícil não reparar neles porque tinham a pele clara. Também se comportavam de modo diferente, crianças saracoteando em um clima descontraído. Nós, garotos muçulmanos, passávamos a vida temendo cometer acidentalmente um ato proibido.

Observávamos os cristãos há algum tempo, mas ainda não tínhamos reunido coragem para nos apresentarmos. Então, certa noite, meus irmãos e eu ficamos surpresos quando vimos as crianças cristãs saindo de casa. Elas vestiam fantasias engraçadas que as deixavam parecidas com fantasmas, monstros e outras criaturas estranhas. Aquelas crianças vestidas de modo tão peculiar também balançavam pequenas abóboras de cor laranja em uma vareta. Cada abóbora fora cortada para que aparentasse ter rosto e havia vela dentro dela. Percebemos que algumas crianças muçulmanas que moravam no complexo tinham permissão para se juntar a elas e ir até o campo de futebol, onde houve uma festa.

Jamais tínhamos visto algo parecido. Qualquer pessoa na Arábia Saudita que aparecesse em público vestida como fantasma ou gnomo seria presa, julgada como bruxa e, possivelmente, executada. Observamos com inveja enquanto as crianças circulavam pelas ruas, vestindo fantasias cômicas e carregando abóboras iluminadas. Elas riam e brincavam, fazendo muito barulho. (Eu já era adulto quando descobri que as crianças cristãs estavam celebrando o halloween.) Meus irmãos e eu quisemos entrar na brincadeira. Contudo, obviamente, nosso pai reprovava qualquer pessoa que caminhasse pelas ruas parecendo um macaco ou um monstro, de modo que fomos proibidos de participar. Ainda assim, achamos que, mais tarde, poderíamos escapulir e conhecer aquelas crianças interessantes, mas mal sabíamos que nosso pai havia dado ordens aos seguranças para que nos mantivessem afastados delas.

Certa tarde, algumas semanas depois, observamos as crianças cristãs saírem à rua para brincar. Achamos que nossa chance havia chegado, então corremos para fora de casa na esperança de conhecê-las. Quando estávamos prestes a nos apresentar, um dos seguranças armados de meu pai veio correndo até nós com tal hostilidade que recuamos com medo. O homem gritou com a voz mais terrível e raivosa que jamais tínhamos ouvido: "Entrem na casa! Vocês não têm permissão! Entrem na casa, AGORA!"

Ele estava tão incensado pela raiva que pensei que atiraria em nós. Os homens de meu pai eram tão neuróticos por agradarem seu "príncipe" que nada teria me surpreendido.

Não nos arriscamos. Corremos para dentro de nossa casa e os cristãos, para a deles. Depois, disseram-nos que quase havíamos infringido um tabu duplo, porque não tínhamos permissão para brincar com meninas *nem* com cristãos, *jamais*.

E foi isso!

Não muito depois de chegarmos ao Sudão, tivemos um pequeno choque familiar. Tia Khadijah partira de Cartum e retornara à Arábia Saudita. Ela sempre fora gentil com todos os filhos do marido. Para mim, o mais decepcionante foi Ali ter partido com ela. Consciente das crenças tradicionalistas de meu pai, fiquei surpreso, pois muitos fiéis insistem na manutenção do controle de todos os filhos, independentemente da idade da criança. Tia Khadijah teve a sorte de manter a custódia das três crianças, particularmente de Ali e Amer, seus dois filhos.

Eu era apenas uma criança, de modo que nunca soube as razões particulares do divórcio, apesar de ter especulado sobre a causa. Talvez meu pai tenha se tornado excessivamente radical para tia Khadijah, pois apesar de ainda ser novo demais na época para compreender plenamente os perigos ligados ao comportamento inflexível e militante de meu pai, tenho certeza de que as esposas adultas tinham muito mais consciência, especialmente tia Khadijah, que era uma mulher instruída.

Talvez ela tenha partido por não sentir nenhum prazer nem encontrar motivos para as viagens até terras selvagens para passar noites em um buraco no solo. Ou quem sabe tenha se cansado de ficar confinada em casa, impossibilitada de ir a uma loja ou de visitar outras mulheres. A única companhia que tinha era minha mãe e as outras duas tias. Havia muitos motivos que poderiam tê-la levado a pedir o divórcio e a deixar o Sudão.

Depois da partida de tia Khadijah, nosso pai agiu como se ela jamais tivesse sido parte de nossa família, mas as coisas nunca foram exatamente as mesmas depois que ela partiu. Apesar de nós, crianças, termos nos habituado com a ausência de tia Khadijah, sentíamos saudades de Ali. Fomos companheiros de brincadeiras durante muitos anos e nos ensinaram a sermos leais aos nossos meio-irmãos.

Ali era o filho mais velho de tia Khadijah e, por sua idade, podia voltar para visitar o pai. A única visita que fez ao Sudão, um ano depois, foi constrangedora e curta. Ele nunca mais voltou, tampouco nos visitou no Afeganistão.

Mas éramos garotos ativos com energia ilimitada, de modo que nos recuperamos da mudança de ambiente. Depois que nosso pai nos proibiu de ficar com nossos pombos, passamos a vagar pelos arredores em busca de outras atividades para ocupar nosso tempo. O Nilo ficava a poucos minutos de nossa casa e desejávamos desesperadamente ir até lá para nadar. Foi uma surpresa agradável quando nosso pai concordou com a ideia e até nos acompanhou. Quem poderia imaginar que ele também quereria nadar um pouco?

Retorcendo-se como uma minhoca pelo Sudão e por Cartum, o estreito Nilo era uma decepção para os olhos de um nadador. Meus irmãos e eu sempre instigávamos uns aos outros, provocando-nos até que todos mergulhassem nas águas escuras e nadassem até a margem oposta.

As águas eram turbulentas, e a distância era maior do que aparentava.

Mas nenhum de nós admitiria para os outros caso estivesse com medo, de modo que, no processo, acabamos nos tornando excelentes nadadores, evitando problemas graves. Contudo, um dos amigos de nosso pai quase morreu afogado. Naquele dia, estávamos todos nadando quando aquele homem tolo saltou na água com excitação, como um adolescente. Antes que nos déssemos conta, a corrente forte o estava carregando para longe. Todos começamos a gritar, chamando a atenção de nosso pai. Nenhum de nós conseguiu alcançar o homem. Na última vez em que o vimos, ele estava em pânico na água, com a cabeça afundando e emergindo, e sacudindo os braços desesperadamente. Quando ele desapareceu, presumimos que o Nilo tivesse se tornado sua sepultura aquática. Mas tivemos uma surpresa feliz quando alguns pescadores sudaneses encontraram o pobre homem se debatendo e gritando por socorro a alguma distância rio abaixo. Eles foram muito gentis e trouxeram-no de volta para nós. Éramos apenas sorrisos quando vimos que ele havia sobrevivido. Meu severo pai disse que ele havia se comportado como um tolo e lhe deu um conselho: "Fique longe do Nilo." Acredito que ele o tenha seguido.

Nosso pai até permitia que levássemos nossos amados cavalos para nadarem no Nilo, sentindo assim um alívio do calor. Por algum motivo estranho, os amigos de meu pai adoravam se agarrar às caudas dos cavalos, e nós os puxávamos ao longo do rio. Em outras ocasiões, nosso pai ordenava que seu gado fosse levado ao Nilo e nos divertíamos cavalgando nas costas dos animais ou os molhando com a água fresca. As vacas pareciam gostar do Nilo tanto quanto nós.

Houve um episódio engraçado quando meu pai mandou um de seus empregados egípcios construir um barco. As habilidades do construtor

eram mais limitadas do que meu pai acreditava e o barco, quando ficou pronto, foi uma grande decepção. O barqueiro disse que o revestiria com uma substância especial que o faria navegar muito rapidamente, e, realmente, era o que parecia. No dia da grande inauguração, o barco revelou-se impossível de ser controlado, girando para um lado e depois para outro antes de disparar em alta velocidade.

Mas nosso pai reclamou o direito de ser o capitão do barco. Ficamos olhando impressionados enquanto o barco se movia tão rapidamente que nosso pai logo seguiu rio abaixo. Alarmados, homens leais ao meu pai começaram a bater com as mãos na água, gritando a todo volume: "O príncipe está em perigo! O príncipe está em perigo!"

Os homens de meu pai correram até um vizinho, que se chamava Osama Dawoud e tinha um barco muito veloz. Por sorte, o homem estava em casa e partiu prontamente, alcançando o barco de meu pai e amarrando-o a sua lancha para rebocá-lo de volta. Lembro-me de ter ficado de pé na margem do Nilo observando o retorno dos barcos e do assombro ao ver que nosso pai estava tão envergonhado por ter perdido o controle que deslizou para fora do barco e se escondeu na água. Ele ficou pendurado à parte posterior do barco, escondendo o rosto, sem querer que ninguém testemunhasse sua humilhação. Para alguém tão poderoso, nosso pai podia ser extremamente sensível.

Mas ele estava acostumado a ser o melhor em tudo que fazia; era o cavaleiro mais habilidoso, o melhor motorista, o melhor barqueiro, o corredor mais rápido e o melhor atirador. Ele simplesmente não suportava pensar que pareceria tolo. Depois daquele dia, seus filhos e empregados foram proibidos de mencionar o barco motorizado. Disseram-me que ele o deu a um sudanês surpreso que por acaso estava por perto. Receio que o barco tenha proporcionado muitos passeios turbulentos ao pobre homem.

Às vezes, voltávamos para o Nilo depois do anoitecer, sentindo que nadar no rio sob o céu estrelado era uma experiência mágica. Quando ficávamos exaustos, deitávamos de costas e observávamos maravilhados a lua radiante serpentear por seu caminho ao longo do grande céu. O reflexo da lua no antigo Nilo foi uma das visões mais lindas que já tive.

Abdullah parecia aproveitar o Nilo mais do que a maioria e muitas vezes o vi sentado à margem do rio, olhando para o horizonte com um ar sonhador.

Abdullah é cinco anos mais velho do que eu, mas se parece pouco comigo. Ele tem cerca de dois metros de altura, é magro, tem pele escura e cabelos negros e crespos. Abdullah, assim como os outros irmãos, sempre foi sério. Em qualquer oportunidade para trabalhar, ninguém se equiparava a ele em resistência. No começo de nossa estada em Cartum, Abdullah, o primogênito de meus pais, era responsável pelo comportamento e pela segurança dos irmãos mais novos, tanto dos meninos como das meninas. Isso é habitual no mundo muçulmano, o filho mais velho ser respeitado por todos por ser considerado o chefe do lar quando o pai está ausente. Obviamente, quando Abdullah era novo, nos anos em que vivemos na Arábia Saudita, isso não era importante, pois os motoristas e os empregados ficavam encarregados de tal papel quando nosso pai estava fora, envolvido em combates no Afeganistão. Mas, quando chegamos ao Sudão, Abdullah estava com 15 anos, prestes a se tornar um homem, e, apesar de nosso pai ter seguranças que vigiavam nossa casa, assim como o complexo da Vila al-Riade, nossos pais incumbiram Abdullah de nos supervisionar. Se nosso pai esperava que Abdullah imitasse suas ações, tenho certeza de que ficou decepcionado. Nosso irmão comandava com leveza, pois era o oposto de nosso difícil pai. Apesar de este ser uma figura tranquila que costuma falar com suavidade, sua paciência era muito limitada. Ele ficava enraivecido com facilidade e, em um instante, ficava violento.

Mas Abdullah era paciente e bondoso, e estimulou com tranquilidade todos os irmãos a se relacionarem bem. Tenho certeza de que, muitas vezes, o deixamos exasperado, mas, não importa as besteiras que fizéssemos, não me recordo de ele já ter manifestado desprazer com os irmãos mais novos sob sua responsabilidade.

Muitas vezes, imaginei como nossas vidas seriam diferentes se nosso pai tivesse tido aulas de como ser pai com Abdullah, pois eu estava certo de que meu irmão tinha o caráter e a personalidade para ser um pai bondoso e compreensivo.

Capítulo 13

O cheiro da morte

OMAR BIN LADEN

Um dia de terror começou como qualquer outro. Fizemos as orações matinais, vestimos nossos uniformes, fomos à escola, voltamos para casa para comer e depois brincamos até a hora da oração Asr. Depois disso, caminhamos até a casa de hóspedes para nossas aulas de religião. Os três instrutores nos aguardavam, com nosso professor marroquino à frente naquele dia.

Depois de uma breve leitura de textos do Alcorão, nos reunimos em um círculo, estudando tranquilamente, quando um projétil de uma arma de fogo entrou disparado pela janela aberta e caiu aos pés de Sa'ad, que avisou prontamente ao professor: "Senhor, alguém está nos atacando"

O professor conhecia muito bem o brincalhão Sa'ad e tinha motivos para acreditar que meu irmão estivesse de brincadeira. Ele disse gentilmente a Sa'ad para que não se preocupasse, que ele acreditava que o som fora gerado por uma centelha elétrica. "Prossiga com os estudos, Sa'ad. Vou investigar o ocorrido."

Meus ouvidos se aguçaram porque eu caçava havia anos e minha familiaridade com armas de fogo não deixava dúvidas de que Sa'ad estivesse certo. Alguém disparara uma arma e, realmente, um projétil atravessara a janela e entrara na sala.

Àquela altura, Sa'ad tinha pego um cartucho do chão e o estava segurando entre dois dedos, com o braço erguido. "Professor, era uma bala. Veja, tenho-a aqui", ele afirmou com orgulho de ser levado a sério pelo menos uma vez.

Ao trocar olhares com os outros dois instrutores, os quais, àquela altura, já haviam se levantado com um salto, os olhos do professor se esbugalharam. Tenho certeza de que todos se deram conta ao mesmo tempo de que estávamos sendo atacados e que três acadêmicos desarmados estavam encarregados da segurança dos filhos de Osama bin Laden. Antes que pudessem dizer qualquer coisa, uma série de tiros reverberou pela casa de hóspedes, com balas voando pela janela. Os garotos mais novos começaram a se encolher de medo e a chorar.

Eu sabia que precisávamos nos afastar da janela aberta, assim como o professor marroquino, que gritou: "Venham, garotos! Venham!"

Nossos instrutores nos levaram apressadamente da sala de aula para o corredor. Justamente naquele instante, nosso professor marroquino engasgou. Ele fora atingido! E tropeçou com a força poderosa que atingira seu ombro, mas permaneceu ereto, conduzindo-nos às pressas para a parte posterior da casa; fomos até uma pequena construção, tão próxima que poderia estar ligada à estrutura principal. Ele abriu a porta rapidamente e os três professores começaram a empurrar cada um dos garotos para o centro do cômodo. A construção era muito pequena, com espaço para somente quatro ou cinco pessoas. Mas, de algum modo, os professores conseguiram enfiar dez seres humanos na saleta. Os professores entraram em seguida, pressionando seus corpos contra uma porta sem segurança, sem fechadura. Por meio de gestos, eles disseram para ficarmos quietos, e os garotos mais velhos começaram a se esforçar para confortar os mais novos, para que o choro destes não revelasse o esconderijo.

Ali estávamos, espremidos como sardinhas em lata, quando ouvimos o som dos tiros se aproximar. Um pensamento passou por um instante em minha mente: se fôssemos descobertos, seríamos o alvo mais fácil para um assassino. Espremidos uns contra os outros como troncos de madeira, uma única bala atravessaria facilmente vários corpos. Qualquer atirador poderia matar dois ou três de nós de uma só vez.

Obviamente, os atiradores queriam matar alguém, e talvez tivessem recebido ordens para matar toda a família de Osama bin Laden. Meu pavor aumentou quando alguém no lado de fora começou a forçar as portas destrancadas com o próprio corpo. Mas estávamos tão espremidos que éramos como um grande bloco, imóvel.

Sem dar um suspiro sequer, os professores mantiveram suas posições, sabendo que morreriam primeiro se o pistoleiro atirasse na porta. Mas, depois de alguns instantes aterrorizantes, paramos de ouvir o assassino, talvez porque um dos guardas de meu pai tivesse contornado uma parede e iniciado uma perseguição. O tiroteio continuou por cerca de trinta minutos. A quantidade de tiros diminuiu aos poucos até que tudo ficasse em silêncio.

Queríamos sair logo dali, correr para casa e conferir como estavam nossos pais e irmãos mais novos, mas os professores recusaram-se a se afastar da porta. Nossas pernas e braços estavam dormentes porque não conseguíamos nos mover um centímetro sequer em qualquer direção. Felizmente, logo ouvimos o chamado de um membro da patrulha de segurança de nosso pai que estava procurando os filhos do xeique, gritando que poderíamos sair em segurança.

Reconhecendo a voz do homem, começamos a sair enfileirados e lembramos de conferir como estava o professor que fora atingido quando estávamos fugindo da sala de aula. Para nosso alívio, descobrimos que a bala que o atingira ficara presa nas ombreiras grossas do paletó que ele usava. Foi a primeira vez que rimos depois dessa situação, felizes por nosso professor se vestir tão elegantemente e porque a bala não fizera nada além de um hematoma em seu ombro.

Meus irmãos e eu corremos como coelhos para encontrar nosso pai, descobrindo que ele escapara da morte somente porque havia parado a fim de conversar com Abdullah a caminho da escola.

Meu pai se sentia tão seguro em Cartum que abandonara as precauções usuais de alternar seus horários, tornando-se um homem com uma rotina normal. Obviamente, seus inimigos descobriram isso. Todas as tardes, nosso pai caminhava até a casa de hóspedes para se satisfazer vendo os filhos ocupados com o treinamento religioso. Mas naquele dia, nosso irmão mais velho, Abdullah, queria discutir alguns assuntos com nosso pai.

Conforme meu irmão foi ficando mais velho, seu descontentamento com nossa situação aumentou. Ele ficava particularmente perturbado com o fato de nossa família não poder usar a geladeira em nossa casa, pois manter um suprimento de alimentos frescos sem uma era extremamente difícil.

Apesar de Abdullah ter feito campanha por algum tempo, meu pai se recusava a ceder no que dizia respeito ao uso de equipamentos modernos. Aquele foi o dia em que Abdullah resolveu fazer pressão quanto ao assunto. A discussão acalorada que tiveram atrasou meu pai.

Apesar de Abdullah não ter conseguido convencê-lo de que necessitávamos de geladeiras e de outros equipamentos, ele salvou a vida de nosso pai.

No decorrer das semanas seguintes, descobrimos como o atentado havia se desenrolado. Mais cedo, no mesmo dia, quatro atiradores obtiveram acesso à nossa área e estavam a postos em uma caminhonete abaixo de uma grande árvore na rua, no lado oposto à casa de hóspedes. Jamais tive certeza do motivo pelo qual não foram detectados, mas muitos moradores do bairro eram diplomatas e oficiais do governo que tinham os próprios seguranças. Basicamente, a Vila al-Riade era um campo armado com homens de diversos países vigiando cada um sua parte. Suponho que não fosse difícil que rostos novos passassem despercebidos.

Haviam informado aos homens que Osama bin Laden jamais se atrasaria. Depois de esperarem impacientemente por mais de uma hora após o momento marcado para o ataque, eles ficaram preocupados, pensando que seu alvo tivesse chegado à casa de hóspedes muito mais cedo do que de costume. Sem um plano real, começaram a disparar descontroladamente na direção do local em que estudávamos, concentrando-se nas janelas abertas, na esperança de atingir, por pura sorte, Osama bin Laden.

Nosso pai ouviu o barulho e sacou instantaneamente seu Kalashnikov, um AK-47 russo, um dos primeiros rifles de ataque produzidos. Meu pai determinara que nenhum de seus combatentes deveria estar sem seu AK-47. Ouvindo os tiros, ele correu para o telhado da mansão da família, de onde disparou contra os assassinos.

Quando o tiroteio começou, todas as forças de segurança da área reagiram com uma barragem de disparos que aqueceram o ar. Os assassinos estavam em número muito menor e o plano cuidadosamente elaborado para encher Osama bin Laden de balas e fugir rapidamente foi por água abaixo.

Um dos homens conseguiu fugir do bairro; um segundo se escondeu na mesquita; um terceiro saltou para trás do volante da caminhonete e ligou o motor; o quarto mergulhou na parte traseira da mesma caminhonete. O motorista seguiu descontroladamente pelas ruas, desesperado para escapar da área diplomática.

Cercados por um pequeno exército, não tiveram chance.

Em meio à tentativa de fuga, o motorista foi morto a tiros.

O assassino de aluguel na traseira da caminhonete foi atingido e ficou ferido.

O que se escondeu na mesquita foi morto a tiros.

O que escapou do bairro foi capturado e morto.

O pretenso assassino ferido foi levado ao hospital, onde se recuperou. Depois disso, foi enforcado pelo governo.

Não vi qualquer um dos homens feridos ou mortos, apesar de ter sentido vontade. Nosso pai não permitiu que minha curiosidade fosse saciada. Ouvi muitas histórias sobre aquele dia porque alguns dos guardas de meu pai ficaram feridos.

Recordo-me particularmente bem da história de um dos homens envolvidos, pois ele a repetia para qualquer um que lhe desse ouvidos, apesar de suas próprias palavras o deixarem marcado como um covarde. Quando o tiroteio começou, ele se trancou em um quarto na casa de hóspedes. Mas, como nos contou com orgulho, seus pensamentos estavam todos voltados para nosso pai e ele rezou em voz alta, implorando repetidamente a Deus: "Deus, salve o xeique! Deus, salve o xeique!" Nenhum de nós foi rude a ponto de destacar o óbvio, mas me perguntei diversas vezes o motivo por ele ter se escondido se estava tão preocupado com meu pai. Ele deveria ter corrido para atirar nos assassinos que estavam lá para matá-lo.

Houve algumas especulações extravagantes quanto a quem estaria por trás do atentado. Alguns pensaram que se tratara de um ataque vingativo dos russos por causa das atividades de meu pai no Afeganistão. Outros acreditavam que tinha sido obra de uma das facções combatentes afegãs.

Depois de uma investigação, o governo sudanês declarou que os assassinos foram contratados pelo governo saudita. Meu pai foi convencido, embora eu não soubesse em quê acreditar. Certamente, meu pai irritara profundamente os governantes sauditas. Posteriormente, cheguei à conclusão de que não fora o governo saudita, pois eles continuaram tentando convencê-lo a retornar ao reino. Por que tentariam matá-lo quando estavam mais interessados em levá-lo de volta para casa?

Meu pai chegou a confidenciar que a família real oferecera-lhe diversas posições elevadas no governo. As únicas exigências eram a de que parasse de criticar a família real, abandonasse as atividades militantes e voltasse a morar em paz no país onde nascera.

Meu pai era um homem extremamente teimoso e desdenhou da oferta generosa.

Depois, vários príncipes importantes visitaram meu pai, impelindo-o a retornar à paz que encontraria na Arábia Saudita. Até mesmo membros da família Bin Laden foram enviados para convencer meu pai de que ele estava trilhando um caminho perigoso. Ele amava sua família e não ficou com raiva deles, que disseram não ter outra opção que não a de obedecer a realeza, mas sua resposta foi um decepcionante e inflexível não.

Como último recurso, meu pai recebeu um recado pedindo que ele aguardasse um telefonema pessoal do próprio Rei Fahd. Meu pai se recusou a atender o telefonema, um grande insulto em nossa parte do mundo. Ninguém recusa uma ordem do rei!

Depois disso, a relação anteriormente amigável entre meu pai e a família real saudita foi totalmente destruída. Depois de ouvir essas histórias, refleti que meu pai estava se cobrindo ativamente de espinhos tão afiados que ninguém seria capaz de cortá-los para ajudá-lo, ou para ajudar sua família inocente, que não tinha voz alguma em suas decisões.

Até aquele dia em Cartum, meus irmãos e eu não tínhamos compreendido plenamente que havia pessoas no mundo que desejavam a morte de nosso pai. Para nossas mentes jovens, nosso pai era um herói altamente celebrado. De repente, passei a perceber um pouco mais o quadro geral, começando a notar que nem todos concordavam com o ideal de violência de meu pai, que prenunciava que o mundo islâmico corria um perigo extremo e que todos os muçulmanos deveriam atacar antes que fossem atacados. Pela primeira vez, senti que nosso pai estava viciado em um padrão de pensamento agressivo que colocaria todos nós em perigo.

Depois do ataque, nossas vidas mudaram prontamente. A partir daquele dia, a Vila al-Riade ficou cercada por uma muralha de seguranças e policiais sudaneses. Por causa de um perigo maior que pudéssemos correr, fomos proibidos de deixar o bairro. Não haveria mais passeios de bicicleta até as aldeias vizinhas. Jamais voltaríamos a vagar pelas lojas locais e pelos bairros. O mais trágico de tudo, porém, era que jamais voltaríamos a estudar na escola. E foi assim que concluí meu ensino escolar público aos 12 anos, o que foi desastroso para meu futuro. Os filhos de Osama bin Laden receberiam somente instrução religiosa e aulas em casa.

Éramos prisioneiros novamente, confinados a um canto muito pequeno e enfadonho de Cartum.

Enquanto permaneceu conosco, Abdullah fora nosso líder. Mas sempre soubemos que ele seria o primeiro a se casar, e noivas em potencial foram discutidas aos poucos ao longo de nossa juventude. Portanto, quando Abdullah completou 17 anos, não foi uma grande revelação que tomassem as providências para que ele se casasse com a filha de Tiayba Mohammed bin Laden, meia-irmã de nosso pai, filha de nosso avô, Mohammed.

Quando a data foi marcada, Abdullah partiu sem qualquer grande movimento: não houve uma festa de despedida, tampouco uma celebração prénupcial. A despedida entre meu irmão e meus pais foi breve e calma. Nosso pai disse pouca coisa e nossa mãe falou a ele: "Cuide-se, Abdullah. Vá com Deus." Ele colocou algumas coisas em uma mala, deu um adeus casual aos irmãos e foi levado ao aeroporto por um dos motoristas de meu pai.

Na época, não reparei muito, pois acreditava que Abdullah voltaria para ficar conosco. Contudo, pouco depois, fomos informados de que Abdullah permaneceria com a esposa na Arábia Saudita. Meu pai, apesar de decepcionado, pois tinha uma visão dos filhos assumindo seu império, disse pouco a respeito. Como de costume, ele ocultava de nós suas mágoas e decepções.

Mesmo naquela época, eu já sabia que meu irmão tivera sorte por escapar da existência complicada da família de Osama bin Laden. Se soubesse que se passariam anos até que voltasse a ver Abdullah, eu gostaria de ter dito a ele o quanto era importante para mim.

Depois da partida de Abdullah, Abdul Rahman ascendeu à posição eminente de filho mais velho, do modo que nosso pai dissera que deveria ser. Contudo, Abdul não tinha as características necessárias para lidar com tantos irmãos agitados. Além disso, por ser tão jovem, Abdul Rahman tinha consciência de pouca coisa além de seus cavalos. Sa'ad, o terceiro filho, continuava sendo um piadista de espírito leve a quem ninguém conseguia levar a sério, nem mesmo as crianças mais novas da família. Em pouco tempo, o manto do filho mais responsável pousou suavemente sobre o quarto filho: eu. Meus ombros ainda não eram largos o bastante para tal responsabilidade, pois eu tinha apenas 12 anos quando Abdullah partiu. Contudo, esforcei-me a fim de ter o bom-senso necessário para assumir tal papel.

Primeiro, perdemos tia Khadijah, Ali, Amer e a pequena Aisha. Agora, Abdullah também estava distante. Quem seria o próximo?

De repente, percebendo que somente adultos fazem tais perguntas, notei que minha infância havia chegado ao fim.

Atravessávamos tempos difíceis e, a partir daquele momento, qualquer chance de felicidade evaporou. Em pouco tempo, descobrimos que o governo havia revogado nossa cidadania e congelado os bens de meu pai. Apesar de ter algum dinheiro no Sudão e em outros lugares, ele perdeu o acesso às suas abastadas contas bancárias no reino. Com recursos limitados, muitas coisas mudariam. Nossas casas em Jidá e Medina foram confiscadas, além da fazenda de Jidá, incluindo nossos pertences pessoais e até mesmo os cavalos e o gado.

Não tínhamos mais ligações oficiais com a Arábia Saudita.

Ficamos em pânico. Se não éramos sauditas, éramos o quê? Era o que eu me perguntava. Nossos bisavós nasceram no Iêmen. Será que isso significava que éramos iemenitas agora? Minha mãe nascera na Síria. Seria possível que eu fosse sírio?

Nosso pai reuniu a família para dizer que, a partir daquele momento, éramos sudaneses! E ele disse: "Gentilmente, o governo sudanês concedeu a todos nós a cidadania sudanesa."

Fiquei devastado. Apesar de gostar de muitas coisas relativas aos sudaneses, eu era saudita e sabia disso. No coração, continuei sendo árabe-saudita para sempre, apesar de os documentos oficiais dizerem outra coisa. Para meu horror, quando verifiquei meu passaporte sudanês, vi que meu nome havia sido mudado. Agora eu era Omar Mohammed Awad Aboud! Meu sobrenome não era mais bin Laden! Até mesmo o ano do meu nascimento fora alterado de 1981 para 1979, por algum motivo que nunca descobri.

Nosso pequeno mundo encolhia mais a cada dia. Depois do atentado, meu pai ficou mais irritado, se comportando como se todos os governos do mundo, exceto o sudanês, fossem seus inimigos devotos. Nesse período, quando completei 14 anos, comecei a sentir o desconforto da consciência de que meu pai estava profundamente envolvido em mais questões políticas perigosas do que eu já imaginara. Como eu gostaria que ele limitasse suas atividades a cultivar os maiores girassóis já vistos! Mas eu sabia que estava sonhando e que ele jamais mudaria. Na verdade, sua paixão pelo Jihad estava crescendo.

Houve muitos indícios perturbadores. Meu pai começou a se reunir mais abertamente com militantes que conhecera no Afeganistão. Alguns dos grupos sentiram o chamado para o Jihad contra muitos governos do Oriente Médio e também ocidentais. O grupo de meu pai era a al Qaeda, a qual, na época, estava interessada principalmente em libertar nações muçulmanas de influências externas.

Havia também o grupo al-Jihad, liderado pelo dr. Ayman Muhammad al-Zawahiri, que se concentrava em derrubar o governo do Egito. Não encontrei o dr. Zawahiri muitas vezes, pelo que fico feliz. Desde o primeiro instante em que o vi, ele me perturbou, apesar de ser respeitado por meu pai.

Reconheço que o Dr. Zawahiri era um homem de grande intelecto. Ele nasceu no Egito em 1951, em uma família abastada. Seu pai era um professor e farmacologista respeitado, enquanto sua mãe vinha de uma família muito rica. Meu pai me disse que o jovem Ayman tinha um dom raro para o aprendizado. Na juventude, era uma espécie de sonhador, amando poesia e odiando conflitos e derramamentos de sangue. Poucos acreditariam que um estudante tão pacífico abraçaria o violento Islã, mas ele foi influenciado por um tio que era seguidor das crenças islâmicas mais radicais. Juntando-se a outros estudantes para formar células ilegais que clamavam pelo estabelecimento de um governo islâmico, Zawahiri encontrou seu propósito na vida, a luta contra a autoridade secular.

Os estudantes egípcios estavam passando por um período tumultuado e várias células ilegais fundiram-se com outras, formando um grupo maior chamado Jihad Islâmico Egípcio, ou al-Jihad. Zawahiri era um dos membros, apesar de ter continuado os estudos enquanto planejava a derrubada do governo egípcio. Apesar das atividades políticas, teve um desempenho excelente nas aulas, formando-se médico cirurgião.

Zawahiri se casou com uma mulher igualmente devota, a qual apoiava os ideais do marido. Chamava-se Azza Nowari.

Ele estava tão profundamente envolvido com o movimento islâmico que foi preso em outubro de 1981, quando o presidente Anwar Sadat foi assassinado. Julgado e condenado, Zawahiri foi sentenciado a três anos de prisão. Depois de libertado, em 1984, viajou para Jidá, onde ficou por um ano. Sentindo que um movimento islâmico importante nascia no Paquistão, seguiu para Peshawar. Usando o diploma de médico, trabalhou em um dos muitos centros médicos do Crescente Vermelho, tratando de refugiados afegãos feridos.

Durante esse período, retomou o contato com outros membros do Jihad Islâmico Egípcio, aumentando seu fervor revolucionário. Em pouco tempo, foi proclamado líder. Quando estava em Peshawar, aliou-se com o ativista palestino Abdullah Azzam, amigo e mentor de meu pai. Por meio deste, Zawahiri conheceu meu pai.

Acredito que Zawahiri começara a planejar se aproveitar da riqueza de meu pai nesse período. Na verdade, ouvi que se tornou concorrente de Azzam por causa das contribuições financeiras de meu pai à causa do Islã.

Ao fim da guerra, quando meu pai retornou à Arábia Saudita, Zawahiri voltou para o Egito. Contudo, não conseguiu evitar problemas, retomando quase que de imediato os esforços para derrubar o governo egípcio liderado pelo presidente Hosni Mubarak. Vários atentados mal-sucedidos contra diversos oficiais do governo foram realizados pelo grupo de Zawahiri. Mas seus planos voltaram-se contra ele quando um grande número de inocentes civis egípcios foram mortos nos atentados. Foi a partir daí que a população egípcia se voltou contra os islâmicos radicais, antes populares.

Não sendo mais bem-vindo no Egito, Zawahiri viajou para os Estados Unidos, onde se tornou um dos diversos muçulmanos radicais em um circuito popular de palestras, todas tentativas de arrecadar dinheiro para suas organizações. Foi dito que Zawahiri teria mentido, alegando que o dinheiro arrecadado seria destinado a crianças afegãs feridas. Mas havia tantos muçulmanos radicais pedindo dinheiro que ele não arrecadou as grandes quantias que vislumbrara. Foi aí que ele soube que meu pai havia fugido da Arábia Saudita e estava morando no Sudão, um país muçulmano com um governo islâmico amigável em relação a grupos radicais.

Lamentei que Zawahiri tivesse localizado meu pai no Sudão, voltando assim a se ligar, junto com sua organização, ao meu pai e à al Qaeda. Eu achava que nada de bom poderia vir de tal associação.

Por último, havia o grupo al-Gama'a al-Islamiyya, liderado por Omar Abdel Rahman, um clérigo egípcio cego. Como ele estava preso nos Estados Unidos, seu filho era o organizador local em Cartum. Mas o espírito do velho homem ainda encorajava seus seguidores.

Contaram-me tudo sobre ele. Abdel Rahman nasceu em 1938, no Egito. Acometido por diabetes na infância, perdeu a visão ainda criança. Ganhou uma versão em braile do Alcorão e desenvolveu um profundo interesse pelos ensinamentos islâmicos. Apesar da cegueira, conseguiu se formar na famosa Universidade al-Azhar, no Cairo, obtendo o diploma em estudos do Alcorão.

Na universidade, Abdel Rahman interessou-se pelo grupo al-Gama'a al-Islamiyya, do qual se tornou membro. Rapidamente, emergiu como líder. Defendendo um governo puramente islâmico, acusou o governo egípcio, chegando a publicar uma *fatwa* clamando a derrubada do presidente Anwar Sadat. Quando este foi assassinado, Abdel Rahman foi preso por publicar a *fatwa* e passou três anos em prisões egípcias aguardando julgamento, sendo torturado nesse período. Apesar de ser absolvido, foi expulso pelo governo egípcio. Ele viajou para o Afeganistão, onde, aparentemente, todos os radicais estavam se reunindo. Lá, encontrou seu antigo professor da escola, Abdullah Azzam. Por meio deste, conheceu meu pai.

O assassinato de Abdullah Azzam em 1989 foi um tragédia, pois ele costumava acalmar a violência fomentada por fiéis radicais.

Depois do assassinato, o cego Abdel Rahman viajou para Nova York para se estabelecer como líder da organização do recém-falecido. Apesar de Abdel Rahman constar na lista de terroristas dos Estados Unidos, ele recebeu o visto e teve permissão para entrar no país.

O clérigo viajou pelos Estados Unidos e pelo Canadá, recrutando apoio para a causa islâmica de derrubar governos seculares. Ele era um orador despudorado, clamando para que os apoiadores ignorassem as leis dos Estados Unidos e matassem judeus americanos. Ele ordenava agressivamente que os muçulmanos atacassem o Ocidente, para que "o façam em pedaços, destruam sua economia, queimem suas companhias, eliminem seus interesses, afundem seus navios, derrubem seus aviões e os matem no mar, no ar ou na terra".

Na verdade, seus seguidores estavam por trás do atentado a bomba, realizado em 1993, no World Trade Center. Abdel Rahman foi preso em junho de 1993, aproximadamente um ano depois de chegarmos ao Sudão. Era por isso que seu filho estava à frente de sua organização. Mas a prisão do clérigo tornou-se um grito de convocação para militantes islâmicos em todo o mundo.

Simplificando, os três grupos se concentravam em diversos aspectos da restauração do Jihad islâmico, apesar da raiva dos dois grupos egípcios investida no objetivo de derrubar o governo egípcio, para que assim um governo islâmico pudesse ser colocado em seu lugar.

Os grupos al-Jihad e al-Gama'a al-Islamiyya também trouxeram suas famílias para morar no Sudão. Inicialmente, nosso pai nos manteve isolados de todos, exceto dos membros da própria família. Contudo, gradualmente, passou a permitir que interagíssemos com os filhos adolescentes dos líderes de tais grupos. Havia um garoto em particular que tinha a minha idade e gostava do mesmo tipo de atividades que eu. Era o filho de Mohammed Sharaf, um homem importante no grupo al-Gama'a al-Islamiyya.

Houve um incidente asqueroso quando meu amigo foi confiantemente fazer uma visita casual para conversar com alguns homens do al-Jihad. Ele foi sozinho, sentindo-se protegido por homens que, acreditava, eram amigos de seu pai. Mas, naquela noite, algo terrível deu errado, e dois ou três homens do campo estupraram meu amigo. Os estupradores tornaram as coisas ainda piores tirando fotografias do jovem durante e depois do estupro.

Meu ingênuo amigo fugiu do campo e retornou para o pai, Mohammed.

Tragicamente, em pouco tempo as fotografias estavam sendo passadas de mão em mão, uma piada engraçada para aqueles homens. Contudo, a piada ficou menos divertida quando as fotos caíram por acidente nas mãos do Dr. Zawahiri, que ficou enraivecido, acreditando que o jovem adolescente fosse, de algum modo, culpado. Havia fotografias que comprovavam isso! Em nosso mundo, o sexo entre homens é punido com a morte. Assim, um segundo horror aguardava meu amigo. Ele foi preso pelos líderes do grupo, julgado e condenado à morte.

Estranhamente, meu pai se recusou a se envolver com o incidente, dizendo apenas que a questão desagradável era entre os dois grupos. Ele nos lembrou de ter cuidado em relação aos nossos amigos, indicando que acreditara nas mentiras.

Eu ficava com raiva por meu pai acreditar em Zawahiri em vez de no próprio filho, mas parecia que o médico egípcio exercia uma influência maligna sobre meu pai.

Mohammed Sharaf sabia a verdade. Aquele bom pai defendeu intensamente o filho, dizendo a Zawahiri que ele era uma vítima inocente. Mas ninguém queria acreditar que teriam condenado equivocadamente um garoto inocente. Certamente, os homens que o estupraram eram covardes demais para admitirem uma verdade que poderia ter salvado a vida de meu amigo. Se tivessem confessado ou aparecessem nas fotografias, teriam encarado o mesmo destino que meu amigo. Mas eram criminosos espertos, e tomaram cuidado para não mostrarem os rostos em nenhuma das fotografias incriminatórias. Desse modo, o Dr. Zawahiri ordenou que meu amigo condenado fosse levado ao seu escritório. Ele foi arrastado para uma sala onde estava Zawahiri, que lhe deu um tiro na cabeça.

Por dias, fiquei paralisado com o choque e o pesar diante da constatação de que uma pessoa inocente poderia ser morta pelas mãos daqueles que acreditava estarem lhe protegendo. Refleti sobre os terrores que meu amigo deve ter suportado nos últimos dias de sua curta vida — primeiro, ser brutalmente estuprado por um grupo de homens e depois ser acusado falsamente de manter relações sexuais ilícitas, acabando por ter uma pistola pressionada contra sua testa como última visão, antes que o mundo escurecesse e a vida dele na Terra chegasse ao fim.

Memórias assustadoras me lembravam de que eu também poderia ter o mesmo destino. Ameaças de estupro eram o método de intimidação preferido dos valentões em minhas antigas escolas, em Jidá e Medina. Eu jamais contara a ninguém sobre as ameaças, pois tinha vergonha de me sentir tão ameaçado, mas agora não conseguia deixar de me perguntar se, caso aquilo tivesse acontecido, eu pagaria com a própria vida pelo crime de outra pessoa.

Pela primeira vez, também percebi que alguns dos homens que cercavam meu pai poderiam ser perigosos até mesmo para nós, os filhos de Osama bin Laden. Aqueles homens brincavam com a brutalidade desde a juventude, e, agora, a maldade estava misturada com seu sangue. Eu sempre reconhecera isso, mas me sentia imune aos impulsos cruéis deles. Porém, Mohammed Sharaf era um dos líderes mais proeminentes. Se era possível que seu filho fosse estuprado e morto, meus irmãos e eu também poderíamos ser alvos. Desde então, passamos a ser muito vigilantes quanto a em quem confiar e, pela primeira vez, tivemos um lampejo de compreensão do motivo que levava nosso pai a achar que os filhos jovens deveriam permanecer protegidos.

Uma pergunta continuava a me perturbar: por que meu pai, altamente educado e de fala suave, ficava na companhia de tamanhos facínoras, mesmo que fossem fiéis à sua causa? Eu realmente não conseguia entender.

Apesar de a maioria dos veteranos que seguiram meu pai nos tempos da guerra entre o Afeganistão e a Rússia jamais terem apresentado conduta criminosa, alguns deles mereciam atenção. Um dos homens havia matado um filhote de cachorro e outro enterrara um cão vivo. Um terceiro matara um macaco de estimação a quem amávamos.

Por causa dos ensinamentos islâmicos, poucos muçulmanos gostam de cachorros. O próprio Maomé indicou que seria melhor evitar os cães. Apesar dessa instrução religiosa, meu pai encomendara da Alemanha alguns pastores alemães para usar como cães de guarda e costumava mantê-los por perto. Meus irmãos e eu ficamos amigos de alguns dos animais dos vizinhos, assim como de cães de rua que vagavam por al-Riade, guardando sobras de comida e os alimentando. No começo, nossos atos foram fruto do tédio. Mas, com o passar do tempo, a doçura dos filhotinhos tocou nossos corações. Em pouco tempo, cada um de nós tinha seus preferidos.

Meu favorito era um cão chamado Bobby. Ele era bege e branco, de tamanho médio, com orelhas de abano engraçadas; tinha uma companheira chamada Shami. Os dois se amavam e pareciam sexualmente fiéis. Houve uma outra cadela, a quem chamamos de Lassie, que tentou seduzir Bobby. Contudo, a princípio, ele não demonstrou interesse. Como Lassie era mais bonita do que Shami, tentávamos estimular Bobby e Lassie a cruzarem porque queríamos filhotes daquelas duas belas criaturas.

Afinal, aconteceu o que desejávamos e Lassie se tornou mãe de alguns lindos filhotinhos. Um dia, meu filhote favorito começou a espumar pela boca. Chamei um dos veteranos de guerra de meu pai, na esperança de que pudesse levar o cãozinho ao veterinário, mas ele disse na hora que o cachorrinho estava com raiva. Disse também que não poderia atirar no filhote, pois despertaria toda a vizinhança, mas que precisava matá-lo. Antes que eu soubesse o que acontecia, ele havia arrastado uma corda, subido em uma árvore, amarrado uma ponta da corda a um galho e a outra em torno do pescoço de meu pobre cãozinho. O homem chamou Abdul Rahman para que segurasse uma ponta da corda, dando ordens para que não a largasse. Meu pobre irmão, sem saber o que fazer, obedeceu. Eu era apenas um garoto e fiquei ali protestando em vão enquanto meu cãozinho era enforcado.

Um segundo veterano ficou tão irritado com o grande número de cães vadios que vagavam pela vizinhança que cavou um buraco no chão e preparou uma armadilha. Quando um cachorro caiu na armadilha, ele se apressou para bater em sua cabeça com uma barra de ferro. Depois puxou o cachorro, jogou-o em seu carro e levou a carcaça até a margem do deserto, onde se livrou dela.

Estávamos tristes, mas não sabíamos o que fazer. Tínhamos certeza de que nosso pai ficaria do lado dos veteranos de guerra. Éramos testemunhas indefesas do que quer que um adulto decidisse.

Imagine nossa surpresa, algumas semanas depois, quando nosso cachorrinho voltou mancando para a porta da mesquita, em um estado deplorável, com um olho a menos e outros ferimentos visíveis, mas vivo. Depois de quase ter morrido, continuamos a alimentá-lo até deixarmos Cartum.

Mas nada foi mais bizarro do que o destino que recaiu sobre nosso amado macaco de estimação.

A essa altura, nosso pai já havia comprado muitas terras em todo o país. Uma de suas fazendas era em Damazin, ao sul de Cartum, perto da fronteira com a Etiópia. Os casebres em forma de cone que costumávamos visitar ficavam perto de um floresta com muitos primatas que pareciam gostar de divertir os visitantes. Havia uma macaca em particular que tinha um filhote lindo pendurado em seu pescoço. Um dos trabalhadores sudaneses queria o filhote, de modo que preparou uma armadilha e tirou o bebezinho da mãe. Todos amavam o macaquinho. Até os adultos sorriam quando as crianças o domavam para que pudéssemos brincar com ele.

Um dia, quando chegamos, o macaco não estava em lugar algum. Meus irmãos e eu procuramos por todas as partes. Então o cozinheiro de meu pai veio a mim e sussurrou que o doce macaquinho estava morto, que um dos homens de meu pai que fora enviado para trabalhar na fazenda ficara enraivecido ao ver o macaco de estimação. Ele perseguiu o macaco e o esmagou com um tanque de água.

Ficamos furiosos, incapazes de compreender como alguma pessoa seria capaz de fazer mal a uma criatura tão pequena e adorável, que não fazia nada além de trazer uma alegria muito necessária para nossas vidas. Imagine o quanto ficamos chocados quando soubemos que o ex-combatente dissera alegremente a todos que lhe deram ouvidos que o filhote de macaco, na verdade, não era um macaco, mas um judeu transformado em macaco pelas mãos de Deus. Aos seus olhos, ele matara um judeu!

Todo o meu corpo tremeu quando ouvi tamanho absurdo. Eu era novo e reconhecidamente simples, mas também um pensador racional que sabia que macacos não eram judeus e vice-versa. Uma coisa não tinha nada a ver com a outra.

Como muitas crianças árabes, eu estava ciente da enorme antipatia, até mesmo do ódio em alguns casos, entre muçulmanos e judeus e entre muçulmanos e cristãos. Contudo, as crianças nascem sem preconceitos, de modo que, apesar de saber que muitos muçulmanos consideravam os judeus seus grandes inimigos, meus pensamentos não seguiam na mesma direção.

Fiquei ainda mais chocado quando, posteriormente, disseram-me que havia sido meu pai quem convencera o veterano da ridícula teoria sobre judeus e macacos. Fiquei magoado e com raiva por meu pai ter sido a causa daquilo.

A vida que eu levava estava ficando cada vez mais estranha e intolerável. Contudo, sendo uma criança, eu era impotente, movido por uma inundação de ódio tão intensa que eu me esforçava para salvar a mim mesmo. Para aumentar minhas preocupações, como Abdullah não retornara ao seio da família, reparei que os olhos atentos de meu pai começaram a cair sobre mim com maior frequência. Seria eu o filho escolhido?

Em pouco tempo, começaram a comentar que talvez não pudéssemos permanecer em Cartum, que a Arábia Saudita e outros governos regionais não queriam Osama bin Laden no Sudão. Disseram-nos que até o presidente dos Estados Unidos, Bill Clinton, e seu governo, queriam que fôssemos expulsos do país. Por quê? Eu não conseguia imaginar por que o presidente americano estaria sentado em seu gabinete em Washington pensando em meu pai.

Obviamente, eu não tinha conhecimento dos planos já em andamento fomentados pela al Qaeda, tampouco dos outros dois grupos radicais alinhados tão proximamente à organização de meu pai.

No começo, curiosamente, meu pai não se preocupou com os apelos por sua expulsão. Ele era intimamente ligado ao governo, chamado Frente Nacional Islâmica, e também ao presidente, o General Omar Hassan Ahmed al-Bashir. Ele tinha ainda mais intimidade com um homem muito poderoso no Sudão, Hassan al-Turabi. Os negócios de meu pai geraram benefícios financeiros tão grandes que ele acreditava que jamais seria expulso pelo governo sudanês, independentemente da pressão por parte da Arábia Saudita, do Egito ou até mesmo dos Estados Unidos.

Mas meu pai estava errado. Havia limites até mesmo para a pressão que um governo legítimo conseguiria suportar. Na verdade, foi um evento ocorrido no ano anterior que afinal levou ao fim aqueles dias outrora despreocupados no Sudão. Em 26 de junho de 1995, o Presidente Hosni Mubarak estava em uma comitiva que seguia para uma reunião de cúpula africana. Estavam viajando de carro do aeroporto para a capital da Etiópia, Addis Ababa, quando atiradores impediram a passagem dos veículos e abriram fogo contra a limusine do presidente egípcio. Dois guarda-costas de Mubarak foram mortos, mas o motorista presente era tão habilidoso que conseguiu dar meia-volta e retornar em alta velocidade para a segurança do aeroporto, salvando seu passageiro mais famoso.

Dois dos seis assassinos foram mortos no tiroteio. A investigação subsequente durou algum tempo, mas, eventualmente, os investigadores rastrearam os assassinos diretamente até a porta do grupo al-Gama'a al-Islamiyya, de Omar Abdel Rahman, o qual tem como membros os mesmos homens que agora viviam no Sudão e estavam intimamente associados ao grupo de meu pai, a al Qaeda. O al-Gama'a al-Islamiyya vinha trabalhando havia anos para derrubar o governo egípcio, tendo sido responsável pelo assassinato do presidente daquele país, Sadat, em 1981. Na verdade, Showqi Islambouli, um dos assassinos no grupo de ataque de Mubarak, também era irmão de Khalid Islambouli, o homem que matou Sadat. Posteriormente, Khalid foi julgado e fuzilado. Showqi, por sua vez, não foi capturado.

Depois do atentado, quase todos os governos na região juntaram-se ao coro que pedia: "Façam algo em relação a Osama bin Laden." Apesar de ter levado um ano, a pressão aumentou até que o governo sudanês ficou sozinho contra todos os vizinhos.

Nós mesmos sentíamos a pressão, apesar de não termos tido acesso a todos os detalhes. Durante alguns meses, antes do fim de nossa estada no Sudão, nosso pai ficou perceptivelmente introspectivo. Apesar de não falar com os filhos sobre seus problemas, vimos oficiais do governo sudanês com expressões graves indo e vindo. Não era preciso ser um gênio para perceber que algo significativo estava acontecendo.

Meus irmãos e eu concluímos que, provavelmente, deixaríamos o Sudão. Alguns meses antes, nosso pai surpreendera os filhos mais velhos ao apresentar documentos oficiais que declaravam que Abdullah, Abdul Rahman e Sa'ad seriam seus signatários, ou seja, receberiam a autoridade para agir em seu nome caso ficasse incapacitado.

Fiquei furioso por não ser incluído e perguntei ao meu pai: "Por que não sou um signatário?" Ele olhou para mim com severidade, mas não respondeu. Então havia algo mais para se pensar a respeito.

O desfecho veio em um triste dia no final da primavera de 1996, quando estávamos todos sentados, desanimados, no aposento de minha mãe. Lembro-me de que aquele dia fora especialmente tedioso. Eu sentia as correntes da prisão tão apertadas que simplesmente respirar já era difícil. Eu estava ficando cada vez com mais raiva de cada faceta de minha vida. Nossos guardas haviam se transformado em gaviões, seguindo todos os nossos movimentos com seus grandes olhos, como se fôssemos pequenos pássaros a serem devorados. Nesses momentos, eu sentia que nossas vidas como os Bin Laden teriam sido menos tristes se jamais tivéssemos provado a liberdade; posso atestar que esta, perdida, deixa uma saudade profunda.

Estávamos sentados, chorando de desespero, quando nosso pai entrou no quarto. Sua expressão estava tão grave que, pela primeira vez na vida, senti pena dele. Ele gesticulou para que abríssemos espaço, a fim de que se sentasse entre nós. Ficamos sentados olhando para o chão pois, em minha cultura, não olhar diretamente nos olhos de alguém mais velho é sinal de respeito.

Ele hesitou e depois disse com sua voz suave: "Tenho algo para dizer a vocês. Partirei amanhã." Levantei o olhar por um instante e vi que ele estava olhando em minha direção. Desviei o olhar prontamente. Ele anunciou: "Levarei meu filho Omar comigo."

Todos nos viramos para ele, chocados, com as mesmas perguntas disparando em nossas mentes: Ir embora? Para onde? Por quê? E levar Omar?

Meus irmãos protestaram: "Mas por que Omar também vai? Por que não podemos ir?"

Como meu pai não estava habituado a ser questionado quanto às suas decisões, preparei-me para a brutalidade dele, mas, daquela vez, ele não ergueu a bengala. Severo e inabordável, respondeu com aspereza: "Vocês sabem que não devem me questionar."

Na verdade, eu não sabia em que pensar, apesar de as restrições terem elevado meu tédio a um nível no qual pouco importava para onde meu pai me levaria. O importante era a viagem, e não seu destino.

Meus irmãos permaneceram em silêncio enquanto ele dava instruções: "Omar, não prepare bagagem. Deixe aqui até sua escova de dentes. Não guarde um pente. Você vai sem nada." Ele se levantou e ficou de costas para nós, indicando para que nossa mãe o seguisse até o quarto.

Com a boca seca e a cabeça girando, fiquei sentado como que paralisado. Eu fora escolhido! Eu viajaria com meu pai!

Meus irmãos me encaravam sem dizer nada, mas ignorei a conduta rude deles.

Preparei minha cama e tentei descansar. Quem sabia como viajaríamos? Conhecendo meu pai, poderíamos deixar Cartum a cavalo! O sono fugia de mim enquanto eu especulava sobre o que a manhã traria. Para onde eu iria? Será que retornaríamos a Cartum? Se eu não pudesse permanecer aí, gostaria de retornar a Jidá, para uma época na qual meu pai era um herói aos olhos do mundo. Talvez meu pai e a família real tivessem deixado de lado os desentendimentos. Sim. Jidá seria bom. Além do mais, o resto de nossa família estava lá, e, apesar de minha infelicidade na escola, havia uma ligação indestrutível entre nossa família e a Arábia Saudita.

Abandonei tal pensamento rapidamente, pois eu não era burro e vinha percebendo o aumento na tensão entre meu pai e a família real saudita. Revisitar o passado não seria possível, pois meu pai estava convencido de que seria preso em nossa terra natal.

Considerei outros lugares que meu pai poderia escolher como novo lar. Será que moraríamos no Iêmen? Eu sabia que meu pai tinha muitos contatos lá e que o país era o lar ancestral tanto de sua família quanto da de minha mãe. Eu nunca tinha ido lá, de modo que não me incomodaria em ver como era. Ou será que, talvez, estivéssemos voltando para o Paquistão? Meu pai formara uma rede gigantesca de parceiros no país e sabia que Peshawar se transformara em refúgio exótico para muitos combatentes muçulmanos descontentes. A ideia de morar no Paquistão não me agradava, pois me lembrava muito bem da pobreza e do isolamento que experimentara lá. Além do Paquistão e o do Iêmen, eu não conseguia imaginar onde poderíamos nos instalar.

Depois das orações matinais, eu estava mentalmente pronto para deixar o Sudão, apesar de sofrer pontadas intermitentes de tristeza pelo que estava deixando para trás. O que aconteceria com nossos cavalos? Seriam abandonados, como os da Arábia Saudita? Quanto tempo se passaria até que pudesse rever minha mãe? Jamais havíamos nos afastado. Eu a amava mais do que a qualquer outra pessoa. Meu estômago se embrulhou quando pensei que eu sentiria falta de sua presença diária e de seu jeito tranquilo, que trazia paz para toda a família. Quando me despedi, peguei sua pequena mão entre as minhas e, afetuosamente, dei-lhe um leve beijo.

Seu rosto bonito abriu-se lentamente em um sorriso doce. "Cuide-se Omar. Vá com Deus." Pela última vez, dei uma longa olhada para o rosto de minha mãe, antes de me virar para meus irmãos, que estavam por perto. Na pressa para partir, murmurei um adeus apressado para cada um.

Capítulo 14

Jornada rumo ao desconhecido

OMAR BIN LADEN

Sem saber para onde estava indo e tampouco por quanto tempo ficaria fora, segui todos os movimentos de meu pai. Apesar de cercados por um forte esquema de segurança, com guardas posicionados, ambos carregávamos nossas Kalashnikovs habituais atravessadas nos ombros, ombro a ombro até entrarmos em segurança em uma caminhonete com janelas escurecidas. Quando todos estavam sentados em seus carros, todos os veículos da comitiva avançaram ao mesmo tempo. Acelerando, a procissão motorizada partiu de al-Riade com tanta pressa que foi um milagre os veículos não terem atropelado trabalhadores sudaneses desprevenidos que atravessavam as estradas estreitas.

Meu pai estava mergulhado em pensamentos e não trocou qualquer palavra comigo no curto trajeto até o aeroporto. Uma vez lá, fomos levados rapidamente para um Learjet fretado. Meu pai e seu grupo foram tratados como dignatários, sem necessidade de formalidades com passaportes e alfândega. Além de meu pai e eu, havia somente oito homens no voo, dos quais sete trabalhavam para ele, companheiros leais durante os momentos de necessidade de meu pai. Eu costumava ver alguns deles com frequência nos arredores de nossa casa de hóspedes. O irmão Sayf Adel, chefe de segurança de meu pai, e Mohammed Atef, seu melhor amigo e primeiro-comandante, estavam conosco. O passageiro inesperado era um dignatário sudanês, um homem a quem meu pai chamava de Mohammed Ibrahim.

Eu sentia como se fosse o protetor de meu pai, apesar de, na realidade, ser apenas um garoto de 15 anos, ainda pequeno e tão pouco desenvolvido fisicamente que nem um pelo sequer havia brotado em meu rosto liso.

Contudo, apesar da pouca idade, eu teria morrido para proteger o homem cujo amor eu tentava conquistar desde bebê. Eu senti estar na posição de filho favorecido quando, respeitosamente, dei-lhe passagem, observando a área na qual estávamos enquanto meu pai subia os cinco degraus antes de entrar no que eu esperava que fosse um ambiente seguro, o interior do avião.

Segui meu pai, parando por um instante na porta para olhar ao redor. Tudo no avião cheirava a couro novo. Ao alugar uma aeronave tão cara, alguém no governo sudanês fizera um grande esforço para demonstrar respeito por meu pai, que escolheu um assento na primeira fileira, na frente do avião, mantendo sua arma no colo. O irmão Sayf Adel foi quem se sentou mais perto de meu pai, enquanto eu fiquei no assento da janela, ao lado dele. Mohammed Atef e outros amigos de confiança de meu pai se acomodaram por perto. Um terceiro homem, a quem conhecia por Hatim, sentou-se próximo de nós, com uma bússola e um mapa nas mãos. Os outros quatro homens escolhidos para nos acompanhar vagaram até o fundo do avião.

Minha mente estava acelerada, especulando sobre para onde estaríamos indo. Sem querer que alguém a bordo soubesse que eu não tinha acesso a qualquer informação, permaneci em silêncio. Meu rosto estava impassível, mesmo enquanto minha excitação aumentava. Definitivamente, estávamos iniciando uma aventura.

Afligido pela memória dos irmãos que deixei para trás, subitamente compreendi por que meu pai não me nomeara seu signatário legal. Ele não tinha certeza de que sobreviveríamos àquela viagem! Se ocorresse uma tragédia, meus irmãos assumiriam a responsabilidade pela vasta rede de negócios de nosso pai.

Estaríamos seguindo de encontro a problemas, ou até mesmo à morte? Pensar em morrer aos 15 anos era perturbador, apesar do fato de, muçulmanos, aprendermos desde pequenos que viver a vida terrena é apenas o primeiro passo rumo ao Paraíso quando se é um fiel verdadeiro.

Mas eu ainda não estava com vontade de ir para o Paraíso. Lembrando dos homens armados que tentaram assassinar meu pai, perguntei-me se outro grupo de ataque poderia estar cercando o avião, mesmo que ele estivesse na pista de decolagem. Não respirei com facilidade até o piloto decolar e alcançar o céu. Levantei a cabeça e olhei para o que estava deixando para trás. Uma tristeza temporária tomou conta de mim enquanto murmurava silenciosamente para mim mesmo: "Adeus, Cartum... Adeus."

A agitada cidade africana logo sumiu de vista e não vi mais nada da cidade que eu passara a amar. Um pensamento amargo girava em minha mente: a vida que eu conhecera nos cinco anos anteriores desapareceu tão rapidamente quanto a areia sob a maré que cobre a praia, apagando aqueles anos singulares de minha juventude, quando eu sentira, pela primeira vez, o gosto de algo parecido com a verdadeira felicidade. Mas algo me dizia que Omar bin Laden jamais voltaria a conhecer aquela felicidade despreocupada.

Suspirei profundamente, esfregando o queixo com a mão, desejando poder ter uma barba crescida imediatamente. Se fosse assim, eu seria considerado um homem crescido capaz de tomar as próprias decisões, como acontecera com meu irmão Abdullah. Eu sabia que, tendo a opção, eu fugiria da loucura de nossas vidas como membros da família Bin Laden. Mas, assim como minha mãe e meus irmãos mais novos, eu não tinha outra escolha que não a de seguir meu pai para onde quer que suas ações pudessem nos levar.

A tensão dentro do avião aumentava a cada minuto. Sendo jovem, eu queria perguntar o que aconteceria, mas o silêncio contagioso de meu pai se espalhou para todos a bordo. Não ousei falar.

Meu pai jamais fora aberto quanto a seus pensamentos íntimos, nem mesmo com membros da própria família, mas eu sabia que ele estava com o humor incomumente solene, talvez estivesse até mesmo irado. Ele jamais acreditara que seria expulso do Sudão, mas foi o que aconteceu.

Houve um farfalhar de papéis enquanto Hatim dobrava e desdobrava seu mapa da região. Em uma comoção de movimentos das mãos e dos olhos, ele olhava atentamente para a bússola, depois novamente para o mapa, e, às pressas, fazia anotações nas margens das folhas. Hatim foi horrivelmente meticuloso ao nos informar que não confiava na lealdade dos dois pilotos — o que deveria significar que meu pai suspeitava de alguma armação do governo sudanês.

Meu pai ficou chocado quando seus antigos anfitriões, que o haviam recebido tão bem, capitularam em relação às exigências dos sauditas, dos egípcios e dos americanos. Quando percebeu que não havia alternativa, seu foco mudou rapidamente para onde poderia transferir suas operações e para quais recursos e bens teria permissão para levar.

Naquele momento, todas essas perguntas também me afligiam. Para onde iríamos? Será que perderíamos tudo que possuíamos? Lembrando que havia recebido a ordem de deixar Cartum sem mesmo uma escova de dentes na mão, comecei a suspeitar de que tudo estava perdido. Eu nem pude entrar no avião com meu grande inalador e meus medicamentos para asma. Eu esperava consegui-los.

Mas, primeiro, estávamos diante de questões mais urgentes do que o destino de nossos bens: teriam os oficiais sudaneses vendido meu pai? Teriam recebido os pilotos ordens para nos transportar até Riade, ou até mesmo para os Estados Unidos, para que fôssemos capturados e presos? Ou alguém estaria planejando derrubar nosso avião?

Em busca de alguma certeza, mudei de posição para olhar ao redor. Meu pai revelava pouca coisa, mas o diplomata sudanês, Ibrahim, era uma presença tranquilizadora. Seu comportamento era atencioso, até mesmo subserviente, sem o menor indício de que estivesse preocupado com a existência de planos para nos derrubar. Com certeza, ele teria se recusado a nos acompanhar caso suspeitasse de traição. Concluí que a presença dele no voo era um bom sinal.

Hatim murmurou discretamente para meu pai, dizendo que havíamos passado sobre o Mar Vermelho, que conecta os africanos aos árabes. Seguros, até agora! Apesar de a boa notícia ter sido a de que nenhum caça interceptara nossa viagem, a notícia ruim era a de que havíamos entrado no espaço aéreo saudita. Naquele ponto, meu pai falou em um volume suficientemente alto para que todos no avião ouvissem: "Sem mais conversas! Rezem a Deus em silêncio até que deixemos o espaço aéreo saudita."

A apreensão aumentou, com todos os homens sentando-se rígidos nos assentos. Alguns rezavam em silêncio enquanto outros olhavam fixamente pelas janelas. Olhei outra vez para meu pai e vi que ele rezava calmamente, colocando tudo nas mãos de Deus.

Também rezei, apesar de meus pensamentos continuarem a toda velocidade. Saber que estávamos no espaço aéreo saudita esclarecia uma questão. Não estávamos indo para o Iêmen, que ficava ao sul da Arábia Saudita. Se fosse aquele nosso destino, não teríamos motivo para entrar no espaço aéreo saudita e voaríamos o tempo todo sobre o Mar Vermelho.

Meu pensamento seguinte foi sobre o Paquistão, o que exigiria que cruzássemos toda a extensão da Arábia Saudita, do Irã e do Afeganistão. Como a Arábia Saudita é um país enorme, com grande espaço de areia desabitada, medindo um terço do tamanho dos Estados Unidos, todos os passageiros permaneceram em estado de alta ansiedade durante um longo período.

Depois de orar por muito tempo, meu pai finalmente perguntou a Hatim: "Você sabe para onde estamos indo?"

Hatim abanou a cabeça: "Não."

Meu coração quase parou diversas vezes. Hatim estaria dizendo a verdade? Ou meu pai estaria perguntando porque *ele* próprio não sabia? Aquilo não era bom. Eu queria fazer as perguntas que estavam em minha cabeça, mas me forcei a permanecer em silêncio.

Olhei para Mohammed Atef (chamado de Abu Hafs pelos mais próximos) e vi que sua expressão era despreocupada. Meu pai confiava completamente nele, que certamente deveria saber qual era nosso destino.

O chefe de segurança de meu pai, Sayf Adel, parecia tenso, levantando ocasionalmente de seu assento para entrar na cabine e falar com os pilotos. Tentei vê-los, mas só consegui de relance. Um dos dois era um homem com pele cor de oliva e cabelos escuros. Suas cores me fizeram presumir que fosse árabe, mas eu não tinha certeza.

Hatim continuou a estudar o mapa e a bússola. Os minutos pareceram horas até que ele anunciou: "Deixamos a Arábia Saudita."

Meu pai respirou pronfundamente antes de se virar para falar comigo: "Meu filho, eu estava rezando para que os sauditas não soubessem que estou neste avião. Se tivessem conhecimento de que eu estava cruzando seu território, teriam ordenado aos seus caças que nos derrubassem. Provavelmente, pensaram que um diplomata sudanês estivesse a bordo."

Choques de felicidade atravessaram meu corpo. Talvez os momentos mais perigosos já tivessem passado e, ao final das contas, o dia terminaria em segurança.

Assim que deixamos a Arábia Saudita, passamos por outra massa d'água, o Golfo Árabe, ou Golfo Pérsico, dependendo se você for da Arábia Saudita ou do Irã. Fiquei surpreso quando o avião começou a descer para pousar em Shiraz, no Irã, pois jamais considerara este país como um possível novo lar. Mas logo percebi que estávamos apenas reabastecendo, e que a parada seria breve. Quando os trens de aterrissagem tocaram a pista, meu pai me instruiu: "Omar, os iranianos não sabem que há dois Bin Laden neste avião. *Não fale nada.*"

Como era de se esperar, oficiais iranianos se aproximaram prontamente do avião, exigindo subir a bordo. Nosso acompanhante, Ibrahim, levantou-se e desceu os degraus rapidamente, encontrando os homens e bloqueando a entrada deles. Pude ver um dos oficiais esticando o pescoço, olhando por cima de Ibrahim, que falava com suavidade. Os pilotos não deixaram seu compartimento.

Os ombros de meu pai enrijeceram-se. Olhei sobre o assento e vi que ele estava pronto para disparar sua arma. Sayf Adel e Abu Hafs mantinham-se em estado parecido de prontidão. Olhei para o fundo do avião e vi que todos os homens de meu pai estavam tensos, prontos para o combate. Se os oficiais subissem a bordo, nenhum dos que estavam no avião hesitaria em matar qualquer pessoa que fosse considerada uma ameaça à nossa viagem. Eu mesmo coloquei minha arma em uma posição mais adequada, dizendo a mim mesmo que havia a possibilidade de ocorrer um tiroteio.

Felizmente, não houve necessidade de disparar as armas, pois Ibrahim convenceu os oficiais iranianos de que éramos apenas executivos importantes de passagem pelo país. Segundo ele, como não colocaríamos os pés em território iraniano, uma inspeção formal não seria necessária. Estou certo de que Ibrahim colocou uma grande quantia em dinheiro nas mãos dos oficiais, pois em pouco tempo os ouvi conversando e rindo como se fossem amigos de infância.

Depois do abastecimento, fiquei desconfortável ao descobrir que Ibrahim não seguiria viagem conosco. Apesar de não ter trocado qualquer palavra comigo, ele e meu pai se despediram demoradamente, e Ibrahim deixou o avião quando os pilotos ligaram as turbinas. Meu pai me disse que Ibrahim embarcaria em um voo comercial de volta para Cartum.

Como sempre, permaneci em silêncio.

Retomamos o voo tão rapidamente que nenhum membro do grupo teve sequer a oportunidade de se levantar e esticar as pernas. Do Irã, o avião seguiu seu curso misterioso.

Em pouco tempo, uma cadeia montanhosa apareceu diante de minha janela. Meu pai falou pela última vez com Hatim: "Agora você sabe qual é o nosso destino?"

Prendi a respiração, sabendo que logo saberia qual seria meu futuro lar.

"Bem", Hatim disse, "cruzamos o Irã. Estamos sobre o Afeganistão". Ele falava com segurança: "Acredito que nosso destino seja o Afeganistão."

Meu pai balançou a cabeça, mas não confirmou com um sim.

Abu Hafs fez o mesmo.

Um pouco depois, o avião fez a segunda aterrissagem do dia. Finalmente, meu pai confirmou: "Você está certo, Hatim. Nosso destino é o Afeganistão. Aterrissaremos em Jalalabad."

Emiti um grunhido de surpresa, olhando de relance para os rostos dos combatentes de meu pai. Todos estavam impassíveis, jamais questionando as decisões de meu pai.

Tentei absorver a ideia. Ah! Então agora moraríamos no Afeganistão. Eu não sabia o que pensar, mas senti um frio na barriga por antecipação. O Afeganistão era o país dos anos de combatente de meu pai. Desde garoto, minha imaginação infantil fora alimentada por histórias de conflitos mortais em tal país, travados nas batalhas de Jaji e de Jalalabad. Agora, eu finalmente teria a oportunidade de ver com os próprios olhos os campos de batalha.

Sendo jovem e desinformado, eu não tinha como conceber as implicações de se viver em um país que recentemente havia atravessado uma guerra devastadora, com dez anos de duração, contra uma superpotência, seguida por uma guerra civil ferrenha que deixou em pedaços os poucos resquícios do antigo Afeganistão. Como jamais havia estado em uma zona de guerra, eu desconhecia os desafios cotidianos de se sobreviver em um país tornado primitivo pela guerra incessante. Eu acreditava piamente que minha vida continuaria essencialmente do mesmo modo que em Cartum.

Uma nota sobre as atividades políticas e militantes de Osama bin Laden

JEAN SASSON

Enquanto Najwa criava os filhos no Sudão, e Omar e os irmãos entravam na adolescência, as atividades militantes de Osama multiplicavam. Irritado por ter que deixar definitivamente a Arábia Saudita, Osama culpava tanto os americanos como a família real saudita. Tal fúria aumentou sua determinação a desferir ataques terroristas nos Estados Unidos e na Arábia Saudita.

Grato ao país que lhe oferecera refúgio, Osama desenvolveu planos para melhorar a situação econômica do Sudão. Em pouco tempo, estava erguendo fábricas, abrindo empresas e construindo estradas.

A raiva que sentia dos americanos e dos sauditas em função de seu exílio deixaram-no ansioso por ativar o braço militar de sua organização, a al Qaeda. Com a aprovação dos anfitriões sudaneses, estabeleceu seus primeiros campos de treinamento em diversas partes do país e começou a recrutar combatentes religiosos. Seu conhecido nome era um atrativo popular entre os combatentes, e, em pouco tempo, os campos de treinamento estavam operando no máximo de sua capacidade.

Depois que Osama transferiu sua base de operações para o Sudão, os egípcios o seguiram. O Dr. Ayman al-Zawahiri, com seu grupo al-Jihad junto ao de Omar Abdel Rahman, al-Gama'a al-Islamiyya, restabeleceu as relações com Osama quando levou seus combatentes para Cartum. A combinação dos três grupos gerou um berço de radicalismo.

Osama estava havia pouco tempo no Sudão quando os sinais deixaram claro que os ataques contra os Estados Unidos haviam começado. Primeiro, houve um ataque em Aden, no Iêmen. O Exército americano estava usando a cidade como base enquanto seguia para a Somália, onde estava envolvido em uma missão humanitária. Em 29 de dezembro de 1992, bombas explodiram em dois hotéis de Aden. Apesar de o alvo terem sido soldados americanos, nenhum foi morto. No entanto, dois inocentes turistas austríacos morreram.

Menos de um anos depois, em 4 de outubro de 1993, houve cooperação de uma milícia somali que derrubou dois helicópteros Black Hawk americanos, matando 18 homens do Exército dos Estados Unidos, no evento trágico que serviu de base para o livro e o filme *Black Hawk Down*.

Em 1994, o governo saudita não somente rescindiu a cidadania de Osama e de sua família, como também congelou seus bens, confiscando a herança de seus filhos. Apesar de o valor exato ser desconhecido, acredita-se que Osama tenha perdido muitos milhões de dólares de uma só vez.

O desejo de atacar a Arábia Saudita e os Estados Unidos crescia a cada golpe pessoal sofrido por Osama.

Apesar de alguns planos organizados nas bases da al Qaeda, de Osama, terem sido evitados por forças de segurança ocidentais, outros foram bem-sucedidos. Mas foi um frustrado atentado terrorista realizado em 26 de junho de 1996 que levou Osama e a al Qaeda a serem expulsos do Sudão. Ironicamente, Osama bin Laden não estava envolvido naquele ataque em particular.

Quando o al-Gama'a al-Islamiyya, de Abdel Rahman, tentou assassinar o presidente do Egito Hosni Mubarak, os governos da região, além dos Estados Unidos, aumentaram a pressão sobre o governo sudanês para que os três conhecidos grupos radicais fossem expulsos do país.

Inicialmente, os oficiais sudaneses ofereceram entregar Osama bin Laden para o governo saudita, mas os governantes do reino sabiam que ele ainda era muito celebrado como herói de guerra em seu país. Não lhes agradava a ideia de submeter alguém com tal renome a julgamento.

Depois, os sudaneses ofereceram Osama aos Estados Unidos. Como na época não havia nenhuma acusação formal contra ele, o governo americano não tinha fundamentos legais para prender Osama.

Àquela altura, os oficiais sudaneses informaram a Osama que ele deveria deixar o país. Incerto de onde seria bem-recebido, Osama solicitou e obteve um convite de certos grupos poderosos no Afeganistão.

Assim, em maio de 1996, Osama, seu filho Omar e outros conselheiros de confiança deixaram Cartum e foram de avião para a terra mais sem lei do mundo: o Afeganistão, um lugar no qual Osama não seria restringido por leis nacionais ou internacionais. Osama bin Laden estaria livre para fazer o que bem entendesse.

AFEGANISTÃO

Osama bin Laden leva a família para o Afeganistão em 1996

Omar bin Laden foge do Afeganistão na primavera de 2001

Najwa Ghanem bin Laden foge do Afeganistão em nove de setembro de 2001

FATOS SOBRE O AFEGANISTÃO

Nome completo: República Islâmica
do Afeganistão

Governado por: Administração provisória

Chefe de Estado: Presidente Hamid Karzai

Capital: Cabul

Área: 651.840 km²

Principal religião: Islamismo

Principais línguas: Pashto, Dari (Persa)

População: 27,1 milhões

Unidade monetária: 1 afghani = 100 puls

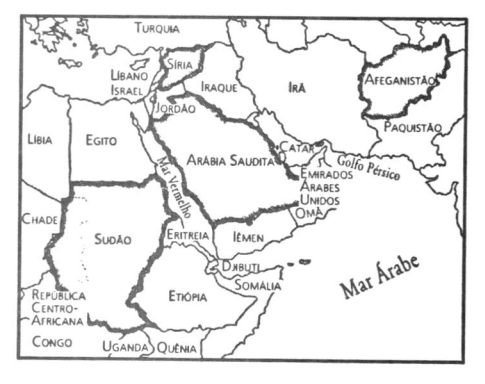

PARTE III

Afeganistão

Capítulo 15

Em retirada para o Afeganistão

OMAR BIN LADEN

Um velho amigo aguardava o retorno de meu pai quando saímos em fila do avião esticando nossos membros doloridos. Mullah Nourallah, que significa "luz de Deus", correu em direção ao meu pai, recebendo-o com tanto entusiasmo que meu pai pareceu ser um filho desaparecido havia muito tempo. Fui tomado pela memória de meu pai nos dizendo que os pashtun são parte de um dos povos mais hospitaleiros do mundo. Se Mullah Nourallah era exemplo disso, eu já me sentia melhor.

Com seu corpo poderoso e seus passos seguros, Mullah Nourallah parecia um guerreiro. Tinha uma longa barba negra, mas com toques grisalhos. Como sempre, permaneci despercebido, ficando de lado e observando. Meu pai não me apresentou enquanto eu o seguia.

Logo descobri que Mullah Nourallah era um dos melhores e mais antigos amigos de meu pai, do período da guerra contra a Rússia, e que os dois haviam lutado muitas vezes lado a lado.

Depois da guerra, ele se tornara um dos principais líderes de Jalalabad, capital do país e também a cidade mais importante da província de Nangarhar, lar da tribo pashtun. Tal província correspondia a uma área significativa do Afeganistão, estendendo-se até o Passo Khyber, a importantíssima entrada para o Paquistão.

Os pashtun são a maior sociedade tribal do mundo, com aproximadamente sessenta tribos principais. Apesar de o Paquistão ter o maior número de pashtuns, 28 milhões, o Afeganistão é o lar da segunda maior população, de 13 milhões. Os pashtun falam a língua pashto e respeitam um antigo código de conduta e honra chamado Pashtunwali.

No ano anterior, Mullah Nourallah fora responsável por submeter um criminoso brutal à justiça, executando-o. Desde então, ascendera para um escalão elevado, mas sua vida estava em constante perigo porque o irmão do criminoso jurara vingança. O antigo provérbio que diz "um olho por um olho e uma vida por uma vida" era uma reação comum em terras tribais. Mullah Nourallah desconsiderou todos os alertas para que ficasse atento, aceitando, como um verdadeiro fiel, que sua vida estava unicamente nas mãos de Deus. Se Deus determinasse que ele deveria morrer nas mãos do irmão do criminoso, que assim fosse.

Com Mullah Nourallah abrindo caminho confiantemente entre as pessoas, passamos com facilidade por todos os oficiais do aeroporto, indo rapidamente em direção a um grupo de caminhonetes com cabines duplas, com motoristas que aguardavam para nos transportar. O carro de nosso anfitrião era de um vermelho vivo e, para mim, funcionava como um sinal brilhante para os criminosos que o perseguiam.

Ninguém parecia ter levado em conta o perigo de tanta visibilidade, pois Mullah Nourallah se sentou à vontade no banco da frente e seu motorista estava tão relaxado que murmurava uma melodia e fumava um cigarro. Meu pai se sentou atrás de Mullah Nourallah e eu me acomodei entre ele e Abu Hafs.

Uma vez adequadamente acomodado, Mullah Nourallah pareceu reparar em mim pela primeira vez, olhando para meu rosto enquanto perguntava ao meu pai: "Quem é esse menino? É seu filho?"

"Sim. É meu filho Omar, o quarto garoto."

Mullah Nourallah aquiesceu e sorriu, esticando a mão para tocar, em aprovação, a ponte do meu nariz. "É um bom nariz, longo e proeminente." Com um grande sorriso, anunciou: "Você, Omar, tem o nariz de um homem forte."

Eu não conseguia pensar em nada para dizer. Para ser sincero, jamais considerei meu nariz longo e não tinha certeza se gostava de tal ideia.

Com os ouvidos voltados para a conversa, olhei para os novos arredores. As montanhas Safed Koh flutuavam sobre a planície de Jalalabad. Eu esperava que o lugar fosse marrom mas, para meu deleite, a cidade dos pashtun era um oásis verde, irrigado pelo rio Cabul.

Todo o resto foi decepcionante. As pessoas e os prédios pareciam velhos e desgastados. À medida que seguíamos de carro pela cidade, fiquei chocado com os sinais de pobreza que nos cercavam. Em vez de carros, muitas pessoas estavam limitadas a circular em carroças puxadas por cavalos ou burros. Vi homens jovens com roupas desgrenhadas montando cavalos magros em pelo e mulas com olhos tristes. Senti-me como um viajante no tempo, pensando que, em poucas horas, eu retrocedera cem anos.

Em meio ao barulho, entreouvi Mullah Nourallah dizer a meu pai: "É claro, vocês ficarão em uma de minhas casas. Depois de instalados, serão bem-vindos ao palácio." Ele explicou: "O governo é dono do antigo palácio em Jalalabad, que era a residência da antiga família real."

Um palácio parecia promissor.

Depois de observar outras casas e lojas em Jalalabad, fiquei felizmente surpreso quando o motorista parou o carro na entrada da mansão de campo de Mullah Nourallah. Ela era linda. Quem poderia esperar tanto luxo dentro da desgastada Jalalabad? A casa era pintada com um branco brilhante, e era muito maior do que eu havia imaginado. Saltamos da caminhonete para que Moullah Nourallah nos acompanhasse para dentro da casa.

O interior era espaçoso, com 25 quartos, todos limpos e bonitos. Eu esperava ficar com um quarto só para mim, pois sempre gostei de ficar sozinho e, com tantos irmãos, raramente tinha essa oportunidade. Tais esperanças foram eliminadas quando meu pai concordou com Mullah Nourallah que, até que soubessem a respeito dos possíveis perigos enfrentados por meu pai, todos dormiríamos no porão, que era frio e escuro.

Os homens de Mullah Nourallah providenciaram duas camas de solteiro que foram colocadas no porão que eu dividiria com meu pai, onde havia um pequeno banheiro. Os homens de meu pai dormiam em quartos próximos na mesma área escura. Providenciaram um cozinheiro para cuidar de nossa alimentação. Fiquei decepcionado, mas não surpreso, ao ouvir meu pai dar instruções para a feitura das refeições mais simples e insossas.

Apesar de ansioso por explorar a cidade, questões de segurança exigiam que meu pai e eu, além de seus homens, permanecêssemos como prisioneiros voluntários na casa ou no jardim murado durante duas semanas. Mesmo com o isolamento, Mullah Nourallah demonstrou a famosa hospitalidade afegã, conferindo diariamente como estávamos e tentando convencer meu pai a aceitar refeições fartas. Mas meu pai nunca aceitou, é claro.

Por meio de suas palavras e seus atos, Mullah Nourallah jamais deixou de demonstrar o grande afeto que sentia por meu pai. O tempo que passaram juntos na guerra criara laços indestrutíveis. As conversas entre eles também me permitiram uma maior compreensão da vida pregressa de meu pai.

Obviamente, meu pai se sentia excepcionalmente próximo de Mullah Nourallah, abrindo-se mais completamente do que eu jamais vira. Ele falou brevemente sobre a partida forçada do Sudão, confessando em tom de desânimo que havia investido todos os seus recursos e toda a sua energia em projetos que beneficiavam o país e, individualmente, cada um dos sudaneses. Pela primeira vez, ouvi-o confessar suas preocupações: "Amigo, estou apreensivo quanto ao meu futuro. Perdi muita coisa. Tenho uma família grande. Tenho muitos seguidores, que também têm esposas e filhos. Todos dependem de mim."

Não era preciso ser um gênio para saber que com três esposas e vários filhos, somados às suas atividades religiosas e políticas, meu pai necessitava de muito dinheiro. Contudo, eu nunca tinha pensado muito a respeito dos problemas de meu pai, principalmente porque achava difícil superar até os meus conflitos pessoais.

Mullah Nourallah jurou lealdade ao meu pai. "Osama, você é o único não afegão que permaneceu leal ao Afeganistão durante todos os anos de dificuldade." Ele parou para sorrir. "Deixe que suas preocupações sejam levadas pelo vento, Osama. Você tem um lar no Afeganistão por toda a vida. Depois que você partir para o Paraíso, todos os membros de sua família podem considerar o Afeganistão seu lar. Garanto sua segurança, assim como a de seus familiares e seguidores. Você pode ficar no palácio por quanto tempo precisar."

Em seguida, para demonstrar seu respeito e afeto, Mullah Nourallah presenteou meu pai com um terreno muito grande na cidade de Jalalabad, sugerindo: "Eis a terra que quero dar a você. Construa um complexo. Traga sua família e seus amigos para cá. Você é um pashtun honorário!"

Como um gesto final grandioso, ele deu a meu pai até uma montanha inteira em Tora Bora.

Meu pai ficou muito satisfeito com o homem e agradecido a ele, que jamais se esquecera das contribuições que meu pai fizera pela causa da liberdade do povo afegão.

Quando Mullah Nourallah ficou mais confiante quanto à nossa segurança, fomos levados para o antigo palácio. Àquela altura, eu já estava entediado com a bela casa, uma vez que havíamos ficado presos dentro de seus muros. Fiquei feliz por experimentar algo diferente e achei o palácio muito agradável. Ele fora construído em um local ideal, perto do rio Cabul, cercado por grandes árvores antigas que fazem sombra. O terreno era vasto, com o palácio cercado por vários jardins maravilhosos. Uma profusão de flores de cores vívidas ocupava todos os lugares disponíveis.

Apesar de o antigo palácio estar em boas condições, não era uma mansão que normalmente se associaria à realeza. Mas ainda assim eu estava feliz, pois comparando o palácio às outras casas em Jalalabad, vivíamos com muito luxo.

O palácio era um prédio retangular de dois andares que sugeria um passado distante no qual trabalhadores o haviam pintado de um branco brilhante, a cor escolhida para as mansões mais caras em Jalalabad. O telhado era plano, parecido com os das casas na Arábia e no Sudão, o que era útil, pois meu pai gostava de observar os arredores dos telhados.

Na entrada, havia um corredor largo, coberto por um tapete vermelho; havia várias cadeiras elegantes ao longo dele, assim como dez quartos. Destes, nove eram decorados com móveis clássicos e elegantes que pareciam caros, porém antigos. Presumi que, um dia, haviam sido usados pela família real. O décimo quarto fora transformado em cozinha. Curiosamente, cada um dos dez quartos tinha o próprio banheiro, o que era incomum para a época na qual o palácio fora construído.

Depois de conhecermos o primeiro andar sistematicamente, subimos uma escada interna que levava ao segundo — uma réplica do primeiro, mas sem uma cozinha. Todos os interiores dos quartos estavam pintados de branco, com os chãos cobertos pelo mesmo padrão em vermelho dos corredores. Para mim, o mais útil era que a eletricidade e o encanamento estivessem funcionando, apesar de saber que meu pai preferiria que pegássemos água no rio Cabul e tropeçássemos pela casa com lampiões a gás. Ele ficava cada vez mais obcecado com a ideia de que qualquer coisa conveniente ou moderna era ruim para o muçulmano. Apesar de saber desde que deixamos o Sudão que um dia minha mãe, meus irmãos, as outras esposas e os filhos de meu pai se juntariam a nós no Afeganistão, e de ansiar pela chegada desse dia, eu ainda me encolhia com a ideia de que pudessem viver na montanha de Tora Bora em condições ruins.

Justamente quando eu estava imaginando o quanto eu e meu irmão nos divertiríamos brincando nos jardins e nadando no rio, a bolha de pensamentos foi estourada por meu pai. "Omar, nossa permanência aqui é temporária. Em breve, viajaremos para Tora Bora para assumirmos nossa montanha. Moraremos lá."

Fiquei sem voz. Apesar de, naquele momento, Jalalabad ser razoavelmente segura, boa parte do Afeganistão ainda estava mergulhada em uma guerra civil, com todos os chefes tribais lutando para governar todo o país. Eu não fazia ideia se a região da montanha de Tora Bora estava tomada pela guerra ou desfrutando de paz.

Mesmo que a região fosse pacífica, que foi o que ouvi falar, não passava de uma série de montanhas, com algumas cavernas. Como meu pai podia considerar levar a família para um lugar assim? Apesar de eu e meus irmãos sermos capazes de levar uma vida dura se necessário, o que dizer de minha mãe, minha tia e das crianças menores? Tal vida não era adequada para mulheres e crianças.

Olhando para meu pai, eu soube que ninguém poderia dissuadi-lo de levar todos nós para as montanhas isoladas do Afeganistão. Foi precisamente nesse instante que percebi que nossas vidas como os Bin Laden havia caído mais um nível.

Apesar do desânimo com a notícia dada por meu pai, as duas semanas seguintes em Jalalabad se tornaram fascinantes quando Mullah Nourallah e meu pai decidiram que seria seguro explorar a cidade. Para minha empolgação, saímos do palácio. Quase imediatamente, percebi que as cenas nas ruas de Jalalabad eram comparáveis ao que conseguia me lembrar das visitas de veraneio a Peshawar, no Paquistão.

Naqueles dias de muito tempo atrás, Peshawar era habitada essencialmente por pashtuns afegãos, a tribo étnica dominante do leste do Afeganistão, onde estávamos agora. Novamente, observei vendedores parecidos comercializando o mesmo tipo de alimento de rua, senti odores familiares, vi meios de transporte igualmente antiquados e admirei a beleza dos pashtuns. Para mim, Peshawar e Jalalabad tinham mais semelhanças do que diferenças.

Prestei muita atenção em meu pai, que me mantinha ao seu lado onde quer que fôssemos. Ele tem o hábito de desviar os olhos quando está em público. Se isto vem de uma timidez natural ou do fato de ele tomar muito cuidado para não olhar para uma mulher ou para sua família, não sei. Pensei em dizer a ele que podia olhar à vontade, pois seria impossível ver o rosto de uma mulher em Jalalabad, mesmo que se tentasse. As mulheres afegãs eram cobertas por burcas de cores pálidas, a vestimenta parecida com uma tenda que cobre todas as partes do rosto e do corpo de uma mulher. Fiquei satisfeito ao ver que o tecido pesado da roupa possuía uma pequena tela em forma de barras sobre a parte superior do rosto para que a mulher não tropeçasse e caísse. Algumas das velhas enrugadas não usavam burcas, mas vestidos bordados e encrespados que desciam até os tornozelos e tinham mangas compridas, além de longos lenços sobre o cabelo. Quando aquelas anciãs viam um homem estranho, cobriam o rosto com a ponta do lenço.

Encarei tão abertamente as pessoas e os locais que reparei algumas pessoas pararem e me encararem de volta. A maioria parecia interessada em meu pai, que chamava a atenção pela altura incomum, pelo rosto, considerado por muitos como extremamente belo, e por uma certa aura em torno dele. Depois de olhar para ele, voltavam os olhos para Abu Hafs, que era tão alto que conseguia olhar meu pai diretamente nos olhos, e para Sayf Adel, que observava tudo a nosso redor, sempre atento a quem estivesse atrás de confusão. Eu era quem chamava menos atenção, um garoto ainda jovem demais para ter barba caminhando com um grupo de homens de ar severo. Tenho certeza de que os afegãos estavam se perguntando por que árabes bem-vestidos estariam em Jalalabad, uma vez que a maioria dos árabes deixara o país quando os russos partiram, quase dez anos antes.

Meu pai estava ansioso por visitar alguns antigos amigos da época do conflito soviético. Lembro-me mais distintamente de Younis Khalis, que já fora um xeique importante no Afeganistão. Younis Khalis era o homem com a aparência mais estranha que eu já havia conhecido. Antes de mais nada, para mim, ele parecia um ancião, já com 78 anos quando o conheci, apesar de ainda ostentar uma barba ruiva chamativa. Era fácil ver que estava lentamente sendo derrotado pela velhice.

Seus antigos soldados eram muito leais. Apesar de estarmos fazendo a visita no final da primavera, as noites podiam ser bem frias. Quando o velho reclamava do frio, os homens faziam determinados esforços para mantê-lo aquecido. A casa dele era antiquada, construída de blocos de barro, com um chão elevado de concreto. Sob o chão, havia um espaço aberto especial, e os homens se esforçavam correndo de um lado para outro a fim de colocar carvão quente sob o concreto, mantendo o quarto bem aquecido.

Perguntei-me se meu pai concordaria com tal método para aquecer nossa família. Como ele era contra aquecimento elétrico, eu já temia o frio dos invernos na montanha.

O xeique Khalis era um homem inusitado para o Afeganistão tribal. Ele fora um líder afegão muito respeitado durante a guerra contra a Rússia. Mas, no instante em que se chegou ao acordo pela paz, ele ergueu as mãos e disse que tinha sido o bastante! Ele abandonara os combates. Dez anos de derramamento de sangue eram suficientes para qualquer combatente. Para provar que falava seriamente, ele fez questão de divulgar que estava dando todos os seus armamentos, incluindo uma série de tanques, presenteando grandiosamente o governo central do Afeganistão. Os homens afegãos sentiam um amor profundo pelas próprias armas e, ao esvaziar seus estoques, xeique Khalis esperava abrir um precedente. Ele achava que todos os senhores da guerra deveriam doar suas armas ao governo, retornar para suas terras e permanecer em paz com as tribos vizinhas.

Mas nenhum outro líder tribal compartilhava de tal bom-senso, de modo que todos guerrearam contra ele. A guerra civil tomou conta do país, trazendo um período de combates ferozes entre homens que, recentemente, haviam sido aliados contra os russos. Meu pai confidenciou que tentara encorajar a cooperação entre os líderes tribais. "Contudo, meu filho", ele disse, "os líderes afegãos podem ser os mais obstinados dos homens. A maioria não estava disposta a concordar com coisa alguma, fosse a respeito de terras, de governo ou de leis. Infelizmente, quando não conseguiram chegar a um acordo entre suas mentes, eles pegaram em suas armas."

Meu pai estava desanimado com o fato de os afegãos não terem se unido para reconstruir seu país destroçado.

Meu pai conhecia outros combatentes e discutia com o xeique Khalis o paradeiro deles, mas me lembro de muito pouco, pois seus corações estavam tão cheios de memórias que qualquer pessoa que não tivesse vivenciado a guerra com eles teria dificuldade para acompanhar a conversa.

Depois de todos aqueles anos, ainda me lembro dos nomes de Ahmad Shah Massoud, Abdul Rashid Dustum e xeique Sayaff.

Ahmad Shah Massoud era o combatente afegão mais famoso do mundo. Seu pai era policial e o jovem Ahmad recebeu uma boa educação, sendo fluente em cinco línguas. Por causa da posição do pai, ele adquiriu um interesse especial por política. Quando era estudante, opôs-se à influência do movimento comunista no país. Foi a partir daí que o grupo Talibã conquistou o apoio do Paquistão, que odiava Massoud porque ele dissera que os talibãs eram radicais demais e que o Paquistão não deveria se intrometer em assuntos do Afeganistão. Pelo contrário, Massoud defendia a democracia.

Massoud era parte importante da Aliança do Norte, que combatia os talibãs. Mas estes, com o apoio dos poderosos paquistaneses, estavam conquistando boa parte do Afeganistão. Quando meu pai e eu chegamos ao Afeganistão, a maioria acreditava que Massoud não teria a menor chance de vencer. Foi nesse ponto que meu pai previu que, no final das contas, os talibãs venceriam a guerra civil e controlariam todo o Afeganistão. Foi também quando ele soube que precisaria abraçar os talibãs caso desejasse viver em paz no Afeganistão.

Obviamente, isso significava que Massoud, um homem a quem um dia meu pai apoiara, passaria a ser inimigo dele. Ainda assim, acredito que meu pai tivesse um respeito enorme por Massoud, dizendo certa vez: "Nenhum russo caminhou pelo território de Massoud."

Conheci pessoalmente outro antigo líder, o xeique Sayaff, cuja aparência era marcante. Provavelmente, o xeique tinha orgulho de sua barba, que permanecera negra como a noite, pois a mantinha intencionalmente comprida e volumosa — a barba mais longa e peluda que já vi. Eu queria lhe perguntar sobre a barba, mas jamais tive coragem. Sua altura foi uma segunda surpresa. O xeique era muito alto, se bem que não tanto quanto meu pai, mas era o homem mais largo que já vira na vida, apesar de a largura de seu corpo não ser gordura. Sua forma era tão incomum que tenho dificuldade para descrevê-lo e gostaria de ter uma fotografia. Eu tentava não olhar diretamente para ele quando estávamos no mesmo ambiente, mas era impossível. Considerando a barba e o contorno de seu corpo, decidi que ele era o guerreiro mais majestoso de seu tempo, o que significa muito quando quase todos os soldados afegãos que conheci pareciam poderosos e intimidadores.

Um dia, meu pai disse: "Chega de visitas. Chegou a hora de prepararmos nosso novo lar em Tora Bora."

Eu esperava que a terra em Jalalabad que ganhara de presente fizesse meu pai se esquecer de Tora Bora, o que, pouco promissoramente, significa "terra negra". Eu queria que permanecêssemos no antigo palácio até que meu pai pudesse construir um complexo na cidade para nós. Mas, por alguma razão estranha, ele parecia exageradamente ansioso para retornar às montanhas. Depois de apenas um mês em Jalalabad, ele anunciou que viajaríamos para Tora Bora a fim de conhecermos nossa própria Montanha Bin Laden.

Àquela altura, eu estava sofrendo de asma. Contudo, para meu desespero, não havia medicamentos nem inaladores em Jalalabad. Fui tolo por não ter levado os medicamentos sem o conhecimento de meu pai, pois a cada dia minha dificuldade para respirar aumentava. Meu pai reparou em minha respiração dificultada e ordenou a um de seus homens que removesse algumas abelhas operárias de um favo de mel. Meu pai observou cuidadosamente enquanto eu respirava através do favo, mas seus remédios caseiros jamais aliviaram minha asma. Quando decidia algo, ele não mudava de ideia. Depois de ver que o mel não fazia efeito, ele fez com que um de seus homens fervesse algumas cebolas e as espremesse em uma panela, dizendo-me para respirar o caldo resultante disso. O método não surtiu mais efeito do que o favo de mel. Finalmente, meu pai me instruiu a derramar azeite nas brasas de uma fogueira, colocar a cabeça sobre a fumaça e inspirar o mais profundamente que eu conseguisse. Toda aquela fumaça apenas piorou a asma e ficou tão difícil respirar que fiquei com medo de morrer. Certo instante, enquanto arfava, imaginei ter sentido o cheiro da "terra da sepultura". Eu estava disposto a trocar minha parte da Montanha Bin Laden para usar meu inalador uma única vez.

Esse era meu estado quando iniciamos a viagem pelas estradas de terra que seguiam de Jalalabad para as Montanhas Brancas, onde ficava Tora Bora.

Capítulo 16

A montanha de Tora Bora

OMAR BIN LADEN

As estradas para Tora Bora não eram pavimentadas, de modo que nuvens de terra pairavam em torno de nossos jipes Toyota, o veículo preferido no Afeganistão. Como Jalalabad e seus arredores repousam sobre uma planície, era de se esperar que até mesmo uma estrada de terra proporcionasse uma viagem suave, mas esse não era o caso. Resmunguei em silêncio que as estradas afegãs eram certamente as que tinham a pior manutenção do mundo. Com exceção de uma ou duas ruas principais na cidade, tudo era poeira; portanto, os passageiros sentiam os dentes baterem com as vibrações dos pneus tentando desviar de buracos e passar sobre pedras grandes. Fui jogado de um lado para outro dentro do veículo, e, já em trapos, arfei de sofrimento, lamentando pela primeira vez ter sido o filho escolhido para acompanhar nosso pai na viagem.

Eu realmente não conseguia acreditar que nossas vidas haviam chegado àquele ponto. Meu pai era membro de uma das famílias mais ricas da Arábia Saudita. Meus primos relaxavam em boas casas e estudavam nas melhores escolas. E ali estava eu, filho de um rico Bin Laden, vivendo em uma terra sem lei, lutando para respirar em um pequeno jipe da Toyota, cercado por combatentes afegãos portando armas poderosas, indo ajudar meu pai a tomar posse de um barraco em uma montanha dada para nossa família.

Olhei para meu pai. Ele não parecia se incomodar com as condições difíceis. Pelo contrário, parecia entretido com elas. Será que as atividades arriscadas como guerreiro no Afeganistão haviam criado uma necessidade de estímulo que duraria por toda a vida dele? Eu esperava que não! Independentemente de qualquer coisa, meu pai era um homem durão.

Pela janela, vislumbrei as montanhas Tora Bora surgindo gradualmente a 55 quilômetros de distância. Depois de deixarmos Jalalabad, a estrada ficava ainda mais acidentada à medida que atravessava pequenas aldeias. As visões que tive eram desanimadoras, com bazares pobres ao longo das ruas das aldeias, adolescentes jogando água nas estradas, usando pás, para conter a poeira, e meninos puxando brinquedos feitos de cascas de papoulas ao longo da estrada. Como pode-se imaginar, mulheres que já haviam passado pela puberdade ficavam trancadas em casa, escondidas dos olhares de qualquer estranho.

Os vastos campos de papoulas distraíram minha mente e levaram meu pai a perguntar "qual é o significado disso?" enquanto gesticulava em direção a eles. Todos sabíamos que as papoulas eram usadas para a fabricação de ópio, que seria transformado em heroína.

O motorista encolheu os ombros. "Os fazendeiros da região dizem que o líder talibã Mullah Omar emitiu uma *fatwa* dizendo que o povo afegão deveria cultivar e vender papoulas, mas somente para os Estados Unidos. O mulá explicou que seu objetivo era enviar o máximo possível de drogas pesadas para os Estados Unidos para que o dinheiro americano viesse para o Afeganistão enquanto a juventude daquele país fosse arruinada pelo vício em heroína."

Meu pai fez uma careta, com uma expressão intrigada. Todo mundo dizia que Mullah Omar, assim como a maioria dos muçulmanos, evitava qualquer coisa relacionada a drogas. Quando mencionou isso ao motorista, o homem disse: "Sim. O bom Mullah Omar não vem sendo favorável ao comércio de drogas. Ele emitiu a *fatwa* somente contra os americanos."

Meu pai não disse mais coisa alguma, mas eu sabia que aquilo não lhe agradava. Independentemente de seu ódio crescente por tudo relativo aos Estados Unidos, ele seguia a crença islâmica que proibia os fiéis de traficarem drogas por qualquer motivo.

Perguntei-me por que o líder talibã odiava os americanos. Eu sabia que meu pai acreditava que se os americanos não tivessem enfiado o nariz nas questões sauditas, ele e seus combatentes mujahidin teriam salvo o Kuwait e a Arábia Saudita, firmando ainda mais sua reputação como o maior herói árabe de todos os tempos. Os americanos é que haviam lhe colocado em uma posição insustentável, levando-o a fugir do próprio país — e também, eventualmente, a ser expulso do Sudão.

Imaginei se os americanos também não teriam tentado atingir Mullah Omar. Com certeza, Mullah Omar levara uma vida difícil. Ele era um pashtun étnico da tribo Hotak. Depois da morte prematura do pai, Mullah Omar nasceu em 1959 em um barraco de barro situado numa pequena aldeia na província de Kandahar. Nascido em um país no qual os líderes chegam ao poder de acordo com sua riqueza, linhagem ou realeza, o garoto camponês não era um candidato provável a futuro governante do país.

Mullah Omar se graduou em estudos islâmicos em uma madraçal paquistanesa, ou escola religiosa, tendo aprendido a interpretação mais estrita do Alcorão. Crescendo para se tornar um adolescente alto e forte, passou a juventude trabalhando para ajudar a família necessitada.

Quando os russos invadiram o Afeganistão, Mullah Omar se juntou aos mujahidin, havendo relatos de que tenha lutado sob o comando de Nek Mohammad, um famoso combatente afegão. Omar era um excelente atirador de elite que logo conquistou o respeito dos combatentes que o rodeavam. Foi ferido muitas vezes, perdendo um olho e ficando com uma cicatriz no rosto. Incapacitado de combater, começou a dar aulas em uma madraçal localizada numa aldeia perto de Kandahar.

Depois que os soviéticos se retiraram do Afeganistão, o país mergulhou em uma guerra civil. Foi dito que Mullah Omar não queria se envolver no conflito, mas, depois de ouvir a respeito dos crimes cometidos por ex-combatentes afegãos — que cometiam atos de violência que incluíam sequestros e estupros de jovens rapazes e garotas — o devoto mulá reuniu um grupo de estudantes e o inspirou a combater os criminosos.

Com o sucesso, veio a ideia da criação de um estado puramente islâmico. Por causa de sua devoção e de sua defesa de leis rigorosas e da ordem, Mullah Omar conquistou apoio com facilidade. O resultado foi o surgimento de um exército talibã. Tendo Mullah Omar como líder, os talibãs entraram na guerra civil e passaram a derrotar todas as facções adversárias, inclusive a Aliança do Norte, liderada por Ahmad Shah Massoud.

Quando meu pai e eu chegamos ao Afeganistão, qualquer pessoa que quisesse viver nesse país precisava obter uma aliança com Mullah Omar. Meu pai era cuidadoso em relação aos locais para onde viajávamos, pois ele não havia conhecido Mullah Omar e não sabia se o líder talibã nos receberia bem no país. Por enquanto, tínhamos o apoio de Mullah Nourallah, que era o líder de sua província, mas Mullah Omar poderia expulsar meu pai do Afeganistão a qualquer momento.

Depois de três horas exaustivas, a estrada cheia de sulcos ficou ainda mais acidentada, mas a viagem desconfortável estava chegando ao fim. Os picos de Tora Bora despontavam acima de nós contra o céu de safira, tantos que pareciam se dobrar uns sobre os outros.

Onde naquela pilha gigantesca de rochas minha infortunada família encontraria um lar?

Deixamos a estrada para subir uma trilha íngreme e tortuosa, tão estreita que mal havia espaço para nosso pequeno veículo. Os pneus do jipe derrapavam pelas margens das encostas. Um solavanco para o lado errado, e cairíamos de encontro à morte sobre a estreita margem da estrada.

Mais uma hora de subida cuidadosa revelou algumas estruturas construídas na saliência de uma rocha. Seria aquela a montanha que Mullah Nourallah dera tão generosamente ao meu pai? Obviamente, sim, pois o motorista manobrou o veículo junto à montanha rochosa e saltamos para caminhar a distância restante. Meu pai seguiu à frente, um homem orgulhoso de sua nova montanha. Como era seu costume, cutucou a terra rochosa com sua bengala firme na mão direita, e sua Kalashnikov estava pendurada no ombro esquerdo.

Costumo sorrir quando jornalistas escrevem que meu pai é canhoto, o que demonstra a falta de conhecimento pessoal sobre Osama bin Laden. Pela primeira vez, revelarei uma verdade que meu pai e sua família guardaram durante quase toda a vida dele, pois, em nossa cultura, acredita-se que qualquer incapacidade física enfraqueça um homem. Meu pai é destro, mas precisa usar o olho esquerdo para qualquer tarefa que exija uma visão acurada. A explicação é simples. Quando era apenas um garoto, meu pai martelava alegremente em uma peça de metal quando um estilhaço atingiu seu olho direito. O ferimento foi grave, resultando em uma viagem às pressas para Londres a fim de se obter os cuidados de um especialista.

O diagnóstico perturbou a todos. Meu pai jamais voltaria a enxergar claramente com o olho o direito. Com o passar dos anos, meu pai aprendeu a esconder o problema, achando que seria melhor que pensassem que era canhoto do que permitir que soubessem que seu olho direito enxergava mal. Meu pai apenas impunha as armas no lado esquerdo por ser praticamente cego do olho direito. Talvez meu pai fique com raiva por eu ter revelado seu segredo tão bem-guardado, mas o que contei não é nada mais do que uma verdade da qual não se deve ter vergonha.

Portanto, diferentemente de meu pai, pude ver Tora Bora com os dois olhos. O tamanho e a complexidade da visão eram maiores do que eu já poderia ter imaginado. A paisagem dramática se estendia infindavelmente, um panorama exuberante perturbado somente pela visão de algumas casas arcaicas nas montanhas, que só serviam para abrigar gado. Eu desejava ouvir meu pai dizer que elas seriam demolidas para a construção de acomodações mais apropriadas, talvez uma luxuosa casa na montanha.

Em vez disso, meu pai apontou em direção às moradias primitivas e disse: "Moraremos ali, pelo menos até a guerra civil terminar."

Suspirei, pensando que a guerra no Afeganistão poderia durar anos. Talvez eu acabasse ficando com uma barba longa e grisalha no topo daquela montanha.

De repente, meu pai foi acometido por um surto de nostalgia, pois agora os casebres seriam usados para abrigar mulheres e crianças pequenas. "Omar, essas estruturas tiveram um grande propósito para os bravos combatentes durante a guerra."

Eu não disse coisa alguma, mas me perguntava como minha mãe concordaria em morar em um lugar tão selvagem e inóspito. O ambiente não só era primitivo, como também perigoso para crianças pequenas. No lado oposto ao das casas havia uma encosta perigosa de mais de mil metros. Em minha mente, eu já via os bebês da família caindo da montanha.

Em estado de choque, entrei com meu pai na primeira casa, que contava com um total de seis quartos muito pequenos. Meu pai anunciou: "Sua mãe e suas tias terão dois quartos cada uma."

Apenas emiti um grunhido, pois, caso falasse, temia não conseguir controlar minha raiva crescente. Meu pai nem sempre conseguia conter seu temperamento lendário, apesar de costumar aplacá-lo batendo com a bengala nos filhos. Se eu o ofendesse estando nós tão próximos de um precipício, talvez ele pudesse me jogar da montanha.

Sendo assim, fiquei quieto e fingi estar interessado nos casebres. Os seis quartos eram construídos com blocos que haviam sido cortados, esculpidos e rudemente moldados a partir do granito da montanha. Os telhados planos eram de madeira e palha. O mais surpreendente era que as janelas e portas não passavam de aberturas vazias.

Meu pai, sintonizado com meu pensamento, apontou com a bengala e disse: "Penduraremos peles de animais nas portas e nas janelas."

Ele estava falando sério?

As estruturas abandonadas estavam sujas com detritos da guerra. Havia camas apodrecidas, cartuchos vazios de projéteis, latas, jornais amarelados, roupas descartadas e recipientes de plástico. Não havia eletricidade na montanha, o que não fora uma surpresa, de modo que podíamos esquecer até mesmo a conveniência de umas poucas lâmpadas fracas.

Foi quando eu soube que tempos terríveis nos aguardavam.

Então, finalmente, a família de Osama bin Laden seria verdadeiramente montanhesa, com as atividades iluminadas por velas ou lampiões a gás. O mais preocupante era que não havia canos instalados para levar água ao local. Será que agora minha delicada mãe precisaria equilibrar uma jarra na cabeça, lutando para subir uma montanha rochosa a fim de levar até sua cozinha água para beber e cozinhar? Então me lembrei de que não havia cozinha. Onde nossa comida seria preparada? Um segundo depois, percebi que não havia banheiros. Fiz uma careta. Aquilo não daria certo, pois minha mãe, minhas tias e minhas irmãs costumavam ficar escondidas, impossibilitadas de sair de casa caso homens que não fossem da família estivessem por perto. Elas precisavam de um banheiro acessível dentro de casa!

Novamente, meu pai pareceu ler minha mente: "Construiremos um pequeno banheiro para cada par de quartos."

Assim como antes, tomado por uma melancolia debilitante, só consegui responder com um grunhido.

Mais uma vez, meu pai parecia eufórico quando deveria estar em desespero. Algo a respeito dos velhos tempos de guerra despertara nele um entusiasmo inesperado. Eu queria muito discutir com ele, dizer que apesar de aqueles barracos parecerem agradáveis para sua personalidade de combatente, eles eram inadequados para mulheres e crianças. Mas não foi o que fiz, pois ainda não estava na idade em que a coragem vem instintivamente. Na presença de meu pai, eu ainda me sentia como uma criança, um capturado indefeso no vórtice que girava rapidamente e estava levando sua família, junto com ele, para um fim destrutivo.

"Sim", disse meu pai com um toque de segurança. "Tudo ficará bem."

Olhei para Abu Hafs e Sayf Adel, que, acostumados ao modo de pensar de meu pai, mantiveram a compostura usual. Dois soldados coçaram a cabeça em espanto, mas, como eu, jamais ousariam discutir com meu pai. Na verdade, todos os homens que o serviam tinham o hábito de pedir sua permissão antes de falar: "Querido príncipe, posso falar?"

Sob o comando de meu pai, eu e seus homens passamos as semanas seguintes nos livrando do lixo acumulado ao longo de dez anos de guerra, varrendo os chãos empoeirados, pendurando peles de animais nas portas e nas janelas abertas, e fazendo viagens de ida e volta a Jalalabad para comprar suprimentos comuns. Compramos três pequenos fogões portáteis a gás, com um fogareiro cada, para as esposas de meu pai. Precisávamos de baldes de metal para transportar água da fonte mais próxima e de algumas panelas de metal para cozinhar. Compramos quantidades enormes de pratos de plástico, assim como simples roupas de cama de algodão, além de alguns colchonetes militares para os adultos. Fiquei feliz quando meu pai nos mandou de volta às lojas para comprarmos vários tapetes baratos, que seriam espalhados pelo chão.

Mesmo depois dos esforços para limpar tudo e mobiliar as acomodações, os casebres pareciam tristes e inóspitos.

O trabalho mais difícil foi construir três banheiros simples, mas finalmente concluímos a tarefa. Perguntei-me se eles serviriam ao seu propósito na falta de abastecimento de água, mas meu pai disse que havia uma companhia em uma aldeia próxima que, possivelmente, nos entregaria água. Com sorte, minha mãe não precisaria pegar água em uma fonte na montanha para beber e cozinhar.

Quando fizemos tudo que podíamos, meu pai anunciou que decidira adiar a ida das esposas e dos filhos por mais três meses. A guerra continuava em pontos localizados e ninguém parecia saber o que esperar. Meu pai estava apreensivo porque ainda não recebera nenhuma mensagem de boas-vindas do recluso Mullah Omar.

Apesar do alívio por meu pai estar sendo cuidadoso, eu sentia saudades de minha mãe. Talvez a presença doce dela trouxesse clareza para meu pai, ajudando-o a compreender o absurdo de mulheres e crianças vivendo empoleirados no topo de uma montanha em acomodações austeras, frias e inferiores.

Meu pai, seus homens e eu permanecemos em Tora Bora, apesar de fazermos viagens de ida e volta para Jalalabad. Meu pai encontrou vários militares na cidade, mas costumava me mandar esperar do lado de fora de onde fosse enquanto falava com eles.

Com o passar do tempo, fui me familiarizando com os soldados que haviam feito a viagem de avião partindo de Cartum. De todos os homens de meu pai, meu favorito era Mohammed Atef. Como muitos dos soldados, Mohammed Atef não era mais bem-vindo em sua terra natal, o Egito. Apesar de ter sido policial, depois de ficar insatisfeito com a situação política, ele se tornara membro do Jihad Islâmico Egípcio. Em pouco tempo, teve problemas políticos em seu país de origem, fugindo de lá para ao Afeganistão, com o objetivo de se juntar ao Jihad naquele país. Foi lá que ele e meu pai firmaram uma amizade forte.

Mohammed Atef era 13 anos mais velho do que meu pai. Seu cabelo era castanho-escuro e ele tinha uma longa barba. Era um homem grande, menos de dois centímetros mais baixo do que meu pai, que era muito alto, mas de constituição um pouco mais densa. Acredito que meu pai amasse Mohammed Atef tanto quanto fosse possível a um homem amar outro. Devido à amizade indestrutível entre os dois, Mohammed se tornou um tipo de tio favorito dos filhos de meu pai. Apesar de o que se tornou posteriormente na vida, ele sempre foi gentil comigo e, posteriormente, com meus irmãos.

Mohammed sorriu, dizendo para mim: "Pode me chamar de Abu Hafs", que significa "pai de Hafs".

Perguntei educadamente sobre seu filho, e foi aí que descobri que ele não tinha um. Diferentemente de meu pai, Abu Hafs disse que estava satisfeito com uma esposa que lhe dera várias filhas, apesar de seu desejo profundo por um filho homem. Ele disse: "Como sei que Deus me abençoará um dia com um menino, já escolhi seu nome. Posso muito bem assumir o título honorário." Ele riu, e, depois de conferir se meu pai estava por perto, eu também sorri. Apesar de ser um adolescente e de ser esperado que eu portasse uma arma, meu pai ainda era inclinado a me repreender por expor dentes demais quando sorria ou gargalhava.

E é por isso que todos chamavam Mohammed Atef de Abu Hafs, pai de Hafs, honrando-o pelo filho que nunca teve.

Meu pai era tão puritano que, muitas vezes, me perguntei sobre tal amizade, pois Mohammed era despreocupado e soltava piadas com facilidade. Meu pai sorria pouco e participava tão raramente de conversas

Um quadro de 1964 retratando o pai de Osama, Mohammed bin Laden. (Cortesia da coleção de fotografias da família de Omar bin Laden.)

Osama bin Laden, aos 16 anos, um ano antes de se casar com sua prima, Najwa. Jidá, 1973. (Cortesia da coleção de fotografias da família de Omar bin Laden.)

 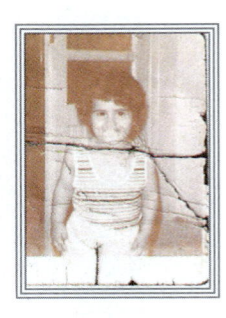

À esquerda: Osama no Afeganistão, em combate contra os russos, 1984. (Cortesia da coleção de fotografias da família de Omar bin Laden.)

À direita: Omar, aos 3 anos, em Jidá, 1984. (Cortesia da coleção de fotografias da família de Omar bin Laden.)

Osama bin Laden de uniforme militar, durante o período em que lutou contra os russos. Fotografia tirada em uma fazenda em Jidá, 1985. (Cortesia da coleção de fotografias da família de Omar bin Laden.)

Acima: Omar bin Laden
aos 6 anos, na época em
que a família mudou-se
para Medina e Omar
começou a estudar.
(Cortesia da coleção de
fotografias da família de
Omar bin Laden.)

À direita: Sa'ad, Osman e
Mohammed no escritório
de Osama na casa
da família em Jidá, 1990.
(Cortesia da coleção de
fotografias da família de
Omar bin Laden.)

Fatima, Sa'ad, Omar (segurando a bola com Abdullah), Mohammed
(de camiseta amarela), Osman e Abdul Rahman na sala de estar da família Bin
Laden, em Jidá, 1989. (Cortesia da coleção de fotografias da família de Omar
bin Laden.)

Omar e sua irmã, Fatima, na casa da família em Jidá, 1990.
(Cortesia da coleção de fotografias da família de Omar bin Laden.)

Da esquerda para a direita: Omar, Fatima e Sa'ad na casa da família em Jidá,
1990. (Cortesia da coleção de fotografias da família de Omar bin Laden.)

Abdullah bin Laden no Sudão, trabalhando com uma das escavadeiras do pai, 1993.(Cortesia da coleção de fotografias da família de Omar bin Laden.)

Abdullah bin Laden no Nilo, em Cartum, 1993.
(Cortesia da coleção de fotografias da família de Omar bin Laden.)

Omar em seu quarto em Cartum, 1993.
(Cortesia da coleção de fotografias da família de Omar bin Laden.)

Dias felizes de Omar em Cartum.
(Cortesia da coleção de fotografias da família de Omar bin Laden.)

Uma pequena vila afegã pela qual Omar passou em seu caminho de Jalalabad para Tora Bora. (Hill Bermont)

A burca que as mulheres são obrigadas a usar no Afeganistão.
(Hill Bermont)

Omar e seu filho, Ahmed, em Jidá, 2005.
(Cortesia da coleção de fotografias da família de Omar bin Laden.)

Omar bin Laden com seu amado cavalo em Jidá, 2007.
(Cortesia da coleção de fotografias da família de Omar bin Laden.)

descompromissadas que posso contar nos dedos de uma mão o número de vezes que isso aconteceu. Contudo, os dois homens se uniram, formando a maior amizade da vida de meu pai.

Meu pai disse que eu precisava de responsabilidades enquanto estava na montanha, de modo que eu funcionaria como seu servente particular. Acredite quando digo que fiquei feliz por ter responsabilidades, pois o tédio da vida na montanha de Tora Bora é indescritível. Estar ao lado de meu pai em praticamente todos os momentos do dia e da noite me proporcionou uma boa percepção de sua verdadeira personalidade. Ao longo de toda a minha infância, ele permanecera uma figura distante, ocupado demais para perder tempo com os filhos. Contudo, no Afeganistão, eu era o único membro da família ao lado dele, muitas vezes uma entre apenas três ou quatro pessoas nas quais ele sentia poder confiar plenamente. Sua confiança não foi depositada nas pessoas erradas pois, apesar de eu odiar o que ele tinha feito e o que suas ações haviam trazido para nossa família, ele ainda era meu pai. Desta forma, eu jamais o trairia.

Com o tempo, ele começou a relaxar e a revelar seus hábitos. Devo admitir que tive prazer em alguns desses momentos e que fazia o possível para agradá-lo.

Recordo-me de uma tarde em que lavei seus pés antes de orar. Eu não sabia que um mulá que vivia por perto estava a caminho para uma visita. O mulá chegou e viu o ritual que vinha se tornando rotineiro. Os muçulmanos devem se lavar antes de cada oração, cinco vezes ao dia. Certa vez, quando estava especialmente cansado, meu pai me pediu para jogar água sobre seus pés. Depois da primeira vez, adquiri o hábito.

Tal procedimento desagradou o mulá, que fez questão de dizer ao meu pai que o que eu estava fazendo era errado aos olhos de Alá. Nenhum homem é inferior a outro homem. Nenhum homem deveria lavar os pés de outro homem, tampouco realizar atos subservientes. O mulá disse: "Mesmo que o rei da Arábia Saudita viesse para uma visita, este garoto não deveria lavar seus pés."

Meu pai escutou em silêncio, seu rosto enrubescido de constrangimento, pois respeitava profundamente a maioria dos homens religiosos e a última coisa que desejava era demonstrar ignorância quanto aos comandos de Deus. Meu pai se virou para mim e, com a voz ríspida, disse: "Omar, você ouviu o mulá. Ele está certo." Depois do incidente, não tive mais permissão para lavar os pés de meu pai. Fiquei com raiva do mulá, pois o ritual era um dos poucos momentos nos quais eu sentia uma ligação forte com meu pai. Eu queria protestar, mas fiquei quieto.

Houve uma série de incidentes desagradáveis envolvendo o ritual da lavagem. Um dia, em Tora Bora, quando eu estava servindo chá para meu pai e alguns amigos, ele lembrou de um dos momentos mais mortificantes de minha curta vida.

"Omar, lembra-se de quando estávamos com aquele general egípcio, o da guerra com a Rússia? Eu havia lutado junto a ele aqui no Afeganistão."

Meu rosto enrubesceu com a memória humilhante. Morávamos em Cartum na época e meu pai me dera ordens para que eu pegasse água a fim de que ele se lavasse. Como o general era seu hóspede de honra, meu pai instruiu: "Primeiro, você deve lavar as mãos de nosso visitante, Omar."

Agachei-me sobre um joelho, como meu pai mandara, mas o general tinha outras ideias e recusou a cortesia. Ele se afastou, dizendo: "Quero apenas a jarra, eu mesmo me lavarei." Eu era novo e não sabia o que fazer além de obedecer a qualquer adulto que me desse ordens, então lhe dei a jarra.

No exato momento em que entreguei a jarra, meu pai viu a cena e interpretou de modo completamente equivocado o que estava acontecendo. Sem saber coisa alguma, começou a gritar ameaças e insultos: "Você quer que eu bata em você com minha bengala? Você quer me constranger? Como você pode querer que o general lave suas mãos? Por que ele faria isso? Você é ninguém!"

Meu pai estava com tanta raiva que a saliva voava de sua boca. Ele pegou a jarra e lavou pessoalmente as mãos do general, que ficou muito quieto.

Fiquei esperando receber uma boa surra quando o general partisse. Mas, naquela vez, meu pai não recorreu à violência. Presumi que ele tivesse ficado tão ocupado com seus negócios que houvesse se esquecido do incidente.

Agora, anos depois, eu me encolhi em desgraça enquanto ele contava a história para os amigos nos mínimos detalhes, envergonhando-me diante de homens a quem eu acabara de conhecer. No final, ele olhou para mim em aprovação: "Você aprendeu muito desde então, meu filho."

Eu não sabia se ria ou chorava. Meu pai ainda não fazia ideia sobre o que realmente acontecera naquele dia, que fora o general quem tirara a jarra de minhas mãos. Mas não me preocupei em explicar, pois tinha aprendido havia muito tempo que, quando meu pai dava algo como certo, os fatos não lhe fariam mudar de opinião. Se alguém discordasse, seu temperamento ruim poderia ser incensado em apenas um segundo. Quem quereria despertar a ira dele?

Eu fazia o possível para tornar a vida dele melhor. Preparava seu chá do jeito que ele gostava, quase fervendo e fraco, com duas colheradas de açúcar, sempre em um copo pequeno. Não me recordo de já ter visto meu pai pedir café; sua bebida preferida era chá ou, às vezes, mel em água quente, o que dizia ter propriedades curativas para a mente e o corpo. Meu pai desdenhava de todos os refrigerantes e não permitia que se colocasse gelo em bebida alguma. Na verdade, ele detestava líquidos gelados, e, se algum desconhecido lhe oferecesse algo do tipo, mantinha o copo intocado até que se aquecesse naturalmente.

Ele confessou sentir falta de sua bebida favorita, a qual costumava preparar com frequência quando vivíamos no Sudão. Sultanas (uvas) secas eram colocadas em uma jarra grande, que então era enchida totalmente de água. De molho ao longo da noite, as sultanas se misturavam com a água, resultando em um suco de uva muito saudável que ele bebia no decorrer do dia seguinte.

Seu alimento preferido eram as frutas e ele aguardava ansiosamente a temporada de mangas. Ele comia pão, mas apenas o suficiente para encher o estômago. Não gostava particularmente de pratos com carne, mas preferia a carne de cordeiro à de frango e à bovina, todas elas sempre servidas sobre um prato de arroz. Na verdade, meu pai não se importava muito com o que colocavam diante dele e costumava dizer que comia apenas o bastante para manter a força. Posso dizer que ele falava a verdade.

Meu pai mantinha dois itens à mão todo o tempo: sua bengala e sua Kalashnikov; exigia que outros itens preferidos seus estivessem sempre ao alcance: suas contas de oração, uma pequena cópia do Alcorão sagrado, um rádio que captava estações da Europa, incluindo sua emissora preferida, a BBC, e, por último, um gravador de voz. Ainda em Cartum, meu pai adquirira o hábito de gravar muitos de seus pensamentos e planos. Ele manteve a prática depois de chegar ao Afeganistão.

Enquanto eu fazia companhia ao meu pai, ele costumava passar horas falando ao gravador, registrando muitos pensamentos, inclusive sobre fatos históricos, política atual e histórias do Islã. Quando ficava frustrado com as mudanças recentes em sua vida, vociferava a respeito de tristezas do passado ou expunha novas ideias, acreditando que fossem alterar o curso do mundo.

Enquanto me apressava para atender suas necessidades, ouvia-o ralhar contra a família real saudita, outros governantes daquela região, os americanos e os ingleses. Ele ficava perturbado com o desrespeito diante de nossa fé islâmica, o que parecia ser a base de seu descontentamento crescente. Muitas vezes, os pensamentos e as palavras de meu pai disparavam um alvoroço de emoções, resultando em uma voz alta e em um rosto irado, o que não correspondia ao seu modo usual de falar.

Depois de cerca de uma semana ouvindo os discursos, desliguei meus ouvidos para suas falas bombásticas, mas hoje lamento tal desatenção. Muitas vezes, gostaria de ter aquelas fitas nas mãos para compreender melhor o que levou meu pai a odiar tantos governos e tantas pessoas inocentes.

Na verdade, aprendi mais sobre a vida de meu pai no decorrer daqueles três ou quatro anos do que em toda a minha vida até então. Apesar de meu pai ser muito sério, faltando apenas raramente sobre eventos pessoais, houve momentos no Afeganistão nos quais realmente relaxou, fazendo-me acompanhá-lo de volta à sua vida pregressa.

Como agora sei que jamais voltarei a ver meu pai, já que seu percurso violento nos separou para sempre, penso com frequência naquele período e nas histórias que ele contava. Algumas de suas memórias mais queridas pareciam remeter a visitas de infância à Síria, ao lar da família de sua mãe e a quando ele não tinha tanta raiva do mundo.

"Omar, venha", ele dizia com sua voz baixa e agradável, batendo de leve na esteira colorida de algodão ao seu lado. "Quero lhe contar uma história. Quando eu era apenas um adolescente e estávamos de férias na Síria, eu costumava fazer longas caminhadas com o irmão de sua mãe, Naji. Nós gostávamos de explorar a floresta, virando em cada curva daquelas trilhas estreitas e tortuosas, muitas vezes saltando sobre correntes borbulhantes de água. As árvores nas montanhas da Síria eram virgens. Acredito que eu e seu tio Naji tenhamos sido os primeiros a caminhar sob a sombra de suas copas. Um dia, estávamos andando por uma área de vegetação rasteira, especialmente densa, quando ouvimos o som de uma cobra. Ela estava diretamente em nosso caminho, mas eu não queria matá-la, então ficamos parados para ver o que ela faria. Imóvel, a cobra olhava para nós com o mesmo interesse. Finalmente, ela deslizou um pouco para o lado e passei rapidamente por ela, mas seu tio Naji estava muito curioso, dizendo que queria examinar os desenhos coloridos da cobra. Alertei para que tomasse cuidado, mas seu tio era teimoso. Ele se aproximou ainda mais da longa criatura, quando, de repente, a cobra se irritou com a atenção humana e se encolheu com um silvo. O tolo Naji achou o movimento interessante e começou a se aproximar, quando ela se esticou repentinamente e avançou, fazendo Naji sair em disparada." Meu pai parou para sorrir e recordar. "Naji corria tão rápido que me alcançou, ultrapassando-me rapidamente. Quando dei meia-volta, tive um sobressalto. A cobra havia voltado sua atenção para mim. E lá fui eu, disputando corrida com seu tio, ambos querendo nos afastar daquela cobra veloz".

Meu pai, que sempre era sério demais, riu mais uma vez, lembrando-se daquele dia e concluindo: "Muitas vezes, me vi em apuros por causa da imprudência dos outros."

Ele gostava de recordar da mãe, minha avó Allia, com quem, desde que nascera, tivera a relação mãe-filho mais pura e amorosa possível. Mesmo quando era pequeno, eu reconhecia a relação sem igual entre eles. Na verdade, todos no círculo familiar mais íntimo sabiam que ele amava a mãe mais do que as esposas, os irmãos ou os filhos. Ele realizava qualquer coisa que minha avó desejasse. Quando estava em casa, ele a visitava a cada dois dias. Sempre que falava sobre a mãe ou com ela, sua expressão adquiria um certo brilho.

No Afeganistão, ele revelou algumas histórias que eu jamais ouvira: "Omar, essa é uma história que você precisa conhecer sobre sua avó. Lembro-me de que, certa vez, nossa família estava visitando a Síria e o meu padrasto, Muhammad Attas, levara eu e sua avó para um curto passeio de carro. Estávamos de férias, relaxados. Muhammad não percebeu que nossa pouca velocidade irritara o motorista de um micro-ônibus que estava atrás de nós na estrada. O motorista de pavio curto ficou tão irado que afundou o pé no acelerador, passando por nosso carro para bloquear nossa passagem antes de saltar do micro-ônibus e avançar em nossa direção com um rosto vermelho e ameaçador. Ele estava tão enraivecido que, quando Muhammad abriu a porta para cumprimentá-lo educadamente, na tentativa de aliviar a tensão, chegou a fazer ameaças antes de empurrá-lo com força.

"Omar, você recorda o quanto Muhammad foi gentil durante toda a vida, sem jamais levantar um dedo sequer para fazer mal a alguém. De todo modo, desejando evitar uma briga, Muhammad sentou-se novamente atrás do volante, fechou a porta e deixou o homem ralhando do lado de fora, esperando que se acalmasse. Apesar de Muhammad ter permanecido calmo, o comportamento daquele homem havia irritado tanto minha mãe, que normalmente era tranquila, que ela saltou do carro assim que Muhammad se sentou! Minha avó se moveu tão rapidamente que nem eu nem Muhammad conseguimos alcançá-la. Ela foi direto de encontro ao homem e lhe deu um tapa na cara antes de empurrá-lo, fazendo-o cair no chão. Ainda não satisfeita e furiosa com o fato de aquela pessoa estar livre para agredir os outros motoristas, ela anotou o número da placa do micro-ônibus e se apressou em relatar o incidente ao meu meio-irmão, que conhecia a família Assad, a dos governantes baathistas da Síria, como você sabe. Como resultado, o homem foi preso poucas horas depois."

Ele balançou a cabeça, sorrindo. "Minha mãe é uma mulher forte e determinada."

As histórias de que eu mais gostava eram sobre o pai dele, Mohammed bin Laden, que morrera quando meu pai ainda era criança. Meu pai, que jamais se recobrara emocionalmente da perda, mantinha o vovô Bin Laden, morto havia tanto tempo, em um pedestal.

Havia algo estranho que eu percebera na juventude. Jamais ouvi meu pai se referir ao meu avô por "meu pai". Em vez disso, sempre dizia "seu avô". Não tenho explicação para isso, exceto a de que ele parecia sentir dor ao dizer "meu pai".

Existem muitas histórias falsas sobre o relacionamento de meu pai com meus avós. Por exemplo, li certa vez que meu avô, Mohammed bin Laden, pedira o divórcio à minha avó, Allia, praticamente assim que meu pai havia nascido. Não é verdade. Na realidade, foi minha avó quem pediu o divórcio, apesar de não tê-lo feito até depois de ter engravidado pela segunda vez.

Pouco depois do nascimento de meu pai, vovó Allia descobriu que estava novamente grávida. Ela jamais disse se ficou feliz ou triste, mas, naqueles tempos, as mulheres que viviam na Arábia Saudita não tinham a vida tranquila que viria posteriormente. Apesar de casada com um homem que estava se tornando um dos mais ricos do reino, vovó Allia não tinha auxiliares domésticos, cabendo a ela a responsabilidade pela limpeza e pela faxina. Ela acabara de comprar um dos equipamentos mais novos no mercado: uma lavadora e secadora de roupas. Acredita-se que a máquina não tenha sido montada corretamente, pois uma vez, quando estava lavando as roupas, a parte giratória da máquina se soltou e rodou, atingindo minha avó no peito e na barriga. Ela caiu no chão, com muita dor. No dia seguinte, perdeu o filho que estava esperando, uma criança que seria irmão ou irmã de meu pai.

Algo relacionado ao aborto despertou um desejo por mudanças em minha avó. Pouco depois, ela pediu o divórcio ao marido. Meu avô Mohammed, percebendo que ela estava infeliz, concedeu-lhe o divórcio de modo gracioso e livre. Ele foi muito agradável em relação ao assunto.

Naquela época, uma mulher divorciada não tinha permissão para morar sozinha, de modo que, em pouco tempo, minha avó se casou com Muhammad Attas — que se tornou padrasto de meu pai —, um homem gentil e sábio que tinha tanta consideração pelo enteado quanto pelos próprios filhos.

Outro boato diz que, escreveram quando minha avó deixou o complexo dos Bin Laden, não levou Osama. Algumas pessoas escreveram que meu pai raramente via minha avó. Isso não é verdade. Meu pai era apenas um bebê quando a mãe se divorciou e casou novamente. Quando ela deixou o clã Bin Laden, tinha o filho em seus braços. Exceto por algumas visitas ao complexo dos Bin Laden, meu pai jamais deixou a casa da mãe. Apesar de Muhammad Attas trabalhar na companhia dos Bin Laden, sua vida pessoal ficou de fora. Minha avó Allia jamais voltou a fazer parte do círculo íntimo dos Bin Laden e, na verdade, tampouco meu pai, pelo menos até chegar à adolescência e passar a visitar a família com maior frequência.

"Omar, tenho algumas histórias sobre seu avô Bin Laden que você talvez goste de ouvir", meu pai prometeu sentado de pernas cruzadas no chão, segurando sua xícara de chá.

Sentei-me ansiosamente ao seu lado, prestando atenção em cada palavra.

"Omar, seu avô foi um gênio que ajudou a construir o reino da Arábia Saudita, tirando o país da areia. Enquanto seu avô trabalhava, alguns membros, principalmente Saud, um dos filhos mais velhos dele, estava tolamente esbanjando as primeiras riquezas provenientes do petróleo. Mas meu pai era tão leal ao primeiro rei, Abdul Aziz — que era um homem muito bom —, que nada o instigaria a dizer uma palavra sequer contra o comportamento do filho do rei."

Meu pai fez uma pausa com um olhar distante, refletindo, e depois disse: "Mas, obviamente, essa não é a minha história."

"Omar, seu avô era um homem muito severo, porque seus tempos assim exigiam. Ele era muito inflexível em relação aos filhos, tinha regras para tudo.

"Recordo que, certa vez, seu avô chamou os filhos para casa por algum motivo. Ele tinha uma regra rígida que determinava que, quando encontrava os filhos, deveríamos formar uma fileira perfeitamente reta, organizada de acordo com nossa altura, e não pela idade. Com nervosismo, formávamos a fileira, do mais alto ao mais baixo. Os meios-irmãos se encontravam raramente, de modo que passávamos muito tempo comparando nossas alturas, tomando cuidado para não ficar na posição errada, pois nosso avô detectava facilmente o transgressor. Antes da adolescência, eu não era o mais alto, apesar de ter ultrapassado meus irmãos posteriormente. Naquele dia, dois dos meus irmãos mais velhos, ambos mais altos do que eu, me prenderam entre eles. Eu realmente não sabia o que fazer. Sendo um garoto tímido, fiquei de pé em silêncio, na vã esperança de que seu avô não percebesse que eu fora capturado para ficar entre dois irmãos mais altos.

"Seu avô percebeu. Furioso, marchou até mim e, sem qualquer palavra de aviso, me atingiu no rosto com toda a força. Quase caí para trás. Jamais me esqueci da dor daquele golpe, tanto física quanto mental.

"Mas saiba que jamais quebrei aquela regra novamente, pois passei a correr de um lado para outro até encontrar o lugar certo na fileira.

"Apesar de ser severo demais com os filhos, seu avô era um homem muito generoso quando se tratava de estranhos. Lembro-me de quando encheu uma bolsa de lona com dinheiro e partiu rumo a uma pequena aldeia conhecida por sua pobreza. Ele bateu em todas as portas, distribuindo dinheiro para os aldeões surpresos, mas felizes. Era o tipo de proeza que o próprio rei costumava fazer. A maioria das pessoas que conheciam os dois dizia que o Rei Abdul Aziz e seu avô tinham os mesmos pensamentos.

"Lembro-me de minha mãe ter me contado uma das razões que a deixaram infeliz no casamento com seu avô. Ela recordou que os empregados dele costumavam ser jovens rapazes e homens, e que ele tinha o hábito chocante de pedir às esposas que formassem uma fileira e tirassem os véus. Em seguida, chamava tais empregados para que vissem seus rostos e indicassem qual esposa era a mais bonita. Obviamente, os empregados ficavam aterrorizados achando que a resposta pudesse irritar seu patrão ou até mesmo aborrecer as esposas, as quais detinham algum poder dentro dos confins da residência. Como era de se esperar, as esposas de seu avô ficavam devastadas com tal tratamento, pois naquela época as mulheres queriam usar os véus, considerando humilhante precisarem ficar enfileiradas como meretrizes em exposição. Mas seu avô era o rei de seu lar e todos faziam o que ele mandava. Isso pode explicar por que, alguns anos antes de morrer, ele fez uma confissão extraordinária, dizendo que a única coisa da qual se arrependia na vida era a injustiça que demonstrara em relação às mulheres. Ele estava triste quanto a esse aspecto de seu comportamento e disse que esperava ser perdoado por seu Deus."

Meu pai parou de falar por alguns minutos, quieto, olhando para além de mim, revivendo a memória de algo que acontecera muito antes de meu nascimento.

"Omar, eu tive apenas uma experiência a sós com seu avô. Foi cerca de um ano antes de ele morrer.

"Quando eu tinha apenas 9 anos, fui acometido por um desejo profundo de ter meu próprio carro. Amo carros desde pequeno. Eu falava incessantemente sobre automóveis, levando minha querida mãe e meu padrasto, Muhammad Attas, ao desespero. Como você sabe, Muhammad nunca foi um homem rico, então não tinha condições de satisfazer meu desejo. Contudo, depois de meses incomodando minha querida mãe, Muhammad anunciou que pediria uma reunião com meu pai biológico para que eu pudesse expressar meu desejo ao único homem que tinha o poder de realizá-lo.

"Quando soube da estratégia, fiquei nervoso, mas empolgado. Eu jamais ficara sozinho diante de seu avô, pois somente o via quando ele convocava todos os filhos. Portanto, eu não tinha o tipo de relacionamento que facilitaria a situação. Mas eu estava determinado a seguir em frente.

"Finalmente, chegou o grande dia. Muhammad Attas me levou ao escritório de seu avô, em Jidá. Lá estava ele, sentado atrás da maior mesa que eu já tinha visto. Sem sorrir, ele olhou para mim e perguntou: 'O que você quer, meu filho?'

Muhammad Attas deu um tapinha em meu ombro para me encorajar, nós dois aliviados por eu ter sido reconhecido tão facilmente, pois era sabido que seu avô nunca reconhecia os filhos. Ele sempre pedia ao descendente diante dele que se identificasse dizendo o nome da mãe. Mas, naquele dia, meu pai sabia que eu era filho dele. Compreendo agora que isso só aconteceu porque Muhammad Attas estava comigo, e seu avô sabia que minha mãe havia casado outra vez. Mas, na hora, não pensei na explicação lógica e fiquei extremamente satisfeito por seu avô saber exatamente quem eu era.

"Seu avô estava me encarando com severidade. Baixei os olhos porque jamais fixaria meu olhar no dele, com o cuidado de não demonstrar desrespeito. Fixei meu olhar no chão, escutando enquanto ele me pedia que lhe dissesse o motivo por estar ali. Ele fez a mesma pergunta três vezes antes que eu encontrasse minha própria voz. Fiquei surpreso com meu tom seguro: 'Eu quero um carro, pai.'

"Ele continuou repetindo a pergunta, e eu sempre dando a mesma resposta.

"Finalmente, ele me perguntou: 'Osama, por que você precisa de um carro?'

"Respondi: 'Preciso de um carro para poder ir dirigindo até a escola.'

"Ele perguntou: 'Por que você acha que merece um carro?'

"E eu: 'Gosto de carros. Serei um bom motorista.'

"E ele retrucou: 'Você está indo bem na escola?'

"Respondi: 'Estou.'

"Ele perguntou: 'Você é uma criança obediente?'

"Respondi: 'Sou muito bom.'

"Ele ficou sentado em silêncio por um instante, enquanto se decidia.

"Fiquei de pé, quieto, basicamente prendendo a respiração.

"Ele quebrou o silêncio: 'Não lhe darei um carro, mas uma bicicleta.'

"Fiquei devastado, mas sabia que levaria uma surra se protestasse. Ele voltou a olhar para os documentos que estavam sobre a mesa. Agradeci, e partimos. Ele não se despediu, nem eu. Acredito que tenha sido a última vez que vi seu avô, apesar de, obviamente, não saber no momento que aquele seria nosso último encontro. Apenas Deus conhecia o futuro, que seu avô estaria morto em menos de um ano.

"Meu coração estava tão carregado que eu não conseguia falar. Muhammad Attas era um padrasto muito gentil e se esforçou para me animar na viagem de volta para casa, tentando me empolgar com a ideia de que eu ganharia uma bicicleta nova em breve.

"Uma bicicleta vermelha foi devidamente entregue, mas não despertou felicidade em meu coração. Acho que pedalei nela algumas vezes antes de dar de presente para um de meus irmãos mais novos. Então, um dia, várias semanas depois, levei o maior choque de minha vida. Um carro novo em folha foi entregue em nossa casa em Jidá! Para mim!

"Foi o dia mais feliz de minha então curta vida. Apesar de minha mãe e Muhammad Attas não terem me deixado dirigir o carro por alguns anos, nosso motorista ou meu padrasto levavam-me para passear, o que me trazia muita alegria.

"Seu avô foi morto quando eu tinha 10 anos, então, obviamente, jamais tive uma segunda oportunidade de encontrá-lo em particular."

Depois de ouvir as histórias de sua infância, senti pena de meu pai, mas fiquei intrigado. Se, depois de tantos anos, ele ainda lembrava da dor que sentia quando o pai batia nele ou o ignorava, eu não conseguia compreender como ele era capaz de estar sempre pronto a bater ou ignorar os próprios filhos, e com tamanha facilidade. Jamais tive coragem de fazer essa pergunta a meu pai, apesar de, hoje, lamentar por isso.

Apesar de a estada em Tora Bora ter me dado a oportunidade de estar ao lado de meu elusivo pai, o local era inóspito demais para a vida humana. Se qualquer um de nós ficasse doente, estávamos longe de qualquer assistência médica. Como quis o destino, certa manhã fui tomado por uma febre alta. Acreditando ter contraído um vírus de gripe, dormi até tarde, mas não melhorei. Incomodado, piorei ainda mais, ficando com uma forte dor de cabeça e cãibras no corpo. Tudo que eu queria era minha mãe, pois ela sempre levava conforto quando um de seus filhos adoecia, afagando-nos com palavras doces e preparando sopas quentes. Mas minha mãe estava a milhares de quilômetros de distância, em Cartum, sem saber que seu filho Omar estava doente demais até mesmo para pedir ajuda.

Fiquei tão mal que os homens de meu pai ficaram preocupados e chamaram um dos motoristas, um homem chamado Shear. Meu sofrimento atormentador fez com que Shear agisse. Ele gritou que me transportaria para Jalalabad.

Não me recordo de onde meu pai havia se metido naquela manhã, mas, conhecendo-o bem, provavelmente estava fazendo uma longa caminhada. Nenhum homem no mundo gosta mais de caminhar por montanhas altas do que meu pai.

Portanto, sem o conhecimento de meu pai, fui colocado em um carro para que me levassem a Jalalabad. Foi a viagem mais sofrida de minha vida. Minha febre subiu e continuei a vomitar. Eu me contorcia. O pobre Shear, o motorista, dirigia rápido demais, levando em conta as estradas sinuosas e estreitas. Fico surpreso por não termos mergulhado montanha abaixo. Chegamos ao hospital de Jalalabad em tempo recorde, onde um estudante que estava aprendendo a tirar sangue testou em mim suas habilidades médicas limitadas. Fui diagnosticado com tifo e malária. Na verdade, o médico alertou aos homens que estavam comigo de que eu poderia morrer.

O médico encarregado ordenou que me dessem várias injeções e remédios. Os homens de meu pai se recusaram a me deixar sozinho no hospital, de modo que me deram alta para que eu fosse levado ao antigo palácio. Fiquei surpreso quando soube que não havia lugar para mim dentro do palácio, pois, àquela altura, os veteranos de guerra de meu pai do Paquistão, do Iêmen e de outros países estavam convergindo para o Afeganistão, trazendo junto suas esposas e filhas. As mulheres haviam tomado o antigo palácio. Devido à nossa cultura repressora, os homens não podiam mais entrar em lugares onde houvesse mulheres. Acabei convalescendo de duas doenças muito graves em um colchão de algodão sob a sombra de uma árvore no jardim.

Fiquei deitado ali, oscilando entre a consciência e a inconsciência por três dias. A juventude estava do meu lado, e, apesar de muito enfraquecido, recuperei-me lentamente. Antes que estivesse totalmente curado, meu pai ordenou que eu retornasse a Tora Bora para me recuperar. Quando cheguei, desabei sobre o colchão estendido no chão. Em 24 horas, a doença voltara ainda mais forte. A corrida frenética para o hospital de Jalalabad foi repetida.

Não me lembro de nada da segunda viagem montanha abaixo, mas tenho uma leve lembrança de ter sido atendido pelo mesmo médico jovem. Ele era pequeno, magro e tinha uma barba rala; eu estava tão mal que chamaram um médico mais velho para ser consultado sobre meu caso, mas tudo que ele fez foi receitar mais remédios. Fui novamente levado ao palácio para dormir sob a mesma árvore.

Acho que todos ficaram impressionados por eu não ter acabado envolto em uma mortalha e enterrado nas areias do Afeganistão.

A saúde de meu pai era outra história. Especulou-se muito quanto a ele sofrer de um grave problema renal, incluindo alegações de que seus rins estariam tão prejudicados que ele precisaria carregar uma máquina de hemodiálise no lombo de uma mula. Nada poderia estar mais longe da verdade. A única explicação para tal boato é que meu pai, assim como outros membros da família como um todo, tinha tendência a desenvolver cálculos renais, que produziam uma dor imensa até que saíssem do corpo. Fora isso, os rins dele eram fortes.

Apesar de os russos terem usado gases químicos contra meu pai e seus soldados, os efeitos a longo prazo não eram mais graves do que acessos de tosse ocasionais. Posteriormente, meu pai contraiu malária no Sudão, e, como a maioria das vítimas da doença, sofreu algumas recaídas, mas se recuperava rapidamente. Apesar dos agentes químicos e da malária, meu pai era fisicamente saudável. Ele fazia até caminhadas mais longas do que as que homens vigorosos com metade da sua idade conseguem.

Na verdade, enquanto vivemos em Tora Bora, meu pai não se importava em caminhar ao longo da fronteira e entrar no Paquistão. Para meu grande desânimo, ele decidiu que eu deveria acompanhá-lo, dizendo: "Omar, nunca sabemos quando a guerra pode começar. Precisamos saber como sair destas montanhas." Insatisfeito até que conhecesse cada centímetro do caminho, insistia: "Precisamos memorizar cada pedra. Nada é mais importante do que conhecer rotas de fuga secretas."

Sem aviso, ele poderia me acordar de um sono profundo para me dizer que caminharíamos até o Paquistão. Apesar de a fronteira não ficar terrivelmente longe, não havia um tempo de duração nem rota predeterminados. Estive com meu pai em caminhadas que duraram de sete a 14 horas. Uma vez, fui na frente, explorando um território novo em uma rocha mais elevada do que a trilha pela qual meu pai seguia. Estando pouco familiarizado com o terreno, pisei em falso e caí no chão duro, quase rolando por uma grande encosta. Meu pai, como sempre, permaneceu calmo diante de meu esforço desesperado, esperando com paciência até que eu subisse de volta à trilha para continuar a caminhada.

Quando perguntei o que ele teria feito se eu tivesse despencado de encontro à morte, ele respondeu: "Eu teria enterrado você, meu filho."

Quando chegávamos ao Paquistão, dormíamos no solo duro. Houve ocasiões nas quais arrisquei despertar a ira de meu pai, levando um lençol para me cobrir. Ele não havia mudado desde os tempos no Sudão, quando ordenou que cobríssemos nossos corpos com gravetos ou terra.

Fiz mais caminhadas ao Paquistão do que me importo de lembrar. Alguns meses depois, quando meus irmãos chegaram, eles também foram submetidos às caminhadas longas e penosas. Nós detestávamos aquelas caminhadas exaustivas que pareciam os mais agradáveis dos passeios para nosso pai.

Entre junho e julho de 1996, cerca de dois meses após a chegada ao Afeganistão, um mensageiro chegou correndo, com más notícias. Abaixando a cabeça com humildade, ele disse: "Querido príncipe Osama, tenho más notícias. Permite-me falar e compartilhar a notícia com você?"

O rosto de meu pai empalidecera, mas ele gesticulou para que o homem prosseguisse.

"Querido príncipe Osama, Mullah Nourallah foi morto", disse o mensageiro.

Os lábios de meu pai se apertaram, mas ele não disse nada, pois qualquer lamento seria como criticar o próprio Deus, que decidira que Mullah Nourallah estava pronto para o Paraíso.

Estávamos todos em choque enquanto o mensageiro fornecia detalhes da morte inesperada: "Eu estava com ele, querido príncipe. Estávamos viajando de Jalalabad para o Paquistão a negócios. Na metade do percurso, nossos inimigos saltaram de um esconderijo, armados com Kalashnikovs. Eles começaram a atirar contra todos no comboio. Mullah Nourallah, facilmente reconhecível em seu jipe vermelho, foi morto instantaneamente. Eu estaria com ele no Paraíso, mas Deus estava comigo. Enquanto os tiros passavam por cima de minha cabeça, tropecei e caí sobre uma pedra grande. Desarmado, fiquei deitado como os mortos até que os atacantes partissem. Depois me apressei em ajudar os sobreviventes.

"Mais tarde, descobrimos que os assassinos eram o irmão do criminoso que Mullah Nourallah executou ano passado e outros membros da família." Ele balançou a cabeça. "Mullah Nourallah já está em sua sepultura, querido príncipe."

Recordei das diversas vezes em que ouvira meu pai e outras pessoas avisarem a Mullah Nourallah para que protegesse sua preciosa vida, mas ele não era um homem que se preocupava com o que não podia controlar. Ele provavelmente tomou para si que seu destino era deixar a vida terrena em uma saraivada de tiros, pois esse era o destino da maioria dos combatentes afegãos. Matar era comum no Afeganistão, onde nem mesmo o menor insulto era ignorado, mesmo que isso resultasse em um ciclo de vinganças que envolvesse todos os homens da tribo.

Meu pai se sentou, abalado demais para falar.

Ouvi por alto conversas suficientes para saber quais eram as preocupações de meu pai. Mullah Nourallah fora nosso protetor poderoso em um país que se tornava mais sem lei a cada dia. Tal proteção desencorajava aqueles que pudessem ficar ofendidos com um árabe vivendo no Afeganistão. Agora, sem a personalidade forte de Mullah Nourallah nos protegendo, qualquer coisa poderia acontecer.

Os homens de meu pai se reuniram, silenciosos e tristes, esperando que ele dissesse algo. Pela primeira vez na vida, não restava qualquer palavra a ser dita ou algum plano de ação. Ele ficou sentado, estranhamente mudo, sem prestar atenção em ninguém ao seu redor, olhando para o nada.

Mas, ao longo dessa vida na terra, boas notícias costumam suceder as más. Poucas horas depois, o silêncio foi quebrado pelo radiotransmissor portátil de meu pai, emitindo um alerta dos seguranças que vigiavam a passagem na montanha: "Um automóvel chegou transportando três homens. Estão vestidos como talibãs. O que fazemos?"

Os talibãs se distinguiam em um país no qual compensava saber qual era a tribo ou a facção do homem à sua frente. Enquanto a al Qaeda é formada por muçulmanos sunitas conservadores, os talibãs são ainda mais rígidos: proíbem música e canto, soltar pipas, criar pombos, televisão, filmes ou educação para as mulheres. Proibiram os homens de se barbearem e todos os homens adultos receberam ordens de usar barbas com o comprimento mais longo do que o de um punho fechado abaixo do queixo.

Seus automóveis eram normalmente pretos, com vidros escurecidos.

A al Qaeda, criada por meu pai, seguia as crenças da facção wahhabi dos muçulmanos sunitas. Apesar dos wahhabi também serem extremamente conservadores, com a fé islâmica governando todas as facetas de suas vidas, eles diferem dos talibãs em vários aspectos. Os wahhabi destroem sepulturas de homens sagrados, pois aceitam que os verdadeiros fiéis devem honrar somente a Deus, sem chorar pelos mortos, mas os talibãs, não. Os muçulmanos da al Qaeda não acreditam em sonhos, enquanto os talibãs muitas vezes baseiam suas decisões neles.

Meu pai não hesitou e ordenou: "Deixem-nos passar. Deem-lhes as boas-vindas. Tragam-nos a mim."

Pouco depois, os seguranças de meu pai acompanharam os homens até nós. Eles estavam estritamente vestidos como talibãs, com dois turbantes nas cabeças, um enrolado no outro, com uma ponta pendurada logo acima dos ombros. Suas roupas tradicionais de pashtun consistiam de camisas de manga comprida feitas de algodão grosso, que desciam quase até os joelhos e se dobravam na cintura. Longos casacos escuros cobriam as camisas. Calças largas e botas populares na região, feitas de couro de iaque, completavam o traje.

Depois do segundo mês no Afeganistão, meu pai e eu havíamos deixado de lado nossas túnicas sauditas tradicionais e adotado os trajes dos pashtun, já que esses eram apropriados para o terreno, e meu pai disse que nossa vida seria mais fácil se não nos destacássemos em uma multidão. Raramente usávamos o turbante talibã porque era necessária muita habilidade para enrolar o longo tecido. Às vezes, porém, cobríamos a cabeça com o pequeno chapéu redondo comum entre os pashtuns.

O mensageiro principal se aproximou de meu pai, que estendeu a mão dando-lhe as boas-vindas.

O representante talibã foi direto ao assunto. "Mullah Mohammed Omar nos enviou a você. Ele pediu para informar que soube da morte de Mullah Nourallah. Agora Mullah Mohammed Omar lhe dá as boas-vindas e deseja que saiba que você e seu grupo estão sob proteção do Talibã. Este é um convite especial para que visite Mullah Mohammed Omar quando quiser, em sua casa em Cabul."

Meu pai deu o sorriso daqueles que foram salvos. Chá foi servido e os homens conversaram casualmente sobre os diversos pontos de conflito no país e o que aconteceria no futuro, pois os talibãs tinham conquistado quase todo o Afeganistão.

Depois da curta visita, os mensageiros partiram com estas palavras de meu pai: "Digam a Mullah Mohammed Omar que estou muito satisfeito e grato pelas boas-vindas. Eu gostaria de visitá-lo logo, mas antes preciso instalar minha família, que chegará em breve do Sudão."

Quando nossos visitantes deixaram a montanha, o humor de meu pai se elevou para o mais puro êxtase e sua expressão era de tanta felicidade que pareceu que ele abraçaria a todos na montanha. Mas não foi o que fez, limitando-se a dizer: "Omar, esta mensagem foi enviada por Deus. As boas-vindas de Mullah Omar são a resposta para todos os meus problemas nesse período tão difícil."

Meu pai não conhecia Mullah Omar, apesar de acompanhar meticulosamente o progresso dos talibãs. "Em breve", ele disse, "você verá, Omar. Em pouco tempo, o Talibã controlará todo o país. É bom para nós que tenhamos recebido este convite de seu líder."

Depois daquele dia, meu pai relaxou visivelmente e, pela primeira vez — que eu me lembre —, raramente levantou a voz para qualquer pessoa, nem mesmo para aqueles que lhe desagradavam acidentalmente. Ele estava tranquilo, sabendo que poderia trazer a família para o Afeganistão e que estaria livre de ataques por parte dos talibãs. Em menos de uma hora, meu pai deu ordens para que partíssemos o quanto antes para Jalalabad. Havia muito a se fazer para levar a família do Sudão.

Apesar do alívio interior de meu pai, a viagem de volta foi silenciada pela tristeza, pois nossos pensamentos se voltaram para Mullah Nourallah e para o fato de que jamais veríamos seu rosto alegre novamente. Jamais estivéramos em Jalalabad sem suas boas-vindas. Mullah Nourallah era amado por todos que o conheciam. Ele sempre fora muito afável e hospitaleiro. Mesmo chorando por sua morte, sabíamos que ele estava celebrando no Paraíso. Ficávamos felizes diante de tal pensamento, o que não queria dizer que não sentiríamos sua falta na Terra. Ele fora um dos homens mais bondosos em todo o Afeganistão, sensível a quem o rodeava, até mesmo a alguém com tão pouca importância quanto um garoto pequeno. Eu jamais me esqueceria de que, após algumas visitas a Tora Bora, ele chegara um dia com um cachorrinho marrom e branco debaixo do braço, dizendo a meu pai que o topo de uma montanha era um lugar solitário para um garoto. Ele disse: "Osama, este filhote é para Omar."

Meu pai não protestou, apesar de, depois de nossa experiência com cachorros em Cartum, eu ter certeza de que ele não estava coberto de felicidade. Mas o cãozinho, a quem dei o nome de Bobby, em homenagem ao cão que tive em Cartum, era um bom companheiro. Durante muitas horas solitárias, Bobby se aconchegou ao meu lado, compartilhando meu lugar solitário no mundo.

Não revelei meus pensamentos tristes ao meu pai porque temia que me acusasse, dizendo que minha dor significava que eu estivesse questionando a decisão de Deus, mas nem mesmo a ideia de uma festa no paraíso conseguiu apagar a imagem terrível de Mullah Nourallah morrendo ensanguentado.

Talvez para desviar meus pensamentos de Moullah Nourallah, meu pai começou a falar sobre sua missão na vida. "Omar, eu sei que você muitas vezes se pergunta por que faço as coisas que faço. Quando você for mais velho, entenderá. Mas por enquanto, Omar, apenas se lembre disso: fui colocado por Deus na Terra por uma razão específica. Meu único motivo para viver é lutar no Jihad e assegurar a justiça para os muçulmanos." Sua expressão era severa quando disse: "Os muçulmanos são os maltratados do mundo. É minha missão assegurar que outras nações levem o Islã a sério."

Ele interpretou meu silêncio como interesse e aquiescência, acredito, pois começou a fazer um de seus discursos sobre as políticas malignas dos Estados Unidos: "O presidente americano vê a si próprio como o rei do mundo, meu filho. O governo e o povo dos Estados Unidos seguem seu rei e invadem países muçulmanos mesmo quando o resto do mundo diz não. O Kuwait não era assunto deles. A invasão do Kuwait pelo Iraque era um problema do Oriente Médio, e cabia a nós resolvê-lo. Os americanos querem o petróleo, é claro, mas outro objetivo é escravizar os muçulmanos. Os americanos odeiam os muçulmanos porque amam os judeus. Na verdade, os Estados Unidos e Israel formam um único país, não dois.

Foi quando me lembrei de que os homens de meu pai, de vez em quando, resmungavam discretamente por suas costas, dizendo que ele ignorava os perigos de Israel. Os soldados odiavam este país mais do que odiavam os Estados Unidos. Eles desejavam atacar Israel e especulavam por que a ordem para o ataque nunca era dada. Mas ninguém era corajoso o bastante para fazer a pergunta diretamente a meu pai.

Minha língua se moveu antes que minha mente pudesse impedir. "Meu pai, por que você não ataca Israel em vez de os Estados Unidos?"

Meu pai olhou para mim sem responder.

Repeti o que ouvira os homens dizerem: "Israel é um país pequeno e próximo. Os Estados Unidos são um país gigantesco e muito distante de nossa costa."

Meu pai fez uma pausa antes de explicar: "Omar, tente imaginar uma bicicleta com duas rodas. Uma roda é feita de aço; a outra, de madeira. Agora, meu filho, se quisesse destruir a bicicleta, você destruiria a roda de madeira ou a de aço?"

"A de madeira, é claro", respondi.

"Você está certo, meu filho. Lembre-se disso: os Estados Unidos e Israel compõem uma bicicleta com duas rodas. A roda de madeira representa os Estados Unidos. A de aço, Israel. Omar, Israel é a potência mais poderosa entre as duas. Um general deve atacar a linha mais forte em uma batalha? Não, ele se concentra na parte mais fraca da linha. Os americanos são fracos, é melhor atacá-los primeiro. Quando removermos a fraca roda de madeira, a roda de aço deixará de funcionar automaticamente. Quem consegue conduzir uma bicicleta com uma roda só?"

Ele bateu em meu joelho com uma mão. "Primeiro, destruímos os Estados Unidos. Mas não quero dizer militarmente. Podemos destruir os Estados Unidos por dentro, enfraquecendo-o economicamente até que seus mercados entrem em colapso. Quando isso acontecer, eles não terão interesse em fornecer armas para Israel, pois não terão recursos adicionais para fazer isso. Neste ponto, a roda de aço será corroída e destruída por falta de atenção.

"Foi o que fizemos com a Rússia. Tiramos o sangue de seu corpo no Afeganistão. Os russos gastaram toda a riqueza que tinham com a guerra no Afeganistão. Quando não puderam mais financiá-la, fugiram. Depois disso, todo seu sistema entrou em colapso. Guerreiros sagrados que defenderam o Afeganistão são os responsáveis por colocar uma nação gigantesca de joelhos. Podemos fazer o mesmo com Estados Unidos e Israel. Só precisamos ser pacientes. A derrota e o colapso deles não acontecerão durante minha vida. Pode ser que não venham nem durante sua vida, mas é o que acontecerá. Um dia, os muçulmanos governarão o mundo." Ele fez uma pausa. "Este é o plano de Deus, Omar, que os muçulmanos governem."

Fiquei sentado em silêncio, sem sentir qualquer sinal de paixão pela vida de meu pai. Eu apenas queria que ele fosse como outros pais, preocupado com o trabalho e com a família. Eu não ousava contar a ele minha verdade, que jamais compreenderia por que a missão de mudar o mundo era mais vital do que suas obrigações como marido e pai.

Quando permaneci sentado sem expressar excitação com suas ideias, meu pai olhou para mim decepcionado. Ele estava acostumado à paixão de seus combatentes, homens que se agarravam a cada palavra que dizia, homens que dormiam, comiam e bebiam somente para a destruição de outros homens.

Tal paixão não existia em meu coração.

Meu pai e eu passamos o resto da viagem pela estrada pedregosa em um silêncio frio.

Meu pai retornou a Jalalabad com grandes planos. Agora que tinha a bênção de Mullah Omar, chamaria todos os seus antigos soldados. Alguns dos homens haviam estado com ele no Sudão e seu retorno seria simples. Na verdade, chegariam no mesmo avião que minha mãe e meus irmãos.

Os governos da região não aprovavam que meu pai morasse em suas terras porque sua paixão pelo combate ao mundo não islâmico atraía a atenção inconveniente de líderes ocidentais poderosos, mas pessoas comuns em todo o mundo muçulmano continuavam celebrando meu pai como um grande herói de guerra. Apesar de os governos muçulmanos não confiarem em meu pai e até mesmo o detestarem, ele era amado pelos cidadãos. Na verdade, assim que a notícia de que Osama bin Laden estaria construindo novos campos de treinamento para combatentes muçulmanos se espalhou, surgiram muitos recrutas ansiosos por ingressarem no Jihad. Com novos recrutas seguindo os antigos, testemunhei a criação de um novo exército de mujahidin prontos para o combate.

Em pouco tempo, meu pai teria mais homens se curvando às suas ideias do que nunca, homens dispostos a morrer por sua causa. À medida que iam chegando ao Afeganistão, fui conhecendo muitos soldados, pois tinha ordens de ficar ao lado de meu pai. Descobri que os soldados veteranos que haviam lutado com meu pai contra os russos eram, em grande parte, homens muito bons. Eles desistiram de sonhos pessoais para libertar um país muçulmano das garras de uma potência mundial. O propósito deles jamais fora matar civis inocentes. Mas percebi que, apesar de aparentemente felizes por desfrutar da camaradagem de antigos amigos soldados, eles pareciam não ter mais um fogo interior para lutar.

Os soldados mais novos eram notavelmente diferentes, tão ansiosos por matar e morrer que andavam afetadamente e com determinação pelos campos, guerreiros em treinamento. Mas quando se olhava de perto, o caráter deles parecia questionável. Muitos pareciam estar fugindo de problemas em seus países de origem. Alguns haviam fugido para que não fossem punidos por crimes violentos — por exemplo, um deles se gabava de ter cortado a garganta do próprio irmão quando o descobriu fazendo sexo antes do casamento. Outros viviam em tanta pobreza que só tinham comido carne poucas vezes na vida. A maioria não tinha condições de se casar. Como a sociedade do Oriente Médio promove casamentos com pouca idade e muitos filhos, aqueles homens se sentiam fracassados em relação às conquistas valorizadas por sua cultura. Muitos eram tão tristes que se sentiam vivendo em um inferno na Terra e eram facilmente tomados pela mensagem do Jihad de procurar a morte para que logo pudessem ser elevados ao Paraíso.

Eu sentia pena daqueles jovens; sabia que acreditavam que a morte seria uma grande recompensa, mas jamais senti vontade de morrer; na verdade, fazia o possível para permanecer vivo. Apesar de minha própria vida ser infeliz, eu queria viver e seguir a bênção de Deus que é viver na Terra.

Um dia, sentado à margem do topo da montanha Tora Bora e me sentindo particularmente desanimado com minha situação, meu humor melhorou instantaneamente quando meu pai anunciou que minha mãe e meus irmãos partiriam de Cartum na manhã seguinte.

Fiquei de pé com um salto, sabendo que, em breve, veria o doce rosto de minha mãe.

Ele disse: "Ficarei aqui em Tora Bora. Eles serão levados para o palácio em Jalalabad. Na manhã seguinte à que chegarem em segurança, você irá para lá e ficará por alguns dias até que eu providencie com meus homens o transporte de todos para cá."

Portanto, ele estava determinado a seguir o plano de fazer com que as mulheres e as crianças vivessem na montanha. Apesar de contrariado com aquilo em que a existência diária de minha mãe estava prestes a se transformar, eu também estava ansioso, pois não via minha querida mãe havia quase quatro meses. Eu queria gritar de alegria para as montanhas, mas contive minha empolgação porque meu pai não aprovava demonstração de emoções.

Dois dias depois, quando Shear me levou da Montanha Bin Laden, olhei para trás e vi meu pai observando nossa partida. Tendo atrás de si aquelas tristes montanhas rochosas, ele parecia uma figura envelhecida, solitária. Pela primeira vez na vida, percebi que ele pertencia ao passado, e eu, ao futuro. Senti-me um homem.

Capítulo 17

Um país muito, muito distante

NAJWA BIN LADEN

Em Cartum, aguardamos sob um suspense desconfortável por quatro longos meses, deixados a sós e solitários, imaginando o que nos aconteceria. Talvez me sentisse melancólica porque, logo depois de Osama me deixar, descobri que estava grávida pela décima vez. Meu marido nem sequer sabia. Não nos falávamos desde quando partira. E, sem Osama por perto, não pude sair de minha casa uma única vez no decorrer de quatro meses. O motorista da família providenciava os suprimentos para as mulheres e as crianças.

Meu marido se ausentara por longos períodos ao longo de todo nosso casamento, mas daquela vez fora diferente. Senti uma leve mudança, como se estivesse sendo avisada, algo comparável à agitação que surge entre animais, que ficam desesperados à medida que um tsunami acelera em silêncio sob o mar tranquilo. Aquela sensação espontânea me dizia que nossas vidas estavam mudando, e não para melhor. Até mesmo meus filhos mais novos, Iman e Ladin, ficaram tristes e desanimados.

Omar jamais havia viajado e com os anos se tornara o filho com o qual eu mais contava. Apesar de ter três irmãos mais velhos, Omar era meu filho mais sensível e maduro. Os dois filhos mais velhos que ainda estavam comigo em Cartum, Abdul Rahman e Sa'ad, pareciam sentir a falta dele mais do que as outras crianças, talvez por passarem mais tempo com o irmão. Abdul Rahman era, de modo geral, um garoto quieto, que raramente perturbava a ordem natural das coisas, enquanto Sa'ad tagarelava sem parar. Quando Omar estava fora, percebi pela primeira vez que ele exercia uma influência tranquilizadora sobre os irmãos.

Pensei em meu marido e em Omar todos os dias que estiveram longe. Exercitei minha paciência, mas, depois de quase 120 dias sem vê-los, comecei a ficar desesperada, precisando revê-los. Então de repente, em um dia feliz, os fiéis empregados de meu marido nos informaram que, na manhã seguinte, partiríamos todos de Cartum a fim de nos juntarmos a Osama e a Omar. Não me disseram para onde iríamos, e não perguntei. Fiquei mais surpresa quando soube que meu marido dera ordens para que deixássemos para trás todos os nossos pertences pessoais. Fomos instruídos a levar apenas duas mudas de roupa por pessoa. Não deveríamos levar nada da casa, nem mesmo uma agulha de costura! Eu só podia presumir que nossos pertences seriam enviados posteriormente. Meu marido sempre tomava providências para isso.

Havia outras considerações com as quais valia mais a pena me preocupar: como a mudança afetaria meus filhos? Meus pensamentos também se voltaram para Omar e o amor que sentia pelos cavalos. Mais uma vez, os amados cavalos do pai seriam abandonados para enfrentarem um destino desconhecido. Desde a partida de Osama, alguns dos homens de meu marido haviam levado Abdul Rahman, Sa'ad, Osman e Mohammed aos estábulos, de modo que os cavalos permaneciam em forma. Mas o que aconteceria àqueles lindos cavalos quando meus filhos não pudessem mais supervisionar seu cuidado? Eu não sabia. Percebendo o quanto tal notícia afligiria Omar, fiquei triste pela tristeza dele. Eu tinha muitas outras perguntas, mas elas permaneceram privadas, guardadas em meu coração.

A partida na manhã seguinte não foi tão complicada quanto na vez que deixamos a Arábia Saudita, porque não precisamos preparar nossos pertences pessoais. Partimos como uma família saindo de férias para voltar em breve.

Os empregados de meu marido chegaram à Vila al-Riade em um comboio de micro-ônibus e automóveis. Fomos conduzidos aos veículos que nos transportariam até o aeroporto. Olhei para trás apenas uma vez enquanto al-Riade se distanciava, desaparecendo. Outro capítulo de nossas vidas havia chegado ao fim.

Um grande avião fora alugado somente para nós. A família de Osama não viajaria sozinha, pois seus homens e suas famílias também estavam partindo.

As esposas e os filhos de meu marido tinham assentos marcados na frente do avião. Todos os outros lugares estavam ocupados pelos homens de Osama e suas famílias. Sem falar com pessoa alguma, acomodei-me com meus filhos. Minhas irmãs-esposas e seus filhos se sentaram perto o bastante para conversarmos, apesar de ninguém estar inclinado a bater papo.

Com Abdullah na Arábia Saudita e Omar com o pai, deixei Cartum com apenas sete filhos. Khairiah e Hamza, então com 8 anos, estavam conosco no avião, assim como Siham e os quatro filhos. No total, havia 14 membros da família de Osama no voo, quatro a menos do que quando viemos da Arábia Saudita. Minha mente estava mais tranquila do que você pode imaginar, pois, quando não se tem controle, não vale a pena se lamentar, mas rezei para que a paz cobrisse todo o mundo e para que minha pequena família fosse bem-acomodada. Mantive esse pensamento próximo ao coração.

Era um voo misterioso, pois ninguém a bordo recebera qualquer indicação de onde a viagem terminaria. Pelo que disseram a nós, mulheres, nem mesmo os homens sabiam se estávamos retornando à Arábia Saudita ou, talvez, nos mudando para o Iêmen ou o Paquistão.

Pelo que recordava do Paquistão, eu não seria infeliz lá. Conhecia pouco sobre o Iêmen, sabendo apenas que nossas duas famílias vinham de lá. Eu achava, porém, que era um país árabe muçulmano conservador que seria adequado ao nosso estilo de vida tradicional.

O voo pareceu durar uma eternidade, levando-me a acreditar que talvez fôssemos dar a volta ao mundo. Mas afinal, o piloto começou a diminuir a altitude do avião. Foi quando reparei pela primeira vez nos topos de grandes montanhas muito abaixo de nós. Mais alguns minutos se passaram e pude sentir que a altitude da aeronave diminuía ainda mais. Quando olhei novamente pela janela, vi que estávamos prestes a aterrissar em uma área plana de terra cercada por montanhas. Avistei algumas árvores. Meus pensamentos estavam confusos. Lembro-me de ter pensado: "Que país tão, tão distante é esse?"

De repente, surgiu um aeroporto muito pequeno, e consegui vislumbrar os nativos que moravam naquela terra. Homens vestidos com o que eu acreditava serem roupas afegãs estavam por toda a área do aeroporto. Reconheci os trajes nativos dos verões que passamos no Paquistão. Eu ainda não sabia se estava vendo um afegão no Paquistão ou no Afeganistão.

Meu coração parou algumas vezes antes que eu aplacasse todas as incertezas lembrando a mim mesma de que eu deveria ficar feliz por nossa família estar novamente unida, não importava aonde.

Depois da aterrissagem, tudo foi um pouco caótico. Nosso grupo inteiro foi conduzido a uma longa fila de micro-ônibus e pequenos jipes Toyota estacionados ao redor do aeroporto. Lembro-me de pouco mais daquele dia exaustivo. Recordo que fomos levados para uma grande casa branca chamada de "antigo palácio", onde alguém arrumara os melhores quartos para as esposas e os filhos de meu marido. Havia outras mulheres que moravam lá, casadas com os homens que trabalhavam para Osama.

Senti desconforto porque ainda não vira meu marido e nem meu filho, eu esperava que estivessem nos aguardando para receber-nos. Alguém disse que havíamos chegado ao Afeganistão, mas eu queria ouvir isso deles. Descansei mas não dormi por causa de todas as perguntas que giravam em minha cabeça.

Mas, na manhã seguinte, tive uma surpresa adorável quando meu belo filho Omar veio nos ver, esperando-me pacientemente fora do palácio.

Vestido como um afegão pashtun, meu filho estava muito diferente. Mesmo com aquelas roupas largas, pude ver que ele, que já era pequeno, havia perdido peso. Ele estava com dificuldade para respirar, fazendo-me lembrar de sua preocupante asma. Mas eu perguntaria depois sobre os problemas, pois naquele momento não disse coisa alguma. As crianças menores quebraram o silêncio com suas provocações, rindo juntos das roupas engraçadas do irmão.

Quando ele abriu seu sorriso doce e hesitante, eu soube que era meu Omar. Apesar de ainda não estar muito alto, ele tinha uma nova maturidade em seu rosto. Presumi que os meses que passara com o pai o haviam inserido no mundo dos homens.

O mais gentil dos meus filhos levantou delicadamente minha mão, beijou-a e disse: "Olá, mãe. Como você está?"

Respondi: "Estou bem, Omar. A visão de seu rosto é a melhor que eu poderia ter."

Meu filho beijou meu rosto coberto pelo véu mais de uma vez.

Com o suspense aumentando, finalmente perguntei: "Omar, onde estamos?"

"Vocês estão no Afeganistão, na cidade de Jalalabad, não muito longe da fronteira com o Paquistão."

Então era verdade, Osama tinha nos levado para o Afeganistão. Não havia nada a fazer além de agradecer a Deus por estarmos juntos e em segurança. Fiz duas perguntas: "E nossos pertences? Quando serão enviados para cá?"

Omar olhou em todas as direções, exceto para mim, e finalmente disse: "Eu não sei."

Fiquei levemente preocupada, mas não fiz outras perguntas. Veria meu marido em breve e esperava que ele esclarecesse tudo.

Eu não queria permanecer no palácio, que estava cheio de mulheres e crianças desconhecidas, de modo que perguntei a Omar: "Quais são nossas acomodações particulares?" Presumi que meu marido estivesse me esperando em um lugar agradável que seria nosso novo lar.

Meu filho pareceu hesitar um pouco ao responder: "Vocês todos virão comigo para Tora Bora. Meu pai está esperando vocês lá."

Eu lembrava do nome Tora Bora. Meu marido descrevera o lugar algumas vezes quando contara aos filhos sobre as batalhas que havia travado naquele esconderijo. Eu não conseguia imaginar por que estávamos indo para lá, mas, depois de muitos anos vivendo com Osama, eu aprendera a não fazer perguntas, pois tudo seria revelado quando meu marido considerasse apropriado.

Eu confiei em meu marido desde o primeiro instante do casamento, e ele sempre cuidara da família. Eu não tinha motivos para acreditar que daquela vez seria diferente, apesar de não conseguir imaginar morar em uma altitude na qual poderia tocar em uma nuvem. Eu sempre vivera confortavelmente perto do mar ou nas planícies.

Durante o resto do dia, permaneci muito quieta, sem dizer coisa alguma enquanto cuidava dos meus filhos menores.

Na manhã seguinte, Omar veio nos buscar com uma caravana de pequenos jipes. Ele veio no mesmo veículo que nós e, a seu modo, forneceu poucos detalhes. Conversamos casualmente sobre as outras crianças e sobre o que acontecera em Cartum desde que ele partira. Não perguntei a respeito, mas percebi que meu filho emanava certa perturbação, cuja causa não ficou clara até que eu tivesse percebido o que ele já sabia. Fiquei aliviada por Omar não ter perguntado sobre seus amados cavalos, pois eu só sabia que haviam sido abandonados, assim como nossos cavalos na Arábia Saudita.

A geografia do Afeganistão era impressionante, justamente como haviam me dito. Meus olhos viam uma terra incrivelmente bela. Pensei que gostaria de pintar aquela paisagem impressionante, mas logo me lembrei de que todos os meus materiais artísticos foram deixados em Cartum.

Eu estava tão esgotada que meus olhos se fecharam. Meus primeiros meses de gravidez afetaram adversamente minha energia, mas a estrada estava tão acidentada que fora impossível dormir. Iman e Ladin logo ficaram exaustos também e adormeceram profundamente.

Logo estávamos subindo uma grande montanha com o jipe, derrapando em uma estrada de terra não muito mais larga do que uma trilha. Com certeza, todos morreríamos! Fiquei feliz por estar com o véu, pois assim ninguém via a preocupação em meu rosto, mas Omar reparou em minhas mãos apertadas com os dedos entrelaçados. "Mãe, a primeira vez dá medo. Mas nossos motoristas são os melhores que existem. Até agora, ninguém caiu no despenhadeiro."

Meu filho queria fazer com que eu me sentisse melhor.

As montanhas ficavam tão próximas umas das outras que pareciam uma só. Omar, tão sensível que o acusei de conseguir ler pensamentos, disse "você logo ficará acostumada" antes de dar a notícia muito surpreendente de que uma daquelas montanhas gigantescas foi dada ao meu marido por um homem morto recentemente em um conflito tribal, Mullah Nourallah. Reconheço que a informação não fez com que me sentisse melhor de forma alguma, pois não me agradava que meu marido ficasse tão intimamente ligado a uma montanha gigantesca, em uma terra tão distante.

Naquele momento, passamos por um posto de segurança, onde os homens de meu marido vigiavam a área portando suas grandes armas. Obviamente, estavam nos aguardando, então passamos livremente. Quando estacionaram os jipes, Omar me deixou chocada com suas palavras: "Mãe, precisamos andar o resto do caminho."

Felizmente, a caminhada não era tão longa. Eu tinha muitas preocupações. Talvez tropeçasse e machucasse o filho que carregava na barriga. Ou talvez uma das crianças pequenas pulasse do despenhadeiro. Olhei para trás e vi Khairiah e Siham nos seguindo de perto e, apesar de estarmos todas usando véus, eu sabia no coração que seus rostos estavam cheios de preocupação. Para que lugar no mundo nosso marido estava nos levando?

Quando voltei o rosto para o céu, vi a grande figura de Osama de pé na extremidade de uma rocha. Seus homens haviam lhe avisado de nossa chegada, e, agora, ele estava observando atentamente a fila humana de mulheres e crianças subir sua montanha. Ele parecia estar em uma parte plana dela, e me perguntei se ele havia ordenado os empregados a talharem o granito. Fiquei surpresa ao ver que Osama estava acompanhado. Havia um grande cachorro ao lado dele. Omar disse para mim: "Este é Bobby, meu cão de guarda. Mullah Nourallah o deu para mim poucas semanas antes de morrer."

Comecei a me perguntar sobre aquele homem, Mullah Nourallah. Ele era um grande presenteador, dando de cães a montanhas. Os árabes honram pessoas tão caridosas. Um homem muito generoso que se importava com meu marido e meu filho fora morto. Lamentei por aquilo, apesar de que o mais provável fosse que o homem estivesse no Paraíso branco enquanto meus filhos e eu estávamos em perigo por causa de sua generosidade, enfrentando a montanha íngreme que dera tão graciosamente ao meu marido.

Chegamos mais perto de Osama. Atrás dele, pude ver algumas construções decrépitas feitas de rocha cinza-escuro. Admito que não me animaram. Apesar de meu coração ter ficado pesado pelo que eu estava vendo na montanha, havia uma centelha de felicidade genuína por ver a figura imponente de meu marido.

Osama cumprimentou todos os membros da família antes de me levar para a maior de todas as casas. Omar levou os irmãos para apresentá-los ao cão de pernas compridas, Bobby. Todos os outros ficaram quietos, esperando.

As construções eram basicamente casebres de pedra, construídos atropeladamente a partir de rochas de tamanhos diferentes que tinham sido talhadas da montanha em uma tentativa rústica de moldá-las em blocos. Quando Osama disse que eu estava diante de meu novo lar, realmente não consegui acreditar.

Meu marido jamais se desculpou por nada do que já tenha acontecido comigo. Naquele dia, não foi diferente. Em vez disso, ele disse que meus oito filhos e eu teríamos dois quartos e um banheiro. Havia uma sala de estar, que também seria usada como cozinha, e um quarto minúsculo, mobiliado com uma cama de madeira construída especialmente para mim.

Havia um banheiro muito pequeno recém-construído. Eu jamais vira um lugar como aquele, mas estava tão entorpecida que concordei com a cabeça e fingi demonstrar interesse.

Eu moraria com meus filhos em quartos quadrados extremamente pequenos, construídos no topo de uma montanha muito perigosa. Sabendo que meu marido não aceitaria queixas, mencionei as coisas que eu sabia não serem normais para casas nas montanhas, como paredes pintadas de branco e quase todo o piso central coberto recentemente com uma fina camada de concreto. As extremidades do piso que tocavam nas paredes permaneciam com terra, mas havia alguns tapetes baratos de nylon que suavizavam o efeito. Não mencionei o fato de não haver eletricidade na montanha, apesar de Osama sempre ter nos permitido usar iluminação elétrica, mesmo que tudo o mais do mundo moderno fosse proibido por ele. Imaginei que usaríamos lampiões, e estava certa, pois Osama apontou para alguns cilindros de gás que substituiriam os dos lampiões quando estes ficassem vazios.

Não vi torneiras de água encanada, mas não toquei no assunto. Vi um fogareiro portátil novo com apenas uma boca, do tipo usado em acampamentos, então percebi como prepararia nossas refeições. Meus filhos dormiriam em colchões finos de algodão no chão de concreto, pois não havia nenhuma mobília além da cama de madeira, apesar de eu ter visto algumas almofadas finas empilhadas em um canto do quarto maior.

Pensando em como aqueceríamos o casebre, olhei ao redor e vi uma caixa de aço em um canto. Ligado a ela, havia um cano que atravessava a parede. Perto, havia uma pilha de troncos mal cortados.

Os olhos de Osama acompanharam os meus, e ele disse: "As montanhas são repletas de árvores. Os garotos providenciarão muita lenha. Você ficará aquecida."

A montanha parecia-me fria, apesar de termos chegado no começo de setembro. Mesmo tendo passado a vida adulta em isolamento, eu aprendera o bastante para saber que as montanhas do Afeganistão eram famosas por violentas tempestades de inverno.

Tremi por antecipação ao pensar no que nos aguardava.

Esperei até a noite desse dia para contar a Osama que teríamos mais um filho. Não me lembro de sua reação, apesar de que, àquela altura, já era pai de 17 filhos e, provavelmente, ficara imune a muita excitação.

Assim, meus filhos e eu fomos viver em Tora Bora, em uma montanha muito alta que pertencia ao meu marido. Mesmo feliz por estarmos todos juntos, aqueles foram tempos difíceis em muitos aspectos.

Não demorou até que todos ficássemos cansados de nossa dieta limitada. Tínhamos ovos, ovos, ovos ou batatas, batatas, batatas ou arroz, arroz e arroz.

No café da manhã, comíamos ovos mexidos, queijo branco salgado, pão, água e chá verde. Para o almoço, às vezes tínhamos arroz misturado com legumes ou batatas e, de vez em quando, quiabo e tomates. Muito raramente, cada um de nós recebia uma lata de atum, um agrado empolgante para meus filhos pequenos, que jamais ganhavam doces ou qualquer comida especial do tipo que anima as crianças.

Meus filhos estavam crescendo e sempre sentiam fome, mas eu tentava aliviar a tensão com brincadeiras, dizendo certa vez aos garotos que logo estariam cacarejando como galinhas, pois ovos eram o único alimento cujo suprimento era farto, e meus filhos comiam enormes quantidades de ovos cozidos.

A falta de um sistema de água encanada era uma inconveniência da qual jamais me esquecerei. Nos primeiros dias, éramos obrigados a pegar água de uma corrente na montanha, mas era praticamente impossível fazer isso para um número tão grande de pessoas. Depois de algumas semanas, Osama providenciou que um caminhão entregasse água. Como as mulheres não deveriam ser vistas por homens de fora da família, alguém fez um pequeno buraco na parede do casebre por onde o entregador enfiava uma mangueira para passar a água. Minhas filhas e eu saltitávamos de um jeito engraçado, pois era essencial que fôssemos extremamente ágeis e pegássemos as jarras de plástico vazias para encher uma depois da outra sem nos molhar.

Jamais me queixei ao meu marido, nem mesmo quando lavava as roupas sujas em água fria em um grande balde de metal, cozinhava arroz naquele fogareiro desprezível de uma boca só ou resfriava os alimentos perecíveis em uma corrente na montanha. Diligentemente, eu varria o chão com uma vassoura estranha que alguém havia coberto com um tapete de nylon. Eu nunca tinha visto uma vassoura como aquela, mas ela servia ao seu propósito.

Nunca reclamei, nem mesmo quando sufoquei meus gritos enquanto meus filhos mais novos corriam descuidadamente à margem do despenhadeiro.

Jamais reclamei, mas costumava pensar nos pertences deixados para trás. Nunca disse o quanto sentia falta de meus pequenos tesouros, meus livros amados, as lindas moedas de ouro dadas a mim nas vezes que dei à luz. Eu sentia muitas saudades de minha coleção secreta de fotografias dos meus filhos. Desde o dia em que casamos, as determinações de meu marido em relação a câmeras e fotografias oscilavam, primeiro recusando a ideia, depois aceitando e depois, novamente, não. Tirar fotografias era meu pequeno pecado e desde o começo do casamento sempre consegui registrar as imagens mais doces de meus lindos bebês. Aquelas fotografias eram alguns de meus pertences mais preciosos que eu sabia ter perdido para sempre. Eu desejava ter alguns xampus e sabonetes perfumados, mas precisava me lavar com os detergentes mais grosseiros. Muitas vezes, perguntei-me a respeito dos belos vestidos que vestira com tanta alegria na privacidade de meu lar. Eu sentia falta até de minha abaya preta e dos véus e lenços pretos, pois assim que nossos pés subiram as montanhas rochosas de Tora Bora, Osama decretou que todos os membros da família deveriam assumir os trajes nativos. Até nós, esposas, abriríamos mão de nossas familiares abaias para não nos diferenciarmos das mulheres nativas. Assim, ele mandou seus motoristas a um bazar na aldeia mais próxima para comprarem os chadris ou burcas afegãs, aquelas coberturas em forma de tenda com uma abertura de treliça para os olhos. Eu preferia a abaya negra esvoaçante com o lenço sobre a cabeça e o véu à volumosa burca em tom pastel. Mas Osama disse que eu deveria me tornar uma mulher coberta pela burca, então foi o que fiz.

Para minhas duas irmãs-esposas e para mim, os dias eram muito parecidos. Nós três rezávamos cinco vezes por dia e, depois de fazermos as tarefas domésticas, líamos o Alcorão ou nos sentávamos para olhar as montanhas e observar os animais na floresta ao nosso redor, imaginando como seriam suas vidas. Minhas filhas pequenas, Fatima e Iman, passavam muito tempo comigo, e eu as entretia contando-lhes histórias divertidas de minha infância na Síria. Contudo, os momentos preferidos de minhas filhas eram quando os irmãos se sentavam em um círculo e descreviam a vida fora das paredes de pedra de nossa casa. Essencialmente, minhas filhas pequenas compartilhavam da *purdah* com a mãe, exceto quando não havia estranhos na montanha e eram liberadas para brincar com os irmãos.

Apesar de sentir falta da vida que conhecera anteriormente, não havia nada a fazer além de me adaptar. Eu vivia para minha família, portanto fazia o que precisava fazer. Isso não significa dizer que eu culpava meu marido, pois não o fazia. Ele estava em uma situação que fazia com que sua presença não fosse permitida na maioria dos países. Ele precisava viver onde fosse possível, e tal lugar era o Afeganistão.

Olhando o lado bom, pelo menos meus filhos respiravam o ar puro da montanha, e os garotos, pela primeira vez na vida, viviam livres como os pássaros, correndo de um lado para outro no topo da montanha como pequenos selvagens. Quando há tantas crianças, a vida nunca é enfadonha. Por causa do tédio, meus filhos mais velhos estavam colecionando um belo grupo de cães e planejavam montar uma fazenda de coelhos.

Apesar de os muçulmanos não gostarem de cães, meu marido permitiu que ficassem na montanha porque achou que o hábito natural de latir serviria como um bom sistema de alarme contra intrusos. Na verdade, quando morávamos em Cartum, meu marido comprara dois grandes cães de guarda, encomendando-os da Europa por meio de um catálogo. Eram pastores alemães, a quem meu marido deu os nomes Safier e Za'ear. Uma das maiores surpresas de minha vida foi quando um de meus filhos me disse que tinha visto o pai acariciar um dos cachorros. Eu jamais imaginaria que meu primo e marido, Osama bin Laden, pudesse permitir que seus dedos acariciassem um cachorro. Meu marido segue as palavras do profeta Maomé, que alertou os muçulmanos sobre os cães serem sujos e não devessem ser tocados. Infelizmente, aqueles cães caros não tiveram finais felizes, pois um foi roubado e o outro sofreu terrivelmente com uma doença misteriosa antes de morrer.

Felizmente, os cães no Afeganistão teriam mais sorte. Omar tinha seu doce cachorro Bobby, alto, marrom e branco, com pernas magras e tão compridas que despertavam muitas conversas e gargalhadas. Ele tinha um pelo longo e sedoso que despertaria a inveja de muitas mulheres. Abdul Rahman ganhou um cão preto de tamanho médio que tinha um jeito fofo. Sa'ad também arrumara um cachorro, mas a memória do rosto do animal foi deixada no Afeganistão. Osman apoderara-se de dois pequenos cães marrom que eram muito divertidos. Tenho certeza de que todos eles tinham nomes, mas, por mais que me esforce, só me lembro do nome do cão de Omar, Bobby.

De vez em quando, os cachorros ficavam um pouco agitados. Um dia, meu marido estava no quarto especial que havia reservado para reuniões com outros homens, já que em nossa sociedade não é apropriado que homens estranhos entrem em uma casa onde morem mulheres. O escritório de meu marido ficava um nível abaixo na montanha, tão perto que, de nossa perspectiva, víamos seu telhado tocar a área plana na qual as crianças brincavam. Naquele dia, Osama tinha três visitas importantes, homens a quem não conhecia, de modo que estou certa de que meu marido queria passar uma boa impressão.

Nossos filhos mais velhos, Abdul Rahman, Sa'ad e Omar, estavam se esforçando muito naquele dia treinando os cães para protegerem nossa casa. Algo que Abdul Rahman fez assustou os cachorros. Sa'ad, pensando em pregar uma peça engraçada no irmão, soltou as coleiras, e os cinco cachorros avançaram para as pernas e os tornozelos de Abdul Rahman. Este, coitado, entrou em pânico quando os cachorros começaram a mordiscá-lo, e saiu correndo. Ele galopava como um cavalo de corridas, correndo rápido demais para o terreno e deixando de observar a trilha enquanto se virava para ficar assegurado de que estava deixando os cães para trás. Como quis a sorte, Abdul Rahman correu diretamente sobre a margem da rocha e passou para o telhado de madeira e palha que cobria o escritório de Osama.

Enquanto meu marido e os visitantes discutiam assuntos mundiais de extrema importância, três galhos e folhas de grama seca caíram repentinamente sobre suas cabeças. Em seguida, veio uma criança, sacudindo os braços e as pernas. Meu filho, em pânico, mergulhara diretamente no telhado, atravessando-o e sendo contido pelo chão duro. Atordoado pelo tombo incontrolável, Abdul Rahman se encolheu aos pés dos surpresos visitantes de meu marido.

Omar descera rapidamente a encosta da montanha e disse que a visão teria sido curiosa se não fosse tão assustadora. Meu marido e os visitantes não moveram um músculo sequer, sentados tão imóveis quanto rochas quando Abdul Rahman caiu entre eles. Omar disse que olhou cuidadosamente para o rosto do pai para ver o que aconteceria, preparando-se para correr se necessário, mas Osama manteve a expressão de quem estava tratando de negócios, como se fosse perfeitamente normal que uma criança caísse atravessando um telhado.

Depois de um longo silêncio, Osama espanou lentamente com a mão os detritos de sua cabeça e de seu corpo, levantando-se para se aproximar de nosso atordoado filho. Ele tirou os galhos e as lascas de madeira do telhado das roupas de Abdul Rahman antes de se assegurar de que nosso filho tivesse escapado sem qualquer osso quebrado. Um dos visitantes comentaram que fora por sorte que o telhado "contivera muito bem" a queda de Abdul Rahman.

Delicadamente, Osama conduziu o abalado filho para fora da sala e lhe disse tranquilamente: "Meu filho, vá para casa ficar com sua mãe." Então meu sério marido olhou para a margem da rocha e viu os assustados Sa'ad e Osman olhando por sobre a borda. Omar contou que o pai disse com muita calma: "Sa'ad, Osman. Tirem os cães desta área ou os matarei quando a reunião terminar."

Os garotos reuniram os cães e partiram. Omar observou enquanto o pai retornou friamente para a reunião, e os quatro homens retomaram seus negócios como se nada fora do comum tivesse acontecido.

Omar era o filho que mais me preocupava. Percebi que, desde que fora para o Afeganistão, ele se tornara muito triste. Eu estava preocupada, mas não falava nada, e observava cuidadosamente enquanto Omar passava horas demais sentado dentro de casa. Às vezes, ele virava de costas para o mundo e ficava horas encolhido com o ouvido colado ao rádio, levando-me a crer que adormecera. Mas quando me aproximava para ver seu rosto, ele estava com os olhos abertos, como se fosse um cadáver que respirava. Meu filho mais sensível estava com problemas e a mãe dele não sabia o que fazer para ajudá-lo. O único bom conselho que podia oferecer era lembrá-lo de que tudo estava nas mãos de Deus e que, portanto, tudo ficaria bem.

Antes de as outras esposas e outros filhos chegarem ao Afeganistão, Omar tinha o pai só para ele. Acredito que essa proximidade tenha feito bem ao meu filho. De todos, Omar era quem mais ansiava pelo amor paterno. Mas agora que toda a família chegara ao Afeganistão, Osama voltara a se distanciar, visitando as esposas e os filhos com pouca frequência.

Certo dia, fiquei surpresa quando Abdul Rahman, Sa'ad, Omar, Osman e Mohammed me procuraram e, tendo Omar como porta-voz, disseram: "Querida mãe, nunca vemos nosso pai. Você poderia dizer a ele que precisamos de sua atenção?"

Fiquei tão chocada que perdi a voz. Era necessário pensar um pouco, pois, desde o início do casamento, eu jamais questionara meu marido. Osama sempre estava com a mente voltada para assuntos mundiais e não apreciava que as esposas se intrometessem. Mas, agora, meus filhos praticamente crescidos estavam pedindo um simples favor à mãe.

"Sim, falarei com ele", prometi, me comprometendo a encontrar forças para abordar meu marido.

Quando Osama apareceu de novo em meu humilde casebre para jantar e passar a noite conosco, encontrei coragem para lhe dizer: "Osama, seus filhos precisam de você agora que estão se tornando homens. Por favor, dedique algum tempo a eles."

Osama parecia perplexo, pois eu jamais fora tão direta. Mas ele não me repreendeu e disse: "Falarei com eles."

O casebre era tão pequeno que eu não tinha para onde ir a fim de que meu marido e meus filhos tivessem privacidade. Assim, quando Osama os chamou para uma conversa rápida, fui testemunha.

Meus filhos se reuniram em círculo e, como bons garotos, sentaram-se de modo respeitável, com uma perna sob o corpo e o outro joelho encostado no peito. Ali ficaram sentados, sem levantar o olhar. Em nossa cultura, garotos não encaram o pai de modo desafiador. Em vez disso, falam olhando para baixo. Como de costume, Omar fora escolhido pelos irmãos para transmitir a mensagem. Fiquei impressionada ao ouvir Omar falar tão claramente e sem medo: "Meu pai, estamos nos sentindo ignorados. Você é *nosso* pai, mas passa o tempo todo com seus homens."

Osama se sentou tranquilamente, bebendo chá e estudando os filhos. Finalmente, falou: "Meus filhos, não é que eu não queira passar o tempo com vocês. Eu ficaria muito satisfeito se pudesse ficar com todos por muitas horas todos os dias, mas vocês sabem qual é a minha situação e o quanto nossa vida ficou difícil. Vocês sabem quantas horas trabalho, e precisam aprender a ser gratos pelos breves momentos nos quais nos vemos."

Meus filhos não disseram coisa alguma. Eu sabia que a resposta de Osama não era a que estavam esperando. Sentindo que era necessário conversar mais, Osama disse a eles algo que poucos sabiam, pois meu marido não é um homem que revela facilmente as mágoas em seu coração. Ele esticou os dedos da mão direita como se os estivesse contando e disse: "Em toda minha vida, só vi o avô de vocês cinco vezes. Cinco vezes! Aqueles encontros breves, todos, exceto um com meu grande clã de irmãos, foram as únicas vezes que meus olhos viram seu avô. E, depois, ele morreu." Ele fez um estalo com a língua. "A verdade é que todos devemos ser gratos por nos vermos tanto assim."

Nossos filhos imitaram o pai, fazendo pequenos barulhos com a língua, claramente simpatizando com sua relação praticamente inexistente com o próprio pai.

Osama deu a eles algo mais importante em que pensar. "Vocês precisam entender. Tenho todos os problemas do mundo em minha mente. Não posso ser o pai perfeito que passa cada minuto do dia e da noite com os filhos. Mas, a partir de agora, tentarei passar mais tempo com vocês, meus filhos."

Os meninos concordaram com a cabeça, reconhecendo não haver nada mais que pudessem fazer.

Eu esperava muito que Osama fizesse o que havia dito. Nossos filhos pareciam garotos perdidos.

Naquela noite, pensei muito sobre meu marido e meus filhos e senti um ímpeto incontrolável de escapar das paredes de rocha do meu casebre, de respirar o ar livre ao meu redor. Depois de comerem ovos mexidos com pão árabe, meus filhos se recolheram aos seus colchões, revirando-se até que, um a um, caíssem no sono. Foi somente nesse momento que olhei para me assegurar de que era a única pessoa ainda acordada. Sentindo-me segura de que não seria pega, coloquei a estranha burca e dei passos leves até a borda da rocha, enrolando o tecido pesado do traje em volta de mim para que pudesse me sentar tranquilamente no chão rochoso e frio. Fiquei sentada ali, em silêncio, uma mulher coberta da cabeça aos pés, sozinha com os próprios pensamentos.

Não se ouviam muitos sons, pois as criaturas da montanha estavam dormindo, mas eu podia ver a muitos quilômetros de distância uma lua nova brilhando intensamente sobre o mundo, com pequenos raios de luz iluminando como um eco silencioso a cadeia interminável de montanhas íngremes. Fiquei sentada ali, observando o céu estrelado do Afeganistão através da abertura de treliça da burca. Eu não fazia mais parte da movimentação da vida terrena. Na verdade, eu sabia que em algum lugar além das montanhas de Tora Bora havia um mundo agitado passando por mim. Tais pensamentos fizeram com que me sentisse completamente só, uma mulher coberta por uma burca e esquecida por todos. Poucas pessoas no mundo sequer sabiam que Najwa Ghanem bin Laden existia. Mas ninguém poderia negar que eu tivesse vivido, pois eu era uma mulher que dera à luz nove filhos, com o décimo prestes a chegar.

Fiquei muitas horas sentada, quieta, com meus pensamentos e a lua cheia iluminando minha figura imóvel e pequena. Eu sentia como se eu não fosse nada além de uma pedra na montanha, conhecida apenas por Alá.

Capítulo 18

O exército de meu pai

OMAR BIN LADEN

Meu pai não cumpriu a promessa de dedicar mais tempo aos filhos. Depois de nosso encontro, a vida seguiu como antes, com ele totalmente envolvido com seus "assuntos mundiais" e seus filhos girando em torno do perímetro de sua vida em função do Jihad.

No Sudão, ele mantivera o interesse por assuntos normais da vida, como seus negócios, fossem as fazendas ou as fábricas, mas, quando perdeu o direito de viver e trabalhar naquela nação africana, sua fúria incensou um desejo profundo de vingança. Foi quando o Jihad violento se tornou sua vida, deixando de ser meramente parte dela.

Depois que nossa presença foi aprovada por Mullah Omar, meu pai se sentiu confiante para convocar soldados para o Jihad. Um enxame de homens foi para o Afeganistão, abelhas operárias trabalhando para "sua rainha" ou, naquele caso, para "seu rei". E por que não? Meus olhos testemunharam o efeito poderoso que a simples presença de meu pai tinha sobre rudes guerreiros.

Foi nesse período que me interessei ativamente pelo mundo do Jihad e pela evolução da organização de meu pai, a al Qaeda, a partir do escritório de serviços de Abdullah Azzam, criado com o objetivo de organizar a resistência contra a presença soviética no Afeganistão. A necessidade por tal organização era grande. Com tantos jovens combatentes marchando em território desconhecido, era necessário estabelecer um processo de registro para que fosse possível manter controle de onde se encontravam. Havia outras necessidades. Os soldados precisavam de moradia no Paquistão durante o processo de registro, e também no Afeganistão para o treinamento. O treinamento era extremamente importante, pois a maioria ignorava o que era necessário para se tornar um soldado eficiente. Foi preciso escolher comandantes que liderassem os soldados.

O empenho para estabelecer uma força militar tão bem organizada era incrivelmente complexo, pois Abdullah Azzam e meu pai começaram com pouco mais do que muito dinheiro e o desejo de travar uma guerra sagrada.

Naquele tempo, meu pai era um estudante entusiasmado, aprendendo muito com Abdullah Azzam. Meu pai logo fundou sua própria casa de hóspedes (Casa de Ajudantes) a fim de oferecer assistência aos combatentes mas, na verdade, criou o próprio exército de voluntários árabes.

Quando a guerra chegou ao fim, meu pai visava expandir sua missão. Apesar do fato de ter libertado o Afeganistão dos invasores russos ter consumido quase toda sua energia por praticamente dez anos, meu pai ficava cada vez mais apaixonado pela ideia de impor mudanças ao Oriente Médio; ele queria erradicar a interferência ocidental da região, além de derrubar reis e ditadores árabes, os quais seriam substituídos por líderes religiosos. Depois de cumprir tal primeira missão, a segunda seria mudar o mundo.

O mundo inteiro seria islâmico.

Sabemos agora que a al Qaeda foi criada como resultado da visão de mundo de meu pai. Apesar de haver outras organizações islâmicas com uma visão parecida, devido à riqueza de meu pai e à sua paixão pelo Jihad, a al Qaeda se tornou a principal influência sobre as ambições do Jihad islâmico. Foi nesse ponto que os tentáculos sorrateiros da al Qaeda começaram a se espalhar pelo mundo com sua nova missão de violência.

Depois da Guerra do Golfo, a atenção de meu pai se fixou nos americanos e nos ingleses. Seu ódio pelos americanos logo levou ao infeliz rompimento com a família real saudita.

A posição de meu pai endurecera ainda mais desde o exílio.

Ele começou a criar campos de treinamento em todo o Afeganistão. Muitos ficavam nos campos militares russos abandonados e outros foram construídos. À medida que fui ficando mais velho, recebi permissão para vagar pelas margens dos negócios de meu pai. Pela primeira vez, comecei a ouvir histórias alarmantes sobre o imenso ódio dos americanos pelo Islã, tão grande que estavam mandando seu exército gigantesco para todas as partes do mundo com o propósito de matar muçulmanos inocentes. Recordo de terem me mostrado um mapa que indicava todos os países que permitiam que soldados americanos fincassem base em seu território. Os americanos tinham bases militares em mais de cinquenta países e membros das Forças Armadas em aproximadamente 150 países.

Observei o rosto dos soldados de meu pai quando começaram a apontar para o mapa, comentando que os americanos estavam em todos os lugares. Meu pai falou: "Os Estados Unidos são a única potência no mundo com um exército capaz de patrulhar e controlar o mundo. Eles penetraram em todas as regiões. E com qual propósito? O de destruir nossa sociedade islâmica."

Eu não conhecia nada do mundo além do ambiente que me cercava, então os discursos facilmente me alarmaram quanto aos perigos que eu enfrentava sendo muçulmano.

Os líderes do Jihad faziam muitos discursos nos quais diziam aos jovens muçulmanos que os americanos tinham imposto aos palestinos essencialmente o Estado de Israel. Ouvíamos que cada bala disparada pelos israelitas contra os palestinos era um presente precioso dos americanos. As luvas israelenses cobriam mãos americanas.

Obviamente, hoje sei que tais visões não se limitavam aos líderes da al Qaeda e haviam se tornado comum por todo o mundo muçulmano. Como muitos governos árabes cultivam as mesmas crenças, os soldados de meu pai chegaram mentalmente preparados para ouvirem aquilo. O governo dos Estados Unidos é muito odiado por quase todos no mundo árabe, apesar de o povo americano, individualmente, ser visto mais favoravelmente.

Em reuniões realizadas em Kandahar, os combatentes ficavam enfurecidos ao assistirem gravações em vídeo que mostravam soldados israelenses pisoteando alegremente mulheres palestinas; tanques israelenses destruindo casas palestinas propositalmente; soldados israelenses chutando maldosamente meninos palestinos; e soldados israelenses odiosamente atirando, para matar, em crianças palestinas pequenas que tacavam pedras neles.

Ao final das exibições, os jovens irrompiam das reuniões, com os corações explodindo de raiva. Os combatentes de meu pai no Jihad estavam prontos para a guerra, não importava o formato que ela pudesse tomar. E quem podia culpá-los? Aquela visão era a única realidade que tinham. Muçulmanos precisam agir antes que sejam atacados!

Sendo um garoto jovem e maleável, eu saía das reuniões aceitando como verdade que todos os muçulmanos corriam um grande perigo e que era apenas uma questão de tempo até que fôssemos obrigados a lutar por nossas vidas. Comecei a compreender por que meu pai treinara a família a dormir em buracos cavados na areia do deserto. Talvez pudéssemos nos encontrar naquela situação algum dia, e era melhor que estivéssemos preparados.

Eu não tinha ideia de que, na verdade, a maioria do povo americano não se importava muito com os muçulmanos. O povo americano sempre viveu em um isolamento protetor, com os problemas do mundo mantidos afastados por seus oceanos. Os israelenses eram outro problema, pois eram parte de nossa vizinhança muçulmana. Estava claro que os israelenses pensavam em nós com mais frequência e em termos mais perigosos.

Em pouco tempo, eu e meus irmãos nos tornamos uma parte mais intrincada da visão de mundo de meu pai. Pouco depois da chegada de minha mãe e de meus irmãos ao Afeganistão, meu pai ordenou que todos fôssemos treinados a usar armas. Apesar de caçarmos havia anos e de termos sido presenteados com nossas Kalashnikovs depois do atentado em Cartum, meu pai disse que chegara a hora de um treinamento sério.

Antes de qualquer coisa, meu pai escolheu alguns de seus soldados mais experientes para nos ensinarem tudo sobre tal arma, dizendo-nos que estávamos proibidos de ficar sem ela, mesmo no sossego de nosso lar. Com certeza, não conseguia me lembrar de já ter visto meu pai a mais do que um braço de distância de sua arma, mesmo quando em visita à minha mãe.

Não fiquei triste por aprender mais sobre armas, pois vivíamos em um mundo perigoso. Infelizmente, apesar de familiarizados com a arma, meus irmãos e eu éramos irresponsáveis. Devido à nossa idade, nossa etiqueta com as armas era decepcionante. Recordo de uma ocasião quando meus irmãos e eu disparamos na direção dos pés uns dos outros, ordenando: "Dance! Dance! Dance!"

Como éramos filhos de nosso pai, jamais nos repreenderam, mas tenho certeza de que os soldados ficaram loucos para nos dar uma surra.

Foi nesse mesmo período que nosso pai sugeriu que meus irmãos e eu visitássemos alguns de seus campos de treinamento da al Qaeda. As sugestões de meu pai eram, na realidade, ordens, então fomos. Fiquei surpreso ao ver que as acomodações fornecidas aos soldados eram ainda piores do que nossas próprias residências espartanas. As construções eram pequenas e feita de barro, atendendo a poucas necessidades vitais. Obviamente, meu pai se assegurava de que não houvesse nenhum método de calefação no inverno ou de refrigeração no verão.

Os homens em treinamento eram rudes. Alguns eram velhos, mas a maioria era jovem. Nenhum deles raspava a barba e quase todos tinham barbas longas. Não havia uniformes específicos para serem usados nos campos, de modo que alguns dos homens se vestiam como talibãs, outros como pashtuns e, para minha surpresa, havia uns soldados circulando em uniformes de soldados americanos ou russos. Fui informado de que, quando os russos partiram, eles não se deram o trabalho de levar seus suprimentos militares. Foram descobertos armazéns com uniformes, armas e comida. Os suprimentos foram bem utilizados por meu pai. Jamais descobri onde os soldados de meu pai encontraram os uniformes militares americanos.

Antes mesmo que pudessem iniciar o treinamento, os homens precisavam fazer um juramento de lealdade ao meu pai. A rotina deles em campo era rigorosa. Os homens acordavam cedo para as primeiras orações do dia antes de ser servido do um pequeno café da manhã com um ovo cozido, pão e chá. O treinamento seguia até uma da tarde, incluindo exercícios especiais organizados para colocarem os homens em plena forma, de corridas no solo plano do vale a arrancadas subindo montanhas íngremes. Os homens aprendiam a lutar corpo a corpo. Precisavam correr ao lado de automóveis, aprendendo a assassinar os passageiros. Saltavam obstáculos e terminavam com uma cambalhota, aprendendo a escapar se a missão desse errado.

Eles aprendiam como tomar prisioneiros e o que fazer com eles quando estivessem sob controle. Métodos especiais de interrogatório eram ensinados aos soldados que demonstrassem uma inteligência acima da média.

Após a sessão de treinamento matinal, havia uma pausa de duas horas para descanso. Depois, o treinamento recomeçava e seguia até as seis da tarde, quando era servido o jantar. Um prato comum no jantar era arroz com legumes; se bem que, às vezes, os soldados recebiam uma lata de atum de presente. Quando o dia terminava, havia outras obrigações, pois os homens em treinamento precisavam participar de palestras sobre por que o Jihad era importante, as quais consistiam basicamente de ataques verbais aos Estados Unidos.

Depois da última palestra, os soldados ficavam livres para conversar ou para ler o Alcorão. Raramente, jogavam futebol, despertando minha culpa com a memória de quando, em Peshawar, eu acabara com a bola do soldado em minhas mãos.

De modo geral, os soldados estavam fisicamente tão exaustos ao final do dia que adormeciam no instante em que seus corpos se esticavam sobre os colchões finos. Confortei-me com o pensamento de que poucos estavam pensando em jogar futebol ou qualquer outro esporte.

A higiene pessoal não era uma prioridade, pois nenhum dos soldados trocou de roupa enquanto estive no campo, treinando e dormindo com as mesmas roupas. Quando o clima cooperava, os soldados podiam caminhar até uma fonte ou um rio para lavarem os corpos com um pedaço barato de sabão e tentarem lavar as roupas ainda no corpo. Percebi que todos os soldados eram magros, mas com músculos fortes.

O treinamento com armas era uma parte importante do programa. A quantidade de armas nos campos era impressionante. Havia mísseis Stinger, presenteados no passado pelos americanos aos guerreiros mujahidin. Os homens em treinamento eram ensinados a fazer explosivos e a plantar bombas. Para mim, o mais impressionante era aprenderem a conduzir tanques. Quando moramos no Sudão, eu aprendi a operar alguns dos equipamentos pesados de meu pai, de modo que estava familiarizado com isso. Por diversão, fui voluntariamente aprender a conduzir tanques, apesar de jamais ter tido a oportunidade de lutar em uma batalha com eles. Quando me cansei do rigor do campo, retornei sozinho para Tora Bora, feliz por meu pai estar ocupado demais para fazer perguntas. Tenho certeza de que ele presumia que, por ser seu filho, eu tivesse herdado seu amor pela guerra.

Revelarei outras histórias sobre os soldados de meu pai, mesmo sem conseguir me lembrar as datas exatas em que testemunhei os eventos. Nossas vidas eram muito caóticas, e ninguém mantinha um diário e tampouco consultava calendários. É praticamente impossível olhar para trás e datar com precisão a vida ou os eventos cotidianos.

Apesar de muitos soldados sentirem um desejo autêntico de defender o Islã lutando contra o Ocidente, havia outros personagens muito bizarros no exército de meu pai. Recordo de um paquistanês em particular que tinha vindo se juntar ao Jihad. Era tão religioso que ficou conhecido por não fazer nada além de treinar, comer e ler o Alcorão em voz alta. Um dia, iniciou uma campanha de abraços e decidiu abraçar todos os guerreiros fortes, o que, devo admitir, não foi recebido com muita cooperação. Ele se recusou a dormir até que tivesse abraçado todos os soldados.

Os soldados tentaram descobrir o que estava acontecendo com o paquistanês. Em nossa cultura, é comum que homens deem as mãos ou se beijem ao se cumprimentarem, mas não é comum ser um abraçador crônico. Os alojamentos não tinham calefação e ficavam tão frios durante os meses de inverno que, por necessidade, os soldados dormiam lado a lado, às vezes enrolando as pernas no companheiro mais próximo com o intuito de produzir calor. Nada daquilo significava que qualquer um dos homens tivesse intenções sexuais. Estavam simplesmente congelando.

Certa noite, um jovem que não falava árabe saiu correndo do quarto no qual o paquistanês havia acabado de se recolher para dormir. Ele gritava o mais alto que conseguia, dizendo que o homem estava ferido. Todos correram para ver com os próprios olhos, encontrando o paquistanês com um grande buraco no pescoço. Ele levara um tiro e morrera instantaneamente.

O jovem histérico alegou que ocorrera um acidente quando estava "brincando com sua arma". Obviamente, ninguém soube a verdade sobre aquela noite. Seja lá o que tenha acontecido, o resultado foi trágico, pois dois homens perderam a vida, uma vez que o jovem atirador foi levado pelos talibãs, provavelmente para ser executado.

Em todos os campos, havia alguém que gostava de pregar peças. Recordo-me especificamente de um soldado que criou muita confusão usando supercola nos colegas que dormiam. Foi assim: um homem havia se ferido e os outros dormiam perto dele, na tentativa de mantê-lo aquecido. Enquanto dormiam, o piadista colou as mãos e as pernas dos soldados com supercola. Surpreendentemente, os amigos não lhe deram uma bela surra, mas passaram-se meses até que conseguissem perceber a graça da travessura.

Apesar de terem havido muitos relatos de homens que alegavam ser o motorista de meu pai, a verdade é que ele nunca tinha um motorista específico. Querendo despertar ciúmes entre seus seguidores, meu pai tinha o hábito de caminhar para um seguidor de confiança e dizer: "Leve-me para Kandahar" ou "Leve-me para o campo". Nenhum dos homens que dirigiam os veículos de meu pai sabia quando poderia ser chamado para transportá-lo, apesar de todos desejarem ser escolhidos pela honra.

Por esse motivo, fiquei chocado ao acompanhar em 2008 o julgamento de um homem chamado Salim Ahmad Salim Hamdan, identificado pelos americanos como motorista e guarda-costas de meu pai. Salim foi acusado de cometer crimes graves depois de ter sido preso em um bloqueio em uma estrada no Afeganistão, em novembro de 2001. Supostamente, dois mísseis terra-ar teriam sido encontrados em seu carro, e os americanos acreditavam que estivesse entregando armas.

Não faço ideia se Salim transportava armas por ordem de meu pai, mas o que me surpreendeu foi ouvi-lo repetir uma das acusações, alegando que sim, realmente era motorista de meu pai. Os americanos estavam errados e Salim admitiu ser algo que jamais fora. Talvez ele ainda reverenciasse tanto meu pai que quisesse ser lembrado pela história como um seguidor especial dele. Ele provavelmente achava impossível que fosse submetido a um julgamento justo e que daria no mesmo associar um pouco de glória ao seu nome. No mundo árabe, Salim e toda sua família seriam muito louvados e recompensados por ele ter sido identificado formalmente como o motorista de confiança de Osama bin Laden.

Admito que fiquei feliz quando o júri americano inocentou Salim das acusações mais graves, como conspirar com a al Qaeda para atacar civis, pois posso dizer que Salim jamais foi membro de tal grupo. Só porque um antigo veterano tinha prazer em estar perto de meu pai não significava que pertencesse à al Qaeda. Passei anos ao lado de meu pai e até observei os campos de combatentes com meus irmãos, mas nunca entrei para a al Qaeda.

Antes que os soldados de meu pai tivessem permissão para aparecer nos campos, eles precisavam escolher um nome fictício. Os soldados também eram instruídos a "esquecer o passado", estando proibidos de compartilhar informações pessoais sobre suas vidas pregressas. Meu pai disse que era necessário criar aquelas cortinas de fumaça, impossibilitando futuros soldados capturados de revelarem os nomes reais de outros soldados. Como poderiam revelar um nome que nunca tinham ouvido?

Acredito que por causa disso os serviços de segurança americanos enfrentaram muita dificuldade para localizar muitos soldados. Somente os veteranos da guerra contra a Rússia sabiam os nomes verdadeiros dos outros veteranos. Nenhum dos recém-chegados revelava seu nome verdadeiro aos outros, ou, quando revelavam, os nomes eram esquecidos rapidamente devido ao uso rotineiro dos nomes falsos.

Por exemplo, meus irmãos e eu conhecíamos Salim como Sakhr al-Jadawi, que significa "Águia de Jidá". Sakhr nasceu no Iêmen e tinha a aparência típica dos iemenitas, sendo pequeno, rude, com pele escura, olhos castanhos e cabelo preto. Ele era baixo, um pouco largo, mas nunca gordo. Usava um belo bigode com uma barba rala. O que mais me lembro é de que Sakhr era uma alma feliz, e muitas vezes era visto rindo e contando piadas.

Sakhr tornou-se um de meus homens favoritos no Afeganistão. Lembro-me de que ele era muito jovem, apenas um adolescente, quando foi voluntário para viajar do Iêmen para o Afeganistão para combater os russos. Após o final da guerra, ele permaneceu na região, desencorajado a voltar para o Iêmen, pois muitos combatentes mujahidin foram presos pelos próprios governos quando voltaram para casa.

Apesar de Sakhr não ser especificamente o motorista de meu pai, ele *era* um motorista excepcional, capaz de manobrar pelas estradas estreitas e sinuosas do Afeganistão melhor do que qualquer pessoa que eu conhecia. Sakhr também era o mecânico preferido de meu pai, pois ninguém tinha a mesma habilidade em consertar carros ou jipes. Tal ofício foi o único de Sakhr durante todo o tempo que morei no Afeganistão, apesar de não poder dizer ao certo qual foi seu papel depois que deixei o Afeganistão pela última vez, em 2001. Estou certo de que Sakhr jamais foi um guarda-costas, pois não tinha os atributos necessários para servir em tal posição.

Sakhr também era um dos preferidos dos veteranos da guerra contra os soviéticos. Ele era um homem pacífico, proclamando com frequência que concluíra sua missão de combatente contra os russos. Não tinha as condições físicas típicas de um soldado e, como a maioria dos veteranos da guerra contra a Rússia, nunca se deu o trabalho de reciclar as habilidades de soldado nos campos. Ele era mais como um amigo de meu pai, mas jamais expressou fascínio por Osama bin Laden ou medo dele, como tantos soldados faziam. Muitas vezes, vi Sakhr sentado ao lado de meu pai, os dois recordando de uma coisa ou de outra.

Sakhr passava boa parte de seu tempo livre com os filhos de Osama bin Laden. Ele organizava churrascos nas planícies e nos acompanhava em cavalgadas. Àquela altura, meu pai já tinha comprado cavalos. Às vezes, Sakhr brincava conosco ou nos ajudava com nossos cachorros ou coelhos.

Quando retornei de minha primeira viagem aos campos de treinamento, fiquei perdido e confuso. Houve momentos nos quais senti muita

raiva do Ocidente, pois a propaganda é uma arma poderosa, e poucos conseguiam suportar as constantes meias verdades. Sem uma mensagem positiva a respeito dos americanos, eu acreditava que os Estados Unidos fossem uma nação maligna com o objetivo perverso de matar muçulmanos.

A maioria dos homens que cercavam meu pai estava apaixonadamente comprometida com sua mensagem de ódio, mesmo que o apoio deles significasse a própria morte. Ouvi meu pai falar muitas vezes, e ele jamais ordenou que alguém cumprisse uma missão suicida. Em vez disso, ele instruía os soldados, caso se sentissem impelidos a realizar tal tipo de missão, a escreverem seus nomes em um pedaço de papel e a deixar o papel na mesquita. Meu pai era firmemente contra pressionar alguém para abrir mão da própria vida, mesmo que por uma causa pela qual acreditava que todos os sacrifícios fossem válidos.

Apesar de os soldados abraçarem com entusiasmo a mensagem de ódio, ela me levou ao desespero, pois não tenho ódio naturalmente. Eu sabia que meu pai esperava que me tornasse um soldado, que até mesmo abrisse mão de minha vida em uma missão. Apesar de ter sido um garoto que gostava de atividades ao ar livre, como cavalgar e caçar, eu não era e jamais poderia ser um assassino. Meu único objetivo real era descobrir como escapar da vida imposta por meu pai.

Desejando escapar mentalmente, eu costumava ouvir um dos rádios antigos de meu pai. Ele tinha muitos e permanecia escutando a BBC, acompanhando raivosamente as notícias mundiais, como se houvesse interesses pessoais em todas as notícias. Um dia, quando estava sentado nos estábulos com um amigo, bebendo chá e escutando o rádio, ouvimos uma voz única cantar uma música tão linda que era como poesia caindo do Paraíso. Apressei-me em mudar de estação, pois meu pai só permitia que ouvíssemos vozes falando, e não cantando. Mas o botão ficou preso, e não consegui desligar a encantadora canção. A emoção transmitida pelo cantor fez com que me sentisse estranhamente emotivo, e perguntei ao meu amigo: "Quem é esse homem cantando?"

Meu amigo respondeu: "Não é um homem. Você está ouvindo uma mulher, a famosa cantora egípcia Um Kulthum, a 'Estrela do Oriente'. Todos no mundo acreditam que seja a maior cantora que já existiu. Eu também."

"*Uma mulher?*" Eu realmente não podia acreditar. A voz dela era grave e misteriosa, diferente de qualquer voz feminina que eu já tivesse ouvido. Ouvir qualquer tipo de canto era estritamente proibido por meu pai, mas eu estava maravilhado, e queria tanto ouvir mais que estava disposto a correr o risco de despertar sua ira.

"Ela está morta", meu amigo disse, atingindo meu coração com uma tristeza inusitada, já que eu desconhecia a cantora até um momento atrás. Instantaneamente obcecado pela voz, no dia seguinte procurei um dos xeiques religiosos da região e perguntei a ele: "O islamismo me proíbe de ouvir poemas acompanhados por música?"

O xeique trouxe esperança e alegria para minha triste vida quando respondeu: "Um dos xeiques mais importantes do Islã diz que é permitido, desde que o poema não cante sobre o corpo ou as características de uma mulher nem contenha letras grosseiras."

Desde então, poemas e canções se tornaram uma distração importante para o pano de fundo de minha existência miserável. Eu passaria todos os momentos possíveis escutando Um Kulthum cantar suas tristes canções de amor, saudade e perda. Fiquei tão inspirado com a noção de amor que fui impelido a escrever meus próprios poemas.

Todo desejo criado pelas canções e pelos poemas de amor envolvia minha necessidade desesperada de criar uma nova vida para mim. A mensagem de Um Kulthum me fez perceber que havia um mundo paralelo ao universo de ódio e vingança de Osama bin Laden, um mundo anteriormente desconhecido para mim, no qual as pessoas viviam para o amor e cantavam sobre ele.

Durante o período de meus sonhos românticos, renovei as esperanças de voltar para a Arábia Saudita e me casar com uma de minhas primas, como fizera meu irmão Abdullah. Eu passava horas pensando em uma prima específica, uma garota bonita e doce de quem me lembrava da infância, imaginando que nos apaixonaríamos, casaríamos e moraríamos em uma casa adorável cheia de crianças com rostos encantadores. Não a identificarei porque poderia gerar atenções negativas para ela, visto que os filhos de meu pai são universalmente considerados maculados pelas atividades dele.

Existem muitas pessoas que *nos* evitam por causa *dele*.

Eu era confortado pela minha querida mãe, cujos instintos lhe diziam que nem tudo estava bem comigo. Quando descobri acidentalmente que ela adquirira o hábito noturno de relaxar fora de casa, sentada na borda da montanha, respirando o ar fresco e observando as estrelas cintilantes penduradas no céu, juntei-me a ela. Horas tranquilas se passavam enquanto ficávamos sentados em silêncio ou, quando queríamos conversar, discutíamos nossas vidas e como era estranho termos começado em um palácio em Jidá e acabado em um casebre de pedra em uma montanha no Afeganistão. Eu sempre amara minha mãe mais do que a qualquer outra pessoa e, por meio daquelas conversas, nossa relação se tornou mais íntima do que nunca.

Alguns meses depois, quando ouvi por alto falarem sobre os planos de meu pai para uma mudança importante, minha mãe foi a primeira a saber. Descobri que meu pai fazia confidências a ela como nos primeiros anos do casamento. Ele era um homem atraído para tantas direções diferentes que suas relações pessoais murcharam até ficarem do tamanho de um figo seco, até mesmo a relação amorosa que tinha com minha mãe.

Depois de quase um ano morando no país, meu pai finalmente viajou a Kandahar para um encontro com o líder talibã, Mullah Omar. Durante a primeira visita, meu pai e o mulá descobriram que compartilhavam as mesmas ideias em relação ao Islã. Os dois concordaram que meu pai deveria retornar a Jalalabad por um breve período enquanto providências fossem tomadas para que visitássemos Cabul, a antiga capital do Afeganistão, e para que depois talvez nos mudássemos para Kandahar, onde Mullah Omar morava.

Gostei da ideia de conhecer um pouco mais do Afeganistão. Eu estava tão entediado na montanha que até um convite para visitar uma zona de guerra ativa era atraente, pois todo o país ainda estava fervendo.

Minha mãe disse pouco quando lhe informei que deixaríamos a montanha Bin Laden para retornar à vida na cidade. Ela se recusa a condenar meu pai, até mesmo para mim, seu filho, mas vi seus ombros pequenos se levantarem e acreditei que o movimento significava um alívio do estresse. Eu esperava que as preocupações dela diminuíssem. Eu percebia que ela estava preocupada quanto à segurança dos filhos mais novos, especialmente das duas filhas pequenas. Àquela altura, a décima gravidez de minha mãe já estava quase no fim, então rezei para que deixássemos a montanha antes que chegasse a hora de a criança se juntar a nós.

Apesar da explosão da guerra civil, eu acreditava que qualquer tipo de vida seria melhor do que a que estávamos vivendo. Pela primeira vez em meses, fiquei mais animado. Um pensamento agradável me ocorreu: talvez, depois de escapar de Tora Bora, eu até conseguisse encontrar um jeito de fugir do país.

Capítulo 19

A vida na montanha

NAJWA BIN LADEN

Enquanto vivi na montanha de meu marido, observei meus filhos mais velhos se tornarem adultos. Abdul Rahman já era um homem, com 19 anos, enquanto Sa'ad vinha logo atrás, com 18. Omar, que parecia ter muito mais do que os anos que realmente passara na Terra, logo completaria 16. Osman, que estava ficando alto como uma montanha, tinha 14 anos. Parecia que ele seria o filho que atingiria a estatura considerável do pai. O doce e quieto Mohammed estava com 12 anos, esforçando-se para acompanhar os irmãos mais velhos.

Eu passava muitas horas com meus filhos mais novos, pois vivíamos essencialmente isolados em nossos aposentos. Fatima era uma menina séria de 10 anos, cuja sombra era Iman, com 7. Ladin, ainda chamado de Bakr por Osama, era meu filho mais novo, um bebê agitado com 3 anos. Minhas filhas amavam o irmãozinho e tinham prazer em serem pequenas mães, assim como várias meninas pequenas que mimam irmãos bebês.

Minhas filhas e eu conseguimos obter alguns materiais de costura por meio de meus filhos, que ocasionalmente podiam deixar a montanha para descerem até as aldeias a fim de comprar suprimentos. Assim, eu e minhas filhas ficávamos sentadas juntas conversando enquanto remendávamos roupas velhas e tentávamos fazer roupas novas sem a ajuda de uma máquina de costura ou de eletricidade.

As noites na montanha eram assustadoras. Tirando a luz da lua, tínhamos apenas lampiões a gás para iluminar nosso caminho. Eu ainda cozinhava no fogareiro de uma boca só, o que era praticamente impossível com tantas crianças famintas para alimentar.

A fome e o frio eram os maiores problemas. Meu marido precisava alimentar muitas pessoas, mas seus recursos eram limitados. Apesar de haverem momentos nos quais fiquei tonta de fraqueza por não ter comida suficiente, minhas maiores preocupações eram com o bebê que eu estava carregando e com as crianças agitadas aos meus pés. Eu jamais imaginara que veria meus filhos chorarem de fome. Jamais me senti tão impotente.

O clima frio da montanha era um grande problema. O único aquecimento vinha do forno à lenha feito de metal e, mesmo que mantivéssemos o fogo aceso dia e noite, a montanha de Tora Bora era atingida por terríveis tempestades. Com neve acumulada até o telhado, era difícil aquecer até mesmo três quartos minúsculos. Foram muitas as horas em que fiquei com meus filhos perto do forno de metal, tremendo de frio e me perguntando como sobreviveríamos sem congelar.

Minhas irmãs-esposas enfrentavam os mesmos desafios e não sei o que teríamos feito umas sem as outras. Nosso marido tinha muitos negócios a tratar, e passava tanto tempo fora quanto na montanha. Felizmente, nossos filhos já eram grandes o bastante para assumirem algumas das obrigações de Osama quanto a cuidar das mães, das tias e dos irmãos.

O isolamento me aproximou de meu filho Omar. Pela primeira vez, eu tive a oportunidade de observar todos os meus filhos de perto, e o comportamento de Omar revelava que ele desenvolvera uma personalidade muito forte e havia se tornado um homem em todos os aspectos. Mas sua personalidade tinha muitas facetas. Meu bom filho era confiável, fiel e decente, mas podia ser impaciente, tomando rapidamente decisões que defendia teimosamente mesmo diante de provas de que pudesse estar errado.

Nossos aposentos na montanha eram apertados, com todos os meus filhos espremidos em um espaço muito pequeno. Muitas vezes, acordei no meio da noite e vi Omar ajoelhado diante de Deus, rezando fervorosamente. Eu sabia que meu filho estava infeliz. Mas não havia nada que eu pudesse fazer além de dizer a ele que nossas vidas estavam nas mãos de Deus e que, sendo assim, não deveríamos nos preocupar.

Apesar de seu sofrimento, Omar pensava principalmente nos outros. Ele não suportava ver qualquer coisa com vida ser maltratada, fossem pessoas ou animais. Era sempre ele quem saía em defesa de todos, até mesmo de cobras, uma espécie assustadora da qual tenho medo desde a infância.

Certa noite, uma tempestade aterrorizante cobriu a montanha de meu marido. Os ventos eram tão intensos que nossas portas e janelas perderam as peles de animais, e ficamos sem qualquer proteção dos ventos fortes e da chuva. Meus filhos mais novos gritavam de medo. Estar no topo da montanha dava a sensação de que havíamos sido jogados no coração da tempestade. Nenhum de nós jamais tinha visto tamanha violência natural. Estávamos acostumados com pouco mais do que tempestades de areia, que podem ser assustadoras, mas nada se comparava ao poder dos trovões, dos relâmpagos, dos ventos na montanha e da chuva torrencial. Finalmente, meus filhos mais velhos conseguiram pendurar um cobertor na porta e umas toalhas nas janelas. Eu e meus filhos menores nos encolhemos junto à parede o mais longe possível das portas e das janelas.

Meus filhos mais velhos correram para ver como as tias estavam. De repente, ouvi um silvo muito estranho e achei que fosse gás escapando de um dos cilindros que continham combustível para os lampiões. Quando fui conferir o problema, dei de cara com uma cobra enorme encolhida ao lado da entrada do casebre, agindo como se tivesse sido convidada para uma visita, apesar de agora eu perceber que ela estava apenas buscando abrigo da tempestade. Chamei o nome de Deus em voz alta e tentei caminhar muito lentamente para trás. Meu marido e meus filhos haviam me avisado para ficar alerta porque as cobras da montanha eram tão venenosas que, se alguém fosse picado, não haveria tempo para descer a montanha às pressas e ir de carro pelas estradas até o hospital em Jalalabad. Eu não queria morrer e deixar meus filhos sem a mãe.

Eu estava cambaleando de medo. Sou uma mulher cujos medos de infância cresceram ao ponto de eu não suportar nem mesmo a imagem de uma cobra colorida nas páginas de um livro. Sem ter para onde correr naquele pequeno casebre, gritei para chamar meus filhos. Rapidamente, Omar chegou correndo segurando sua Kalashnikov. Pela primeira vez, fiquei feliz que meu marido obrigasse meus filhos a carregar aquela arma ruim.

Gritei: "Omar, tome cuidado! Há uma cobra gigantesca. Ali, ao lado da porta! Mate-a!"

Omar olhou para a cobra e me provocou: "Pobre cobra. Você quer matá-la? Deixe-a em paz, deixe-a viver."

Àquela altura, eu estava gritando muito alto: "Mate a cobra!" Não havia possibilidade de deixar a cobra fugir para depois retornar e, possivelmente, entrar embaixo de meu cobertor enquanto dormia.

Meu filho continuava a repetir que não queria matar o animal.

Continuei a gritar: "Mate a cobra!"

Finalmente, Omar percebeu que eu estava falando sério e usou sua grande arma para atingir a cobra na cabeça. Vi o corpo dela murchar lentamente, para meu imenso alívio.

Omar ficou culpado pela morte da cobra, pegando o animal flácido enquanto eu gritava horrorizada para que ele a levasse dali, pois tremo até mesmo diante de uma cobra morta. Omar estava triste quando falou: "Você não deveria ter me mandado matar esta cobra."

E meu filho partiu com uma grande cobra morta nos braços. Não sei para onde foi e, naquele momento, não me importava com isso.

Omar tinha jeito com animais. Recordo-me de uma vez quando meu marido tentou fazer o parto de um camelo. Houve problemas, e nada ajudava a mãe desesperada. O bebê ficou preso, metade dentro e metade fora da mãe, que sentia muita dor.

Omar ouviu sobre o que ocorria e foi ajudar. Apesar de meu marido tê-lo mandado ir embora, Omar não obedeceu e esticou o braço para levantar a cabeça do filhote de camelo, assim ajudando a mãe. Finalmente, Omar conseguiu retirar o filhote vivo e rezou alguns versos para a mãe e o filhote. Meu marido não sabia o que dizer, pois estava ficando claro que Omar fora abençoado por Deus para sentir a dor de todos os animais, tendo uma certa mágica para se comunicar com eles.

Existem muitas outras histórias. Muitas vezes, a vida dos homens que nos cercavam era tão brutal que eles não reparavam em crueldades. Até os filhos, meus e os dos homens que trabalhavam para meu marido, eram conhecidos por maltratarem animais. Mas Omar estava disposto a lutar para protegê-los, dizendo aos outros: "Ei, deixe o animal em paz. Ordeno que pare." Até mesmo os garotos mais velhos obedeciam porque sabiam que Omar não hesitaria em agir para proteger o animal.

Depois de meses vivendo na montanha, os dias começaram a parecer anos. Então, chegou o feliz dia no qual Omar me deu a notícia de que partiríamos em breve e nos mudaríamos para uma cidade chamada Kandahar. Omar disse: "Mãe, sua rotina vai melhorar." Apesar de cuidadosa para não falar sobre minha felicidade, meu coração palpitou de alegria quando soube que havia chegado a hora de deixarmos a vida na montanha. Eu sabia que meu bebê estava prestes a nascer e não sabia o que poderia acontecer, pois não consultara médico algum depois de chegar em Tora Bora. Eu não era mais uma jovem cujas gestações eram tranquilas. Eu rezava para que já estivesse na cidade de Jalalabad ou de Kandahar quando meu filho decidisse nascer.

Em pouco tempo, estávamos embarcando nos veículos de meu marido e descendo a montanha. A mudança não poderia ter sido feita em melhor hora, pois entrei em trabalho de parto pouco depois de chegarmos a Jalalabad. Meu marido não estava comigo, mas meus três filhos mais velhos me transportaram para um pequeno hospital na cidade. Ninguém podia ficar comigo, pois era assim no Afeganistão, mas meus filhos esperaram do lado de fora até ouvirem que nossa família tinha uma nova menina para amar. E foi assim que tive Rukhaiya, uma bebê de sorte que nunca foi submetida à vida em Tora Bora.

Apesar de a vida permanecer difícil em muitos aspectos, Deus atendeu ao meu pedido para que meus pés jamais voltassem a caminhar no cume da montanha de meu marido em Tora Bora.

Capítulo 20

A violência aumenta

OMAR BIN LADEN

O que eu mais desejava tinha acontecido. Nossa família finalmente deixou Tora Bora e jamais voltaria a viver na montanha. Eu percebi que minha mãe e meus irmãos também ficaram satisfeitos. Apesar de a vida ser um desafio em qualquer lugar no Afeganistão, nada se comparava à miséria total de Tora Bora.

O mês anterior fora muito ativo. Quando meu pai ordenou que a família e os principais líderes da al Qaeda deixassem a montanha Bin Laden, meus irmãos e eu ficamos tão felizes que precisamos nos conter para não gargalhar. Pela primeira vez, a extenuante viagem de quatro horas de Tora Bora para Jalalabad foi recebida sem reclamações.

Ficamos algumas semanas em Jalalabad para que meu pai pudesse organizar novos planos com seus tenentes. Foi um momento oportuno, pois minha mãe dera à luz uma menina chamada Rukhaiya praticamente assim que chegamos e teve algumas semanas para descansar antes de embarcar novamente para outra viagem de carro, agora para Cabul.

Quando partimos para Cabul, vimos que todos os lugares eram dramaticamente belos. Mas não podíamos desfrutar muito bem das vistas espetaculares porque as estradas eram tão acidentadas que os veículos balançavam como cavalos selvagens. Cabul ficava a apenas 160 quilômetros a oeste de Jalalabad, mas a estrada ruim fazia com que a viagem durasse oito horas. Eu pensava quase que apenas em minha mãe, na bebê e em meus irmãos menores.

Fiquei aliviado quando chegamos inteiros em Cabul. A cidade ficava em uma pequena planície, dividida pelo rio Cabul e cercada pelas montanhas imponentes do Mindukush.

O mais importante fora que minha mãe e a bebê fizeram a viagem sem complicações médicas. A família permaneceu por muitas semanas naquela cidade destruída para que meu pai pudesse inspecionar a área e conhecer pessoas da região. Enquanto esperávamos que ele conduzisse os próprios negócios, nossa família morou em casas alugadas bastante simples de dois andares, mas estávamos felizes por termos um teto sobre nossas cabeças, pois poucos em Cabul tinham esse luxo.

Cabul era um exemplo do que a guerra faz com um país. Combates entre facções desde que os russos deixaram o Afeganistão haviam transformado a cidade anteriormente próspera em um monte de entulho. Apesar de haver algumas casas habitáveis espalhadas pela cidade, a maioria da população sofredora vivia em conchas de concreto destruídas por bombas, que mal pareciam casas.

A cidade era tão sombria que minha mãe, meus irmãos e eu ficamos felizes em partir, e ainda mais felizes ao saber que viajaríamos de avião os 480 quilômetros até Kandahar. Àquela altura, já tínhamos passado o bastante pelas estradas do Afeganistão.

Meu pai se recusava a embarcar em qualquer tipo de avião, declarando que o equipamento estava tão malconservado que não confiava que uma aeronave afegã pudesse voar. Assim, quando chegou a hora de seguir viagem, ele se despediu de nós e partiu em veículos com alguns de seus homens. Apesar da preocupação de meu pai quanto a viagens aéreas, atravessar o Afeganistão em estradas de terra pavorosas em meio a uma guerra civil feroz não seria fácil. Sem saber seus planos na época, agora sei que estava visitando bases militares abandonadas pelos russos. Os complexos militares foram construídos em quase todas as principais cidades do Afeganistão. Mullah Omar disse a meu pai que ele poderia utilizar qualquer complexo que não estivesse ocupado pelos talibãs.

Ainda profundamente amargurado pelo exílio do Sudão e culpando os americanos pelo ocorrido, meu pai estava com uma pressa furiosa para criar campos de treinamento. Ele estava obcecado por treinar milhares de soldados, os quais seriam lançados contra o mundo ocidental.

O avião usado para nosso transporte era de propriedade dos talibãs, mas fora colocado generosamente à disposição de meu pai. Quando embarcamos, vi que todos os assentos de passageiros haviam sido removidos. Éramos tantos que precisaríamos nos sentar juntos no chão. Automaticamente, as mulheres seguiram para a parte posterior do avião, enquanto os homens ficaram na frente. Todos os homens estavam fortemente armados, com armas penduradas nos ombros e cintos de granadas nas cinturas. Essa era a prática comum no Afeganistão, onde ninguém poderia saber quando um combate aconteceria, e todos os homens sentiam a necessidade de estar equipados para a batalha.

Disseram-nos que o voo duraria apenas algumas horas. Reunimo-nos em grupos, satisfeitos por termos uma desculpa para socializarmos. Homens jovens se sentavam ao lado de outros jovens e os combatentes antigos se agruparam. Eu estava com um bom humor raro, feliz com a mudança para Kandahar. Eu nunca estivera lá e esperava que houvesse ao menos um lugar no Afeganistão que achasse agradável.

Eu estava sentado com um amigo chamado Abu Haadi, que era 15 anos mais velho do que eu. Ele crescera na Jordânia mas, em busca de um propósito maior, viajara para o Afeganistão para ingressar no Jihad. Eu podia ver meu irmão mais velho Abdul Rahman e percebi que estava brincando com suas granadas, mas não dei importância àquilo no momento.

Depois de cerca de uma hora de viagem, Abu Haadi me cutucou com urgência, sussurrando alto: "Omar! Olhe! Olhe para seu irmão!"

Bastou um olhar e meu coração disparou. Abdul Rahman havia acionado acidentalmente uma granada. O pino estava no chão e a granada estava nas mãos de Abdul Rahman! A qualquer momento, a granada explodiria, derrubando o avião e matando todos a bordo.

Abu Haddi se moveu mais rapidamente do que qualquer outro adulto que já vi, segurando as mãos de Abu Hafs e lhe informando apressadamente sobre o problema. Abu Hafs era o homem a quem meu pai confiara a chegada em segurança de toda sua família a Kandahar. Abu Hafs tomou a granada de Abdul Rahman e pediu a ajuda de um dos especialistas em granadas a bordo. Os dois homens estabilizaram a granada antes de correrem para a cabine dos pilotos. O avião estava voando baixo, e, de algum jeito, eles jogaram a granada por uma janela. Eles disseram que a granada explodiu no ar, mas nenhum de nós ouviu a explosão.

Ninguém contou o ocorrido para as mulheres que estavam a bordo.

Depois de tamanha agitação, aterrissamos em segurança em Kandahar. O aeroporto era pequeno, com apenas um prédio principal e uma pista. Havia veículos aguardando para nos levar às nossas casas em Kandahar.

Não sabíamos o que esperar, mas viajamos por uma boa distância depois de sair do aeroporto, pelo menos quarenta quilômetros.

Nossos veículos entraram em um complexo imenso que fora construído pelos russos quando estavam no Afeganistão. Ele era cercado por um muro alto com postos de vigilância em cada canto. Havia cerca de oitenta casas médias de concreto, pintadas com um tom rosado, dentro dos limites do muro, construções que os homens de meu pai vinham preparando havia semanas. Depois da partida dos soviéticos, em 1988, as construções foram saqueadas. Mesmo depois de reparadas, vi nas casas danos causados por mísseis e buracos feitos por tiros.

Meu pai finalmente tinha a própria base militar. Obviamente, não havia eletricidade nem água encanada — meu pai se recusava a modernizar os complexos, reiterando a crença de que sua família e seus soldados deveriam levar vidas simples. Com a memória dos casebres de pedra em Tora Bora passando por nossas cabeças, ninguém reclamou.

Minha mãe e minhas tias foram instaladas em suas casas dentro do complexo. As casas eram vizinhas, o que era conveniente, já que elas não tinham outra companhia além de elas mesmas. Em breve, os homens de meu pai construiriam muros ao redor de cada casa para dar privacidade às esposas dele.

Havia vinte gigantescas mansões fora dos muros, as quais, ouvi dizer, foram usadas pelos generais russos. Havia também uma construção gigantesca que abrigara os militares de baixo escalão. Combatentes casados e com filhos moravam fora dos muros do complexo. As mansões para os soldados desacompanhados também ficavam fora do complexo. Havia um prédio militar enorme para além dos muros, sobre cujo teto foram colocados mísseis terra-ar especiais.

Obviamente, havia uma pequena mesquita no complexo, assim como uma série de escritórios para meu pai e seus soldados superiores. Foram construídos estábulos para nossos cavalos ao lado do alojamento dos solteiros.

Kandahar estava longe de ser um santuário perfeito. Ainda estávamos morando em um país em guerra. Às vezes, ouvíamos explosões de bombas e som de combate, apesar de a guerra jamais ter chegado ao complexo. Havia também o perigo de morte por doenças em uma terra na qual os cidadãos lidavam há tanto tempo com a guerra e a morte que muitos hábitos antigos relativos à saúde e à higiene tinham sido abandonados.

Apesar de geralmente permanecermos dentro do complexo, alguns meses depois da mudança para Kandahar, eu e meus irmãos, acompanhados por alguns amigos, tomamos coragem para nos aventurar na cidade. Foi aí que testemunhamos os diversos problemas que afetavam o bem-estar de muitos afegãos.

Recordo-me que, certa vez, meus amigos e eu juntamos nosso dinheiro para irmos a um restaurante popular em Kandahar. Acostumados com comida muito insossa, a qual até os cães vira-latas comiam com relutância, estávamos muito ansiosos. Depois de fazermos os pedidos, um dos meus companheiros reparou em algumas jarras que estavam perto da área das mesas. Sendo um tipo curioso, ele levantou o recipiente para ver o que havia dentro. Depois de cheirar uma vez o conteúdo da jarra, ele teve ânsias de vômito. O garçom explicou que, antes de iniciarem uma refeição, os afegãos gostavam de limpar as gargantas cuspindo. Para desencorajar os clientes a cuspirem no chão, os restaurantes forneciam jarras que serviam de escarradeiras.

Aquela imagem pouco apetitosa arruinou a refeição.

A cidade era poluída, com esgoto a céu aberto nas ruas. A maior parte do esgoto vinha diretamente das casas ao longo das calçadas e ruas. Apesar de a maioria das casas ter banheiros, não havia água corrente. Para descartar a sujeira, os banheiros eram construídos com assentos expostos que davam para as ruas abaixo, nas quais os dejetos humanos eram jogados. Costumavam responder às nossas perguntas dizendo que era melhor jogar os dejetos na rua do que dentro de casa.

Apesar de não morarmos naquele tipo de moradia, meu pai havia alugado uma série de lugares assim na cidade para usar como casas de hóspedes. Houve ocasiões em que meus irmãos e eu, ou nossos amigos, usamos as casas, de modo que vimos com os próprios olhos o método pouco higiênico de descarte de dejetos. Para nós, o mais perturbador era os pedestres poderem facilmente olhar para cima e verem o traseiro nu de quem estivesse usando o banheiro.

Houve ocasiões nas quais achamos isso engraçado, como quando recebemos um visitante da Arábia Saudita que estava acostumado às melhores coisas da vida, uma vez que o governo saudita usara o dinheiro do petróleo para modernizar quase todo o país. Esse amigo específico estava sofrendo de fortes cólicas intestinais depois de comer nos restaurantes locais. Quando lhe mostramos o banheiro, não o alertamos de propósito sobre o buraco aberto. Pouco depois, ele veio correndo freneticamente até nós, dizendo que um cachorro estava latindo para ele da rua abaixo. Aquilo era uma novidade, então corremos para ver com os próprios olhos. Espiamos rapidamente pela abertura do banheiro para descobrirmos o responsável pelos latidos. Havia uma cadela com seus filhotes aninhados sob o banheiro. A mãe havia encontrado uma esquina agradável para colocar as crias. Quando os dejetos caíram sobre eles, ela começou a reclamar. Não é necessário dizer que a dor de barriga de meu amigo passou imediatamente. Depois do incidente, ele se recusou a usar o banheiro da casa, preferindo se aliviar em um campo próximo ou em um terreno baldio.

Aquelas privadas geravam confusões com pessoas, além de com os cães. O único caminho possível para os dejetos era para baixo. Obviamente, quando os pedestres caminhavam pelas calçadas estreitas, precisavam desviar de montes de dejetos humanos. O mau cheiro era tão forte que chegava a ser paralisante. Apesar de fazendeiros irem à cidade várias vezes por semana para recolher os dejetos e usá-los como fertilizante, o fedor dos excrementos pairava sobre a cidade.

O Afeganistão provou ser um lugar perigoso para os filhos de Bin Laden. Mais de uma vez, meus irmãos e eu estivemos perto de morrer. A maioria das vezes em que escapamos por pouco foi em função do mau uso de granadas ou explosivos, pois havia armamentos em todos os lugares, mas nem sempre estavam em mãos experientes.

Quando nos mudamos de Tora Bora para Kandahar, meu pai criou aulas de treinamento com armas dentro do complexo, ordenando que retornássemos de vez em quando para uma aula de revisão. Não reclamamos, pois costumávamos ficar entediados e procurávamos o que fazer.

Um dia, meus irmãos e eu decidimos assistir a uma aula sobre granadas administrada por um certo general. Uma de suas regras era sobre "o que fazer com uma granada quando o pino é removido". Bem, como quis o destino, ele deixou a granada cair enquanto falava. Mas tranquilizou a turma: "Não se preocupem, ela não está ativada."

Examinei a granada rolando pelo chão. Ao ver que o pino havia sido removido, ordenei imediatamente aos meus irmãos: "Saiam daqui!"

Muitos de nós corremos para a porta, mas Abdul Rahman ficou congelado onde estava, apenas cobrindo a cabeça com as mãos, o que, obviamente, não o teria protegido em nada de uma explosão. Eu me esforçava para fazê-lo se mover quando o general começou a rir. Ele também percebera o perigo e rapidamente recolocara o pino ou desativara a arma.

Para tranquilizar a turma assustada, o general contou uma breve história sobre como os professores costumavam usar aquele tipo de tática para assustar os alunos ou para ver como reagiriam, procurando alunos que mantivessem a calma em tais situações. Ele disse que, não muito tempo antes, o caos tomara conta de uma turma repleta de alunos suscetíveis. Naquela ocasião, tantos alunos tentaram sair correndo pela porta que acabaram espremidos na moldura da porta e o resultado foi que ninguém podia sair da sala ou entrar nela. Outro soldado, ainda gordo por causa da boa-vida na Arábia Saudita, tentara escapar por uma pequena janela. Infelizmente, seu corpo era maior do que a abertura e ele ficou preso com a cabeça e os ombros para fora da janela, enquanto o peito e a parte inferior do corpo ficavam para dentro.

Felizmente, o exercício foi apenas uma encenação, ou todos os presos em portas e em janelas seriam feitos em pedacinhos pela explosão.

Em outra aula à qual assistimos, a situação ficou mais grave. Meus irmãos e eu tentávamos conter as gargalhadas porque o professor parecia mais um acadêmico do que um soldado. O que mais me perturbava era que ele parecia meio cego, apesar de usar óculos com lentes duplas muito espessas que deixavam seus olhos enormes. Tal instrutor estava segurando um isqueiro em uma mão e um explosivo na outra, dizendo-nos que era importante para um soldado saber por quanto tempo o estopim queimaria. Ele aproximou tanto o isqueiro do estopim que este começou a fumegar. Sem perceber que o acendera acidentalmente, o instrutor jogou o explosivo na caixa onde ficavam os outros explosivos.

Eu estava prestes a alertar meus irmãos para que corressem rumo a um lugar seguro quando me lembrei da instrução do primeiro professor de que muitas situações como aquela eram projetadas como testes para os alunos. Obriguei-me a ficar quieto, sentado, observando atentamente a caixa de explosivos. Bem, a caixa pegou fogo e a fumaça aumentou. O professor entrou em pânico, agarrando a caixa e jogando-a no chão, pisoteando as chamas. Logo que me levantei para sair rapidamente, alguns soldados com experiência em combate ouviram o alvoroço e entraram correndo na sala. Vendo o professor e a caixa em chamas, vários soldados pegaram a caixa corajosamente e correram para fora do lugar. Apesar de dois homens terem sofrido queimaduras nas mãos, eles escaparam de ferimentos potencialmente fatais.

Em outra ocasião, um professor estava demonstrando o funcionamento de uma pequena bomba quando a ativou por acidente. Tarde demais, o professor percebeu que o estopim era menor do que o normal. Ele gritou para que saíssemos correndo e foi o que fizemos, com o professor logo atrás de nós. No instante em que chegamos a um ponto seguro, a bomba explodiu.

Outro tipo de incompetência nos colocou em perigo em uma de nossas aulas diárias de religião, as quais eram administradas na mesquita dentro do complexo. As turmas eram grandes, pois os filhos dos homens da al Qaeda tinham as aulas conosco.

O professor era um homem de fisionomia agradável chamado Abu Shaakr, um egípcio com pouco mais de 30 anos. Ele era magro, porém musculoso, e estava em forma. Usava uma barba curta e tinha uma aparência difícil de descrever porque não possuía nenhuma característica física atípica, como um nariz grande ou olhos pequenos. Ele ficava feliz entre os estudantes e sempre era gentil, um dos preferidos dos alunos.

A mesquita era antiga, construída originalmente com tijolos de barro. O telhado, como o usual no Afeganistão, era feito de madeira, grama e tijolos de barro. Por causa desse barro, água gotejava do teto sempre que chovia. Um homem era chamado para consertá-lo depois de cada chuva. Em vez de se dar o trabalho de fazer reparos adequados na escola, o operário colocava um pouco de terra no telhado, o que era um convite para o desastre por causa do peso acumulado. A técnica era desconhecida por meu pai, obviamente, que era especialista em construir ou reparar qualquer tipo de estrutura.

Pela rotina habitual, os garotos mais novos saíam às onze da manhã enquanto nós, os mais velhos, ficávamos até meio-dia para estudar mais. Certa vez, meus irmãos e eu estávamos sentados no fundo da mesquita. Hamza, o único filho de tia Khairiah, a melhor amiga de minha mãe e sua irmã-esposa, foi o último dos garotos a partir, batendo a porta ao sair.

Ao batê-la, o telhado da mesquita rachou e caiu. Tijolos pesados de barro caíram sobre nossas cabeças, seguidos por terra, grama e madeira.

Ficamos atordoados com o peso sobre nós, mas nos mantivemos conscientes. Podíamos ouvir Abu Shaakr gritando muito alto, chamando nossos nomes. Provavelmente, o pobre homem estava aterrorizado, pensando que os filhos mais velhos de Osama bin Laden tivessem morrido sob sua guarda.

Meus irmãos e eu estávamos vivos, mas imobilizados pela madeira e pelos tijolos de barro. Mas éramos garotos fortes e começamos a fazer força juntos. Por trás do barulho, ouvíamos nosso irmão menor, Hamza, gritando alto, percebendo que algo muito perigoso acabara de acontecer. Hamza temia levar a culpa por ter sido o último a deixar a mesquita.

Em poucos minutos, ouvimos a voz imperativa de nosso pai, acompanhada pelas vozes de outros homens. Meu pai e seus homens retiraram o entulho com as mãos freneticamente enquanto nós empurrávamos por baixo. Com os dois lados encontrando-se na metade do caminho, logo vimos a luz do dia. Depois, disseram-nos que fora uma visão assustadora para as crianças pequenas. Nossos olhos estavam fechados pela poeira, os rostos amarelos de terra e nossos chapéus perfurados por grandes lascas de madeira. Um de meus irmãos disse que, com as mãos ensanguentadas e esticadas como as de mortos-vivos, nós parecíamos os fantasmas e duendes descritos por um dos soldados de meu pai.

O Dr. Ayman al-Zawahiri apareceu e nos examinou cuidadosamente, anunciando que não sofremos ferimentos graves.

Foi a primeira vez que o Dr. Zawahiri tocou em mim. Desde que meu pai me apresentou a ele, eu sentia desconforto em sua presença. E no Sudão, depois que matou meu jovem amigo, passei a evitá-lo sempre que possível. Eu sabia desde o começo que Zawahiri era uma influência negativa para meu pai, fazendo-o ir ainda mais longe no caminho de violência que jamais teria seguido sozinho. Zawahiri, que era um homem muito inteligente, captou meus sentimentos. Eu sentia que ele não gostava de mim, talvez porque eu fosse o único filho de meu pai que, às vezes, ousava dizer o que pensava.

Por exemplo, lembro-me de que, certa vez, Zawahiri, meu pai e Abu Hafs estavam sentados, tomando chá. Os três homens eram líderes, apesar de meu pai chefiá-los, e eles sabiam disso. Até mesmo Zawahiri pedia permissão para falar; jamais o ouvi dizer uma única palavra sem que pedisse. Ele dizia: "Xeique Osama, posso falar, por favor?" ou "Xeique Osama, por favor, posso dizer algo aos homens?". Todos os outros agiam da mesma forma; não importava a posição que ocupassem em suas organizações, ninguém ousava manifestar um pensamento sequer sem a permissão de meu pai.

Mas, naquele dia, tinham a permissão de meu pai para falar e estavam envolvidos em uma conversa complexa sobre seus objetivos de salvar o mundo do poder dos Estados Unidos. Meu pai disse: "Todo o peso e a injustiça têm sido colocados no mundo islâmico. Todo o peso deve ser colocado em apenas uma extremidade da gangorra? Não, pois, se isto for feito, a gangorra não se moverá naturalmente, como deveria. Tudo na vida deve ser distribuído igualmente. Como os muçulmanos são culpados por tudo, recebemos toda a injustiça do mundo. Isso está errado."

Eles esperavam que eu apenas lhes servisse em silêncio. Contudo, naquele dia, eu tinha ouvido o bastante. Antes que eu soubesse o que estava acontecendo, minha língua imprudente se moveu, e revelei meus pensamentos: "Meu pai, por que nos trouxe para esse lugar? Por que nos faz viver assim? Por que não podemos viver no mundo real e ter uma vida normal, com coisas comuns, cercados por pessoas normais? Por que não podemos viver em paz?" Eu jamais falara com tanta franqueza, mas estava tão desesperado para ouvir a resposta de meu pai que olhei fixamente em seus olhos pela primeira vez na vida.

Meu pai ficou chocado demais com minha ousadia para que conseguisse responder. Ele ficou sentado sem olhar para mim, em silêncio. Lembrando de meu tom e de minha postura, fico surpreso que ele não tenha batido em mim com a bengala na frente dos homens.

Finalmente, Abu Hafs aliviou meu pai, dizendo: "Omar, nós queremos estar aqui, neste país. Viemos por vontade própria para escapar da vida real. Não queremos mais fazer parte daquele mundo. É por isso que seu pai está aqui. Como filho, você deve ficar junto de seu pai."

Eu queria protestar mais, porém fiquei quieto. Lembro-me bem do olhar de ódio que Zawahiri lançou contra mim, provavelmente desejando poder colocar uma bala em minha cabeça, assim como fizera com meu amigo inocente no Sudão.

Naquela época, já um pouco mais velho, comecei a perder minha personalidade educada. Meu pai queria que os filhos ficassem alheios a todos os homens e seguissem as ordens dele, um homem a quem poucas pessoas conheciam realmente bem. Ele dizia: "Meus filhos precisam ser os dedos de minha mão direita. Meus pensamentos devem controlar suas ações do mesmo modo que meu cérebro controla o movimento de meus membros. Meus filhos, seus membros devem reagir ao meu pensamento como se meu cérebro estivesse dentro de suas cabeças."

Em outras palavras, deveríamos ser robôs, sem opiniões nem ações próprias.

Ele sempre nos dava ordens, dizendo para que fôssemos fortes e poderosos, e que evitássemos ficar muito amigos de qualquer um dos homens. Assim, meu irmão e eu recebemos um pouco do status de príncipe de meu pai. Os homens até começaram a chamar os filhos mais velhos de meu pai de "os grandes xeiques", o que, devo admitir, não desagradava meus ouvidos, pois jamais fora reconhecido antes. O desejo de criar minha própria sombra aumentou com a idade. Com o passar do tempo, meus irmãos e eu ficamos arrogantes, sentindo que estávamos acima de todos os outros, pois era assim que nos viam.

Nosso pai abusava de nós como se fôssemos seus escravos robôs e seus homens nos agradavam como a jovens reis. Resultado de nossas vidas distorcidas, todos desenvolvemos problemas de personalidade. Apenas Abdullah escapou do pior. Abdul Rahman não mudara muito desde a infância, sentindo-se à vontade principalmente com a amizade dos cavalos. A cada dia que passava, Sa'ad ficava menos útil, tagarelando sem parar. Os soldados severos ao nosso redor não estavam acostumados com nenhum homem que não conseguisse controlar a própria língua, mas, como Sa'ad era filho do herói deles, meu irmão era tolerado tranquilamente.

Depois da mudança para Kandahar, Sa'ad adquirira o hábito de falar incessantemente sobre comida. Ninguém sabia por quê, mas acredito que tenha sido porque estávamos sempre com fome e, quando comíamos, o sabor era muito ruim. Com uma refeição ruim depois da outra, Sa'ad ficou obcecado por comida. Um dia, em Kandahar, ele conseguiu um bolo doce, ninguém sabe como. Sa'ad falava sobre o bolo tão incessantemente que até hoje me lembro dele como se eu mesmo o tivesse comido! O bolo tinha cobertura de trigo doce triturado e pingava mel e açúcar.

Sa'ad comera o bolo inteiro, recusando-se a dividir uma migalha sequer. Por semanas depois do episódio, Sa'ad abordava estranhos na rua e começava a descrever em detalhes a aparência do bolo, o sabor e como achava que tinha sido assado. Afegãos adultos recuavam, pensando que meu irmão não fosse bom da cabeça. Os soldados de meu pai ouviram Sa'ad falar tanto sobre isso que começaram a fugir quando o viam se aproximando. Finalmente, ameacei lhe dar uma surra se não fechasse a boca. Mas ele continuou mesmo assim, até que, um dia, conseguiu um pudim especial e começou a descrevê-lo como fizera com o bolo. Nem mesmo a reprovação de meu pai impedia a língua de Sa'ad de se mexer.

As escolhas de meu pai para nossas vidas começaram a enlouquecer seus filhos!

Osman tinha dificuldades para manter uma amizade normal com qualquer pessoa, principalmente porque queria controlar as opiniões dos outros, bem ao modo de nosso pai.

Hoje, quando leio notícias dizendo que meus irmãos são líderes importantes na organização de meu pai, questiono a veracidade de tais afirmações. Quando parti, eles já haviam formado suas personalidades adultas e nenhum deles era capaz de organizar uma força de combate.

Meu irmão caçula Mohammed é o único que *poderia* ter ascendido na organização, pois era quieto e sério. Antes mesmo de deixar o Afeganistão, pude ver meu pai transferir de mim para Mohammed a esperança de que fosse seu "escolhido". Uma vez, fez com que tirassem uma fotografia sua com Mohammed segurando um rifle no colo. Em nosso mundo, isso é uma mensagem de que o pai está passando o poder ao filho.

Antes disso, no entanto, a fé e a convicção de meu pai aumentavam em minha direção. Lembro-me de quando me procurou a respeito de um problema crescente, a falta de comida e de outras provisões. Àquela altura, todos sabíamos que meu pai não era mais um homem rico. Apesar da existência de um sistema para a obtenção de recursos dos defensores do Jihad, pois ainda havia muitos amigos, familiares e membros de famílias reais que continuavam a oferecer apoio financeiro, houve momentos nos quais os cofres ficaram vazios.

Em uma semana na qual meus familiares ficaram com fome, meu pai veio a mim e disse: "Omar, percebi que você acaba de se tornar um homem. Preciso de alguém em quem confiar para racionar a comida. A partir de agora, será sua a tarefa de calcular a quantidade necessária de comida para cada esposa e seus filhos. Lembre-se de que os adolescentes precisam de mais do que a maioria, pois crescem muito rapidamente. Você precisa organizar todos os suprimentos e dividi-los de modo justo."

Especulei que meu pai soubesse que Abdul Rahman não poderia ser cogitado para a tarefa, já que sua personalidade buscava tanto o isolamento que ele acharia impossível interagir com os outros enquanto distribuísse a comida. Sa'ad não era adequado porque todos sabíamos que ele próprio comeria os alimentos mais gostosos.

Levei a tarefa a sério. Eu não suportava que minha mãe, minhas tias e as crianças sentissem fome. Apesar de, no geral, nossa dieta ser insossa e limitada, em algumas ocasiões visitantes da realeza que viajavam para o Afeganistão a fim de caçar com meu pai trouxeram grandes caixas com frutas, peixes, carne vermelha e legumes. Aqueles eram os dias felizes, quando até mesmo as crianças menores recebiam alguma comida especial. Meu pai disse ter sido relatado a ele que, por eu ser tão justo, não havia reclamações. Pouco depois desse episódio, meu pai confidenciou a mim que eu era o filho escolhido para ser seu segundo homem no comando.

Meu pai empalideceu quando respondi: "Meu pai, farei qualquer coisa para ajudar minha mãe, minhas tias e meus irmãos, mas não sou o filho certo para assumir o trabalho de sua vida. Busco uma vida pacífica e não de violência." Mesmo com minhas palavras, meu pai não desistiu da ideia de eu ser o filho certo para substituí-lo. Pouco depois, levou-me para a frente de batalha. Só posso imaginar que ele esperava que, ao sentir o gosto da excitação do combate, eu ficasse apaixonado pela guerra, como acontecera com ele ao combater os russos. Ele estava para ficar profundamente decepcionado.

Com o tempo, fiquei muito mais ousado do que jamais achara que fosse possível, refutando confiantemente as decisões de meu pai. Mas os conflitos que levaram ao rompimento de nossa relação viriam mais tarde.

Alguns meses depois de minha família se instalar em Kandahar, eu estava visitando minha mãe quando um de meus irmãos veio me dizer que nosso pai me queria ao lado dele. Obediente, pendurei minha Kalashnikov no ombro, ajustei meu cinto de granadas e parti.

Na hora, presumi que meu pai tivesse uma pergunta sobre nossos suprimentos de comida ou que desejasse dar ordens sobre questões familiares. Apesar de estar com apenas 16 anos, eu assumira boa parte da responsabilidade pelas esposas e crianças.

Fui informado por um soldado que passou por mim de que meu pai estava no prédio que usava como escritório. Encontrei-o lá, sentado no chão de pernas cruzadas, com um grupo de soldados. Aproximei-me lentamente e em silêncio, pois agíamos assim.

Meu pai levantou os olhos, parecendo não estar nem satisfeito nem insatisfeito por me ver e disse apenas: "Meu filho, estou partindo agora para a frente de batalha. Você virá comigo."

Concordei com a cabeça, sem fazer comentário algum. Eu não estava com medo, mas sim ansioso. Depois de mais de um ano vivendo naquele país em guerra, eu tinha curiosidade em relação à frente de batalha, pois ouvira muitas histórias de heroísmo dos soldados que retornavam. Os talibãs ainda estavam combatendo a Aliança do Norte, liderada por Ahmad Shah Massoud, um combatente conhecido por ser um gênio militar e herói dos mujahidin do período da guerra contra a Rússia. Com o retorno de meu pai ao Afeganistão, os dois heróis da campanha russa se tornaram inimigos. Depois que Mullah Omar ofereceu seu escudo de proteção, meu pai comprometeu sua força de combate ao exército de Mullah Omar. Mullah Omar e os talibãs eram inimigos mortais de Massoud.

Tudo naquele dia foi casual. Os homens escolhidos para a viagem não tinham veículos ou assentos determinados. Meu pai escolheu um motorista aleatoriamente e eu o segui, viajando com Sakhr al-Jadawi (Salim Hamdan). A viagem de carro foi curta, durando não mais do que trinta ou quarenta minutos, mas também desconfortável e acidentada, como todas as viagens nas estradas do Afeganistão. Não recordo de nada específico do percurso, exceto que as histórias inacreditáveis de Sakhr me mantiveram rindo, retirando-me de meu estado usual de seriedade. Sakhr era o tipo de pessoa que contava piadas o tempo todo, aproveitando a vida mais do que a maioria das pessoas. Era difícil não relaxar em sua companhia.

Quando chegamos à frente de batalha, todos acharam algo para fazer enquanto meu pai se reunia com alguns dos tenentes que defendiam as posições. Sakhr e eu fomos caminhar, e, por tédio, ele resolveu praticar sua pontaria.

Ele preparou uma lata vazia e começou a atirar.

Falamos um pouco sobre sua habilidade e ele atirou um pouco mais.

E atirou novamente.

Estávamos prestes a ficar muito chocados, pois ocorreu um estrondo tão alto que ficamos perplexos de imediato. O que acontecera? Nenhum de nós já tinha ouvido uma Kalashnikov fazer um barulho tão ensurdecedor.

Justamente quando estávamos examinando a arma de Sakhr e discutindo a estranheza da situação, um míssil cruzou o ar acima de nós e explodiu perto de onde estávamos. Foi quando percebemos que a Kalashnikov *não* fora a origem do barulho.

Em segundos, estávamos sob um bombardeio intenso de mísseis, que choviam sobre nós. Houve uma pausa curta no ataque e ouvi meu pai gritar: "Recuem! Recuem!"

Fiquei agachado com Sakhr. Eu estava assustado demais para me mover e Sakhr era muito cuidadoso. Ele estava planejando como poderíamos nos movimentar sem irmos de encontro a um míssil.

Nossas mentes estavam disparando, sem que nenhum de nós compreendesse como os homens de Massoud haviam chegado tão perto. Estávamos atrás da linha de combate, por Deus! Como os homens de Massoud se infiltraram entre a linha de combate dos talibãs e nós sem serem vistos?

Agachado ali, esperando morrer a qualquer momento, olhei para trás e vi que meu pai e seus amigos haviam se abrigado em uma construção de concreto, de onde olhavam impotentes para o filho de Osama bin Laden, tão vulnerável. Com mísseis passando acima de minha cabeça, terra e pedrinhas salpicando meu rosto e grandes crateras surgindo ao meu redor, realmente acreditei que estivesse vivendo os últimos momentos de minha vida terrena. Minha maior tristeza foi a dor que eu sabia que minha morte causaria à minha mãe. Estranhamente, não senti um medo verdadeiro. Suponho que a adrenalina estivesse criando uma sensação enganosa de coragem.

Olhei novamente para trás a fim ver meu pai, possivelmente pela última vez. Ele estava agora na entrada do abrigo improvisado, arriscando a própria vida e sinalizando com as mãos para que eu corresse até ele. Finalmente, tive coragem sair em disparada até o abrigo, onde meu pai, abalado, parecia muito feliz por eu estar vivo.

Não estávamos preparados para uma batalha em grande escala, de modo que a única opção era recuar. Depois de se recuperar do choque inicial, meu pai percebeu repentinamente que não estávamos sendo atacados pelos homens de Massoud. Na verdade, eram os talibãs que estavam disparando contra nós! Fomos vítimas de fogo amigo.

Jamais vi meu pai tão violentamente enfurecido. "Sakhr", ordenou, "pegue seu carro. Dirija pela área. Vá até o ponto de lançamento e diga a eles que parem agora ou matarão todos nós!".

Felizmente, Sakhr retornou em segurança e o comandante talibã foi informado de que estava atirando contra Osama bin Laden e que quase matara o filho do xeique. Sakhr disse que o comandante quase enfartou. Quando ele ouviu Sakhr atirar, acreditou que estivesse sendo vítima de um ataque surpresa por trás. Ele pensou que os homens de Massoud tinham, de algum modo, deixado o local que estava vigiando.

A explicação não satisfez meu pai, que continuou mais furioso do que nunca, dizendo que, em tal situação, um comandante deve conferir antes de bombardear uma área considerada território seguro.

Jamais me esqueci daquela viagem para a frente de batalha, mas ela não me inspirou da maneira que meu pai esperava.

Capítulo 21

Guerra real

OMAR BIN LADEN

Havia tantas facções se enfrentando no Afeganistão que as frentes de combate margeavam a maioria das cidades e aldeias. Era comum que meu pai oferecesse reforço às forças talibãs, principalmente quando os talibãs se envolviam em batalhas intensas contra a Aliança do Norte, liderada por Massoud. Senti que meu pai gostava de colocar seus homens contra os de alguém cujas habilidades militares ele admirasse muito. Nada lhe dava mais prazer do que ser informado de que fora mais esperto do que o brilhante comandante.

Fico feliz em dizer que, por algum tempo, meus irmãos e eu conseguimos evitar que fôssemos enviados para as frentes de batalha. Contudo, um dia, sem qualquer motivo plausível que eu possa imaginar, meu pai me ordenou a comparecer em uma das bases da al Qaeda localizadas nas montanhas de Cabul, nos arredores da cidade. Ele disse: "Vá, meu filho. Vá e descubra a vida de soldado."

Acredito que isso tenha acontecido logo depois que completei 17 anos. Lutar nas frentes de batalha era o último item na lista de coisas que eu desejava. Eu tinha visto muitos homens gravemente feridos e morrendo sendo trazidos de volta das batalhas. Geralmente, um ferimento de guerra era fatal, pois não havia hospitais nas bases nem mesmo clínicas médicas temporárias para tratar dos feridos. Às vezes, eram feitos esforços para levar os feridos até a cidade mais próxima, mas era algo que acontecia raramente. Apesar de contarmos com o Dr. Zawahiri para as emergências reais, a função principal dele não era servir de médico, mas sim planejar ataques.

Mas eu não tinha outra escolha além de seguir as ordens de meu pai, uma vez que eu ainda não havia chegado à idade com a qual poderia me rebelar contra ele. Na verdade, quando já estávamos na estrada, senti leves tremores de excitação.

Quando cheguei à base nas montanhas de Cabul, vi os homens de Massoud encarando os soldados de meu pai. Os soldados na linha de frente estavam equipados com metralhadoras e outras armas de curto alcance. Logo atrás deles, entre a linha de batalha e a base, havia uma barragem de artilharia. Vi alguns tanques russos remanescentes da última guerra ainda funcionando, camuflados por galhos de árvores e folhagens, escondidos nos cantos de algumas áreas planas. Batalhas com tanques não eram muito comuns, o que foi decepcionante, pois eu tinha alguma habilidade na operação de tanques e, como a maioria dos adolescentes, teria me deleitado com a oportunidade de dirigir um deles.

Vi suprimentos massivos de armamentos, de mísseis Stinger a metralhadoras de artilharia. Fiquei impressionado com a complexidade da guerra, pois, como a maioria das pessoas, eu imaginava que a guerra no Afeganistão consistisse de guerrilhas. Mas as linhas de batalha eram definidas essencialmente de modo tão igual que imagino que os grandes exércitos tenham se enfrentado em conflitos entre potências mundiais. Vendo a vasta gama de homens altamente treinados utilizando principalmente equipamentos modernos, lembrei-me de ter ouvido certa vez que, depois que meu pai e seus soldados se juntaram aos talibãs, o profissionalismo militar aprendido por ele durante a guerra que durou dez anos, contra os soviéticos, alterara completamente a condução do conflito atual.

Quando cheguei, a batalha tinha acalmado. Nos cinco primeiros dias, o que mais fiz foi observar, pensando que estar na frente de batalha não era a pior coisa que poderia me acontecer. Houve ocasiões nas quais eu brincava com meu receptor de rádio portátil. A maioria dos soldados na frente de batalha tinha um. Tais aparelhos não eram sofisticados como os usados por meu pai e pelos líderes de alto escalão.

Eu estava entediado e descobri que, se me desse o trabalho, geralmente conseguia encontrar a frequência usada pelos homens de Massoud. Comecei a conversar com eles, perguntando de onde eram e outros assuntos não militares. Obviamente, jamais informei que era filho de Osama bin Laden, ou os homens poderiam ter feito um ataque de grandes proporções para capturar um alvo tão importante, sabendo que meu pai não faria coisa alguma de especial para obter minha libertação.

Certa vez, perguntei a um soldado amigável: "Por que vocês estão tentando nos matar?"

O soldado de Massoud respondeu: "Não tenho nada contra vocês. Essa guerra é uma disputa por território. Temos ordens para atirar em qualquer pessoa no território, você está nele. Terei que atirar em você, se tiver a oportunidade."

Aquele soldado estava dizendo a verdade. Todos os senhores da guerra queriam governar o país. Apesar da escassez de casas, hospitais, escolas, comida, roupas e outras necessidades, não faltavam senhores da guerra, todos lutando para atingir a posição mais alta. Tratava-se de mais uma guerra amarga que era resultado de um grupo de homens teimosos e inflexíveis.

A linha de frente ao redor de Cabul estava ligada a uma aldeia. Casebres modestos salpicavam a encosta da montanha. Como muitas das casas haviam sido abandonadas por causa da proximidade dos combates, os soldados de meu pai optaram por dormir nos casebres em vez de se agacharem no solo rochoso. Durante as horas de sono, os soldados de meu pai posicionavam vigias ao longo da trilha da montanha. Chegou a noite na qual seria a minha vez de servir de vigia, pois meu pai dera ordens para que eu fosse tratado da mesma maneira que todos os outros soldados. "Nem melhor, nem pior", foi a ordem dele.

Praticamente assim que me posicionei em uma posição privilegiada de vigia, senti uma bala passar sibilando ao lado de minha orelha direita. Em seguida, uma segunda bala voou ao lado de minha orelha esquerda. Em pouco tempo, muitas balas estavam voando. Soldados inimigos haviam identificado minha posição. Com as balas passando ao meu redor, eu não conseguia me decidir para que lado pular.

Ainda não estou certo de como evitei ser atingindo. É possível que a noite sem lua tenha prejudicado a mira dos inimigos, ou talvez eu estivesse tão imóvel que o atirador inimigo tenha decidido que seu alvo fosse uma rocha na montanha. Meus camaradas soldados finalmente ouviram os disparos e se arrastaram para entrar na batalha assim que os tiros cessaram. Quando amanheceu, eles ficaram impressionados quando viram tantas balas cercando minha posição. Deus estava comigo naquela noite.

No sexto dia, a batalha começou e instantaneamente passei a ter um novo respeito pelos soldados. Fui enviado para a linha de artilharia, onde o barulho da guerra danificou meus tímpanos. Obviamente, fui me acostumando com o barulho da guerra aos poucos, mas jamais à visão dela. A carnificina desnecessária era pavorosa, com homens feridos ou morrendo em todos os lugares, a maioria da minha idade.

Eu lamentava estar decepcionando meu pai constantemente, mas saí de lá com a determinação renovada de que a guerra era o exercício mais inútil imaginável. Empoleirado no topo da montanha, eu jurara passar o resto da vida falando contra aquilo que meu pai tanto amava.

A única coisa que meu pai amava mais do que a guerra era o Islã. Apesar de os muçulmanos poderem rezar em qualquer lugar, na rua, em sua casa, no escritório, no deserto ou até mesmo em um aeroporto, é melhor que tenham — pelo menos os homens muçulmanos — a oportunidade de rezar em uma mesquita. Mas houve momentos nos quais meus irmãos e eu ficamos cansados de ir a uma. Isso não se dava por falta de fé, pois éramos fiéis, mas sim porque a mesquita era usada para tantas coisas que meus irmãos e eu passávamos mais tempo nela do que em casa. Havia muitas reuniões entediantes que duravam horas. Muitas vezes, oradores islâmicos nada inspiradores discursaram até que nossas pálpebras se fechassem e nossas cabeças balançassem de tédio. Nosso pai não tinha pena de nossa situação e esperava que os filhos jovens ficassem sentados imóveis, demonstrando entusiasmo por inúmeras variações do mesmo tema.

Com o tempo, ficamos sabendo que qualquer pessoa que sentisse vontade de discursar tinha permissão para tal. Os oradores entusiasmados detinham os espectadores relutantes, mantendo-os cativados por horas. Quase todos os adultos clamavam para falar ao público, no intuito convencer os outros de sua compreensão especial do Islã. A maioria deles não era de acadêmicos islâmicos, mas de homens ignorantes que se sentiam elevados pela cerimônia de discursos intermináveis.

Meus irmãos e eu já passávamos mais tempo do que a maioria das pessoas na mesquita, onde nos ensinavam os versos do Alcorão, a história do islamismo, os motivos do Jihad, os fatos que precisávamos saber sobre a perversidade do mundo não muçulmano, além dos planos futuros de meu pai de destruir o Ocidente. Foi na mesquita que recebemos a mensagem de que os Estados Unidos temiam que o islamismo estivesse se aproximando da fé cristã. Disseram-nos que era o plano sagrado de Deus fazer com que todas as religiões, inclusive as praticadas por cristãos, judeus, hindus e outros se curvassem ao domínio islâmico. Todas as pessoas do mundo se reuniriam sob um califado islâmico.

Depois de dois anos submetido aos longos discursos proclamados por chatos sem instrução, escrevi uma carta anônima, com cuidado para alterar minha caligrafia.

Eis o que recordo da carta:

"Ninguém deveria ter autorização para se levantar e falar na mesquita sem a permissão do xeique Bin Laden. É injusto que a congregação seja submetida a uma série interminável de discursos. Existem muitas coisas na vida que devem ser feitas além de se ficar horas sentado na mesquita ouvindo oradores sem estudos.

"A mesquita não deveria ser utilizada com tamanho descaso. Esses discursos tediosos, os quais geralmente são a opinião de apenas um indivíduo, não contribuem em nada para o avanço do islamismo. Oradores islâmicos deveriam inspirar os fiéis, mas a maioria dos oradores que sequestraram nossa mesquita estão criando discórdia e insatisfação. Os fiéis não deveriam ser colocados em posição de tédio absoluto, pois isso os desencoraja a participarem de muitos eventos dignos na mesquita."

Sem querer ser descoberto, pois não tinha qualquer vontade de incitar a ira de meu pai, entrei discretamente na mesquita em um momento tranquilo e prendi a carta na parede.

Quando chegou a hora da próxima oração, eu estava lá com meu pai. Um dos homens mais velhos veio até nós e falou com franqueza: "Os homens estão comentando. Eles dizem que somente um filho do príncipe — referindo-se ao meu pai — teria coragem suficiente para enviar esta mensagem. Pensamos a respeito e falamos sobre os filhos do xeique Osama, e todos concordamos que esta carta só poderia ter vindo de uma mão, a mão de seu filho Omar."

Eu não disse nada.

Meu pai não disse nada.

Finalmente, o homem idoso me perguntou abertamente: "Omar, você escreveu essa carta?"

Olhei nos olhos dele, sem admitir nada. Eu não disse nem sim nem não.

Meu pai continuava sentado tranquilamente. Ele não olhou para o velho nem para mim. Acho que estava olhando para as próprias mãos.

O velho finalmente perguntou: "Por que você escreveu esta carta, Omar?"

Sabendo que ele jamais desistiria se não tivesse uma resposta, eu disse: "Mesmo que não a tenha escrito, concordo com ela. Todos os homens jovens estão fartos."

Incerto quanto à reação que meu pai teria, o homem abanou a cabeça e se afastou sem dizer mais coisa alguma.

Meu pai não se moveu. Eu temia o que ele diria, pois eu jamais mentira ao meu pai. Eu sentia que o coração dele dizia que seu filho Omar era realmente o infrator. Mas, estranhamente, ele manteve o tópico em aberto. Durante algum tempo, a quantidade de discursos diminuiu, mas como a maioria dos homens gosta muito do som da própria voz, então não demorou até que estivessem novamente avançando para o púlpito a fim de pregarem seus modelos pessoais de islamismo.

Uma semana depois, percebi que meu pai tinha problemas mais graves do que o tédio na mesquita. Pela primeira vez na vida, ele estava sem dinheiro *algum*.

Apesar de termos ficado pobres em 1994, quando o governo saudita congelou o patrimônio de meu pai, havia novos problemas. Quando meu pai perdeu acesso aos seus recursos pessoais, sua gigantesca organização passou a existir em função de caridade. Membros simpáticos à realeza, cidadãos sauditas comuns ou até mesmo membros da família imediata de meu pai faziam doações generosas à causa do Jihad. Até aquele momento, não havia regras contra as doações. Mas, recentemente, o governo proibira as instituições de caridade islâmicas de fazerem doações à causa de meu pai. Todos eram observados para que se tivesse certeza de que não contribuiriam.

Nunca tínhamos ficado realmente desesperados, profundamente desanimados por não haver dinheiro para comprar comida para nossa família e tampouco para o grupo enorme de pessoas que havia se concentrado ao redor de meu pai.

Minhas memórias daquele dia são intensas, pois eu estava faminto, assim como todos os homens. Eu mesmo dera pessoalmente o resto da comida, ovos e batatas, às mulheres e crianças. Pontadas de fome atacavam nossas barrigas.

Meu pai falou sobre o problema com Abu Hafs e alguns outros homens de confiança enquanto eu escutava sentado. Ele disse com um ar triste e decepcionado: "Se tivesse apenas cinco milhões de dólares, eu poderia vencer esta guerra hoje." Todos sabíamos que ele estava falando da destrutiva guerra civil que ainda afligia a todos os homens, todas as mulheres e crianças que viviam no Afeganistão, um conflito que obstruía o que ele considerava sua verdadeira missão de vida: guerrear contra o Ocidente.

Tive um surto de raiva. Meu pai não possuía um rial saudita sequer, nem mesmo um afgane. Se não obtivéssemos recursos logo, poderíamos todos morrer de fome. Agora, estava ouvindo meu pai se lamentar porque não tinha dinheiro para guerrear. Fiquei de boca fechada, pois não era hora para iniciar uma discussão com meu pai. Ele estava cercado por homens que o amavam a ponto de serem capazes de enfiar alegremente uma adaga em meu coração por criticá-lo.

Depois de alguns instantes, sua atenção se voltou para o problema em questão. Ele olhou para seus homens e os instruiu: "Olhem todos os cofres, procurem em todos os esconderijos e busquem alguns recursos esquecidos que possamos ter guardado quando tínhamos bastante dinheiro."

Os homens fizeram o que meu pai ordenou, retornando um após o outro com a mensagem desagradável de que os cofres que um dia estiveram abarrotados de dinheiro agora estavam vazios. Um deles disse: "Não há nem poeira."

De repente, um dos homens entrou correndo na sala, radiante. Ele presenteou meu pai com um maço de dólares americanos, dizendo a ele: "Xeique, descobri esse dinheiro em um cofre que estava esquecido há muito tempo."

Meu pai contou rapidamente o dinheiro e anunciou: "Tem cinco mil dólares aqui!"

Que alívio! Aquela quantia duraria bastante nos bazares de comida de Kandahar. Agora poderíamos comprar provisões para alimentar nossos famintos. Apesar da felicidade no rosto de meu pai, havia uma tristeza profunda em sua voz quando disse: "Jamais, em toda minha vida, imaginei que encontrar modestos cinco mil dólares fosse me trazer tanta alegria."

O incidente fizera meu pai voltar no tempo, para quando acreditava que todos os seus sonhos se realizariam. Depois de derrotar os russos, ele passara por um período de arrogância, convencido de que o resto de sua vida seria repleto de vitórias. Mas não foi o que aconteceu. Na verdade, os sonhos dele haviam evaporado.

Meu pai olhou primeiro para Abu Hafs, seu querido amigo havia muitos anos, e depois para alguns dos homens mais velhos no círculo, os veteranos da guerra contra a Rússia, antes de gesticular em minha direção e dizer: "Vejam meu jovem filho! Quando chegamos pela primeira vez no Afeganistão, há tantos anos, também éramos rapazes com rostos de crianças. Éramos guerreiros vibrantes, altos, musculosos, em forma e saudáveis. Nossas barbas eram negras e nossas cabeças eram cobertas por cabelo crespo, sem qualquer fio branco!"

Sua voz ficou melancólica. "Quem teria sonhado que nossas vidas seguiriam este caminho? Perdemos muitos amigos no Jihad. Eles estão no Paraíso, enquanto nós ainda lutamos na Terra, defendendo a justiça para o Islã. Apesar de sabermos que a vida na terra de Deus não passa de um degrau para o Paraíso, muitas vezes a jornada é dura demais para ser suportada. Quando viemos tão ansiosamente para o Afeganistão, ainda éramos jovens. Sentíamos pena dos combatentes antigos, que mal conseguiam se mexer. Agora, olhem para nós! Nós somos os velhos! Agora são nossos filhos que seguem nossos passos."

Retorci-me, sabendo que se meu pai estivesse contando comigo para realizar seus sonhos, ele ficaria muito decepcionado. Na primeira oportunidade, eu tiraria meus pés das pegadas de meu pai e faria as minhas próprias.

Eu tinha certeza de que meu pai estava pensando em mim como seu escolhido quando anunciou que um jornalista inglês, Robert Fisk, estava a caminho do Afeganistão para entrevistá-lo e que eu deveria estar presente. Fisk entrevistara meu pai uma ou duas vezes no passado, mas era a primeira vez que eu o conheceria.

Apesar de Abdul Rahman não ter sido levado à entrevista, Sa'ad veio conosco. Eu apenas esperava que Sa'ad não começasse a falar sobre o pão com ovo saboroso que acabara de comer. Apesar de orgulhoso por ser um dos dois filhos escolhidos para estar com meu pai em uma entrevista tão importante, lamento dizer que recordo pouco da conversa em si. Os interessados podem encontrar o trabalho de Fisk e ler por conta própria. Recordo principalmente de que o jornalista era um homem muito agradável que até me deu um pouco de atenção, virando-se para mim com uma expressão simpaticíssima a fim de me perguntar se eu era feliz.

Fiquei atordoado com a pergunta. Durante toda minha vida, poucas pessoas haviam se importado realmente com meus sentimentos, e com certeza jamais me perguntavam se eu estava feliz ou não. Por uma fração de segundo, perguntei-me se Fisk estava apenas sendo educado, mas ele parecia tão sincero que eu quis agradá-lo com minha resposta. Finalmente, respondi: "Sim, sou feliz."

Fisk não me fez mais perguntas, mas minha língua ansiava por retirar o que tinha dito — eu queria revelar a verdade, que eu era o garoto mais triste do mundo e que detestava o ódio e a violência promovidos por meu pai. Eu queria chamar Fisk para um canto e dizer a ele que um dia encontraria coragem para me manifestar contra meu pai e trabalhar em defesa da paz. Eu estava explodindo, mas ainda era muito covarde para dizer o que sentia.

Fisk perguntou agradavelmente ao meu pai se ele gostaria de tirar uma fotografia comigo. Fiquei animado quando meu pai concordou, pois ele não era fã de fotografias, e sua aprovação para aparecer em uma foto comigo significava mais do que a própria foto.

Depois que Fisk partiu, tive coragem de perguntar: "Pai, você está apreensivo com o que esse repórter pode dizer?"

Meu pai encolheu os ombros e disse: "Não. Ele será justo."

Depois, consegui uma cópia da entrevista de Fisk e senti uma decepção estranha por não ter sido citado em momento algum, apesar de saber que meu pai era a única pessoa que importava na família. O mundo não tinha motivos para se interessar por mim, mas eu tinha razões para me interessar pelo mundo. A hora de minha partida estava se aproximando.

Capítulo 22

Férias do Jihad

OMAR BIN LADEN

Com o passar do tempo, a vida dos Bin Laden foi ficando ainda mais difícil. Isso se deu porque a paixão de meu pai pelo Jihad estava ligada a pessoas que estavam perdidas na vida e ansiavam pela guerra, em vez de a pessoas que buscavam os prazeres comuns da vida. Enquanto alguns dos recrutas eram visitantes temporários, passando "férias no Jihad" no Afeganistão, a maioria dos soldados logo se viciava na vida do Jihad. Eles procuravam o Jihad violento porque acreditavam que a causa fosse a mais pura de todas para um muçulmano. Eles sentiam que suas vidas tinham um grande sentido porque queriam dá-las a Deus.

Aqueles jovens tornaram-se nossos — meus e de meus irmãos — companheiros, expondo-nos a muitos acontecimentos estranhos.

Meu pai sempre foi a fonte de conversas maravilhadas porque seus homens eram tão dominados por sua presença que acreditavam que todas as pequenas coisas fossem sinais de Deus. Um dia, vários homens foram acometidos por um fenômeno estranho. Todo verão, os pássaros da região voavam para Kandahar no decorrer de sua migração. Árabes gostam de pássaros, então fizemos esforços especiais para que tais aves ficassem confortáveis. Meus irmãos e eu chegamos a abrir o vidro que ficava sobre as portas para que os pássaros tivessem um bom lugar para descansar. Quando os ovos chocassem e os filhotes nascessem, eles partiriam. Os homens começaram a reparar que um pássaro específico era um visitante recorrente havia anos. Ele tinha uma fita vermelha característica de trinta centímetros em uma de suas pernas. Nenhum outro pássaro tinha a identificação.

Um dos soldados especulou que o pássaro estava sendo usado pelos americanos para localizar meu pai, mas logo concluiu que esse não era o caso. Contudo, houve muitas gargalhadas sobre como um pequeno pássaro encontrava repetidamente a casa de meu pai enquanto o Exército americano, com toda sua tecnologia avançada, não conseguia fazer o mesmo.

Havia um treinador militar que era especialmente agradável comigo, sempre me cumprimentando prontamente com um sorriso e oferecendo ajuda. Obviamente, jamais ouvi seu nome de família verdadeiro, pois era proibido usá-lo, mas o homem era conhecido como Abu Zubair por todos no exército de meu pai. Abu Zubair ocupava uma posição superior na organização de meu pai, indo e voltando de Kandahar para o campo de treinamento perto de Cabul.

Houve um incidente com Abu Zubair do qual jamais me esquecerei. Ele era um orgulhoso proprietário de uma vaca preta e branca que despertava a inveja de muitos soldados, pois alimentos e bebidas eram racionados com muito cuidado. Em pouco tempo, a vaca deu à luz um bezerro macho, o que foi outra fonte de prazer para Abu Zubair, pois ele tinha planos para o filhote.

Certa noite, Abu Zubair teve um pesadelo bizarro. Ele sonhou que dois de seus soldados haviam, secretamente, ordenhado sua vaca, levando o leite que o bezerro tomaria. Na manhã seguinte, não conseguia tirar o sonho da cabeça. Mesmo depois de fazer as primeiras orações do dia, a mensagem do sonho persistia. Abu Zubair chamou outro treinador, um homem chamado Abu Atta, e os dois falaram sobre o sonho com muita seriedade. Sabendo que não relaxaria até chegar ao cerne daquela questão perturbadora, Abu Zubair finalmente chamou os dois homens com quem sonhara.

Os homens chegaram, visivelmente nervosos.

Abu Zubair os interrogou astutamente. Ele sabia que eram muito supersticiosos. "Vocês cometeram um pecado ontem à noite?"

O soldado Abu Walid cedeu imediatamente, confessando que os dois haviam entrado sorrateiramente no estábulo para ordenhar a vaca em questão. Eles já tinham bebido a prova do crime, de modo que ninguém além do bezerro faminto teria sabido da ordenha ilegal se não fosse pelo sonho de Abu Zubair.

Obviamente, o dono da vaca ficou furioso por terem abusado de sua confiança e determinou uma punição severa. Os dois soldados precisaram subir e descer correndo as montanhas até que jurassem ter aprendido a lição. Obviamente, espalhou-se a informação de que, uma vez que Deus favorecia muito o trabalho de meu pai, Ele alertaria seus líderes durante o sono caso alguém cometesse um pecado.

Houve outras histórias curiosas. Lembro-me de quando acompanhei meu pai e alguns de seus tenentes superiores em uma viagem de carro para supervisionar o território, confirmar especificidades relativas aos combates e conferir a situação dos recrutas mais novos que treinavam nos campos. Meu pai estava em um dos primeiros carros do grupo e eu era passageiro em um dos últimos veículos. Como de costume, a viagem foi desgastante por causa das estradas em más condições e da falta de amenidades disponíveis para aqueles que viajavam pelas estradas do Afeganistão. Muitos dos combatentes estavam irritados com o cansaço, de modo que meu pai ordenava paradas frequentes no decorrer da viagem. Quando nos aproximávamos de aldeias pequenas, ele estacionava seu veículo para que pudéssemos encher nossos recipientes de água na fonte da aldeia, comprar alguns produtos simples e, é claro, fazermos nossas necessidades.

Como não havia banheiros públicos nem tampouco, diga-se de passagem, particulares disponíveis aos aldeões, os soldados precisavam se espalhar em busca de privacidade em cantos isolados nos campos. Depois de se aliviarem, os soldados voltavam para perto da caravana e esperavam os companheiros sob a sombra de uma árvore. Raramente tínhamos objeções às paradas porque ninguém estava particularmente ansioso por retornar às estradas acidentadas do Afeganistão. Nós gostávamos de ter tempo extra para sentar e bater papo.

Lembro-me de um certo soldado que aguentara até o último instante e partira apressadamente, demorando tanto para voltar que começamos a nos perguntar o que teria acontecido com ele. Esperamos sob a árvore, aproveitando o tempo para desfrutar da brisa, quando, de repente, ele veio correndo por entre a grama alta com um sorriso enorme no rosto.

Quando ele viu os parceiros, o sorriso se tornou uma gargalhada. Interessados em qualquer coisa divertida, pressionamos o soldado por informação, mas ele não conseguia contar sua história de tanto que ria. Finalmente, ele falou ofegante: "Lá estava eu fazendo minhas necessidades quando ouvi passos. Usei o sinal para alertar ao intruso de que eu estava ocupado com uma questão pessoal. Imagine meu choque quando o intruso começou a andar mais rápido, vindo diretamente em minha direção. Continuei a fazer o sinal 'hum, hum, hum, hum', mas nada impediu a aproximação.

"Eu estava em pânico, pois não estava em uma posição adequada para ser visto!"

À essa altura, todos estávamos gargalhando.

"De repente, um homem alto surgiu diante de mim! Ele colocou a mão em meu ombro e olhou para minha figura agachada antes de perguntar: 'Você está bem, meu amigo? Ouvi alguns sons muito estranhos que me preocuparam tanto que precisei conferir se o homem por trás do barulho estava bem.'"

O soldado caiu no chão de tanto rir. "Tudo que pude fazer foi gemer mais um pouco! O que poderia fazer? Lá estava eu, com as calças arriadas até os tornozelos, miseravelmente agachado, travando uma conversa!"

Àquela altura, um círculo enorme de soldados havia se formado, e, por algum motivo, todos acharam a história hilariante. Ninguém conseguia falar. As gargalhadas faziam lágrimas escorrerem pelos rostos endurecidos de todos os combatentes.

Apesar de minha vida ter sido triste em muitos aspectos, tentei me consolar pensando que minha situação ainda era melhor do que a de muitos outros. Pelo menos, não estava vivendo como uma criança incapacitada em um país devastado pela guerra civil. Os pobres afegãos não sabiam lidar direito com uma criança com deficiência física ou mental. Alguns dos soldados tinham visto casos em que os mentalmente comprometidos eram acorrentados como cães, presos por correntes pesadas a uma árvore ou uma cadeira.

Na verdade, havia um garoto em tal situação com quem me identifiquei, pois tínhamos a mesma idade. Ele vivia acorrentado em uma aldeia próxima de nosso complexo em Kandahar. Com os anos, ele desenvolveu a capacidade de escapar. Às vezes, depois de se livrar das correntes, ele ia até o complexo. Certa vez, um guarda viu uma figura masculina se aproximar e gritou: "Pare! Identifique-se!"

Incapaz de compreender, o pobre garoto continuou a andar lentamente, seguindo o som da voz humana. Convencido de que um homem bomba suicida estava a caminho do complexo, o guarda começou a atirar por cima da cabeça do garoto, que seguiu em frente perambulando, sem parar com os disparos.

Finalmente, o guarda conseguiu vê-lo bem e percebeu que o visitante era o pobre garoto acorrentado da aldeia. Outros guardas, que haviam corrido para o portão principal ao ouvirem os disparos, apressaram-se em pegar o garoto e levá-lo de volta para sua vida acorrentada.

Com o passar do tempo, percebi que meu pai tinha momentos de tristeza, apesar de ele não ter me revelado seus pensamentos mais profundos. Contudo, sua infelicidade tocava meu coração, e, como filho dele, eu procurava por motivos para desculpá-lo pelo comportamento que tinha. Eu queria que meu pai desistisse da guerra e da violência. Obviamente, naquela época, ele ainda não havia atravessado uma linha que asseguraria que jamais poderia voltar a viver normalmente.

Justamente quando me sentia um pouco mais benevolente em relação ao meu pai, foram reveladas certas crueldades que solidificaram para sempre minha aversão à al Qaeda e ao trabalho da vida de meu pai.

Meus irmãos e eu tínhamos cães de estimação desde nossa infância, em Cartum. Depois que Mullah Nourallah me presenteou com meu primeiro cão no Afeganistão, Bobby, nossa população de cães aumentou. No mundo em que vivíamos, não havia um controle intencional da quantidade de animais de estimação. Na verdade, no mundo muçulmano, é considerado cruel "castrar" cães, uma vez que ao castrar os machos não podem ter o prazer do acasalamento e as fêmeas deixam de sentir o prazer da maternidade. Os muçulmanos acham que devem deixar a natureza do modo que Deus a criou. Sendo assim, os cachorros tornaram-se abundantes em nosso complexo.

Pouco depois da mudança para Kandahar, ouvi que os campos de treinamento de meu pai estavam mais sofisticados, com homens testando armas químicas e biológicas mortais.

Um dia, quando eu estava cuidando de minha cadela e de seus filhotinhos, vários soldados vieram até mim e pediram os cachorrinhos emprestados. Não gostei da ideia, mas pensei que estivessem querendo animais de estimação para eles próprios. Assim, permiti que levassem os filhotes, que já tinham idade suficiente para viver sem o leite materno.

Tais pedidos tornaram-se comuns e despertaram minha curiosidade quanto ao destino dos filhotes. Àquela altura, já fazia alguns anos que eu morava no Afeganistão e eu percebera que poucas pessoas tinham afeição por cachorros. Na verdade, a maioria dos afegãos viam os cães efetivamente como pragas, do mesmo modo que muitas pessoas veem os roedores. Em vez de correrem para abraçar um cãozinho, atiravam nele. Meu mundo não tinha qualquer ligação com o grande amor que, me disseram, as pessoas no Ocidente têm por seus animais de estimação.

Em pouco tempo, um amigo confidenciou que os cães que eu e meus irmãos adorávamos estavam sendo sacrificados pela causa do Jihad. Os soldados de meu pai usavam nossos cãezinhos como cobaias, intoxicando-os com gás para ver quanto tempo levaria até que morressem.

Uma onda de choque percorreu meu corpo. Chorei, mas nada emocionava meu pai ou seus homens. Disseram-me que precisavam de cobaias e que nossos filhotes eram ideais para tal propósito. Meu pai não demonstrou qualquer sinal de preocupação por eu me importar tão profundamente a ponto de implorar pelas vidas de meus cãezinhos. Muitos dos soldados novos, jovens nascidos sem qualquer sensibilidade, gostavam de descrever como aqueles animaizinhos morriam se contorcendo. Eles insistiam em me contar sobre como tremiam de terror, sentados amarrados a uma gaiola, sofrendo ao longo de todo o ordálio. O gás não agia tão rapidamente quanto se havia pensado.

Jamais me permiti afeiçoar-me novamente a qualquer filhote que nascesse, pois, ao olhar para seus focinhos doces, eu já os via mortos, apesar de não saberem disso ainda. Quando deixei o Afeganistão, os testes com gás ainda perduravam.

Depois que descobri sobre os filhotes, afastei-me ainda mais de meu pai, reconhecendo que o caminho dele só levava à dor, à decepção e à morte. Na verdade, a imagem dos cães agonizantes era tão dolorosa que a empurrei para o recanto mais profundo de minha mente. Hoje, estou contando essa história pela primeira vez na vida.

Minhas emoções oscilavam como se estivessem sob um vento feroz. Concluí que minha única chance de felicidade residia em me tornar independente e em encontrar uma esposa adequada com quem pudesse começar minha própria família. Em março de 1998, completei 17 anos, o que era um marco, pois eu sempre acreditei que deveria me casar com aquela idade. Talvez isso tenha ficado em minha mente porque meu pai se casara aos 17 anos, assim como meu irmão Abdullah. Tanto Abdul Rahman como Sa'ad também queriam casar.

Nós três perguntamos aos amigos quais combatentes tinham filhas em idade adequada para se casar, pois a puberdade é considerada uma exigência. Na época, não havia candidatas adequadas no complexo. Meu maior desejo era casar com uma prima na Arábia Saudita, como Abdullah tinha feito, pois sabia que eu jamais retornaria ao Afeganistão. Mas nenhum de meus tios ou tias permitiriam que as filhas casassem com o filho de Osama bin Laden. Abdullah tivera a sorte de se casar antes de a reputação de nosso pai ficar tão maculada, jogando assim uma sombra sobre os nomes dos filhos.

Decidi que deveria viajar ao Sudão para encontrar uma esposa adequada e Sa'ad resolveu me acompanhar. Como Sa'ad estava com 19 anos e eu, com 17, nosso pai não proibiu a viagem. Nossa querida mãe jamais proibiria coisa alguma, mas disse: "Meus filhos, rezo para que Deus cuide de vocês, mantenha-os em segurança e leve a vocês a felicidade que procuram."

Sa'ad e eu preparamos as malas e viajamos de táxi até o Paquistão, onde pegamos um voo para a Síria, via Irã. Quando passamos pelo Irã, recordei do dia no qual acompanhara meu pai de Cartum para Jalalabad. Apesar de aquela viagem ter ocorrido apenas dois anos antes, para mim parecia terem passado cem vidas. A vida pavorosa no Afeganistão tinha um jeito de expandir o tempo.

Foi divertido visitar a Síria, especialmente quando surpreendemos a família de minha mãe entrando em sua casa sem nos anunciarmos. Ficamos apenas por alguns dias, mas foi o suficiente para que eu percebesse que minha avó sofria muito com as ausências prolongadas de minha mãe. Havia passado tanto tempo desde que minha mãe ainda podia lhes telefonar ou escrever cartas que os Ghanem não sabiam de minha última irmã, Rukhaiya. Eles estavam tão ansiosos por detalhes sobre minha mãe e seus filhos que não conseguiam parar de fazer perguntas. Ficaram preocupados principalmente com a saúde e a segurança de minha mãe quando ouviram os detalhes mais crus da vida no Afeganistão.

Eles fizeram poucas perguntas sobre meu pai e suas atividades. Na vida, é melhor não explorar certos assuntos. Depois de uma visita muito agradável, despediram-se de nós e embarcamos em um avião rumo ao Sudão.

Quando Sa'ad e eu finalmente chegamos a Cartum, senti uma onda de afeto pela terra e pelas pessoas. Sentia-me como o filho pródigo de volta ao lar, pois jamais me esquecera do povo amigável e da alegria que conhecera quando moramos lá.

Meu pai nos fornecera os nomes de alguns oficiais do governo que poderiam nos oferecer alguma proteção. Pude sentir o afeto que tinham pelos filhos de um homem que haviam conhecido como um amigo magnânimo. Eles expressaram tristeza pelo fato de o governo ter sido obrigado a expulsar nosso pai e nos deram permissão oficial para viajarmos a qualquer parte do país, o que era incomum naquele período.

Sa'ad e eu logo nos separamos. Ele encontrou uma família com a qual poderia ficar, assim como eu. Era melhor assim, pois a tagarelice interminável de Sa'ad dá nos nervos rapidamente. Procuramos individualmente por nossas esposas, recorrendo a antigos amigos para que perguntassem se haveria jovens mulheres atraentes de boas famílias cujos pais aprovassem que suas filhas se casassem com um dos filhos de Osama bin Laden.

Mas antes de procurar dedicadamente por uma esposa, fui atrás dos cavalos que havíamos deixado lá. Eu pensara muitas vezes neles, rezando para que tivessem sido comprados por alguém bondoso que os tratasse bem. Fiz uma rápida viagem até os estábulos de meu pai, onde foram deixados.

Entrei em um pesadelo. Disseram-me que todos os cavalos, exceto dois, haviam morrido de fome ou por doenças não tratadas.

Adham e Lazaz, dois dos cavalos mais fortes, ainda estavam vivos. Mas o pobre Adham estava muito doente, à beira da morte, tão fraco que suas pernas antes musculosas já não conseguiam mais aguentar o peso do próprio corpo. Não era preciso ser um conhecedor de cavalos para saber que Adham não viveria por mais de uma semana.

Lazaz, o cavalo mais orgulhoso que eu já conheci, estava tão esquálido que os ossos forçavam a pele, querendo perfurá-la. O cavalo com um espírito muito orgulhoso, que quase derrotara meu pai dominador, parecia agora confuso, incerto de quem era e de onde estava. Ele não se lembrava de mim.

Fui envolvido pela tristeza. Tentei salvar a vida de Lazaz. Fracassei. Esse assunto é tão doloroso que não consigo retornar às suas memórias. Depois daquela descoberta horrorizante, meu coração ficou tão carregado que a alegria da viagem foi destruída.

Encontrei alguns de meus antigos amigos da escola e recordamos os bons tempos que passamos juntos. Muitos daqueles garotos jamais souberam o que acontecera com os filhos de Bin Laden. Só sabiam que um dia fomos à escola e, no outro, deixamos de ir. Eles não tinham conhecimento do atentado contra Osama bin Laden, que fora o que levara nosso pai a nos retirar da escola. Alguns reconheceram que, posteriormente, ficaram sabendo que deixamos totalmente o Sudão. A maioria presumia que tivéssemos voltado para a Arábia Saudita, para a boa vida, e ficaram surpresos quando souberam que fomos para o Afeganistão. Alguns dos garotos olharam com tristeza para mim, espertos o bastante para saberem que nossas vidas como parte dos Bin Laden não eram como deveriam ser.

Depois, visitei os negócios que meu pai fundou e as terras que havia comprado, tudo com nossa herança da família Bin Laden. Muitas empresas já carregaram o nome de nossa família, incluindo uma grande fábrica de processamento de couro para a qual meu pai levou os filhos várias vezes, destacando com orgulho que era um de seus empreendimentos mais bemsucedidos.

Cheguei para descobrir que a fábrica de couro fora fechada e que o prédio fora dado a uma faculdade local, que o usava para acomodar professores. Fiquei com raiva da ideia, pois a fábrica pertencia à família Bin Laden e ninguém tinha o direito de dá-la de presente a outras pessoas.

Passei tanto tempo na fábrica caminhando de um lado para outro, mergulhado na raiva, que, de repente, percebi que estava escurecendo. Sabendo que deveria retornar rapidamente para Cartum, antes que a noite tornasse a viagem perigosa, decidi nadar no Nilo, em vez de seguir o longo percurso pelas estradas até chegar a uma ponte.

Tal decisão não foi tão tola quanto possa parecer, pois meus irmãos e eu havíamos atravessado o Nilo muitas vezes. Não havia motivo para temer que algo ruim acontecesse. Apesar de o sol ter desaparecido do céu, a lua cheia iluminava a noite, sua luz refletida pelas ondas do rio. Pelos meus cálculos, eu poderia nadar até a cidade em dez ou 15 minutos. A pé, seriam muitas horas, pois a ponte mais próxima ficava muito longe.

Sentei na margem do rio para tirar os sapatos, enfiando-os entre a cintura da calça e meu corpo, e mergulhei na água fria e escura. Pude ver as palmeiras tremendo na margem oposta, lembrando-me de que precisaria nadar apenas uma curta distância.

Em poucos minutos, tive problemas. A corrente era enganosamente forte, afastando-me da margem e puxando meu corpo rio abaixo. Em vez de flutuar para não gastar energia, fiquei lutando contra a corrente, pensando que bastaria me esforçar um pouco mais para chegar à margem. Meus inúteis esforços foram exaustivos. Em pouco tempo, fiquei tão cansado que cada músculo no meu corpo pulsava de dor.

Passei horas lutando no Nilo, meus pensamentos vagando incoerentemente. Amaldiçoei a mim mesmo. Eu deveria ter trazido Sa'ad comigo para a fábrica. Eu sequer disse a ele para onde estava indo. Na verdade, ninguém sabia onde eu estava, nem mesmo a boa família que me oferecera um lugar para ficar. Pessoa alguma tinha ideia de que eu estava me debatendo no Nilo. Provavelmente, eu seria devorado por um crocodilo e desapareceria sem que minha família conhecesse meu destino.

Rezei para Alá, implorando para que me mandasse um único pedaço de madeira flutuante, algo em que pudesse me segurar até conseguir alcançar a margem. Alá respondeu à minha oração: naquele mesmo instante, vi um objeto passar flutuando. Quando avancei para agarrá-lo, meus pés tocaram o solo. Eu estava em um ponto raso do rio, me debatendo enquanto poderia ter ficado de pé e caminhado para fora da água.

Sentindo-me bastante tolo, fui tropeçando até a margem de areia grato por estar vivo, mas sem saber onde estava, pois havia descido muito o rio. Eu precisaria esperar pelo sol para encontrar o caminho de volta a Cartum. O ar noturno era congelante. Procurei até encontrar uma vara grande nas margens do Nilo. Fui cutucando a areia até achar um bom lugar, nem muito macio nem duro demais, e enfiei a vara na areia até que ficasse firme. Depois, tirei as roupas molhadas e pendurei-as na vara. Perdi meus sapatos.

Eu jamais sentira tanto frio, nem mesmo na neve alta da montanha de Tora Bora. Recordei de meu pai dizendo para que, quando me encontrasse em tal situação, eu me cobrisse com a terra. Cavei a areia com as mãos até fazer um buraco grande o bastante para que coubesse meu corpo. Arrastei-me para dentro da cratera, usando as mãos a fim de me cobrir com a areia escavada. Em poucos minutos, comecei a sentir a areia pesada criar calor. Exausto depois de quase ter me afogado, dormi profundamente.

Antes que o sol aparecesse no céu, fui acordado por vozes. Surpreso, olhei para cima e vi um grupo grande de homens enraivecidos que me cobriam de perguntas: "Quem é você? De onde veio? Por que está aqui?"

Contei-lhes minha história, na qual pareceram não acreditar. Comecei a ficar com medo, pois eu era apenas um adolescente nu deitado em um buraco, e os homens tinham um ar de aspereza que me alertava quanto ao perigo.

Por um motivo que jamais saberei, um dos homens mais velhos começou a gritar: "Ele é um fantasma! Ele é um fantasma!" Vários deles recuaram e se afastaram de mim, dentre os quais um começou a ofegar. Obviamente, tinham medo de fantasmas, pois deram meia-volta e fugiram margem acima.

Fiquei parado por alguns instantes, pensando sobre o que acabara de acontecer. Percebendo que alguma cabeça mais tranquila poderia pensar duas vezes sobre a ideia do fantasma e convencer os camaradas a voltarem para me espancar e roubar, saí cuidadosamente do buraco, me vesti e procurei por um esconderijo melhor. Depois de caminhar alguns quilômetros, cavei outro buraco e tentei novamente obter um pouco do sono do qual tanto precisava. Como quis o destino, outro grupo de homens logo apareceu, tão cheios de suspeitas quanto os primeiros. Eles também exigiram saber quem eu era e o que fazia em seu território.

Lembrando da reação do outro grupo quando a palavra fantasma foi mencionada, e sabendo que a maioria da população rural costumava ser supersticiosa, gritei bem alto: "Eu sou um fantasma! Eu sou um fantasma!"

Os homens congelaram e, acreditando em mim, fugiram como o vento. Por causa de tais reações, percebi que deveria estar em uma região muito perigosa e sem lei, então decidi procurar por uma aldeia onde pudesse encontrar um clérigo.

Por sorte, logo encontrei uma mesquita, onde um bondoso homem de Deus me deu comida e um lugar para descansar. Depois, ele me orientou sobre a melhor forma de retornar a Cartum. Consegui uma carona na traseira de um caminhão, o que foi puro sofrimento, pois a estrada de terra estava tão seca que poeira e pedras voavam contra nossos rostos.

Quando cheguei aos arredores de Cartum, peguei um táxi até a casa na qual estava hospedado. Meu anfitrião estava esperando por mim, em pânico por minha segurança. Surpreendentemente, quando lhe contei minha história, ele ficou furioso, gritando acusações e dizendo que eu era um mau muçulmano! Depois, me acusou de ter passado a noite com uma mulher. A experiência verdadeira de ter nadado no Nilo, quase me afogado, passado a noite em um buraco, ser abordado por nativos que tinham medo de fantasmas e encontrar refúgio em uma mesquita era tão inverossímil para seus ouvidos que ele jamais acreditou na verdade que escutara, permanecendo irritado até o dia em que parti de Cartum.

Fiquei desanimado com a reação dele.

Depois dessas experiências infelizes, me acalmei e tentei encontrar uma noiva. Para onde quer que me virasse, era rejeitado. Talvez meu anfitrião tivesse alertado aos amigos que eu era inclinado a noites selvagens — jamais saberei. Mas ninguém queria que a própria filha se casasse comigo.

Imagine minha surpresa quando soube que Sa'ad realizara o impossível. Com uma determinação única, a mesma de quando procura por comida ou descreve uma refeição deliciosa, meu irmão se concentrara e encontrara uma bela noiva. Conhecendo Sa'ad, ele provavelmente incomodou todos a quem conhecia até que se dessem conta de que o único jeito de calar meu irmão seria encontrando uma esposa para ele. A garota tinha 16 anos, idade suficiente para casar com a permissão da família.

Sa'ad estava muito feliz por ter acertado tudo. O casamento não foi um grande acontecimento, mas com certeza foi um evento feliz, pois o noivo estava muito animado. A cerimônia foi realizada na casa da garota, com as mulheres dentro da casa e os homens fora. Depois, prepararam os documentos da esposa para que acompanhasse o novo marido de volta ao Afeganistão.

Sem esposa, retornei ao conforto de minha mãe e de meus irmãos no Afeganistão. Apesar de minha família ter ficado mais interessada em Sa'ad e sua nova esposa, também fui recebido com muita felicidade. Parecia que todos haviam sentido minha falta, o que fora inesperado. Ainda assim, eu gostara tanto de estar fora do Afeganistão que comecei a pensar em desculpas para fazer outra viagem o quanto antes.

Com o tempo, fui ficando mais íntimo de alguns dos amigos de meu pai, veteranos da guerra contra a Rússia, do que de meus próprios irmãos. Quando retornei de Cartum, meu bom amigo Sakhr pareceu particularmente feliz por me ver. Ele até concordou que eu praticasse direção, algo que eu não tinha a oportunidade de fazer todos os dias. Sentei-me no banco do motorista e Sakhr se sentou ao meu lado, aconselhando-me para que tomasse cuidado – na última vez que ele havia dirigido, as estradas ruins danificaram a direção. Sakhr era muito paciente, fazendo tudo que a maioria dos pais faz pelos filhos, me orientando, deixando que eu dirigisse por todo o caminho até Kandahar, me ensinando os truques para manobrar em estradas de pista única, atento a todas as carroças puxadas por burros ou cavalos. Em muitos aspectos, o cenário em Kandahar era encantador, apesar de ambos sabermos que a guerra e a terrível pobreza levaram o povo do Afeganistão a ter uma vida sub-humana.

Aqueles momentos descontraídos estavam prestes a terminar, pois despontava no horizonte um evento que nos aproximaria mais um passo do inferno na Terra.

Capítulo 23

Terror verdadeiro

OMAR BIN LADEN

Durante o verão de 1998, o complexo de Kandahar me lembrou uma colmeia agitada. Líderes iam e vinham sem dar explicações. O que quer que estivessem fazendo, era algo que empolgava os soldados, que começavam a testar suas armas, a monitorar as estradas e a olhar para o céu, tudo com a mesma intensidade. Também olhei para o céu, mas sem saber o que procurava. Eu sentia que havia uma grande conspiração, mas ninguém me contava nada. Abordei meu pai cautelosamente, perguntando se algo significativo estava para acontecer.

Ele respondeu: "Meu filho, não é para você saber. É o negócio da família." Esse era o código dele para negócios da al Qaeda, a resposta farpada que costumava dar quando os filhos ficavam curiosos demais para seu gosto.

O segredo foi bem mantido. Nem meu amigo Sakhr sabia a natureza exata do que estava ocorrendo, concordando comigo sobre meu pai e seus comandantes parecerem ouriçados como porcos-espinhos.

O tempo passou lentamente até 7 de agosto de 1998, quando eu e aqueles desinformados finalmente descobrimos a razão por trás do aumento de atividade. Eu acordara cedo, como de costume, fora à mesquita rezar e depois caminhara até o escritório de meu pai no complexo de Kandahar.

Meu pai não se pronunciou — estava ouvindo atentamente às notícias do mundo no rádio. Pouco depois, anunciou: "Todos os homens em idade para combater devem se preparar para deixar Kandahar." Apressamo-nos em obedecê-lo, descobrindo que iríamos para um campo de treinamento próximo, onde aguardaríamos notícias importantes.

O campo ficava a apenas uma hora de viagem e, quando chegamos lá, todos os líderes sintonizaram seus rádios nos noticiários. Fiz o mesmo, ansioso para descobrir o que meu pai estava esperando. Em torno de meio-dia e meia no horário local do Afeganistão, dez e meia da manhã no horário local da África, foi noticiado que carros-bomba haviam explodido simultaneamente nas embaixadas dos Estados Unidos em Dar es Salaam, na Tanzânia, e em Nairobi, no Quênia. Segundo a notícia, o número de mortos era grande.

Perdi a respiração. Estudei o rosto de meu pai — em toda minha vida, jamais o vira tão entusiasmado e feliz. Sua euforia contagiou rapidamente os comandantes e os soldados, com todos rindo e se parabenizando. Logo ouvi alguém gritar que um golpe bem-sucedido fora desferido contra o inimigo: os Estados Unidos!

Depois de alguns instantes de choque, também expressei felicidade, refletindo as reações que via, especialmente porque aprendera desde criança que os americanos estavam determinados a me matar por eu ser muçulmano.

Com mais notícias sobre os danos terríveis e as vidas perdidas, os soldados celebraram disparando suas armas para o alto. Ouvi alguns soldados se vangloriarem dizendo como os explosivos do atentado foram preparados em uma das casas dos especialistas em munições e, depois, haviam sido escondidos nos jardins em que as crianças da al Qaeda brincavam.

Um soldado orgulhoso disse: "As pegadas de meus próprios filhos podiam ser vistas na areia que cobria as caixas de dinamite e TNT. Outros explosivos estavam escondidos sob um trepa-trepa. Meus filhos brincavam felizes, e eu também estava tranquilo, sabendo que Deus não permitiria que nada acontecesse a eles."

Aqueles homens haviam arriscado as vidas de crianças pequenas para esconderem explosivos. Pouca coisa me chocou depois disso.

Não recordo precisamente quanto tempo permanecemos no campo de treinamento próximo a Kandahar, mas foi o suficiente para ouvirmos que 213 pessoas foram mortas em Nairobi e pelo menos 12 em Dar es Salaam. Escutei com atenção e descobri que a maioria dos mortos e feridos eram civis africanos que estavam de passagem quando as bombas explodiram. Lembrando agora, pergunto-me por que alguns dos homens não fizeram pergunta alguma sobre todos os muçulmanos mortos na África.

Meu pai não lamentava a ação, nem mesmo por causa da morte de muçulmanos. Se um de seus soldados levantava a questão, ele respondia: "Estamos em guerra. Se o inimigo monta um muro de civis diante de escritórios militares ou do governo, que eles sejam mortos primeiro. Do contrário, como alcançaremos o inimigo? Além disso, os civis estariam seguros se seus governos nos deixassem em paz."

Qualquer instalação que ostentasse a bandeira dos Estados Unidos era um alvo viável. Se muçulmanos precisassem ser mortos, que assim fosse. Além disso, meu pai acredita que Deus decide tudo e que, se não fosse a hora daqueles muçulmanos africanos morrerem, eles não estariam lá quando as bombas explodiram.

Em poucos dias, meu pai começou a ouvir notícias informando que o presidente Clinton poderia revidar. Ele recebeu algumas comunicações secretas em seus radiotransmissores e depois se reuniu com seus principais comandantes antes de anunciar que iríamos para o norte, para uma área próxima de Cabul.

Fiquei preocupado com as mulheres que ficariam para trás no complexo de Kandahar, mas meu pai disse: "Não. Elas estarão seguras. Clinton jamais atacará onde houver mulheres e crianças."

Eu estava pouco confortável quanto a deixar minha mãe e meus irmãos menores desprotegidos, mas não havia coisa alguma que eu pudesse fazer. Partimos, dirigindo muitas horas para o norte ao longo de um país que ainda sofria as dores de uma guerra civil. Pouco antes de chegarmos perto de Khost e do campo de treinamento de Farouk, deparamo-nos com uma batalha nas ruas, entre os talibãs e uns membros da tribo Forse. Os embates fecharam a estrada, então meu pai parou o comboio para perguntar o que estava acontecendo.

O comandante talibã reconheceu meu pai e ficou em posição de sentido. Ele respondeu que um dos Forse fizera um gesto rude, mostrando o dedo médio para o grupo talibã. O insulto era tão grave que os talibãs prenderam o homem que mostrara o dedo e o espancaram com varas compridas e coronhadas, colocando-o em um caminhão aberto. Eu sabia que o homem estava sendo levado para ser executado. Os talibãs eram especialistas em executar civis. Além disso, execuções e mortes violentas se tornaram tão comuns no Afeganistão que poucos pareciam se importar. Esperamos por pouco tempo até que o comandante talibã limpasse a área e seguimos para o campo de treinamento de Farouk, um dos mais famosos organizados por meu pai.

A viagem foi como uma volta olímpica. Quando chegamos, os homens em Farouk, já empolgados com os bombardeios na África, começaram a celebrar de verdade. A vingança contra os Estados Unidos era comentada por todos. Todos os anos ouvindo discursos e assistindo a vídeos sobre a brutalidade dos americanos contra os muçulmanos incitara tanto ódio que até mesmo a morte de um único americano era motivo de júbilo. Mais do que qualquer coisa, fora por isso que os homens ingressaram na al Qaeda, que não reclamavam dos dias longos e das noites de treinamento e que estavam dispostos a arriscar as próprias vidas.

Depois de alguns dias em Farouk, meu pai recebeu um comunicado altamente secreto e declarou: "Rápido, precisamos mudar nossa posição. Vamos para Cabul, para uma casa de hóspedes na cidade." Meu pai alugou diversas casas de hóspedes em todas as cidades principais, utilizando-as como acomodações confortáveis para convidados especiais da Arábia Saudita, de Dubai ou de outras nações ricas por causa do petróleo.

E foi assim que, em 20 de agosto de 1998, nos despedimos dos soldados em Farouk e fomos para Cabul.

A casa de hóspedes era um casarão branco de três andares, isolada, cercada por um lindo jardim verde com muitas árvores. Eu esperava que ficássemos lá, mas pouco depois de chegarmos o chefe de segurança veio correndo dizer ao meu pai que recebera a notícia mais terrível por meio de seu radiotransmissor. Farouk, o campo do qual havíamos partido apenas duas horas antes, acabara de ser atacado. Em um ataque maciço, mísseis de cruzeiro dos Estados Unidos atingiram o campo, matando ou ferindo muitos dos homens que tínhamos deixado tão recentemente.

Meu pai logo descobriu que os mísseis foram lançados de navios de guerra dos Estados Unidos posicionados no Mar Vermelho. Cartum também fora atingida, mas não conseguimos saber por quê.

Eu tinha muitos bons amigos em Farouk. Rezei em silêncio para que tivessem sobrevivido ao ataque.

Normalmente, meu pai recebia más notícias com uma expressão calma, mas, ao ser informado sobre os danos e mortes em Farouk, ele foi acometido por uma ira mais violenta e incontrolável. Seu rosto ficou vermelho e seus olhos brilhavam quando começou a andar rapidamente de um lado para outro, citando repetidamente o mesmo verso do Alcorão: "Deus mata aqueles que atacaram! Deus mata aqueles que atacaram!" Socando o ar violentamente, ele gritou: "Que Deus mate aqueles que atacaram! Como alguém pode atacar muçulmanos? Como alguém pode atacar muçulmanos? Por que atacariam muçulmanos?"

Naquele momento, concordei com ele, mas depois, ao longo da vida, lembrei das muitas vezes nas quais ele proclamou que os Estados Unidos tinham a missão de matar muçulmanos, o que me fez ponderar seu espanto genuíno quando muçulmanos *foram* mortos. Curiosamente, nenhum de nós considerou que fora meu pai quem causara o bombardeio contra seu campo ao bombardear primeiro as embaixadas dos Estados Unidos. Olho por olho.

Logo descobrimos que vários campos de treinamento no Afeganistão haviam sido atacados. Senti-me fisicamente mal até descobrirmos que o complexo de Kandahar fora poupado. Minha mãe, minhas tias e meus irmãos mais novos estavam em segurança, pelo menos foi o que soubemos.

Quando meu pai se recompôs, ele agradeceu a Deus por os americanos não terem conseguido matá-lo. Certamente, teríamos perdido um número muito maior de homens se os americanos tivessem disparado seus mísseis apenas duas horas mais cedo.

A mente de meu pai saltava de uma ideia para a outra, até que, finalmente, ele decidiu que a casa de hóspedes não era mais segura. Nos esconderíamos do mesmo modo que os chefões da máfia americana faziam durante as guerras por território. Pode-se dizer que meu pai, seus principais líderes e nós seus filhos "fomos para o colchão" quando corremos da casa de hóspedes em Cabul para uma casa segura na mesma cidade.

Nem mesmo os filhos sabiam a localização das casas seguras mantidas por meu pai nas principais cidades do Afeganistão, mas fomos transportados rapidamente para uma casa próxima. Esta era mais simples do que a casa de hóspedes, porém mais segura por ficar no centro de uma grande área povoada. Ficamos escondidos entre os inocentes porque meu pai comentava com frequência que os americanos tomavam cuidado para não matar civis.

Ficamos escondidos ali por mais de trinta dias. Sabendo que os americanos estavam desesperados para encontrar meu pai e seus líderes, todos ficamos escondidos — até mesmo dos vizinhos, que não tinham ideia de que os comandantes superiores da al Qaeda estavam perigosamente perto. A única liberdade que meu pai concedia aos filhos era uma espiadela ocasional pelas janelas. Abrindo apenas uma pequena fresta nas cortinas, meus irmãos e eu estudávamos as casas vizinhas e observávamos os afegãos que passavam a pé. Enquanto isso, meu pai e seus principais homens descobriam quais soldados haviam morrido e calculavam os danos à organização, parando de vez em quando para saborear o total de mortes com as explosões nas embaixadas americanas.

As mortes de muçulmanos foram lamentadas, as mortes africanas foram ignoradas e as americanas, celebradas. Eu era novo demais para compreender a loucura total desse modo de pensar.

Aquele mês funesto passou muito lentamente. Estávamos todos ansiosos por voltar para Farouk e outros campos de treinamento bombardeados a fim de procurar nossos amigos, chorar pelos mortos e depois voltar a Kandahar para nos assegurarmos de que nossas famílias estivessem realmente em segurança.

Em 19 de setembro de 1998, meu pai finalmente deu ordens para que deixássemos a casa de hóspedes em Cabul. Iríamos para Khost ver os danos com os próprios olhos.

Enquanto nos aproximávamos, os passageiros em nosso veículo ficaram quietos. Na última vez que vimos o campo, ele fervilhava de atividade. As salas de aula estavam lotadas, homens dormiam em casamatas e outros rezavam nas áreas de oração. Havia diversas instalações de treinamento e armazenamento.

Não conseguíamos acreditar em nossos olhos. Onde antes havia um campo de treinamento, não restava coisa alguma além de ruínas. Era impressionante que alguém tivesse sobrevivido.

Saímos dos automóveis e seguimos meu pai enquanto ele avaliava os danos. Àquela altura, tínhamos sido informados de que os americanos lançaram mais de setenta mísseis de cruzeiro no país.

O ataque fora tão violento que, mesmo um mês depois, soldados rudes continuavam abalados. Eles disseram que, depois de nossa partida, continuaram a comemorar. Todos, instrutores e alunos, estavam animados pelos acontecimentos, emocionalmente exaltados, falando sobre a visita do xeique. Então, sem aviso, o mundo ficou assustada. Inicialmente, acharam que as estrelas estivessem saltando de seus lugares no céu, arremessando seus corpos brilhantes e celestiais, que caíam brancos e luminosos sobre a Terra.

Meu pai explicou: "O que vocês viram foi o calor emitido pelos mísseis."

Repentinamente, o ar ficou ameaçador, com clarões brilhantes e explosões tão altas que os tímpanos dos soldados estouraram. Eles reconheceram o perigo tarde demais. Os homens tiveram mortes horríveis enquanto corriam para várias direções sucessivas. Amigos foram pulverizados diante de seus olhos.

Onde quer que os mísseis tenham caído, a vida foi dizimada. Construções evaporaram e crateras enormes se abriram no solo. Fui informado de que meu amigo saudita estava morto, com seus restos mortais espalhados por uma grande cratera. Quando perguntei sobre Abu Mohammed, um bom amigo que conhecera através de Abu Zubair, disseram-me que ele também fora atingido diretamente. Quando fui levado até a cratera que continha fragmentos do corpo dele, toda minha raiva se concentrou em uma bola escura em meu coração. Confuso pelas mensagens que ouvira ao longo de toda à vida, eu não dominava minhas emoções. Em um momento, estava furioso com os americanos e, no instante seguinte, sentia raiva de meu pai. Outro amigo havia sido jogado para longe, com a tempestade metálica fazendo-o rodopiar de um lado para outro, até que finalmente liberasse seu corpo depois de perfurá-lo com grandes estilhaços. Fiquei chocado ao saber que ele sobrevivera, mas com ferimentos muito graves.

Os animais também tinham sofrido. Abu Zubair chorou por sua vaca preta e branca e pelo bezerro, ambos feitos em pedaços. Testemunhas relataram ter visto a vaca voar pelo ar. Apesar de ela ter dissolvido, sem que mesmo sua pele jamais fosse encontrada, a metade superior do corpo do bezerro foi encontrada retorcida no campo de treinamento.

A vida pode ser muito desconcertante. Muitos soldados durões comentaram por muitos dias a tristeza que sentiram com a perda da vaca e do bezerro.

Depois de descobrir mais detalhes sobre os bombardeios nas embaixadas dos Estados Unidos, fiquei ainda mais agitado. Imaginei quais governos no Ocidente estariam planejando o fim de minha família enquanto meu pai armava outros ataques. Sempre que olhava para minha mãe ou para as crianças mais novas de nossa família, eu ficava preocupado com a possibilidade de que, um dia, elas também simplesmente evaporassem por causa de um míssil poderoso.

Meu pai ficou devastado com as perdas, mas controlou as emoções. Como o líder que era, conferiu os danos e, tenho certeza, planejou sua vingança.

Minha mente girava em torno de questões relativas a morte havia dias quando eu estava com meu pai e alguns de seus homens. Decidi levantar a questão de matar pessoas. Eu amadurecera e ainda não abordara diretamente algum assunto que eu soubesse que irritaria meu pai. Em vez de discutir a violência atual que estava tomando conta de nossas vidas, comecei a conversa perguntando a ele: "Meu pai, quantos homens você matou na guerra contra a Rússia?"

Meu pai me ignorou.

Persisti, determinado a não aceitar o silêncio como uma resposta apropriada. "Meu pai, eu realmente quero saber quantos homens você matou na guerra contra a Rússia."

Meu pai continuou sem me dar atenção, até que comecei a repetir a pergunta, sem parar, como uma criança, de um jeito rápido e quase cômico: "Quantos homens você matou na guerra contra a Rússia? Quantos homens você matou na guerra contra a Rússia? Quantos homens você matou na guerra contra a Rússia?"

Eu soava meio louco, mas estava em chamas por dentro, pela primeira vez sem me importar que ele pudesse me punir. "Você deve ter matado alguém, meu pai!"

Os líderes e os soldados que nos cercavam ficaram tão chocados que não falaram nada, apenas me olharam como se eu fosse insano, alguém que deveria ser evitado. Ninguém falava com o xeique em um tom tão desrespeitoso, nem mesmo um de seus filhos.

Exaltado, meu pai finalmente se virou para mim e disse com firmeza: "Eu matei. Sou um líder! Dei ordens para matar e eu próprio matei pessoas! Matei tantas que não sei quantas foram no total. Muitos morreram pelas minhas mãos ou por ordem minha."

Não fiquei surpreso ao ouvir a resposta. Querendo mais detalhes, prossegui como um brinquedo de corda, incapaz de me conter. "Meu pai, meu pai, quando as mortes e a guerra chegarão ao fim? Você está na guerra desde antes de eu nascer! Por que não pode encontrar outro caminho? Por que não podem sentar e conversar? Por que não pode haver uma trégua? Eu odeio essa luta! Isso não pode continuar!" Comecei até a gemer e a suspirar.

"Eu quero deixar esta terra! Quero viver no mundo real. Por favor, não posso simplesmente partir?"

Soldados durões começaram a se afastar, sem saber o que fazer, provavelmente acreditando que eu estivesse sofrendo um colapso mental, o que, na verdade, provavelmente estava acontecendo.

Meu pai manteve a calma. "Meu filho! É seu dever permanecer ao meu lado. Preciso de meus filhos comigo! Não quero discutir esse assunto outra vez!"

Meu pai me deixou sentado, mas eu estava febril de descontentamento e sabia que não desistiria até que recebesse permissão para partir. Lembrando agora, minhas ações me dizem que eu realmente estava à beira de um colapso. Comecei a espreitar por várias áreas do complexo de Kandahar, esperando meu pai. Quando ele entrava em um escritório, eu esperava até que saísse e saltava de meu esconderijo, implorando como em um mantra: "Quero deixar este lugar! Preciso deixar este lugar!"

Meu pai nunca levantou a voz, apenas repetia o que acreditava ser o melhor: "Não. Você deve ficar. Quem tomará meu lugar, se não você, Omar? Você é meu braço direito. Preciso de você. Você será meu segundo homem no comando."

"Não! Não sou um comandante, meu pai. Quero viver em um mundo de paz. Quero uma instrução. Não quero lutar. Quero ser livre." Lembrando de amigos cujos restos eram tão pequenos que não podiam ser enterrados, eu disse: "Não quero ser morto!"

Alguns dias depois, caminhando atrás de meu pai, sentindo como se fosse explodir tão certeiramente quanto na vez que o corpo de Abu Mohammed fora destroçado pelo míssil de cruzeiro, comecei a falar sozinho, mas alto o bastante para que ele ouvisse todas as palavras.

"Pergunto-me quando meu pai acabará com essa luta. Meu pai! Quando você acabará com essa guerra?"

Finalmente, meu pai ouvira o bastante. Ele se virou com raiva, me fulminando com os olhos. "Omar! Como você pode continuar fazendo essa pergunta? Você perguntaria a um muçulmano quando ele deixará de orar ao seu Deus? Lutarei até o dia em que eu morrer! Lutarei até dar meu último suspiro! Jamais deixarei a luta pela justiça! Jamais deixarei o Jihad!" Ele se virou e se afastou o mais rápido que podia, no tom mais alto que eu já ouvira: "Este assunto está encerrado!"

Eu levara meu pai ao limite. Ele jamais daria as costas para o Jihad, mesmo que isso significasse que todos a quem amava, incluindo cada esposa e filho, fossem mortos por causa de suas ações. Para me libertar disso, seria preciso coragem e um planejamento cuidadoso.

Depois de causar muita tristeza e vergonha ao meu pai por meu mau comportamento, me senti culpado quando ele ficou gravemente ferido em um acidente enquanto cavalgava. Um dia, não muito depois de nossa última discussão acalorada, meus irmãos e eu, com alguns homens de meu pai, incluindo Sakhr, estávamos cavalgando dentro do complexo de Kandahar. Meu pai estava galopando em Sekub, o cavalo cinzento de meu irmão Osman, quando nos viu. Depois que nosso pai se juntou a nós, começamos a correr em uma área com cerca de apenas oitocentos metros de extensão. O olho direito de meu pai, que não enxergava, fez com que ele não visse uma vala com cerca de um metro de profundidade adjacente ao muro que cercava o complexo, um buraco usado para o descarte de lixo. Querendo nos alcançar, nosso pai, montado em Sekub, aproximou-se rapidamente, dirigindo-se diretamente para a vala e caindo de cabeça no chão.

Um bom amigo de meu pai gritou avisando: "Abu Abdullah caiu!" Alguns dos amigos mais íntimos dele chamavam-no assim, o que significa pai de Abdullah.

Todos reagiram prontamente, apressando os cavalos até ele e desmontando-os rapidamente. Passei por todos e fui o primeiro a chegar até ele. Levantei sua cabeça, temendo que tivesse quebrado o pescoço. Meu pai não falou coisa alguma. Pela careta em seu rosto pálido, vi que estava com muita dor. Mas, como era seu jeito, recusou-se a reconhecer estar sentindo qualquer desconforto. Sakhr correu para seu cavalo, gritando: "Vou pegar um jipe", e desapareceu ao som dos cascos dos cavalos.

Àquela altura, meu pai estava se esforçando para levantar, sem permitir que ninguém o levantasse ou desse apoio. Ficou de pé calmamente, recusando-se a responder nossas perguntas, até Sakhr chegar em um jipe vermelho e dizer: "O Dr. Zawahiri nos encontrará na casa de Um Hamza", o que significava a casa de tia Khairiah, que era a mais próxima.

Ainda recusando ajuda, meu pai se acomodou no jipe enquanto Sakhr ligava o carro, partindo no instante em que meu pai se sentou. Sem perder um segundo sequer, montamos em nossos cavalos e galopamos o mais rápido possível. Alguém lembrara de pegar as rédeas do cavalo de Osman, Sekub, que não ficara ferido.

Chegamos quando nosso pai estava entrando na casa de tia Khairiah. O Dr. Zawahiri disse impacientemente para colocarmos nosso pai na cama mais próxima. Com meu pai sob os cuidados do Dr. Zawahiri, não podíamos fazer nada além de ficar ali em estado de choque.

Zawahiri finalmente informou que sua opinião médica era a de que nosso pai escapara de ferimentos possivelmente fatais, mas destacou: "Ele sente muita dor nas costelas", e recomendou raios X e mais exames. Foi decidido que um dos motoristas mais familiarizados com o Paquistão sairia dirigindo ao longo da fronteira para encontrar o melhor médico e levá-lo à casa de tia Khairiah, com equipamentos médicos para que nosso pai pudesse ser tratado sem deixar Kandahar.

No dia seguinte, um cirurgião paquistanês renomado foi levado para atender meu pai. Como o Dr. Zawahiri sugerira, providências foram tomadas para que levassem os equipamentos médicos mais modernos. Em pouco tempo, os exames confirmaram que meu pai estava com as costelas quebradas, como suspeitara Zawahiri. Como todos sabem, o único tratamento para isso é esperar até que elas se curem. Meu pai inquieto ficou um mês de cama, com minha mãe e minhas duas tias atendendo às suas necessidades, o período mais longo que qualquer uma das esposas de meu pai passara com ele desde que casaram.

Meu pai reagiu ao incidente com descrença, pois era um cavaleiro habilidoso desde a infância. Lembro-me de estar sentado ao seu lado quando ele riu ironicamente: "Meu filho, há anos os americanos tentam me matar, usando as armas mais mortíferas e precisas disponíveis. Os poderosos Estados Unidos não conseguem me ferir, enquanto um daqueles pequenos cavalos quase me matou. A vida é muito misteriosa, meu filho, muito misteriosa."

Logo que se recuperou, meu pai estava muito magro e cansado. O ferimento e a inatividade haviam eliminado sua energia, antes poderosa. Passaram-se muitos meses até que ele estivesse plenamente recuperado.

Apesar de Sekub não ter ficado ferido, nenhum de nós queria ver seu rosto novamente. O cavalo foi dado de presente a algum afegão a quem eu não conhecia pessoalmente.

Havia muitos aspectos complicados na vida de meu pai, incluindo sua associação com o líder dos talibãs, Mullah Omar. O Afeganistão era um lugar tão perigoso que meu pai temia que Mullah Omar tivesse o mesmo destino que Mullah Nourallah, o que novamente deixaria meu pai sem um apoio forte. Nenhum afegão esquecera que meu pai era um árabe que não pertencia a nenhuma tribo afegã, o que enfraquecia a posição dele.

Apesar de meu pai manter os inimigos se perguntando sobre seu paradeiro, raramente dormindo mais de uma noite na mesma cama, Mullah Omar era um homem solitário que quase nunca deixava sua casa em Kandahar. Qualquer assassino determinado poderia encontrá-lo facilmente.

Depois de quase ser assassinado em Cartum, meu pai nos lembrava com frequência que o preço pelo Jihad era a vigilância eterna. Na verdade, ele tentou convencer Mullah Omar da importância de permanecer como um alvo móvel. Mas o líder talibã desconsiderou tal conselho. Mullah Omar era um fatalista convicto, acreditando que só aconteceria o que Deus determinasse e declarando que dormia em paz, sem perder um instante sequer se preocupando com os assassinos.

Então, um dia, um grande caminhão-tanque de água apareceu diante da casa de Mullah Omar, em Kandahar. O caminhão era incomum porque o mulá tinha suprimento de água encanada, mas ninguém pensou em mencionar a presença do veículo. Logo depois, houve uma grande explosão que atingiu a casa do mulá, matando duas de suas três esposas, dois de seus irmãos e muitos membros de sua equipe. Muitos pedaços de corpos voaram por uma área extensa, mas Mullah Omar ficou apenas levemente ferido.

Mesmo depois de escapar por tão pouco, Mullah Omar manteve os antigos hábitos. Membros de sua equipe relatavam que ele ainda dormia a noite toda como um bebê, sabendo em seu coração que as mortes tinham sido a vontade de Deus.

Pouco depois dos ataques a bomba contra as embaixadas americanas e do ataque de Clinton contra os campos de treinamento, os Estados Unidos, a Arábia Saudita e várias outras nações começaram a pressionar os talibãs para mandarem meu pai embora do Afeganistão. Lembrando do trauma de ter sido expulso do Sudão, eu acreditava que a história estivesse se repetindo.

Todos queriam a oportunidade de prender meu pai, julgá-lo e executá-lo. Eu via a tensão de meu pai quando tal assunto chegava aos seus ouvidos. Restavam poucos refúgios. Se fosse expulso do Afeganistão, ele não tinha certeza de onde poderia parar, apesar de ainda haver a possibilidade de ir para algumas regiões remotas do Paquistão e do Iêmen.

Apesar de Mullah Omar não ser o tipo de homem que permitia intervenções externas em seus negócios, o ataque americano contra o Afeganistão conquistou toda sua atenção.

Um dia, eu estava vendo o tempo passar no complexo de Kandahar, quando meu pai foi informado de que Mullah Omar viria visitá-lo ao final do dia. Tínhamos apenas poucas horas para os preparativos. Ansioso por deixar uma boa impressão, meu pai cobriu seus homens de instruções, pedindo para que preparassem um banquete e arrumassem um dos maiores e mais agradáveis jardins para o encontro.

Meu pai vestiu seu robe saudita tradicional para aguardar o mulá. Era uma ocasião importante, a primeira vez que Mullah Omar deixava sua casa para visitar meu pai. Captando a apreensão de homens como Abu Hafs e Zawahiri, que normalmente eram frios e tranquilos, meus irmãos e eu aguardamos nervosos com nosso pai.

Em pouco tempo, os vigias de meu pai nos informaram que uma caravana de 12 Land Cruisers pretos com janelas fumê estava indo em nossa direção. Ninguém falou qualquer coisa quando os jipes entraram no complexo. Quando a caravana parou, as portas foram abertas e soldados talibãs fortemente armados saltaram dos veículos. Notoriamente discreto, Mullah Omar só permitira que tirassem poucas fotografias suas, de modo que meus irmãos e eu não tínhamos ideia de sua aparência. Mas quando saltou do veículo, todos o identificaram instantaneamente pela aura de poder e invencibilidade que o destacava de seus seguidores.

Eu estava olhando para um homem mais alto e mais magro que meu pai, o que foi uma grande surpresa. Eu jamais conhecera alguém mais alto que meu pai.

Mullah Omar vestia o traje característico dos talibãs, formado por um colete preto e uma camisa branca, tão branca e brilhante que sabíamos ser feita do melhor algodão. Ele usava um turbante negro enrolado sobre a cabeça, sob o qual aparecia apenas uma pequena parte de seu cabelo preto como carvão. Ele tinha um rosto masculino e belo, com pele morena. Sobrancelhas desgrenhadas e volumosas lhe davam uma aparência expressiva. Sua barba saudável era espessa e descia até o peito. Seu lábio superior era coberto por um bigode espesso.

Como tínhamos ouvido falar, ele tinha cicatrizes no rosto de quando combatera os russos. Havia uma depressão na órbita de seu olho direito e outras cicatrizes que desfiguravam a bochecha direita e a testa. Em um país tão violento quanto o Afeganistão, tais cicatrizes eram um emblema de honra.

Apesar da mutilação, Mullah Omar parecia bem jovem. Saber que ele perdera o olho direito me fez pensar em meu próprio pai, cujo olho direito, apesar de intacto, era basicamente inútil, servindo apenas para manter uma boa aparência. Eu tinha certeza de que os dois homens jamais haviam falado sobre o problema que tinham em comum.

Meu pai caminhou para encontrar Mullah Omar, cumprimentando-o com a saudação islâmica tradicional, *Salaam Alaikum*, seguida por um aperto de mão. Fiquei surpreso por meu pai e Mullah Omar não terem trocado os tradicionais beijos e abraços entre homens, os quais são um sinal de grande respeito em nossa cultura.

Meu pai conduziu o convidado honorável ao jardim ao lado da casa de minha mãe, que era o mais agradável no complexo de Kandahar. Os homens de meu pai os seguiram, assim como os soldados de Mullah Omar. Obviamente, não havia mulheres presentes.

Meus irmãos e eu seguimos o grupo de homens, pois, como filhos de Osama bin Laden, tínhamos o direito. Inesperadamente, Mullah Omar se sentou no lado oposto do jardim, com vários de seus homens entre ele e meu pai.

"Isso não é um bom sinal", pensei.

Mullah Omar não se dirigiu diretamente ao meu pai, falando pashto, a língua de sua tribo Pashtun, usando seu intérprete pessoal para traduzir a mensagem para o árabe. Meu pai falava pashto fluentemente, de modo que não entendi o motivo para o destacamento durante uma conversa tão importante.

Apesar da frieza formal, meu pai permaneceu sentado tranquilamente, respeitoso e paciente, esperando para ouvir o que Mullah Omar tinha a dizer. Foi desgastante acompanhar a conversa traduzida porque os dois homens falavam em voz baixa, sendo que a de Mullah Omar era ainda mais suave que a de meu pai. As semelhanças entre os dois me impressionavam cada vez mais.

Mullah Omar não desperdiçava palavras ou tempo e abordou diretamente o motivo para ter deixado sua reclusão habitual. O líder talibã estava descontente com as atividades militantes de meu pai. Preocupado apenas com os assuntos internos do Afeganistão, o mulá não desejava atrair interferência do mundo exterior. Já estavam ocorrendo manifestações públicas de organizações de defesa dos direitos humanos criticando o tratamento dado às mulheres sob o regime talibã.

"A situação política está fervendo", concluiu Mullah Omar. "É melhor que você e seus homens deixem o Afeganistão."

O rosto de meu pai permaneceu impassível, mas eu sabia que a última coisa que ele queria era ser expulso de seu refúgio. Ele demorou para responder, escolhendo cuidadosamente as palavras, até que falou suavemente:

"Xeique, passei muitos anos de minha vida no Afeganistão, desde que era um jovem lutando por seu povo. Jamais me esqueci deste país, tendo retornado para construir uma aldeia, chegando a trazer minhas esposas, meus filhos e amigos próximos para cá. Agora, somos um grupo grande com centenas de pessoas. Como poderei transportar facilmente todas essas pessoas? Para onde as levaria?"

Mullah Omar repetiu: "Chegou a hora de você e seus soldados deixarem o Afeganistão."

Meu pai parou, cuidadoso, cuidadoso, cuidadoso, pedindo delicadamente: "O governo sudanês permitiu que eu morasse lá por cinco anos. Você poderia me oferecer a mesma cortesia? Você permite que eu permaneça no Afeganistão por mais um ano e meio?"

Mullah Omar ficou quieto por vários minutos, com uma expressão pensativa. Quando finalmente respondeu, falou por muito tempo. Não recordo das palavras exatas, mas ele detalhou cuidadosamente os prós e os contras da permanência de meu pai no Afeganistão.

Justamente quando o instinto nos sussurrava que as próximas palavras de Mullah Omar seriam para que meu pai partisse, meu pai cutucou levemente um nervo muçulmano, dizendo: "Xeique, se você ceder à pressão de governos infiéis, sua decisão será contra o Islã."

Mullah Omar, conhecido pela devoção total ao Islã, contorceu-se levemente. Ele hesitaria ir contra os ensinamentos islâmicos; ele fez uma pausa.

Naquele momento, Mullah Omar escolheu a religião acima de tudo, acima do bem de seu país e do bem-estar mundial. Ele concordou com a cabeça.

"Xeique Osama, atenderei ao seu pedido. Concederei a você mesma cortesia que o governo sudanês lhe ofereceu. Você tem meu convite por mais um ano e, depois, mais seis meses. Durante esse período total, tome providências para sua mudança. Encontre outro país para você e sua família."

Meu pai foi salvo novamente, pois fora mais esperto que Mullah Omar. Quando percebeu que o mulá o expulsaria apesar de sua lealdade aos talibãs, meu pai escolhera com extrema cautela as palavras perfeitas para fazê-lo mudar de ideia, pelo menos temporariamente. Nenhum bom muçulmano se inclinaria à vontade dos infiéis contra o bem de outro muçulmano, mesmo que os infiéis estivessem certos e o muçulmano, errado.

Meu pai era um homem brilhante em muitos aspectos.

Poucos espectadores perceberam exatamente o que havia ocorrido, sabendo apenas que estava tudo bem. Um sentimento de celebração contagiou o grupo de homens.

Quando meu pai ordenou que trouxessem a comida, muitos homens começaram a trazer ovelhas inteiras em bandejas, acompanhadas de arroz e legumes. Apesar de nosso suprimento de comida ser limitado, de algum modo meu pai e seus homens conseguiram organizar um banquete gigantesco. Como é o costume árabe, meu pai mandou que os serventes oferecessem as melhores porções para o líder talibã.

Mas estávamos prestes a ter o baque final. Mullah Omar atingiu meu pai com um insulto de despedida, declarando bruscamente que não estava com fome. Com isso, o líder dos talibãs partiu, sem dirigir qualquer palavra de adeus ao meu pai. O pequeno exército de homens com armas grandes embarcou nos veículos e a caravana de Mullah Omar partiu rapidamente.

Muitos dos homens de meu pai trocaram olhares atônitos, pois tal insulto poderia iniciar uma guerra tribal em nosso mundo árabe. Contudo, não havia nada a ser feito além de aceitar o comportamento desrespeitoso. Mullah Omar era o homem mais poderoso de todo o Afeganistão. Ele controlava quase todo o país, e seus homens, os severos soldados talibãs, despertavam o medo em quase todos os corações. Apesar da força da al Qaeda, meu pai não tinha condições de travar uma batalha contra os talibãs. Ele perderia, e sabia disso.

Apesar de humilhado pelos eventos do dia, meu pai ficou aliviado por ter obtido algum tempo para organizar os detalhes de seu futuro. Quando fora expulso do Sudão, ele tivera apenas poucos meses para se organizar; agora, tinha mais de um ano. Qualquer coisa poderia acontecer nesse tempo. Recusando-se a comer, meu pai se retirou para fazer uma reunião com seus principais tenentes. Meus irmãos e eu fomos para a casa de nossa mãe para termos certeza de que as mulheres e crianças receberiam parte do banquete. Era raro que tivéssemos uma comida tão deliciosa na mesa.

Admito ter sentido orgulho por meu pai ter salvado o dia mais uma vez, apesar de também ter pensado que nada teria sido melhor para mim, pessoalmente, do que se o mulá tivesse obrigado meu pai a partir em uma hora. De todo modo, sei que nada teria impedido meu pai de continuar com o Jihad. Se não pudesse ficar no Afeganistão, ele iria para o Paquistão. Se o Paquistão não lhe desse as boas-vindas, ele partiria para o Iêmen. Se então o expulsassem, ele viajaria para o meio do deserto mais inóspito, onde poderia fazer planos contra o Ocidente. O Jihad violento era a vida de meu pai — nada mais importava realmente. Nada.

Minha única esperança era a de que a retirada do apoio de Mullah Omar viesse a desacelerar as atividades de meu pai no Jihad. Com certeza, depois de escapar por tão pouco, ele seria mais cauteloso. Mas não foi o que aconteceu. Depois do terrível encontro com Mullah Omar, meu pai intensificou suas atividades. Sua jornada por uma estrada sem saída continuou. Ele ainda era o motorista e nós continuávamos sendo os passageiros. Mas o destino ficava mais claro para mim a cada volta no volante. Seria uma viagem só de ida.

Capítulo 24

O cerco se fecha

OMAR BIN LADEN

Logo depois da visita de Mullah Omar, meu pai foi informado por um de seus contatos no Paquistão de que sua mãe viajara de Jidá para Dubai e que chegaria em breve com o marido, Muhammad Attas. Os detalhes da viagem foram coordenados cuidadosamente pelos irmãos de meu pai, que moravam na Arábia Saudita, apesar de meu pai não ter sabido que sua mãe viria até quando ela já estava em Dubai.

Minha avó nos visitara uma ou duas vezes quando morávamos em Cartum, mas aquilo fora havia muito tempo e muitas coisas aconteceram desde então. Todos ficaram felizes com a notícia de que, em breve, veríamos um rosto querido e amável em nosso lar afegão, mas ninguém ficou mais satisfeito do que minha mãe, que aos 40 anos estava grávida do 11º primeiro filho. Ela amava tia Allia como a uma segunda mãe, de modo que ficou animada de um jeito que eu não a via fazia muito tempo.

No dia da chegada, meu pai anunciou que ele próprio iria de carro até o aeroporto e que eu o acompanharia em seu veículo. Outros irmãos e soldados seguiriam em uma caravana. Desde que partimos da Arábia Saudita, meu pai dirigira muito raramente, de modo que eu soube que ele estava prestando uma grande honra para a mãe.

Como de costume, estávamos totalmente armados com nossas Kalashnikovs e nossos cintos de granadas, sem nos importarmos com o que os visitantes da família, que não estavam acostumados com nosso mundo militante, poderiam pensar. Na Arábia Saudita, civis são presos por porte de armas, apesar de, durante os anos de guerra contra os russos, a família real saudita ter concedido flexibilidade ao meu pai por sua segurança pessoal.

Meu pai e eu ficamos juntos observando o avião aterrissar. Enquanto tentava manter o comportamento sério e quieto como o de meu pai, eu mal conseguia conter a alegria em meu coração. Logo depois, minha avó e o marido apareceram na porta aberta do avião e acenaram rapidamente com as mãos antes de começarem a descer as escadas móveis.

Minha avó era uma mulher de altura e constituição normais. Meu pai herdara a estatura do pai biológico. Minha avó era atraente, muito inteligente e falava seguramente. O padrasto de meu pai, Muhammad Attas, era um homem baixo, com cerca de um metro e setenta, e constituição média, cabelo grisalho e bigode, mas sem barba. Ele tinha uma aparência muito agradável, possuindo uma natureza tranquila e gentil.

Meu pai e eu caminhamos rapidamente para encontrá-los. Quando minha avó chegou ao meio da escada, meu pai aparentemente reparou pela primeira vez que ela estava sem véu, com o rosto exposto aos olhos de qualquer estranho. Ele logo gesticulou com as mãos para que ela cobrisse o rosto. Ela pareceu surpresa, mas pegou a ponta do lenço que usava na cabeça e cobriu o rosto e os olhos. Obviamente, isso dificultou a descida pelos degraus, fazendo-a tropeçar e quase cair. Saltamos instintivamente para amparar a queda, mas ela conseguiu se equilibrar no último minuto.

Minha avó deslizou graciosamente até o filho e segurou a mão dele. Os dois estavam em um mundo só deles. Eu jamais tinha visto a perfeita felicidade, mas naquele dia eu soube que meu pai estava tão feliz quanto um homem pode ficar.

Meu pai acompanhou a mãe e Muhammad até o jipe mais novo de sua frota e me disse para ficar na parte traseira, descoberta, pois não havia espaço suficiente para acomodar quatro pessoas confortavelmente. Os outros carros nos seguiriam. Encostei-me na lateral do jipe, sentindo-me tão bem que tive vontade de celebrar. Àquela altura, eu adquirira alguns dos hábitos dos soldados nos campos e não via nada demais em disparar minha arma em celebração, de modo que atirei várias vezes para o alto.

Meu pai não ficou satisfeito e bateu na janela traseira do jipe, gesticulando para que eu parasse. Quando chegamos ao complexo, ele me disse que o pobre Muhammad acreditara que estivéssemos sob ataque e ficara visivelmente abalado, mesmo depois de meu pai lhe assegurar que era apenas a minha tolice gerando barulho.

Minha avó e o marido foram instalados na melhor das casas de hóspedes e depois acompanhados até a casa de minha mãe. Minha avó trouxe

chocolates de presente. Meus irmãos e eu ficamos empolgados — não víamos chocolates desde que morávamos em Cartum. Algumas das crianças
menores sequer conheciam doces, de modo que foi divertido observar seus
rostinhos enquanto comiam as guloseimas.

Meu pai ficou orgulhoso por oferecer à mãe e ao padrasto provisões de
boa qualidade que conseguira adquirir de alguma maneira. Normalmente,
a comida disponível para nós no Afeganistão era repugnante. Ele até cedeu
em relação a ventiladores, pois ainda não havia eletricidade no complexo de
Kandahar e a maioria dos hóspedes sofria com o calor do verão. Depois de
alguns hóspedes muito importantes quase terem desmaiado, meu pai encomendara alguns ventiladores a pilha para os visitantes mais honoráveis.

Apesar de minha avó e o marido não terem usado os ventiladores, eu
testemunhara diversos hóspedes lutando para manter as palhetas giratórias
próximas ao rosto enquanto tentavam conversar ou saborear uma refeição,
o que me lembrou dos hóspedes ricos em Cartum usando os abanadores
artesanais.

A primeira noite foi a única em que a família toda esteve reunida e
foi tão agradável que meu pai começou a recordar de algumas histórias
deliciosas sobre sua juventude. Olhando com doçura para minha avó, ele
perguntou: "Minha mãe, você se lembra de quando eu era muito novo,
muito antes de ir para a escola, quando meu único objetivo na vida era ter
um bode de estimação?"

Vovó Allia aquiesceu com prazer. "Sim, meu filho", respondeu, "lembro-me de tudo sobre aquele incidente".

E ele continuou: "Seu marido não permitia que seu filho tivesse um
bode. Pedi várias vezes, mas ele sempre dizia que não, definitivamente não
haveria bode algum em sua casa em Jidá. Depois da terceira ou quarta vez,
seu marido ficou cansado de mim e disse: 'Se quiser um bode, Osama, você
precisará criar um sozinho.' Fiquei realmente confuso, perguntando ao seu
marido como eu poderia fazer algo como criar um bode."

Muhammad gargalhou com gosto, relembrando do incidente que
ocorrera havia tanto tempo.

"Minha mãe, seu marido me disse que na próxima vez que você servisse bode para o jantar eu deveria pegar o osso da perna assada do bode e

plantá-lo na terra a sete centímetros de profundidade. Ele avisou que se eu não regasse o osso diariamente, meu bode não brotaria.

"E, como era de se esperar, quando você serviu bode novamente, guardei o osso da perna e o carreguei com seriedade até o jardim para cavar um buraco e plantá-lo, regando com diligência o osso de bode todos os dias. Depois de algumas semanas, comecei a me perguntar o que teria feito de errado, pois nada parecido com um bode surgia da terra do jardim. Depois de semanas cuidando daquilo, seu marido finalmente me contou a verdade, ou seja, que fora apenas uma piada e que o osso jamais se transformaria no bode que eu tanto desejava!"

Meu pai olhou para meus irmãos e para mim. "E é por isso, meus filhos, que sempre atendi a todos os seus desejos por animais."

Repentinamente, lembrei-me de todos os bodes que meu pai havia comprado para nós quando éramos pequenos, na Arábia Saudita. Compreendi pela primeira vez que, ao presentear os filhos com os bodes, ele estava realizando os próprios desejos de infância.

Muhammad gostou de ouvir aquela pequena história, dizendo finalmente: "Osama, eu não tinha ideia de que você me levaria a sério. Lamento se eu tiver lhe causado tristeza."

Meu pai sorriu e comentou: "Não. Foi uma piada boa e divertida para um garoto pequeno."

A história do bode levou Muhammad a lembrar de outro caso da família: "Osama, você se lembra de quando cavalgou o touro?"

Meu pai sorriu e disse: "Sim." Ele parecia muito feliz com a memória, e continuou: "Querida família, vocês conhecem meu amor por cavalos. Desde muito novo, eu queria um cavalo mais do que qualquer coisa, até mesmo do que um bode plantado no jardim! Atormentei infinitamente minha mãe e Muhammad, mas ninguém me levava a sério. Um dia, quando estávamos de férias na Síria, na casa dos pais de Najwa, eu estava caminhando com os irmãos dela quando reparei em um grande touro reprodutor em um campo. Algo me levou a atravessar a cerca e a me aproximar dele.

"Era um espécime magnífico, o animal mais poderoso que eu já tinha visto. Planejei subir para andar nele, pensando que não poderia ser muito diferente de cavalgar em um cavalo. Se minha família não permitia que eu tivesse um cavalo, talvez eu pudesse ter um touro! Aproximei-me lentamente, mas o touro não reagiu à minha presença. Presumi que estivesse acostumado com mãos humanas. O animal permaneceu indiferente, mastigando mato verde, satisfeito em seu mundo de touro.

"Aproximei-me silenciosamente de lado e, como um relâmpago, saltei do chão para as costas do touro, que ficou instantaneamente determinado a me derrubar de suas costas. Abracei seu pescoço, deixando-o ainda mais hostil. Ele disparou, primeiro para um lado, depois para outro, correndo o mais rápido possível para um touro. Ele se contorceu. Ele girou. Foi a cavalgada mais intensa de minha vida. Fiquei me segurando, mas percebi que seria gravemente ferido. Preparei-me e depois saltei, rolando pelo chão, sentindo o cheiro da grama enquanto meu rosto e meu corpo deslizavam impotentes pelo campo.

"Os irmãos de Najwa estavam olhando. Outras pessoas que passavam pararam para ver minha tentativa de montar o touro. Os irmãos de sua mãe decidiram correr para a casa da família de sua mãe gritando que Osama fora jogado das costas de um touro.

"Obviamente, minha mãe e Muhammad ficaram aterrorizados por minha travessura. Eles decidiram que eu precisava de algo para cavalgar e que um cavalo seria muito menos perigoso."

Muhammad Attas concordou: "Você conhece seu pai, Omar, quando ele decide uma coisa, jamais volta atrás. Ele não para até conseguir o que quer."

Sim, eu conhecia aquele aspecto do caráter de meu pai. Tal característica pode ser boa ou ruim. Pelo que eu conhecia da vida de meu pai, sua teimosia havia lhe trazido muitos problemas. Quando ele desejava alguma coisa, jamais desistia, mesmo que o desejo tivesse um irmão gêmeo chamado ruína.

Mas aquela noite foi uma rara oportunidade para que fôssemos uma família de verdade e eu não estava reclamando. Me senti bem ao ver o rosto sereno e feliz de minha mãe e meu pai, sério, se divertir, para variar. Apesar de ter sido sempre tão rígido em relação a tudo, na presença da mãe ele parecia apenas um filho, um pai e um marido comum. Minha mãe e minha avó trocaram muitos olhares afetuosos e percebi que minha avó estava muito preocupada com minha mãe.

Apesar de aquela primeira noite ter sido perfeita, o restante da visita de minha avó não transcorreu tão bem. Posteriormente, soubemos que não fora apenas uma visita de família. Ela tinha sido enviada ao meu pai pelo Rei Fahd, que esperava que o grande afeto de meu pai pela mãe funcionasse como um encanto. Vovó Allia fora ao Afeganistão a fim de implorar ao meu pai para que abandonasse o caminho do Jihad, voltasse para casa e fizesse as pazes com quem precisasse. Ela disse que não era tarde demais. O Rei Fahd estava fazendo uma última tentativa, prometendo ao meu pai que ele não seria preso e nem entregue aos americanos, que teria uma vida tranquila assegurada se ao menos retornasse à Arábia Saudita.

Apesar de compreender que a mãe realmente acreditava nas promessas do rei, meu pai não acreditou. Ele estava convencido de que, se seus pés tocassem a areia saudita, ficaria preso para o resto da vida ou seria entregue aos americanos para que esses pudessem fazer um julgamento, como fizeram com Omar Abdel Rahman, o clérigo egípcio cego que fora condenado à prisão perpétua por conspiração sediciosa. Ao longo dos anos, meu pai declarara diversas vezes que preferia a morte às garras imundas dos odiados americanos.

Ele amava tanto a mãe que não sentiu raiva das palavras dela, apenas respondeu que jamais poderia retornar ao reino. Seus olhos jamais voltariam a ver a Arábia Saudita. Seus pés nunca voltariam a caminhar pelas ruas de Jidá. Ele não retornaria ao país que amava.

Assim, aquela noite feliz terminou com um tom grave. Minha avó e Muhammad Attas deixaram o Afeganistão dois dias depois.

A visita de minha avó aumentou meu desejo de abandonar meu pai e a vida que ele escolhera para mim. Tais ideias tornaram-se mais urgentes depois que meu amigo mais próximo, Abu Haadi, chamou-me para um canto e me avisou com sinceridade: "Omar, você precisa deixar o Afeganistão. Ouvi dizer que há algo muito grande sendo preparado. Você precisa partir, Omar. Você é um rapaz, jamais feriu qualquer pessoa. Você precisa partir, procurar uma vida normal. Não permaneça aqui."

Então, mesmo depois do ataque dos Estados Unidos, mesmo depois dos avisos de Mullah Omar, meu pai e seus homens ainda esculpiam a violência. E, pelas palavras de Abu Haadi, pretendiam fazer algo ainda maior do que os ataques mortais contra as embaixadas americanas. Mais inocentes seriam mortos, como acontecera na África e no Afeganistão, pois alguns dos que morreram nos campos não estavam treinando para ser soldados, tendo ido até o local do desastre para visitar amigos ou por pura curiosidade.

Abu Haadi não é um homem que mentiria. Se ele achava que eu deveria partir, é porque eu deveria fazer isso. Mais tarde, no mesmo dia, reuni meus irmãos. "Ouçam, obtive informações confidenciais. Algo grande está sendo planejado. Eis a pura verdade. Se partirmos, viveremos. Se ficarmos, morreremos."

Eles concordaram prontamente. Um deles disse: "Se nosso pai fizer outros ataques, todo o Afeganistão será destruído."

"Precisamos escapar", eu disse.

Meus irmãos concordaram, mas como faríamos? Nossa partida deveria ser um segredo. Nosso pai se tornara tão extremista que poderia nos aprisionar se soubesse dos nossos planos para escapar.

Sugeri: "Quando nosso pai partir a trabalho, fugiremos para o Paquistão. Em nossos cavalos."

Meus irmãos concordaram. Todos nós, filhos de Osama bin Laden, éramos cavaleiros excelentes e tínhamos acesso fácil aos cavalos garanhões de meu pai. Tínhamos a vantagem adicional de ser intimamente familiarizados com o terreno montanhoso. Todas aquelas caminhadas forçadas de Tora Bora para o Paquistão seriam úteis para alguma coisa, no final das contas.

Sim, cavalgaríamos até o Paquistão, venderíamos os cavalos a um proprietário de terras rico e usaríamos o dinheiro para irmos de avião até o Sudão. Depois de uma visita agradável ao país, daríamos a volta ao mundo! Para variar, nos divertiríamos.

Sonhamos grandes sonhos. Levávamos tão a sério a ideia de fugir que começamos a matar alguns camelos de meu pai, secando a carne para que não estragasse e empacotando alguns suprimentos. Apenas Abu Haadi sabia de nosso plano e estava totalmente de acordo.

Obviamente, sentimentos de culpa em relação à nossa mãe e aos nossos irmãos mais novos passaram por nossas mentes. Mas todos compreendíamos que nossa mãe jamais concordaria em partir sem a permissão do marido. E, se meu pai perguntasse, nossa mãe acharia impossível mentir. Nosso plano iria por água abaixo.

Nenhum de nós queria imaginar a reação de nosso pai a tal deslealdade. Sabíamos que ele acreditava que deveríamos seguir seu Jihad muito apaixonadamente. Deveríamos nos armar e atacar os americanos ou quem quer que ele considerasse seu inimigo.

Nossas preocupações foram um pouco minimizadas por sabermos que nossa mãe e nossos irmãos mais novos tinham a vantagem do gênero e da idade. Nosso pai se empenharia para protegê-los. E, para o caso de os americanos atacarem novamente, lembramos das palavras de nosso pai que diziam que os americanos jamais atingiam intencionalmente mulheres e crianças.

Em pouco tempo, tínhamos comida suficiente para a viagem. Eu estava ansioso, pois pensava em partir havia muitos anos. Mas a ideia era nova para meus irmãos, e, um a um, eles começaram a voltar atrás.

Um deles disse: "Os braços longos de nosso pai alcançam muitos lugares. Ele nos matará, com certeza."

Outro disse: "O Afeganistão é muito perigoso. Atrás de cada arbusto, há um bandido. Seremos roubados e mortos na trilha."

"Esses são riscos que precisamos correr", argumentei. "Morreremos se ficarmos com nosso pai. A informação que recebi não deixa dúvidas de que precisamos partir!"

Todos ficaram quietos, em contemplação. Pouco depois, cada um de meus irmãos desistiu do plano. Todos começaram a me evitar.

Pensei em partir sozinho, mas o bom-senso me dizia que com menos de dois viajantes não seria possível sobreviver. Vigias eram essenciais. Um viajante sozinho poderia ser atacado e, muito provavelmente, morto. A vida valia muito pouco no Afeganistão.

Finalmente, chamei Abu Haadi e perguntei-lhe se estaria disposto a partir comigo. Apesar de querer que eu, um garoto, escapasse, ele respondeu: "Não, Omar. Não posso. Meu lugar é com seu pai."

Fiquei sentado em silêncio e triste, petiscando a carne de camelo seca por semanas, sonhando com a oportunidade de fuga que fora perdida. Mas não desisti da idéia.

Foi quando minha mãe captou toda a minha atenção. Observando-a certo dia enquanto trabalhava em uma cozinha extremamente quente, preparando uma refeição simples de arroz em apenas um fogareiro a gás, fui acometido pela ideia aterrorizante de que talvez minha mãe não sobrevivesse ao próximo parto.

Tendo engravidado tantas vezes e enfrentando agora uma gestação tardia sem assistência médica nem nutrição adequadas, minha mãe tão sofrida parecia não estar bem. Não que reclamasse, pois ao longo de todos aqueles anos eu jamais ouvira a voz de minha mãe manifestar qualquer desagrado. Ela vivia sem ar-condicionado no mais quente dos climas, sem aquecimento apropriado nos dias mais frios, sem utilidades modernas para armazenar, cozinhar ou lavar as roupas da família, sem comida apropriada para os filhos, sem assistência médica para qualquer pessoa e sem um meio para se comunicar com sua mãe e seus irmãos. Ela aceitava todas essas circunstâncias com a mais doce compostura, sempre manifestando pensamentos positivos para o marido e os filhos. Contudo, ela certamente guardava para si muitas dúvidas em relação ao caminho escolhido por meu pai. Ela iniciara o casamento com muita esperança, viajando para um país rico a fim de viver sua vida com o homem a quem amava. Eu sabia que seus sonhos de menina não haviam se tornado realidade, mesmo que ela se recusasse a reconhecer isso.

De repente, fiquei feliz por não ter fugido e a abandonado. Com meu pai tão ocupado com o Jihad e outros negócios, minha mãe dependia principalmente de mim.

Foi quando eu soube que *alguém* precisava tirar minha mãe do Afeganistão. Ela deveria retornar para a casa da mãe, na Síria, onde poderia ter assistência médica adequada. Os filhos mais novos deveriam ir com ela. Havia três crianças com idades entre 3 e 9 anos. A bela Iman estava com 9 anos, o doce Ladin com 6 e a adorável Rukhaiya com 3.

Pensando que talvez a carne de camelo seria útil no final das contas, comecei a elaborar um segundo plano de fuga, concentrando-me dessa vez na segurança de minha mãe e de meus irmãos mais novos.

Eu mal sabia que outras ideias chocantes estavam sendo cultivadas na mente de meu pai, planos que me afastariam para sempre.

Capítulo 25

Casamento jovem

NAJWA BIN LADEN

Eu soube que meus filhos estavam crescendo quando os entreouvi discutindo sobre casamentos. Osman e Mohammed eram novos demais para o assunto, mas foram influenciados ouvindo as conversas animadas dos irmãos.

Abdullah e Sa'ad eram os dois únicos filhos que haviam se casado. Abdullah partira há cinco ou seis anos. Quando tia Allia nos visitou, ela trouxe a notícia bem-vinda de que nosso filho mais velho se tornara pai. Eu não havia desfrutado ocasião feliz alguma com meus primeiros netos, apesar de os bebês estarem presentes em meus devaneios.

Sa'ad e Omar chegaram a viajar ao Sudão para encontrar esposas, mas apenas Sa'ad teve sucesso, levando a mulher de volta para morar perto de nós. Em menos de um ano, Sa'ad e a esposa tiveram um filho a quem deram o nome de Osama, o que agradou muito a meu marido.

Eu mal podia acreditar que meu marido e eu éramos avós. Para onde foram os anos?

Nesse período, Osama reuniu os filhos mais velhos e os presenteou com um pedaço de terra, dizendo que deveriam cultivá-la e produzir alimentos, como ele havia lhes ensinado no Sudão. Meu marido acreditava que nossos filhos poderiam se tornar financeiramente independentes cultivando a terra. Tal empreendimento comercial colocaria legumes frescos na mesa, além de obter dinheiro por meio das vendas que fossem feitas.

Apesar de serem respeitosos como sempre, nenhum de meus filhos ficou entusiasmado com a ideia de trabalhar como fazendeiro. Cada um respondeu: "Obrigado, meu pai. Cuidaremos dessa questão." Os filhos não herdaram o grande amor de Osama pela agricultura.

Omar ainda não se casara, apesar de desejar muito uma esposa, perguntando com frequência se algum soldado saberia de alguma garota em condições de casar que viesse de uma família adequada. Desencorajado por nunca encontrar uma esposa, Omar ficou ainda mais introvertido do que de costume. Havia noites nas quais ele desaparecia por muitas horas, cavalgando pelo deserto. Eu esperava pacientemente por nosso filho, até o amanhecer quando necessário, pois, como mãe, preocupava-me com sua segurança. Talvez uma cobra venenosa o mordesse ou seu cavalo caísse em um buraco.

Com sete filhos, acidentes eram comuns. Lembrei-me de quando o pequeno Mohammed estava correndo e brincando no deserto e sumiu de vista. Ele caiu em um buraco profundo na areia e ficou inconsciente por um dia inteiro. Graças a Deus, seus irmãos estavam na área e, depois de um dia, começaram uma grande busca, finalmente encontrando-o na cova. Se sua localização não fosse descoberta, ninguém adivinharia onde procurar, e ele talvez fosse atacado por lobos. Em outra ocasião, Sa'ad estava dirigindo com imprudência e capotou com o carro. Ladin estava sentado no banco traseiro e se arrastou para fora do carro com uma mão quebrada.

Eu pensava que, se Omar fosse de encontro ao desastre, ninguém saberia onde começar uma busca. Meu marido não era contra as cavalgadas solitárias de Omar no deserto, lembrando-me de que fazia o mesmo quando jovem, na Arábia Saudita. Osama parecia amar mais Omar por causa de seu espírito solitário, apelidando o filho de "Alfarook", um nome árabe que significa "espada".

Muitas pessoas reconheciam as características especiais de Omar. Uma de minhas irmãs-esposas tinha tanta consideração por ele que, quando o via caminhando em nossa direção, dizia: "Aqui está o pai da sabedoria." Outra o chamava de "Omar, o generoso", pois ele era conhecido como o mais caridoso de meus filhos, economizando o pouco dinheiro que conseguia obter para ajudar outros em situação pior do que a dele.

Apesar de estar grávida mais uma vez, eu tinha muitas outras preocupações além de mim mesma.

Na verdade, foi no começo de 1999 que Osama decidiu que havia chegado a hora de nossa filha Fatima — nascida em 1987 — e sua filha com Siham, Kadhija — que tinha um ano a menos que Fatima — se casarem. Em nossa cultura, é comum que garotas tão novas se casem. Além disso, tais decisões cabiam somente a Osama. Fiquei feliz ao saber que ele deliberou com Omar, pedindo conselhos sobre os combatentes que meu sábio filho conhecia melhor. Meu marido instruiu Omar a encontrar bons maridos para as duas filhas.

Omar levou a busca muito a sério, observando cuidadosamente os homens ligados ao trabalho de meu marido. Finalmente, Omar recomendou dois soldados sauditas, Mohammed e Abdullah, homens que considerava inteligentes e gentis. Os dois noivos em potencial eram da Arábia Saudita, o que pareceu agradar Osama, e estavam perto dos 30 anos. Um deles era guarda-costas de meu marido, de modo que Osama o conhecia melhor do que a maioria.

Omar recomendou que Fatima cassasse com Mohammed e Khadhija, com Abdullah. Depois de feita a escolha, tudo foi tratado ao modo tradicional islâmico. Osama falou sobre o assunto comigo e com Siham. Ambas aceitamos a decisão de nosso marido.

Apropriadamente, Osama chamou cada filha separadamente e contou a elas sobre os maridos que havia escolhido. Ele foi cuidadoso para seguir nossa religião e informar a elas que, se não aprovassem o marido, o casamento não seria realizado. Se isso acontecesse, haveria uma busca por outro noivo.

Muito timidamente, as duas filhas disseram que sim, ficariam felizes em casar com os homens escolhidos pelo pai. Assim, Osama providenciou um encontro supervisionado dos noivos com as filhas. Quando nossas filhas e os noivos em potencial disseram que estavam de acordo, os noivados foram anunciados.

O casamento de minha filha seria o primeiro. E foi assim que minha querida Fatima se casou com um homem saudita chamado Mohammed. A cerimônia de Fatima foi muito simples, realizada em nossa casa em Kandahar. Obviamente, os homens e as mulheres não se misturaram. Comida era escassa naquele período, de modo que não tínhamos nada de especial para servirmos aos convidados, apenas arroz e vegetais, o mesmo que comíamos todos os dias da semana.

Depois do casamento, minha filha e o marido se mudaram para uma casa próxima à minha no complexo, o que me deixou feliz. Recordei de como, anos antes, quando me casara com Osama, minha mãe ficara decepcionada por a filha ter ido morar tão longe. Pela primeira vez, a entendi completamente.

Omar parecia estranhamente introvertido. Apesar de feliz por ter a oportunidade de indicar os melhores noivos, ele confessou que, durante os casamentos, ficara apreensivo ao ver Fatima, sua irmã pequena, casar tão nova.

Depois que Omar disse essas palavras, confessei que a preocupação também deu uma pontada em meu coração. Fatima era muito nova e inocente, completamente protegida pela mãe. Ela jamais conhecera qualquer pessoa fora da família. Por outro lado, em nossa cultura, uma mulher precisa de um bom marido que a proteja. Eu só podia rezar para que seu marido, Mohammed, fosse um ótimo marido para minha jovem filha.

Algumas semanas depois do casamento de Fatima, Omar me procurou com uma expressão muito séria. Meu filho disse: "Minha mãe. Eu gostaria que você viajasse para a Síria para ter o bebê. Eu levarei você." Ele fez uma pausa. "Levaremos as crianças mais novas conosco."

Fiquei tão surpresa que não soube o que dizer. Nenhuma das esposas de Osama tinha o hábito de deixar o Afeganistão, por motivo algum. Na verdade, eu já havia dado à luz um bebê no país, minha filha mais nova, Rukhaiya.

Honestamente, eu jamais pensara em partir.

Omar parecia obcecado, pressionando-me para concordar. Ele disse: "Minha mãe, se você não pedir ao seu marido permissão para partir, pedirei por você."

Olhei para meu belo filho, seus olhos castanhos brilhando com determinação. Quem teria imaginado que Omar, o mais sensível de todos os meus filhos, seria aquele cuja coragem cresceria a cada ano? Não era fácil para ninguém enfrentar a força imensa de Osama. Meu filho era um homem corajoso e eu o amava duplamente pela preocupação comigo e com os irmãos mais novos.

Capítulo 26

O começo do fim

OMAR BIN LADEN

Ao longo daqueles dias tensos, foi impossível encontrar uma oportunidade para conversar tranquilamente com meu pai. Devido a sua natureza, ele era um homem obstinado, rápido em dizer não quando um dos filhos tinha um ideia. Portanto, eu sabia que precisava de algum tempo a sós com ele para apresentar meu caso, para escolher minhas palavras com cuidado. Eu não podia mencionar o aviso de Abu Haadi, ou meu amigo seria punido severamente. Eu deveria falar apenas sobre a saúde de minha mãe e a necessidade que ela tinha de cuidados especiais para o parto. Mas era difícil obter algum tempo a sós com meu pai, pois ele estava sempre cercado por seus homens leais, homens tomados pelo desejo de estar por perto.

Um dia, meu pai convocou uma reunião com todos os soldados. Meus irmãos e eu acompanhamos, querendo saber o que haveria de tão urgente.

Meu pai falou sobre as alegrias do martírio, sobre como dar a vida pela causa do Islã era a maior das honras para um muçulmano. Olhei ao redor enquanto meu pai falava, estudando os rostos dos soldados. Percebi que os mais velhos pareciam um pouco entediados, enquanto os jovens, que tinham acabado de ingressar na al Qaeda, tinham uma espécie de brilho no olhar.

Quando a reunião acabou, meu pai reuniu todos os filhos, até o mais novo. Ele dispensou os homens que costumavam ficar ao seu lado, de modo que achei que essa seria a oportunidade perfeita para discutir a saúde de minha mãe e a necessidade dela de um bom médico para dar à luz seu 11º filho.

Meu pai estava com um bom humor incomum, tendo concluído uma conversa bem-sucedida com os soldados. Certamente, ele tinha o poder de inspirar jovens a abrirem mão das próprias vidas, pois, ao sairmos da sala de reuniões, vi vários dos soldados mais jovens lutando para colocar seus nomes na listagem dos mártires.

Com uma voz entusiasmada, meu pai nos disse: "Meus filhos. Sentem-se, sentem-se, formem um círculo. Tenho algo a dizer para vocês."

Quando estávamos aos seus pés, ele disse: "Escutem, meus filhos, há um papel na parede da mesquita. É um papel para homens que são bons muçulmanos, voluntários para serem homens-bomba."

Ele olhou para nós com os olhos brilhando de expectativa.

Dessa vez, não ficamos olhando para o chão e olhamos para nosso pai, mas ninguém disse coisa alguma. Quanto a mim, eu estava chocado demais para gritar as palavras que estavam na ponta da língua.

Apesar de nosso pai não ter dito que deveríamos colocar nossos nomes na lista dos mártires, suas palavras e seu rosto cheio de expectativa sugeriam que tal ato o deixaria muito feliz.

Ninguém moveu um músculo sequer.

Meu pai repetiu o que havia dito: "Meus filhos, há um papel na parede da mesquita. O papel é para homens voluntários para serem homens-bomba. Aqueles que quiserem dar a vida pelo Islã devem adicionar seus nomes à lista."

Foi quando um de meus irmãos mais novos, novo demais para compreender o conceito de vida e morte, levantou-se, concordou em reverência movendo a cabeça em direção a meu pai e partiu correndo para a mesquita. Aquele garotinho se ofereceria como voluntário para ser um homem-bomba.

Fiquei furioso, finalmente encontrando minha voz. "Meu pai, como você pode pedir isso aos seus filhos?"

Ao longo dos últimos meses, meu pai ficara cada vez mais infeliz comigo. Eu estava me revelando uma decepção, um filho que não queria o manto do poder, que queria a paz e não a guerra. Ele olhou para mim com uma hostilidade evidente, gesticulando com as mãos. "Omar, você precisa saber disso, meu filho. Você não ocupa mais espaço em meu coração do que qualquer outro homem ou criança em todo o país." Ele olhou para meus irmãos. "Isso vale para todos os meus filhos."

A proclamação de meu pai fora feita: o amor dele pelos filhos não ia além da camada exterior de seu corpo. Seu coração permanecia intocado pelo amor paterno.

A dor que tal verdade me causou não foi pouca. Eu finalmente soube qual era a minha posição. Meu pai odiava os inimigos mais do que amava os filhos. Foi nesse instante que me senti um tolo por desperdiçar mais um momento que fosse de minha vida.

Eu sabia que partiria, e em breve. Quando o fizesse, não pensaria em meu pai nem um pouco mais do que ele pensava em mim. Meu único desafio era levar minha mãe e seus filhos pequenos comigo.

Meus irmãos e eu nos afastamos lentamente, com apenas o garoto mais novo estimulando o orgulho de meu pai pelo Jihad.

Esperei mais alguns dias até que meu pai caminhasse de um prédio para outro. Eu ficara à espreita, tentando encontrar um momento no qual pudesse ao menos estar perto dele sem cinco ou seis homens entre nós.

Apesar de meu pai ter se recusado a reconhecer minha presença, eu disse: "Meu pai, estou preocupado com a saúde de minha mãe. Ela está com uma idade perigosa para ter filhos. Você permitiria que eu a levasse para a mãe dela? Talvez ela fique segura lá."

Meu pai não respondeu, mas deu uma olhada rápida para meu rosto. Eu soube por aquele olhar que o amor de meu pai por mim havia enfraquecido até perigosamente.

Mas nada me faria parar. Eu estava ficando obcecado, do mesmo modo que ficara poucos anos antes, quando atormentara meu pai sobre a violência indesejada que cercava minha vida.

Assim, no dia seguinte, fiz o mesmo apelo.

Meu pedido era sempre o mesmo, para que eu levasse minha mãe a um lugar melhor para o parto. Eu me assegurava de falar com ele pelo menos uma vez por dia, às vezes duas, sempre na presença de seus homens, pois jamais tinha a oportunidade de realizar um encontro a sós.

Depois de dez dias no encalço de meu pai, ele mandou um de seus homens me chamar. Segui o homem cheio de preocupações, perguntando-me se meu pai estaria tão cheio de mim que quisesse me prender.

Quando entrei em seu escritório, fui recebido sem afeto, mas minha argumentação atingira um nervo seu. "Sim, Omar", ele disse finalmente. "Sua mãe pode viajar à Síria para o parto do bebê." Ele me deu um olhar desagradável, uma última chance para que eu mudasse de ideia.

"Sim, meu pai. Irei levá-la."

Ele levantou as duas mãos para o alto e disse: "Lembre-se Omar, isto é entre você e seu Deus."

Em outras palavras, meu pai acreditava que, ao deixá-lo, eu não estava sendo leal à minha fé. Eu repeti: "Sim, meu pai. Isto é entre mim e meu Deus. Eu a levarei."

Meu pai suspirou e depois chamou um de seus homens, a quem deu uma pequena quantia em dinheiro. Ele acenou para que eu o pegasse de suas mãos. E disse: "Se você for parcimonioso, este dinheiro o levará até a Síria. A segurança de Najwa é sua responsabilidade."

"E as crianças? Minha mãe pode levar os filhos mais novos com ela?", rebati.

Meu pai ficou sentado em silêncio, até que deu uma permissão limitada. "Ela pode levar Rukhaiya. E Abdul Rahman."

Rukhaiya tinha apenas 2 anos, de modo que tal decisão não foi uma surpresa. E Abdul Rahman precisava estar com a mãe. Mas havia outros que também precisavam dela.

"E Iman, Ladin?", perguntei. Iman ainda era uma menina pequena, com apenas 9 anos, e Ladin tinha só 5 anos, prestes a completar 6. As duas crianças eram tímidas e tinham medo de ficar sem a mãe. Eu não queria abandoná-las, pois, quando tirasse minha mãe do Afeganistão, tinha esperanças de convencê-la a não retornar.

Meu pai foi muito ardiloso, pois sabia que minha mãe não suportaria se separar permanentemente das crianças. "Não. Iman e Bakr — como meu pai chamava Ladin — devem ficar comigo. Apenas Rukhaiya e Abdul Rahman podem ir. Mais ninguém."

Comecei a falar novamente para implorar pelas crianças pequenas, mas ele levantou uma mão. "Não. Você sabe que é melhor não me questionar. Não me peça novamente. Apenas Rukhaiya e Abdul Rahman."

Concordei com a cabeça. Eu havia feito o possível, me preocuparia com as outras crianças depois. Por enquanto, levaria minha mãe para um lugar seguro.

Quando recebi a aprovação de meu pai, agi com rapidez, correndo para casa a fim de dizer à minha mãe que partiríamos em breve. Apesar de ela jamais ter manifestado o desejo de partir, vi o alívio cobrir seu rosto, mas ela ficou triste quando eu lhe disse que Iman e Ladin precisariam ficar.

Mas eu não podia pensar nisso naquele momento.

Deixaríamos o Afeganistão.

O prazer foi acompanhado pela amargura. Quando minha mãe e eu dissemos a Iman e a Ladin que ela precisaria ficar fora por algum tempo, os dois ficaram nervosos e com medo. Depois de algumas explicações, a pequena Iman aceitou passivamente seu destino, pois estava acostumada a fazer o que lhe mandavam, mas com Ladin foi diferente, ele chorou copiosamente, inconsolável porque a mãe partiria sem ele. Nem mesmo a ideia de um novo irmão ou irmã ajudou a aliviar sua dor.

Eu estava atormentado pela ideia do grande plano sobre o qual Abu Haadi havia me avisado. Eu rezava para que o plano fosse cancelado, ou pelo menos adiado até que conseguisse buscar Iman e Ladin.

O dia da partida foi extremamente desesperador. Ladin continuava a campanha para ir conosco. Finalmente, ele entrou em colapso total, chorando muito alto, seguindo todos os meus passos, puxando minhas calças e implorando: "Irmão, me leva. Irmão, me leva."

Passou rapidamente por minha cabeça a ideia de agarrar Ladin quando ninguém estivesse olhando, sussurrar para que ficasse muito quieto e escondê-lo sob o forro na traseira do veículo, mas não tive a oportunidade. Meu pai e seus homens estavam observando, com olhos aguçados como os de falcões, sem deixar passar coisa alguma. Além disso, meu pai havia decidido que minha irmã Fatima e seu novo marido, Mohammed, iriam conosco até a fronteira com o Paquistão.

Sinceramente, fiquei feliz. A estrada era perigosa — o Afeganistão tinha mais bandidos do que merecia e eles poderiam pensar duas vezes antes de atacar três homens armados.

Chamei minha mãe para lhe dizer que havia chegado a hora de partir. Ela caminhou lentamente até mim, com Fatima ao seu lado. Minha irmã carregava nos braços a pequena Rukhaiya. Eu seria o primeiro a dirigir, então me sentei ao volante. Mohammed e Abdul Rahman se sentaram na frente enquanto minha mãe e as meninas sentaram no banco traseiro.

Foi nesse momento que vi meu pai caminhar até o automóvel. Meu coração parou por um instante, temendo que ele tivesse mudado de ideia. Mas ele apenas fora se despedir de minha mãe. Eles trocaram algumas palavras em voz baixa, que não consegui ouvir.

Eu não sentia tristeza alguma por deixar meu pai, pois havia começado a desafiá-lo anos antes. Para mim, a tragédia era deixar Ladin e Iman.

Abandonar meus irmãos pequenos nas mãos de um destino desconhecido foi a coisa mais difícil que fiz na vida.

Enquanto dirigia e me afastava de meu pai e da violência de sua vida, olhei uma última vez para sua figura alta, que desaparecia a distância. Foi quando eu soube que não estava deixando o Afeganistão em busca de felicidade. Eu apenas procurava a paz.

Capítulo 27

Rumo à Síria

NAJWA BIN LADEN

Senti os olhos de Osama sobre mim enquanto caminhava para me acomodar na caminhonete preta. Perguntei-me se meu marido se despediria, pois estava estranhamente quieto a respeito de minha partida. Assim que me sentei no banco traseiro do veículo, meu marido se moveu em minha direção, parando para olhar atentamente pela janela e para meu corpo coberto pela burca.

Meu marido me surpreendeu com suas palavras:

"Najwa, não importa o que possam lhe dizer, jamais me divorciarei de você."

Sem ter o que dizer, apenas olhei para ele. Divórcio? Eu não estava pensando em divórcio. Eu apenas estava indo à Síria para ter meu filho.

Osama disse em seguida: "Assim que puder, retorne com o bebê."

"Meu marido, eu voltarei", respondi. "Retornarei com a criança assim que puder."

Osama sorriu, sabendo que eu estava falando a verdade. Em todos os anos de casamento, eu jamais mentira a ele.

O mal-estar entre Omar e Osama era palpável. Omar não se virou para falar com o pai e Osama não fez qualquer esforço para falar com o filho. Eu não sabia o que tinha acontecido entre os dois, pois nenhum deles fala sobre assuntos particulares facilmente, mas algo sério gerara um desacordo. Desde que Omar atingira a adolescência, seu caminho havia se desviado do de seu pai. Eu esperava apenas que o tempo os aproximasse. Eu sabia que, desde a infância, Omar amara o pai com mais sentimento do que qualquer outro de meus filhos, mas aquele amor fora danificado.

Nesse instante, Omar ligou o carro. Ele dirigiu com o pescoço forte e rígido, determinado a partir sem qualquer emoção, mas no último minuto vi o pescoço de meu filho girar quando ele cedeu e olhou para o pai pela última vez. Também olhei para trás, mas lamento ter feito isso, pois meus olhos não viram nada além de meu pequeno filho Ladin de pé, sozinho na beira da estrada, chorando pela mãe. Iman estava ao lado do irmão mais velho, Mohammed, mantendo a fachada de corajosa. Mas o rosto do pequeno Ladin mostrava toda a emoção em seu coração. Incapaz de se conter, Ladin começou a correr ao lado do veículo, ainda gritando para Omar: "Meu irmão, por favor, me leva com você. Por favor, me deixa ir com minha mãe. Meu irmão, estou implorando."

Omar abaixou a janela do carro e acenou, gritando: "Nós levaremos você na próxima vez, Ladin. Nós o levaremos."

Meu coração de mãe estava partido. Meus dois filhos mais novos estavam nitidamente com medo. Mas na noite anterior eu conversara com ambos e prometera sinceramente: "Eu voltarei. Sejam corajosos. Eu voltarei."

E eu voltaria. Eu não tinha qualquer intenção de abandonar meus filhos para sempre. Eu retornaria.

Suspirei profundamente e voltei minha atenção para Fatima. Eu sabia que Fatima e o marido não iriam além da fronteira com o Paquistão, onde Omar, Abdul Rahman, Rukhaiya e eu pegaríamos um táxi até um aeroporto paquistanês, de onde voaríamos para a Síria. "Fatima", eu disse, "dê uma atenção especial a Iman e Ladin".

"Farei isso, minha mãe. Não se preocupe."

Todos ficamos quietos por muito tempo, pois qualquer viagem de automóvel no Afeganistão é perigosa e exaustiva, e os passageiros tendem a ficar atentos às encostas que envolvem as estradas. Apesar de Osama ter providenciado para que viajássemos em seu melhor e mais novo veículo, uma caminhonete grande e boa, as estradas eram tão pavorosas que, depois de poucos quilômetros, nos sentíamos como se tivéssemos sido espancados com varas longas.

Minha gravidez de sete meses não estava divertida. Eu estava mal-acomodada, incapaz de encontrar uma posição confortável. Rukhaiya era apenas um bebê, de modo que exigia muita atenção, subindo pelo meu corpo, passando de mim para Fatima e voltando. Fatima ajudara a cuidar dos irmãos mais novos desde que conseguia se lembrar. Eu sabia que minha Fatima seria uma mãe ótima mas, por causa de sua juventude, esperava que ela demorasse para engravidar.

O marido de Fatima, Mohammed, informou que a viagem de carro levaria três dias e que seriam dias perigosos. O Afeganistão continuava sendo uma terra sem lei, com conflitos tribais constantes e bandidos à espreita para roubarem viajantes. Tínhamos ouvido que, muitas vezes, os bandidos matavam suas vítimas. Fiz o melhor para tirar tal preocupação da cabeça, sabendo que nossos três homens eram proficientes com suas metralhadoras Kalashnikov. Além disso, cada um deles carregava uma pistola e várias granadas. Obviamente, todo homem no Afeganistão se armava assim, de modo que qualquer um que nos atacasse estaria igualmente preparado.

Os homens não conversavam, falando apenas frases curtas, relatando o que viam pelas janelas do automóvel. Omar insistiu em dirigir, então Abdul Rahman ficou atento para sinais de perigo à nossa esquerda, enquanto Mohammed olhava para a direita. Fatima tomou muito cuidado para ficar olhando para trás, assegurando-se de que ninguém estivesse se aproximando daquela direção. Eu sentia que estava em boas mãos, para dizer a verdade.

Tentei não pensar no que faríamos se fôssemos atacados por criminosos, mas revisei mentalmente o que Osama havia me ensinado sobre armas. Depois de nos mudarmos para o Afeganistão, ele levara minhas irmãs-esposas e eu a um lugar isolado para nos ensinar a segurar uma arma e quais alavancas deveriam ser puxadas para fazer a bala sair voando do tambor. Cada uma de nós havia segurado a arma pesada de meu marido e feito o que fora dito, mas Osama logo viu a realidade: tentar acertar os alvos que ele colocava nas grandes rochas não passava de um pouco de diversão para nós, suas mulheres. Não acredito que nenhuma de nós tenha chegado perto de acertar os alvos. Agora que havia chegado o dia no qual eu poderia realmente precisar de tais habilidades, desejei ter me esforçado mais para me tornar uma boa atiradora.

Omar ficou tão preocupado com nossa segurança que, assim que o sol começou a baixar, insistiu para que afastássemos o carro da estrada. A escuridão trazia um perigo maior para os viajantes. Assim, deixamos a estrada e subimos algumas montanhas altas, com Omar estacionando o veículo em um ponto alto para que os homens pudessem se revezar vigiando uma área extensa.

Minha querida Fatima insistiu em dormir com o marido no chão, fora do carro. Abdul Rahman dormiu com eles. Omar se recusou a descansar, ficando de guarda com sua grande arma. A pequena Rukhaiya e eu dormimos tão confortavelmente quanto era possível para uma mulher no final da gravidez e uma criança pequena no pequeno espaço interno de um automóvel.

E viajamos assim por três dias e duas noites. Não estávamos sozinhos no carro, lamento dizer, pois o medo, o perigo e o desconforto eram nossos companheiros constantes.

Depois de três dias, todos precisávamos de um bom banho, mas ninguém se importava, pois chegamos em segurança. A parte triste foi que precisamos nos despedir de Fatima e Mohammed. Mohammed disse que descansaria no lado paquistanês da fronteira e depois dirigiria sem parar no caminho de volta. Eu não tinha ideia de como conseguiria fazer isso, mas minha filha havia se casado com um homem forte e muito determinado. Se alguém era capaz de fazer aquilo, essa pessoa era Mohammed.

Omar, Abdul Rahman, Rukhaiya e eu fizemos o resto do trajeto no Paquistão de táxi. Não pude evitar comparar com quando nossa família costumava viajar em longos carros pretos com escolta. Agora, éramos pobres e não desfrutávamos mais de tratamento especial. A vida tinha mudado em muitos, muitos aspectos.

Fomos ao aeroporto e embarcamos em um voo para a Síria. Éramos viajantes com uma aparência deplorável, sujos e cansados, mas eu ainda estava usando a burca, de modo que ninguém sabia que Najwa Ghanem bin Laden estava sob a capa ondulante. Havia vantagens em usar os trajes das mulheres muçulmanas.

Palavras não podem descrever a alegria em meu coração quando vi minha querida mãe e meus irmãos amados depois de sete longos anos.

A Síria era um mundo de tranquilidade depois da vida no Afeganistão. Para variar, não houve excitação, o que era bom para mim. Visitei minha família e descansei. Quando tive meu 11º filho, dois meses depois de chegar ao país, me senti saudável e em forma, a mulher que eu já fora um dia. Eu disse a Omar que ele esteve certo, que eu precisava de mais cuidados para aquele parto. Tive uma menina que se chamaria Nour, o nome escolhido por Osama, em homenagem à sua meio-irmã Nour, que morrera em 1994.

Enquanto olhava para a pequena Nour em meus braços, ocorreu-me que, depois de 25 anos de casamento e com 41 anos de idade, eu era a mãe de 11 filhos. Quando era uma jovem adolescente na casa de minha mãe, eu jamais sonhara em ter 11 filhos, apesar de ter um amor materno puro por cada filho.

Durante esse período, Omar estava fazendo planos. Meu filho jamais aceitara a perda de sua herança, e tinha o objetivo de se restabelecer como árabe saudita. A família de Osama estava oferecendo ajuda gentilmente, e parecia que Omar conseguiria o que queria, apesar de ser preciso tempo para a aprovação de sua inscrição.

Foi quando descobri que meu filho não estava apenas fazendo planos pessoais e que tinha ideias a respeito de outros membros da família. Omar queria voltar ao Afeganistão somente a fim de trazer Iman e Ladin para morar na Síria.

Conversei com Omar, pois queria que ele compreendesse que eu não poderia abandonar meus filhos. Finalmente, falei: "Meu filho, Iman e Ladin devem permanecer onde estão. Eu irei até eles. Eles não virão até mim." Fiz uma pausa, olhando de relance para a pequena Nour. "Quando Nour estiver com três meses, retornarei com ela para o Afeganistão."

Omar implorou: "Minha mãe, eu ouvi as pessoas comentarem. Um grande mal está para acontecer. Você deve permanecer fora do Afeganistão."

Eu ouvira tal aviso de Omar mais de uma vez, contudo eu não era mais do que um fragmento miserável de mulher sem os seis filhos que havia deixado no Afeganistão. Também era esposa de um homem a quem jamais desobedecera. "Omar, eu retornarei ao Afeganistão, meu filho. É lá que estão meu marido e meus filhos", eu disse.

Omar persistiu: "Minha mãe, por favor, fique longe de lá. Um mal muito grande está para acontecer."

Repliquei: "Omar, se o perigo é iminente, então devo retornar. Tenho filhos pequenos lá. Eles precisarão da mãe."

Nenhum de nós conseguia apagar Iman e Ladin dos pensamentos, pois Omar deixou escapar: "Não consigo dormir. Se ao menos eu tivesse parado o veículo e agarrado Ladin enquanto corria ao meu lado. Se ao menos eu o tivesse agarrado."

Olhei para meu filho com uma sensação de tristeza apertando meu coração. Eu sabia qual era meu lugar na vida. Eu era esposa de Osama bin Laden e tivera muitos filhos com ele. Eu precisava retornar para meu lugar no mundo, que era ao lado de meus filhos. Mas com Omar era diferente. Meu filho mais sensível jamais aceitara a vida que lhe tinham proporcionado. Ele jamais seria feliz com a família, mas eu temia que também não o fosse sem a família.

Osama logo telefonou para mim para saber se o bebê nascera em segurança. Ele perguntou quando Omar nos levaria de volta ao Afeganistão. Foi quando eu disse a ele que talvez Omar não retornasse. Osama ficou em silêncio, mas logo disse apenas que eu deveria providenciar o voo da Síria para o Paquistão. Ele mandaria Osman, nosso quinto filho, nos encontrar. Se Omar não retornasse para a família, então Osman seria responsável pela mãe.

Chegou o dia de me despedir de minha família na Síria. Omar ainda estava lá, esperando a aprovação de seu passaporte saudita, para então ir a Jidá retomar sua vida, como fizera meu filho mais velho, Abdullah.

Antes de partir, Omar fez um último apelo, mas minha resposta foi a mesma: "Devo retornar para meu lugar na vida, meu filho, que é ao lado de meus filhos."

E foi o que aconteceu.

A viagem de volta foi tão desagradável que bloqueei boa parte dela da memória. Eu sentia mais falta de Omar do que imaginara que sentiria, pois meu quarto filho fora meu protetor leal desde a adolescência, mas agora ele estava na Síria e eu, viajando sem ele. Eu tinha Abdul Rahman e Osman comigo, mas ambos estavam envolvidos com os perigos da viagem na estrada. Eu cuidei sozinha de dois bebês, um de colo e outro maior. Os dois choraram muitas lágrimas durante aquele pesadelo de viagem.

Apesar do perigo que Omar alertara estar nos aguardando no Afeganistão, nada parecera tão acolhedor quanto os muros de nosso complexo em Kandahar.

Meu marido veio rapidamente ver o bebê e a mim. O pequeno Ladin estava saltitando de alegria com a minha volta. A querida Iman ficou igualmente feliz, mas permaneceu quieta, esperando o toque da mãe. Minhas irmãs-esposas estavam todas bem, felizes por me ter de volta para colocarmos as novidades em dia. Estávamos no começo do ano 2000 e passei o resto do ano desfrutando meus filhos, apesar de ter sentido falta dos que não estavam comigo, especialmente de Omar.

A maior surpresa veio no final do ano, quando meu jovem filho Mohammed, que acabara de completar 15 anos, começou a fazer pressão para se casar.

Mohammed disse que estava apaixonado pela filha de Abu Hafs, o melhor amigo de meu marido e seu comandante mais elevado. Apesar de Mohammed não ter tido oportunidade de passar algum tempo com a filha de Abu Hafs, ele vira a menina e se apaixonara obsessivamente.

Meu marido e Abu Hafs disseram a Mohammed que não, que ele era novo demais, assim como a noiva, que era vários anos mais nova do que meu filho.

Mas meu filho herdara a força de vontade do pai, recusando-se a aceitar um não como resposta. Ele importunou tanto Osama e Abu Hafs que os homens conversaram e concordaram em permitir que os jovens tivessem um encontro supervisionado, o que é considerado apropriado em nossa sociedade. As duas crianças ficaram tão encantadas uma com a outra que os dois pais concordaram com um noivado, um noivado longo. Ou, pelo menos, esse era o plano.

Assim, o noivado foi anunciado, e os documentos apropriados foram assinados. Obviamente, o casamento não foi consumado por causa da imaturidade de Mohammed e da noiva.

Todos esperavam que os arranjos formais acalmassem Mohammed até que ele completasse 17 anos, em 2002, idade adequada para um noivo, segundo meu marido.

Nosso filho tinha outras ideias.

Uma noite, em outubro de 2000, quando todos dormiam, meu filho inquieto saiu da cama, entrou sorrateiramente nos estábulos de meu marido e pegou um cavalo. Ele galopou ao longo de um território perigoso por seis horas, viajando mais de 48 quilômetros de nosso complexo no campo até a cidade de Kandahar. Ele chegou à casa de Abu Hafs pouco antes do amanhecer.

Abu Hafs foi assustado por batidas fortes na porta de casa.

Ele espiou para ver se precisaria usar sua arma.

Mas lá estava Mohammed, tão ousado que proclamou em voz alta: "Estou aqui para reivindicar minha noiva."

Mohammed era mais corajoso do que a maioria dos jovens adolescentes, pois Abu Hafs era um homem enorme, um combatente destemido e um pai que levava a honra da família a sério.

Mohammed teve sorte por não levar umas bengaladas. Em vez disso, foi convidado a entrar na casa, onde não parou de falar enfaticamente para convencer o futuro sogro de que o casamento deveria ser realizado o quanto antes.

Abu Hafs viajou com Mohammed de volta ao complexo para encontrar Osama. Os dois pais estavam preocupados por Mohammed ter arriscado a vida fazendo aquela viagem sozinho na madrugada.

Os dois pais finalmente cederam, convencidos de que havia um grande amor entre os filhos.

E foi assim que os dois amigos íntimos desde a guerra contra a Rússia planejaram um grande casamento para seus filhos. Os noivos ficaram tão felizes que o evento se transformou em um grande evento, levando vários meses para ser planejado. Até membros da família da Arábia Saudita foram convidados. Foi decidido que o casamento de Mohammed seria no mês de janeiro de 2001. A mãe de Osama, seu marido e um de seus filhos viajariam até Kandahar para o acontecimento.

Janeiro chegou rapidamente. O casamento de meu filho Mohammed foi um grande acontecimento, com muita alegria e risadas. Jamais vira Osama tão feliz, pois ele amava Abu Hafs como a um irmão, e os filhos deles estavam unindo nossas famílias eternamente.

Como sempre, homens e mulheres celebraram separadamente. Depois do casamento, Mohammed e a esposa se instalaram perto de mim, onde deram todas as impressões de serem o mais feliz dos casais. Amei a esposa de meu filho como amava minhas próprias filhas.

Eu estava tão feliz por estar de volta ao Afeganistão com meus filhos que quase nunca pensava no aviso de Omar sobre o perigo iminente.

Capítulo 28

Retorno à Arábia Saudita

OMAR BIN LADEN

Durante os quatro meses que passei na Síria, entre o final de 1999 e o começo de 2000, realizei pouca coisa além de aprender a arte de esperar. Eu estava determinado a reclamar a herança que era minha por direito como cidadão saudita. Eu jamais aceitara o logro de minha cidadania sudanesa.

Meus esforços para manter minha mãe e meus dois irmãos mais novos fora do Afeganistão fracassaram. Minha mãe não conseguia ficar longe dos outros filhos e da única vida que conhecera desde o dia em que casara com meu pai, 26 anos antes.

Quando ela partiu, entrei em um estado de apatia, ficando mais ansioso a cada dia, temendo ouvir sobre alguma calamidade terrível causada por meu pai. Felizmente, os primeiros meses de 2000 transcorreram tranquilamente, sem notícias de ataques originados no Afeganistão. Fiquei mais calmo, pensando que Abu Haadi pudesse estar enganado ou que talvez meu pai tivesse ficado mais cuidadoso, temendo que Mullah Omar o obrigasse a deixar o Afeganistão imediatamente caso houvesse mais missões contra os Estados Unidos ou a Arábia Saudita.

Chegou o feliz dia no qual fui informado de que minha inscrição para obter o passaporte saudita havia sido aprovada. Fiquei feliz como não ficava havia anos quando soube que tinha reobtido meu nome de nascença e minha herança verdadeira, pois jamais aceitara a decisão de meu pai de alterar meus registros oficiais antes de deixar o Sudão. Na verdade, sorri tanto que todos os meus dentes ficaram expostos. Felizmente, não havia ninguém por perto que se opusesse ou que os contasse.

A força da emoção que senti sendo novamente árabe-saudita foi maior do que eu poderia ter imaginado. Rapidamente, planejei o retorno à terra na qual havia nascido; à terra que eu amava.

A chegada a Jidá foi o melhor momento. Eu não via a cidade de minha infância há oito anos. Apreciei tudo, o cenário, os cheiros, as pessoas. Visitei a família de meu pai, que me ajudou a tornar meus sonhos realidade. Além disso, a quem mais eu poderia recorrer, se não à minha própria família?

Havia muitas coisas que eu queria fazer, mas minha primeira viagem foi para a Mesquita Sagrada em Meca. Agradeci a Deus por não ter sido tentado pelo caminho de meu pai, por ter tido sucesso ao resistir a uma vida de violência, mesmo sendo jovem e maleável.

Depois daquela experiência maravilhosa, viajei de volta para Jidá, aproveitando cada dia como um passo a mais rumo à construção de minha nova vida. Conheci vários integrantes da família Bin Laden, pois nosso pai mantivera, intencionalmente, os filhos no perímetro da família de seu pai.

Uma das parentes era Randa Mohammed bin Laden, meia-irmã de meu pai e minha tia querida, que era poucos anos mais nova do que minha mãe. Sem usar minha associação com meu pai contra mim, tia Randa me colocou sob sua proteção.

Tia Randa era uma das mulheres mais inteligentes que conheci e conquistara muito na vida. Ela não apenas era a primeira mulher na Arábia Saudita a obter uma licença para pilotar aviões como também se formara em medicina, cuidando dos membros de nossa família quando adoeciam.

Por algum motivo, minha tia se interessou muito pela minha vida. Apesar de meus parentes da família Bin Ladin terem conseguido um emprego como serviçal doméstico para mim, ela disse que, para ter sucesso, eu deveria retornar à escola. Ela levou isso tão a sério que telefonou para o Ministério da Educação e providenciou para que eu fizesse uma entrevista. Eu disse a ela que faria a entrevista, apesar de não ter certeza de que conseguiria seguir em frente. Os tempos na escola desencadeariam memórias terríveis.

Durante anos, eu carregara uma raiva crescente dos professores da escola Obaiy bin Kahab, em Jidá, especialmente de um professor tão cruel que não deveria trabalhar com crianças pequenas. Decidi retornar à escola para confrontá-lo. Ele bateu em mim várias vezes e pensei que talvez conseguisse atraí-lo para fora da escola e lhe dar uma sova com uma vara para mostrar a ele como era apanhar.

As humilhações sofridas na escola foram tão grandes que, ao me aproximar da entrada, um surto de horror passou pelo meu corpo. Apesar de estar com 19 anos e de ter finalmente crescido e me tornado um homem grande e forte, me senti como uma criança indefesa.

Mas eu não permitiria que isso me impedisse de dizer ao professor cruel o que pensava dele. Para minha decepção, logo descobri que ele havia se aposentado anos antes. Ninguém queria me dizer onde ele morava — na verdade, não consegui localizar nenhum dos professores que haviam maltratado a mim e aos meus irmãos. Percebendo que a vingança seria impossível, parti rapidamente.

A escola me fez pensar mais seriamente a respeito do compromisso agendado por tia Randa. Eu tinha de admitir que precisava ter instrução. Meu pai interrompera nossa educação escolar formal, exceto pelas aulas de religião, quando eu tinha apenas 12 anos. Apesar da importância da educação religiosa, eu sabia que uma educação formal seria um requisito para trilhar uma boa carreira no mundo dos negócios. E eu havia percebido que meus primos Bin Laden eram altamente instruídos e sabiam muitas coisas que eu desconhecia. Fiquei incomodado por estar menos preparado para a vida do que meus primos.

Decidi seguir a recomendação de tia Randa.

A caminho do compromisso no Ministério da Educação, fiquei confuso, pois havia tantos prédios grandes na área que acabei em um no qual estavam instaladas várias redes de televisão. Sem saber que estava no lugar errado, caminhei pelo prédio, conferindo as portas em busca de uma placa em que estivesse escrito "Departamento de educação".

Um oficial de segurança suspeitou de mim e pediu que me identificasse. Sem ver problemas nisso, apresentei-lhe minha identidade. Bem, o homem ficou muito exaltado ao ler meu nome. Quando admiti ser filho de Osama bin Laden, ele me prendeu!

Fui levado para o Haras al-Watani, um escritório do Exército saudita, onde fui colocado em uma pequena sala para ser interrogado.

Dois homens chegaram, falando ao mesmo tempo, perguntando-me por que eu estava nos escritórios da televisão e para onde estava indo. O oficial de segurança que havia me prendido começou a mentir, dizendo ao oficial do Exército que, ao me ver examinando o prédio de maneira muito suspeita, havia percebido que eu não tinha boas intenções. Pude ver que ele já se imaginava recebendo uma recompensa por impedir um ato terrorista!

Foi nesse momento que todos entraram em pânico. Fui levado para um local mais seguro, onde me trancaram em uma cela. Esperei por seis horas, sem saber o que fazer, enquanto pessoas vinham olhar para mim. Sem querer que me considerassem um perturbador de ordem, fiquei constrangido demais para pedir que telefonassem para minha família.

Finalmente, chegou um general, e tive sorte por ele ser inteligente. Tranquilamente, ele fez perguntas e eu respondi a verdade, o que foi simples. Eu tinha um compromisso no Ministério da Educação e havia me perdido. Eu não fazia ideia de que estava no prédio errado e simplesmente segui de escritório em escritório, esperando encontrar o departamento certo.

O general gentil sorriu e disse: "Você não me parece um terrorista. Acredito em você." Ele se levantou e apertou minha mão, partindo em seguida para ordenar minha liberação.

No dia seguinte, voltei ao local para encontrar o prédio certo. O ministro da Educação foi agradável e me matriculou em uma escola na qual os alunos tinham entre 7 e 12 anos, apesar de haver um departamento separado para alunos mais velhos que, como eu, jamais tiveram a oportunidade de terminar a escola.

Chegou o primeiro dia de aula. Jamais senti tanta vergonha. Ali estava eu, um homem com mais de um metro e oitenta, entrando em uma escola na qual todos os outros estudantes eram crianças. O diretor deixou claro que não gostava de mim, perguntando: "O que está fazendo aqui? Você é velho demais para estudar aqui, até mesmo na turma especial. Fique esperando." Fui obrigado por ele a esperar do lado de fora da escola até que todas as crianças tivessem sido encaminhadas para a sala de aula apropriada e estivessem sentadas. Somente depois disso me permitiram entrar.

Mais tarde, no mesmo dia, quando o diretor descobriu que eu era filho de Osama bin Laden, seu desprazer se multiplicou.

A cada dia que passava, o diretor dificultava mais minha presença na escola. Ele determinou que se eu não estivesse sentado em minha sala assim o sinal tocasse, eu deveria voltar para casa. Mas ele me mandava esperar do lado de fora até que todos os alunos tivessem entrado, o que muitas vezes impossibilitava que eu chegasse à sala de aula a tempo.

Posso dizer que eu não era o único aluno maltratado. Qualquer aluno com mais de 12 anos era claramente mal recebido, apesar de haver uma turma especial para alunos mais velhos!

Eu disse a mim mesmo: "Foi isso o que meu pai causou a mim."

Recusei-me a permitir que o professor me desencorajasse. Aceitei suas humilhações com o rosto impassível, terminando aquele ano difícil, fazendo as provas para a sexta série, sendo aprovado e recebendo meu diploma.

Depois disso, abandonei definitivamente a escola, percebendo que os professores da Arábia Saudita jamais permitiriam que me formasse. Eu era velho demais, grande demais e filho de Osama bin Laden.

Eu precisaria trilhar meu caminho nos negócios sem uma educação formal.

Chegou o dia 12 de outubro de 2000, quando ocorreu o ataque ao navio americano *USS Cole* no porto de Áden, no Iêmen. Enquanto o *Cole* aguardava para ser reabastecido, aproximou-se um pequeno barco, cuja tripulação era formada por pretensos pescadores amigáveis, acenando para os marinheiros americanos no barco, que começaram a acenar de volta. Quando o barco chegou ao porto, houve uma grande explosão, matando 17 marinheiros e ferindo outros 39.

Senti uma onda de náusea. Estaria meu pai celebrando, como fizera depois dos ataques a bomba na África? Obviamente, eu não tinha como saber toda a verdade, não mais do que qualquer outro cidadão saudita comum. Eu não estava mais olhando as coisas de dentro para fora, mas sim de fora para dentro. Na verdade, eu preferia o novo ponto de vista, apesar de jamais ter deixado de me preocupar com minha mãe e meus irmãos.

Antes que muitos dias se passassem, noticiários internacionais disseram que a organização de meu pai, a al Qaeda, estava por trás do ataque ao *Cole*. Seria esse o grande ataque sobre o qual Abu Haadi havia me alertado? Meus instintos diziam que não, pois apesar dos estragos e das vidas perdidas, o ataque ao *Cole* foi muito menos destrutivo do que os bombardeios contra as embaixadas americanas. As palavras de Abu Haadi sugeriam que o ataque iminente seria tão gigantesco que poucas pessoas poderiam imaginá-lo.

Meus nervos ficaram em pedaços e não havia ninguém com quem pudesse compartilhar minhas preocupações. A família de meu pai na Arábia Saudita tinha um acordo implícito de não falar sobre assuntos desconfortáveis, como os que envolvessem meu pai e suas atividades. Até meu irmão Abdullah falava raramente o nome de nosso pai. Meu meio-irmão Ali morava em Meca com a mãe, mas nós dois tínhamos pouco a dizer um ao outro. Nossas memórias de infância eram tão dolorosas que não desejávamos relembrar aqueles dias.

Assim, agonizei internamente, com as palavras de Abu Haadi ressoando em meus ouvidos, ainda na esperança de que o grande evento sobre o qual meu amigo me avisara jamais ocorresse.

Durante o mês de dezembro de 2000, minha avó Allia e sua família foram convidados ao Afeganistão para o casamento de meu irmão Mohammed. Ela estava animada para rever o filho mais velho.

Não fui convidado, o que já era esperado. Contudo, fiquei surpreso ao saber que meu irmão menor Mohammed se casaria com a filha de Abu Hafs; para mim, tanto a noiva quanto o noivo ainda eram crianças.

O casamento de meu irmão mais novo também me fez pensar em minha condição de solteiro.

Quando minha avó voltou do casamento, ela me chamou para sua casa. Eu estava ansioso para ouvir sobre minha família no Afeganistão, e, apesar de minha avó ter me contado pouca coisa, ela revelou que o casamento fora dos mais grandiosos e que Mohammed fora um noivo muito feliz. Ela relatou que todos os membros da família estavam bem, o que me trouxe uma sensação agradável de alívio.

Então minha avó me surpreendeu dizendo: "Omar, seu pai está com muita raiva de você por ter deixado o Afeganistão. Ele mandou você voltar."

Assustado e zonzo, pedi mais detalhes: "Por que ele está irritado? Ele não ficou assim quando Abdullah voltou à Arábia Saudita. Por que ele está chateado comigo?"

Minha avó se limitou a dizer: "Não sei o motivo da fúria de meu filho. Ele é seu pai. Volte, Omar, volte e descubra o motivo dele. Sei pai comanda isso."

A mensagem inesperada me fez mergulhar em um turbilhão. Nenhum filho poderia ignorar uma ordem tão direta do pai, mas o que o levara a dar tal ordem?

Pensei em muitas possibilidades. Talvez a ordem estivesse de algum modo ligada ao meu amigo Abu Haadi. Será que meu pai fizera uma investigação especial para descobrir por que eu não retornara da Síria? Que alguém descobriu que Abu Haadi me avisara sobre uma missão secreta? Apesar de Abu Haadi ter se recusado a dizer qualquer coisa além de que eu deveria fugir, até mesmo tal informação poderia lhe trazer problemas muito graves, levando-o até a ser executado por traição.

Meu pai teria pedido à minha mãe que lhe revelasse nossas conversas? Minha mãe jamais daria voluntariamente informações sobre mim, mas também nunca mentiria ao meu pai se ele a perguntasse diretamente.

Depois de uma semana em dúvida, decidi fazer algo que dissera que jamais faria: retornar ao Afeganistão.

Mas a viagem seria breve. Eu iria e voltaria rapidamente.

O percurso foi tão difícil que quase voltei da fronteira com o Afeganistão. Uma vez que eu tinha levado três semanas para organizar a viagem, quase me convenci a desistir. Por que meu pai ainda tinha qualquer influência sobre mim? Os laços entre nossos corações haviam sido cortados havia muito tempo. Contudo, senti-me atraído contra a vontade.

Talvez nosso adeus final não fosse suficientemente definitivo.

Depois de uma viagem extremamente desgastante, meus olhos viram novamente nosso complexo em Kandahar.

Minha mãe e meus irmãos saltitaram de pura alegria quando retornei, acreditando equivocadamente que eu voltara para ficar. Chamei minha mãe e disse a ela: "Mãe, minha avó me disse que meu pai ordenara que eu retornasse. Você sabe algo sobre isso?"

Ela abanou a cabeça: "Não soube de tal ordem."

Depois de uma visita agradável, fui procurar meu pai. Por causa das palavras de minha avó, eu temia uma cena dramática.

Procurei por um ou dois dias, mas não o localizei.

Finalmente, vi meu pai se preparando para tomar banho antes de rezar. Caminhei rapidamente, querendo falar com ele. "Pai", eu disse, "estou de volta. Minha avó me disse que você precisava me ver".

"Meu filho", ele respondeu com um sorriso inesperado, "não havia necessidade de que retornasse. Você correu um grande risco por nada".

Meu pai se virou e lavou o rosto, as mãos e os pés antes de entrar na mesquita para rezar.

Fiquei parado, em estado de choque. O que acabara de acontecer? Eu viajara uma longa distância pelas estradas mais perigosas para nada? Minha avó certamente não teria transmitido tal mensagem se meu pai não a tivesse passado para ela.

Balancei a cabeça, intrigado. Afastei-me e fui procurar meu amigo Abu Haadi.

Ele não ficou muito feliz por me ver. "Omar! O que está fazendo em Kandahar?"

Contei ao meu amigo sobre a mensagem de minha avó e a reação de meu pai.

Abu Haadi pensou por alguns minutos, olhou ao redor para se assegurar de que estávamos a sós e sussurrou: "Você conhece seu pai, Omar. Quando sua avó esteve aqui para o casamento, ele provavelmente sentiu sua falta, pensando que estaria perdendo muitos filhos. Provavelmente, ele passou por um momento de raiva e manifestou a própria irritação. O tempo de você receber a mensagem e retornar foi o necessário para muitas outras coisas terem ocupado a cabeça dele e a raiva foi esquecida há muito tempo."

A explicação de Abu Haadi foi tão boa quanto qualquer outra, pensei.

Foi aí que Abu Haadi reiterou seu alerta original: "Omar, não pense em ficar aqui. Volte para sua nova vida. O grande plano ainda está em andamento. Ele será executado. Você precisa estar longe, muito longe. Acredito que muitos de nós morrerão."

Novamente, meu amigo usou a mão para explicar: "Lembre-se, Omar, de que as missões do passado foram deste tamanho", ele disse, colocando a mão bem próxima ao chão. "A nova missão é deste tamanho", concluiu, levantando a mão o mais alto que conseguia, acima da cabeça.

Eu estava convencido. "Mas e minha mãe?", lembrei.

"Tente novamente convencê-la a partir. Não sei quando acontecerá o grande evento, mas acredito que será logo."

Acreditei em Abu Haadi; eu precisava partir, dessa vez para sempre.

Fiquei em Kandahar por algumas semanas, tendo conversas sérias com minha mãe. Dessa vez, não tínhamos uma gravidez para sustentar nosso apelo. Mas eu disse a ela: "Minha mãe, se não puder partir comigo, você deve partir logo. Por favor, peça permissão ao meu pai. Talvez ele concorde."

Pela primeira vez, os olhos de minha mãe demonstraram preocupação. Eu esperava que meu aviso tivesse penetrado sua perspectiva ingênua de que tudo na vida acabaria bem.

Eu queria ver meu pai uma última vez, para trocar as últimas palavras com ele e implorar para que mandasse minha mãe e os filhos para longe dali, mas ele estava sempre indo ou vindo. Jamais houve a oportunidade de me aproximar, de termos uma conversa particular. Eu nunca vira meu pai tão ocupado, tanto com visitantes como com os próprios homens, nem mesmo durante o verão extremamente atribulado de 1998, que antecedeu os bombardeios na África.

Perguntei-me se meu pai estaria tão ocupado planejando o grande evento temido por Abu Haadi.

Dei meu último adeus a Abu Haadi. Os olhos desse soldado forte ficaram em lágrimas quando me disse: "Omar, não voltaremos a nos encontrar nesta terra, mas verei você no Paraíso."

A parte mais difícil da partida foi quando me despedi de minha mãe e de meus irmãos, pois lutei com uma sensação de pesar no coração dizendo que era possível que eu jamais os visse novamente.

Quando deixei minha mãe, eu disse a ela uma última vez: "Por favor, deixe este lugar, minha mãe. Volte para a vida real."

Capítulo 29

Deixando o Afeganistão para sempre

NAJWA BIN LADEN

A visita de meu filho renovara minhas preocupações. Eu só conseguia pensar em suas palavras de alerta. Pela primeira vez, senti que Omar falava a verdade, que seria melhor que eu deixasse o Afeganistão. Na verdade, pela primeira vez no decorrer de meu casamento com Osama, eu queria pegar meus filhos e retornar para a casa de minha família na Síria. Mas eu não tinha coragem suficiente para abordar meu marido.

Encontrei-me pensando o tempo todo em partir, ficando obcecada com a ideia de que deveria fazer isso. Contudo, eu não queria partir sem meus filhos, pelo menos não sem os que ainda não estavam casados: Abdul Rahman e os quatro mais novos, Iman, Ladin, Rukhaiya e Nour.

Osman se casara recentemente com a filha de um dos soldados, de modo que eu tinha quatro filhos, Sa'ad, Osman, Mohammed e Fatima, que estavam presos aos cônjuges no Afeganistão. Eu sabia que não iriam comigo.

Preocupei-me até a exaustão. As preocupações de Omar se tornaram minhas. Com a preocupação aumentando até se transformar em um medo enorme, finalmente percebi que ficaria mais feliz se ao menos fizesse um esforço. Se Osama não deixasse, então não haveria nada a se fazer e eu aceitaria o que Deus colocasse em meu caminho. Se Osama dissesse sim, eu interpretaria a resposta como um sinal de que deveria partir.

O verão quente nos deixou em agosto, quando surgiu uma boa oportunidade para abordar meu marido. Sem querer me apavorar, perguntei sem hesitação: "Osama, posso ir para a Síria?"

Osama não se moveu. Ele olhou para mim, pensativo. Ao longo de todos os anos de casamento, Osama sempre dissera que todas as suas espo-

sas eram livres para partir quando tivessem vontade. Ele disse: "Você quer ir, Najwa?"

"Sim, meu marido. Quero ir para a Síria, para a casa de minha mãe."

Meu marido e eu não falamos em divórcio, pois não era o que eu estava pedindo. Eu apenas queria ir para a Síria com meus filhos mais novos.

Osama disse: "Você tem certeza disso, Najwa?"

"Quero ir para a Síria", eu disse.

Ele concordou com a cabeça, com uma expressão um pouco triste. E disse: "Sim, Najwa. Sim, você pode partir."

"Nossos filhos podem ir comigo?"

"Você pode levar Abdul Rahman, Rukhaiya e Nour."

"E Iman? E Ladin?"

"Não, Iman e Ladin não podem ir. O lugar deles é ao lado do pai."

Concordei com a cabeça, sabendo que seria incapaz de fazer Osama mudar de ideia quanto aos dois, mas jamais saberei por quê, já que ambos eram muito novos.

"Tudo bem. Levarei Abdul Rahman, Rukhaiya e Nour."

Osama disse: "Tomarei as providências. Você partirá em algumas semanas." Em seguida, meu marido se virou e saiu pela porta, como se estivéssemos discutindo a mais trivial das questões.

Fui acometida por dúvidas. Talvez Omar estivesse errado. Talvez não houvesse motivo para partir.

Osama me viu várias vezes antes da partida. Ele aproveitou uma ocasião especial para me dizer o mesmo que dissera quando eu fora para a Síria dar à luz Nour: "Jamais me divorciarei de você, Najwa. Mesmo que você ouça que eu tenha me divorciado de você, não será verdade."

Assenti, acreditando em meu marido. Eu sabia que nossos laços familiares assegurariam a lealdade de Osama. Além do mais, eu não queria o divórcio.

Inclusive, na manhã em que parti, presenteei meu marido com um anel circular, um símbolo dos anos que passamos juntos. Osama sempre estivera em minha vida, tendo sido meu primo antes de ser meu noivo e meu marido antes de ser o pai dos meus filhos.

No começo de setembro de 2001, meu Omar me levou de carro para fora do Afeganistão e para longe, muito longe de meus filhos Sa'ad, Mohammed e Ladin e de minhas filhas Fatima e Iman. Meu coração de mãe ficou em pedacinhos quando vi as figuras de meus filhos sumirem ao longe.

Mas salvei Abdul Rahman, Rukhaiya, então com 4 anos, e Nour, que estava com 2 anos.

Durante toda a viagem pelo terreno acidentado do Afeganistão, não parei um instante sequer de rezar para que tudo no mundo pudesse ficar em paz, para que todas as vidas voltassem ao normal. Acredito que tal desejo seja universal para todas as mulheres que são mães.

Por causa de todos os acontecimentos terríveis que ocorreram desde que deixei o Afeganistão, posso apenas pensar e sentir com meu coração materno. Para cada filho perdido, o coração de uma mãe sente a dor mais profunda. Ninguém poderá ver nossos filhos crescerem e se tornarem homens. Ninguém poderá ver nossas filhas se tornarem mães. Não podemos mais ver os sorrisos em seus rostos e tampouco enxugar suas lágrimas. Meu coração materno sente a dor de cada perda, chorando não somente pelos meus, mas também pelos filhos perdidos de todas as mães.

Capítulo 30

11 de Setembro de 2001

OMAR BIN LADEN

Um grito estranho, seguido por uma voz exaltada, despertou-me de um sono profundo. Eu estava na casa de minha avó em Jidá quando meu tio entrou repentinamente em meu quarto, falando alto e de modo confuso: "Veja o que meu irmão fez! Veja o que meu irmão fez! Ele arruinou a vida de todos nós! Ele nos destruiu!" E continuou a gritar: "Venha logo! Venha ver o que meu irmão fez! Veja o que seu pai fez!"

Vesti-me às pressas e segui meu tio até uma sala que tinha uma televisão. Vi chamas saindo de edifícios altos. Eu não tinha ideia do que estava vendo.

Contudo, fiquei sabendo logo depois: os Estados Unidos estavam sofrendo um ataque grave.

As palavras e as imagens eram horríveis demais para serem compreendidas. Embora meu tio tenha manifestado seus piores medos, nenhum de nós podia realmente acreditar que alguém que conhecíamos e a quem tínhamos amado tivesse alguma relação com os eventos catastróficos a que estávamos assistindo.

Apesar dos avisos de Abu Haadi, parecia impossível que meu pai fosse o responsável pelo caos e pelas mortes nos Estados Unidos. O ataque que eu via era de enormes proporções, algo que somente outra superpotência poderia orquestrar. Era muito maior do que minha memória das mãos e dos gestos de Abu Haadi, que primeiro colocou a mão a poucos centímetros do chão e me disse: "Omar, as explosões nas embaixadas foram deste tamanho", para depois levantar a mão o mais alto que conseguia e dizer: "A próxima missão será deste tamanho."

Seria essa a missão? Certamente, não!

Então me lembrei de um momento especial. Na noite anterior, eu recebera um telefonema surpresa de minha mãe, no qual ela disse que seguira meu conselho e tomara coragem para pedir ao meu pai permissão para partir. Ela havia deixado o Afeganistão e agora estava na Síria. Ela tinha os dois bebês com ela, além de Abdul Rahman. Os outros filhos foram deixados no Afeganistão.

"E Ladin?", perguntei.

Minha mãe fez uma pausa, e depois disse: "Ele está com o pai."

A situação do menino tocou meu coração.

Sob a luz da presente calamidade, as implicações de meu pai ter permitido que ela partisse me atingiram como uma grande pedra. Teria ele deixado a esposa partir apenas porque sabia o que estava para acontecer?

Depois de ver as torres de Nova York, telefonei para minha mãe e soube que ela estava assistindo à televisão na Síria. Mas estava perturbada demais para manter uma conversa normal. O telefonema foi breve.

Os membros da enorme família Bin Laden reagiram do mesmo modo que minha mãe. Todos se fecharam. Ninguém falou sobre o incidente. Meu tio jamais voltou a mencionar que meu pai estaria por trás dos ataques. Minha avó se recusava a considerar a ideia de que o filho tivesse qualquer ligação com os edifícios em chamas.

Eu também alimentei minhas próprias dúvidas com um milhão de razões pelas quais ele não poderia ter realizado aquele feito terrível. Eu não queria que meu pai fosse o responsável.

Somente muito depois, quando ele assumiu pessoalmente a autoria dos ataques, eu soube que não poderia mais me dar o luxo da dúvida. Foi quando deixei de lado o sonho que cultivara, desejando febrilmente que o mundo estivesse errado e que não tivesse sido meu pai quem trouxera aquele dia horrível. Depois de ouvir uma gravação em fita com as palavras de meu pai assumindo a autoria do ataque, encarei a realidade de que ele estivera nos eventos de 11 de setembro de 2001.

Tal conhecimento me faz mergulhar em um buraco extremamente escuro.

Todos sabiam que o presidente dos Estados Unidos, George W. Bush, não deixaria aquele ataque sem uma retaliação. Estávamos esperando e nos perguntando quando o poderoso Exército dos Estados Unidos se manifestaria. Honestamente, eu vivia aterrorizado, pensando em meus irmãos mais novos e no horror que vivenciariam sob as enormes bombas americanas.

Ninguém na família teve notícias de meu pai, apesar de, no passado, ele sempre ter conseguido fazer contato quando desejara.

Todos na família Bin Laden ficaram tão deprimidos que raramente conversávamos sobre qualquer assunto. Cada um estava perdido nos próprios pensamentos.

Finalmente, o suspense chegou ao fim quando os Estados Unidos iniciaram o ataque. Em 7 de outubro de 2001, os americanos retaliaram com o bombardeio mais intenso que qualquer um no país já vira, o qual prosseguiu durante os meses de outubro e novembro.

Houve milhares de mortos no Afeganistão. As pessoas estavam fugindo para as fronteiras, desesperadas para escapar dos bombardeios. Vários jornalistas árabes transmitiam notícias sobre os soldados mortos porque muitos eram árabes. Vi a imagem de Abu Hafs e soube que uma bomba demolira sua casa. Supostamente, muitas pessoas morreram com ele. Perguntei-me se meu irmão Mohammed e sua jovem esposa estariam entre os mortos.

Depois, vi uma imagem indistinta de Abu Haadi passando rapidamente na televisão. Ele também estava morto. Meus pensamentos retornavam para o dia no qual ele disse que eu deveria partir, do contrário morreria como ele. Ele estava certo; ele estava morto, e eu, vivo. Lembrei de que ele havia preparado a própria mortalha e a mantinha à mão. Perguntei-me se alguém tivera tempo de embrulhá-lo com ela para o enterro.

Não consegui descobrir coisa alguma sobre meus irmãos e minhas irmãs, apesar das notícias constantes dizendo que meu pai fora visto. Sabendo que Osman tinha a mesma altura que ele, perguntei-me se os satélites não estariam captando imagens de meu irmão mais novo.

Supostamente, meu pai retornara para Tora Bora, a montanha onde se sentia mais em casa. Eu sabia que seria difícil encontrá-lo ali. Ninguém conhecia aquelas montanhas como meu pai. Recordei de que ele reconhecia todas as grandes rochas e sabia a distância exata entre elas. Ouvi notícias que informavam que meu pai enviara as esposas e os filhos para o Paquistão e que os seguiria.

Serei assombrado para sempre pela imagem do pobre Ladin. Meu irmão pequeno era a criança mais nervosa da família e a que se assustava mais facilmente. Ele acabara de completar 8 anos e era novo demais para ficar sem a mãe. Estaria Ladin escalando as grandes rochas e trilhas ocultas pelas quais eu andara havia tanto tempo, quando meu pai me obrigara a caminhar até o Paquistão? Minha maior raiva estava reservada para meu pai por ter proibido Iman e Ladin de partirem com a mãe.

Muito tempo se passou desde aqueles momentos terríveis. Vivi muitas decepções e conheci a alegria. Algumas pessoas tentaram me prejudicar, cujos nomes não citarei, enquanto outras me ofereceram ajuda atenciosamente, incluindo meus parentes da família Bin Laden, os parentes de minha mãe na Síria, o governo do Egito, liderado pelo Presidente Hosni Mubarak, o xeique Hamad bin Khalifa al-Thani, emir do Catar, e o rei da Arábia Saudita, Abdullah bin Abdul al-Saud.

Minha mãe está viva e bem, cuidando das filhas pequenas. Sinto que desempenhei um pequeno papel para que ela sobrevivesse. Quanto ao destino de meus irmãos Sa'ad, Osman, Mohammed, Fatima, Iman e Ladin, não tenho ideia se estão vivos ou mortos, pois não os vejo desde 2001 e, até onde sei, ninguém da família foi contactado por eles. Casei duas vezes e tenho um belo e doce filho chamado Ahmed. Minha adorável tia Randa morreu recentemente de câncer no ovário, deixando muitas pessoas de luto.

Durante aqueles anos de perda e tristeza, precisei me reconciliar com a verdade sobre meu pai, Osama bin Laden. Agora sei que, desde o momento inicial da primeira batalha contra os soviéticos no Afeganistão, meu pai tem matado outros humanos. Ele chegou a admitir isso para mim quando eu era seu soldado no Afeganistão. Muitas vezes, pergunto-me se, por ter matado tantas vezes, o ato de matar não traga mais prazer nem dor ao meu pai.

Não sou nada parecido com meu pai. Enquanto ele reza pela guerra, eu rezo pela paz.

E agora seguimos nossos caminhos separados, cada um acreditando estar certo.

Meu pai fez a escolha dele, eu fiz a minha.

Finalmente, sou dono de mim mesmo.

Posso viver com isso.

Comentários finais

JEAN SASSON

Sendo uma escritora que se concentra principalmente em histórias sobre a vida de mulheres que atravessaram períodos dramáticos e até mesmo perigosos, sou consultada por homens e mulheres que esperam que eu leve suas histórias à atenção do mundo. Em raras ocasiões, fico imediatamente intrigada.

Foi isso o que aconteceu na primavera de 2008, quando recebi um e-mail enviado para o website de uma de minhas editoras, alegando ser de um membro da família de Osama bin Laden. Omar bin Laden foi o quarto filho de Osama bin Laden, o notório líder da al Qaeda que finalmente admitiu estar envolvido nos ataques de 11 de setembro de 2001 contra os Estados Unidos. Omar disse que queria que eu revelasse sua história pessoal e contasse ao mundo suas experiências crescendo como filho de Osama bin Laden.

Para ser sincera, minha reação inicial não foi positiva. As imagens do dia 11 de setembro criaram tanto horror em meu coração que eu mal conseguia pensar em Osama bin Laden sem raiva. Mas, por curiosidade, telefonei para o Egito a fim de falar com seu filho Omar.

Descobri logo que a infância dele fora muito triste. Pouco depois de nossa primeira conversa, comecei a procurar na internet por informações sobre Omar. Apesar de minha empatia por qualquer filho de um pai impiedoso, minhas descobertas iniciais não foram encorajadoras. Omar estava nas manchetes por dois motivos: primeiro, a mídia estava principalmente interessada no fato de que ele havia se casado com uma mulher que tinha quase o dobro de sua idade. Os tabloides ingleses deliraram com essa notícia incomum, insultando antipaticamente o casal.

Em segundo lugar, e mais interessante, era o fato de que Omar estava se posicionando contra o pai. O filho de um homem que clamava rotineiramente pela morte dos não muçulmanos estava defendendo com bravura a paz, e não a violência. Foi uma grande surpresa. Pelo que conheço dos homens sauditas, os filhos *nunca* se manifestam contra os pais. Testemunhei pessoalmente príncipes reais de posição elevada tremerem de ansiedade diante da chegada de seus pais envelhecidos. Os sauditas honram muito os pais, o que é um aspecto maravilhoso da cultura saudita, pelo menos na maioria dos casos.

O fato de Omar defender a paz apesar de seu pai promover a violência me levou a reconsiderar minha inclinação inicial a me recusar a escrever o projeto. Minha curiosidade aumentou. Que tipo de pai e marido teria sido Osama bin Laden? Será que ele amou as esposas e os filhos? Se fosse este o caso, como poderia desconsiderar os efeitos de sua conduta repreensível sobre os filhos inocentes? E, realmente, depois de muitas outras conversas telefônicas, fiz muitas descobertas surpreendentes a respeito da vida de Osama bin Laden e sua família.

Omar era um garoto de 10 anos quando sua família foi obrigada a fugir da Arábia Saudita e um adolescente quando a família recebeu ordens para deixar o Sudão. De lá, a família viajou para morar no Afeganistão, arrasado pela guerra e depois governado pelos brutais talibãs. Por causa das atividades do pai, Omar levara uma vida isolada, sem a oportunidade de estudar. Durante anos, esteve impossibilitado de visitar o resto da família.

Omar parecia um pacifista por natureza, mas não teve escolha além de crescer em meio a campos de treinamento de terroristas. Ele fora forçado a abandonar seus amados cavalos todas as vezes que a família precisou fugir. Ele observara a mãe amada suportar uma gravidez após a outra enquanto vivia em ambientes cada vez mais primitivos. Em três ou quatro ocasiões, Omar quase perdera a própria vida. Ele fora separado dos irmãos e irmãs, a quem amava profundamente, deixando seis deles no Afeganistão.

As perguntas continuavam a surgir em minha mente. Será que os filhos de Osama foram obrigados a participar de combates? Será que suas jovens filhas se casaram contra a vontade? Osama foi cruel ou gentil com as esposas e os filhos? O que *realmente* se passava na residência de Osama bin Laden?

Certamente, Osama bin Laden sempre foi extremamente reservado a respeito de sua vida pessoal. Repentinamente, havia uma oportunidade para que o mundo descobrisse a verdade desconhecida sobre um homem que perdera o direito de manter tal privacidade.

Descobri que nenhum dos livros escritos sobre Osama bin Laden ou sua família tivera a cooperação de qualquer membro da família Bin Laden. Apesar de o livro de Carmen bin Laden, *O Reino Sombrio: Uma Mulher na*

Arábia Saudita, proporcionar uma leitura maravilhosa, Carmen se casara com um membro da família. Sua história muito interessante, que foi sucesso de vendas, era mais um relato pessoal sobre a vida na Arábia Saudita e os eventos de sua disputa pelo divórcio do meio-irmão de Osama.

O livro muito elogiado de Steve Coll, *Os Bin Laden: Uma Família Árabe no Século Norte-Americano*, foi meticulosamente pesquisado e bem-escrito, mas o autor não recebeu a cooperação de nenhuma fonte primária da família Bin Laden. Como o próprio autor diz: "Em resposta a vários pedidos de entrevistas ao longo de um período de três anos, os membros da família Bin Laden que residem em Jidá não concederam entrevistas extensas ou substanciais... Apesar disso, depois que o manuscrito estava substancialmente elaborado, Julie Tate e eu tentamos conferir a veracidade do material sobre membros Bin Laden vivos perguntando a representantes da família. Por meio de seus advogados, a família declinou responder à grande maioria das questões submetidas por escrito."

Eu soube logo que a mãe de Omar era a primeira esposa de Osama e sua prima de primeiro grau. Na verdade, o casal jamais se divorciara, apesar de Najwa não estar mais morando com o marido. A carta dela tocou meu coração, pois percebi o esforço que ela precisou fazer para escrever para uma mulher americana a quem não conhecia. Eu descobri por meio de Omar que sua mãe era uma mulher muçulmana altamente conservadora que sempre vivera em reclusão. Esse tipo de mulher não entra facilmente em contato com uma ocidental.

Mas Najwa era uma mãe orgulhosa de seu filho sensível, revelando histórias pequenas e doces sobre o caráter e a vida de Omar. Ao ler a carta de Najwa, fui impelida a perguntar a Omar se sua mãe concordaria com que a história dela também fosse contada.

Para minha grande surpresa, Najwa concordou, mas somente porque o filho lhe pedira. Najwa não desejava atacar Osama por meio deste livro. Na verdade, havia limites aos tópicos sobre os quais ela concordara discutir. Sendo uma mulher que passara a vida de casada em isolamento total, ela não tinha acesso a relatos da guerra, muito menos da participação do marido no Jihad. Ainda assim, eu sabia que outros compartilhariam de minha fascinação por descobrir como era a vida da primeira e mais importante esposa de Osama bin Laden.

De repente, me dei conta de que a história de Omar seria o primeiro livro de um Bin Laden *verdadeiro*. Seria a única história que contaria a verdade sobre a vida no lar do abominável terrorista.

Falei com Omar muitas outras vezes, perguntando-lhe sobre seus sentimentos verdadeiros em relação às atividades do pai e às mortes de inocentes. Eu não queria participar do livro se Omar acreditasse que o pai tinha razões válidas para seu comportamento assassino. Também fiquei preocupada quando li diversos artigos na internet nos quais Omar soava inconsistente quanto aos atos de crueldade do pai. Na verdade, enquanto Omar proclamava seu ódio pela violência, por muito tempo ele pareceu incapaz de aceitar como verdade que o pai tenha sido o homem responsável pelos ataques de 11 de setembro, assim como por outros atos desprezíveis de violência. Foi quando entendi que a maioria das pessoas acharia difícil acreditar que alguém amado pudesse ser capaz de cometer atos terroristas.

Era fácil compreender que um filho não pudesse aceitar que o próprio pai ordenasse a morte de civis inocentes. Além disso, teorias conspiratórias dominam a opinião pública em boa parte do mundo árabe. Boa parte das provas convincentes da participação de Osama bin Laden nos ataques de 11 de setembro foi obtida pelo governo dos Estados Unidos, odiado por quase todo o mundo árabe. Na verdade, poucos árabes acreditam em qualquer notícia originada de Washington, Londres, Berlim ou Paris.

Depois que Osama bin Laden divulgou várias gravações em áudio e vídeo, algumas assumindo responsabilidade pelos ataques de 11 de setembro e por outros atos violentos, Omar finalmente admitiu que, aparentemente, o pai havia realmente ordenado os ataques. Ele pareceu compreensivelmente chocado com algumas gravações do pai. Por mais que Omar quisesse pensar o melhor de Osama, ele não podia mais se agarrar à esperança de que o pai não fosse culpado.

Depois de descobrir muitos detalhes sobre Osama bin Laden, sua família e os comandantes e soldados da al Qaeda que eram uma presença cada vez mais decorrente enquanto Omar estava crescendo, meu coração me disse que esta era uma história importante que deveria ser contada. Acredito que devamos exigir saber tudo sobre o homem por trás da morte de tantos inocentes e seria impossível ter me aproximado mais do mundo particular de Osama bin Laden se não fosse por meio de sua primeira esposa e de seu quarto filho.

— Jean Sasson

A família de Osama bin Laden:
Quem eram eles? O que aconteceu com eles?

Uma nota sobre a grafia do nome da família: segundo Omar bin Laden, o nome do pai é usualmente escrito de modo errado, e o correto é "Ossama Binladen". Para simplicar, contudo, foi tomada a decisão de se usar a grafia adotada pela maioria das publicações do mundo, que é Osama bin Laden.

Os pais de Osama bin Laden

ALLIA GHANEM

A mãe de Osama, Allia, nasceu em 1943 em Lataquia, na Síria. Depois de casar com Mohammed bin Laden, em 1956, mudou-se para a Arábia Saudita, onde o único filho do casal, Osama, nasceu em 1957, em Riade. Quando Osama tinha apenas um ano de idade, Allia engravidou pela segunda vez, mas perdeu o bebê depois de um acidente inusitado, quando foi ferida por uma máquina de lavar roupas. Pouco depois do aborto, Allia pediu o divórcio ao marido, que não se opôs. Vivendo em um mundo no qual mulheres divorciadas não podem morar sozinhas, Allia se casou pela segunda vez, agora com Muhammad Attas, um homem gentil e empregado respeitado da companhia de construção do ex-marido, a qual expandia rapidamente.

Allia e Muhammad Attas tiveram três filhos e uma filha. Osama morava com a mãe, o padrasto e os quatro irmãos no bairro de Mushraf, em Jidá, na Arábia Saudita, onde cresceu e para onde levou a primeira esposa e prima de primeiro grau, Najwa.

Dizem que Allia, uma mãe amorosa, não consegue aceitar o envolvimento do filho nos ataques de 11 de setembro. Até o começo de 2009, Allia e Muhammad moravam na mesma casa na qual Osama cresceu.

MUHAMMAD AL-ATTAS

O padrasto de Osama é de uma antiga família mercante de Jidá. Omar diz que seu avô de consideração é um homem gentil e bondoso, amado e respeitado por todos que o conhecem, inclusive pelo enteado, Osama.

MOHAMMED BIN LADEN

Apesar de não haver um registro oficial de seu nascimento, acredita-se que o pai de Osama bin Laden tenha nascido entre 1906 e 1908, em Rubat, Hadramaut, no sudeste do Iêmen. Depois que o pai de Mohammed morreu inesperadamente, ele viajou com o irmão mais novo, Abdullah, em busca de trabalho fora do Iêmen. Depois de uma série de desventuras, os dois irmãos instalaram-se na Arábia Saudita, onde Mohammed conquistou a confiança do primeiro rei da Arábia Saudita, Abdul Aziz al-Saud, pelo trabalho realizado em vários projetos de construção. Com o apoio do rei, Mohammed logo formou o Grupo Saudita Bin Laden, que cresceu até se tornar uma das maiores companhias da Arábia Saudita. Posteriormente, a companhia expandiu-se para outros países da região. Cada vez mais próspero, Mohammed bin Laden casou-se com várias mulheres e foi pai de 22 filhos e 33 filhas. Omar diz que o pai é o 18º de 22 filhos. Mohammed bin Laden morreu em 1967 em função de ferimentos sofridos com a queda de um avião.

Esposas

NAJWA GHANEM, CASADA EM 1974

Najwa Ghanem nasceu em 1958 em Lataquia, na Síria, filha de Ibrahim e Nabeeha. Ibrahim teve cinco mulheres antes de conhecer Nabeeha, mas seus casamentos foram monogâmicos. Ele tinha apenas um filho dos casamentos anteriores, um garoto chamado Ali. Nabeeha foi sua sexta e última esposa. Ibrahim e Nabeeha tiveram cinco filhos: Naji, Najwa, Nabeel, Ahmed e Leila. Em 1974, aos 15 anos, Najwa se casou com seu primo de primeiro grau, Osama bin Laden, que tinha 17 anos. Depois de quatro ou cinco meses, Osama, Allia e Muhammad Attas viajaram para a Síria a fim de acompanharem Najwa até seu novo lar em Jidá, na Arábia Saudita. Ibrahim acompanhou a filha e permaneceu em Jidá para uma visita.

Najwa e Osama tiveram 11 filhos. Najwa se mudou com o marido da Arábia Saudita para o Sudão, e depois para o Afeganistão. Entre os dias 7 e 9 de setembro de 2001, Najwa partiu definitivamente do Afeganistão. Atualmente, vive com a família na Síria. Seu filho Abdul Rahman e as duas filhas mais novas moram com ela.

KHADIJAH SHARIF, CASADA EM 1983

Nove anos mais velha do que o ex-marido, Osama, Khadijah é de uma família descendente de Maomé. Altamente instruída, Khadijah trabalhara como professora antes de casar com Osama bin Laden. Depois de ter três filhos, quando moravam no Sudão, Khadijah divorciou-se do marido e voltou a morar na Arábia Saudita, onde vive até hoje. Seu filho mais velho, Ali, está preso na Arábia Saudita, cumprindo pena de 15 anos por suposto porte ilegal de arma.

KHAIRIAH SABAR, CASADA EM 1985

A família de Khairiah também descende do profeta Maomé. Educada para lecionar para crianças surdas-mudas, Khairiah se tornou a terceira esposa de Osama depois que Najwa providenciou o casamento. Mãe de um filho, Hamza, Khairiah permaneceu no Afeganistão com o marido depois dos acontecimentos de 11 de setembro de 2001. Ninguém sabe se ela e o filho sobreviveram aos bombardeios americanos de outubro e novembro de 2001.

SIHAM SABAR, CASADA EM 1987

A família de Siham também descende de Maomé. Ela é a quarta esposa de Osama e mãe de quatro filhos. Ela permaneceu no Afeganistão com o marido e os filhos depois dos acontecimentos de 11 de setembro de 2001. Ninguém sabe se ela e os quatro filhos sobreviveram aos ataques de retaliação dos Estados Unidos.

QUINTO CASAMENTO (ANULADO)

O quinto casamento de Osama foi realizado em Cartum, no Sudão, pouco depois de a segunda esposa pedir o divórcio e voltar para a Arábia Saudita. Contudo, segundo Najwa bin Laden, o quinto casamento não se consumou e foi anulado depois de 48 horas.

AMAL AL-SADAH, CASADA NO FINAL DE 2000 OU NO COMEÇO DE 2001

Desconsiderando o casamento que fora anulado, Amal é a quinta esposa de Osama, tendo dado a ele uma filha, Safia. Ninguém sabe se ela e a filha retornaram para o Iêmen depois de 11 de setembro de 2001 ou se permaneceram no Afeganistão durante os bombardeios dos Estados Unidos.

Filhos com a primeira esposa, Najwa Ghanem

ABDULLAH

O primeiro filho de Najwa nasceu em Jidá, em 1976. Como filho mais velho, Abdullah ocupava a posição mais respeitável de todos os filhos de Osama bin Laden. Quando atingiu a adolescência, Abdullah começou a manifestar suas opiniões sobre questões que afetavam a família. Em 1995, Abdullah deixou a família em Cartum, quando viajou para Jidá, na Arábia Saudita, para se casar com a prima, Tiayba Mohammed bin Laden. Abdullah optou por não retornar a Cartum, permanecendo com a esposa e os filhos em Jidá, onde administra um pequeno negócio. Abdullah leva uma vida tranquila, evitando qualquer publicidade, apesar de permanecer próximo da mãe, Najwa, a quem visita na Síria. Em 2009, Abdullah estava com 33 anos.

ABDUL RAHMAN

O segundo filho de Najwa nasceu em Jidá, em 1978. Segundo Omar, seu irmão Abdul Rahman foi uma criança extraordinária que precisou enfrentar provações pessoais únicas. Ele deixou o Afeganistão com a mãe em setembro de 2001. Desde então, Abdul Rahman não conseguiu reobter a nacionalidade saudita e tem enfrentado dificuldades para conseguir empregos e para se casar sem documentos oficiais. Cavaleiro habilidoso, vive tranquilamente com a mãe e os dois irmãos mais novos em Lataquia, evitando qualquer publicidade, como o irmão. Em 2009, Abdul Rahman estava com 31 anos.

SA'AD

O terceiro filho de Najwa nasceu em Jidá, em 1979. Tendo sido uma criança tagarela, Sa'ad permaneceu falante demais mesmo quando adulto, muitas vezes enfurecendo os irmãos e outros conhecidos. Osama se recusou a permitir que Sa'ad, sua esposa sudanesa e o filho do casal, Osama, deixassem o Afeganistão com Najwa em 2001. Desde então, houve relatos de que Sa'ad teria sido preso enquanto viajava pelo Irã, sendo possível que ainda esteja detido no país, mas não existem provas concretas de sua prisão. Houve outro relato recente de que Sa'ad fora libertado e deixara o Irã, mas ninguém, nem mesmo Najwa, sabe ao certo o destino de seu terceiro filho. Se ainda estava vivo em 2009, Sa'ad completou 30 anos.

OMAR

O quarto filho de Najwa nasceu em Jidá, em 1981. Omar era o filho mais próximo da mãe e também o que se rebelou mais vigorosamente contra o pai e o Jihad. Na verdade, Omar tem o sonho de enfrentar o violento Jihad do pai organizando um movimento pacifista que encontrará um melhor caminho para resolver diferenças culturais e religiosas.

Depois de deixar o Afeganistão pela última vez, em 2001, Omar enfrentou muitos desafios. Apesar de ter conseguido reobter a cidadania saudita, ele teve dificuldade para encontrar seu lugar no mundo dos negócios. Omar se casou e teve um filho, Ahmed. Quando viajava pelo Egito, Omar conheceu uma inglesa, Jane Felix-Browne. Os dois se apaixonaram, o que resultou no término do primeiro casamento de Omar. Desde então, Omar ficou ainda mais passional ao exigir o fim da violência, esperando que o nome Bin Laden venha a ser ligado à paz, em vez de ao terrorismo. Querendo morar com a esposa no Reino Unido, onde acredita que será mais fácil fundar um movimento pacifista, Omar tentou obter um visto rotineiro de casamento. Houve problemas e o pedido de visto foi interpretado como um pedido de asilo político. Finalmente, com a generosidade do governo do Catar, Omar e a esposa se instalaram no país enquanto aguardavam pelo visto. No momento em que escrevo este livro, Omar está de volta à Arábia Saudita, o país que mais ama. Em 2009, Omar estava com 28 anos.

OSMAN

O quinto filho de Najwa nasceu em 1983, em Jidá, na Arábia Saudita. Em 2001, ele se casou com a filha do egípcio Mohammed Shawky al Islambouli, um membro de alto escalão do grupo al-Gama'a al Islamiyya, do xeique Omar Abdel Rahman, intimamente afiliado à al Qaeda, de Osama bin Laden. O sogro de Osman, ao lado de 107 outros réus, fora processado em 1997 pelo governo egípcio pela conspiração para matar o presidente do Egito, Hosni Mubarak, além de outros líderes egípcios. O irmão de al Islambouli, Khalid, era conhecido por ser o principal assassino do presidente Sadat, em 6 de outubro de 1981. Khalid gritara "morte ao faraó" enquanto corria em direção a Sadat para disparar contra ele. Khalid foi preso, julgado, considerado culpado pelo crime e executado no ano seguinte, em abril de 1982.

Osama não permitiu que Osman ou a esposa deixassem o Afeganistão com Najwa. Houve rumores de que Osman teria escapado do país durante os bombardeios americanos de outubro e novembro de 2001 na companhia do Dr. Ayman al-Zawahiri, mas não existem provas substanciais. Najwa não sabe o que aconteceu com o quinto filho nem com sua esposa. Se ainda estiver vivo, Osman completa 27 anos em 2010.

MOHAMMED

O sexto filho de Najwa nasceu em 1985, em Jidá. Omar relata que Mohammed foi a segunda escolha de Osama para a sucessão na liderança da al Qaeda. (Até expressar o quanto era contra a violência, Omar fora a primeira escolha do pai.) Omar também diz que, de todos os irmãos, Mohammed é o único que possui algumas das qualidades necessárias para assumir uma posição importante na organização do pai. Depois de se casar com a filha de Abu Hafs, em 2000, Mohammed foi quem ficou mais satisfeito por permanecer ao lado do pai. Najwa não sabe o que aconteceu com o filho e sua esposa. Se ainda estiver vivo, Mohammed completou 24 anos em 2009.

FATIMA

A primeira filha de Najwa nasceu em Medina, em 1987. Em 1999, depois de Omar sugerir um noivo, Osama providenciou o casamento de Fatima, então com 12 anos, com um soldado saudita chamado Mohammed. O marido de Fatima foi morto nos ataques dos Estados Unidos de outubro e novembro de 2001. Najwa não sabe o paradeiro da primeira filha, mas acredita-se que ela esteja vivendo próxima ao pai no interior tribal do Paquistão. Se ainda estiver viva, Fatima completou 22 anos em 2009.

IMAN

A segunda filha de Najwa nasceu em Jidá, em 1990. Iman tinha apenas 11 anos quando a mãe deixou o Afeganistão no dia 9 de setembro de 2001. Osama se recusou a atender o pedido de Najwa para que a filha pequena partisse com ela. Najwa não sabe o destino da segunda filha, apesar de presumir que, caso Iman tenha sobrevivido aos bombardeios de 2001, o pai deva ter providenciado seu casamento quando ela tivesse chegado à puberdade. Se ainda estava viva em 2009, Iman tinha 19 anos, e acredita-se que o mais provável é que esteja vivendo no Paquistão próxima ao pai e, se casada, com o marido.

LADIN, TAMBÉM CONHECIDO COMO BAKR

O sétimo filho homem de Najwa nasceu em 1993, em Jidá, após Najwa ter ido de avião de Cartum para a Arábia Saudita especialmente para o parto. Ladin tinha apenas 7 anos quando Najwa deixou o Afeganistão em 9 de setembro de 2001. Osama não permitiu que Najwa levasse o filho mais novo com ela. Najwa não sabe o destino do filho pequeno, mas acredita-se que, caso Ladin tenha sobrevivido aos bombardeios de outubro e novembro de 2001, ele estaria vivendo no Paquistão com o pai. Se ainda estiver vivo, Ladin completou 16 anos em 2009.

RUKHAIYA

Terceira filha de Najwa, nasceu em Jalalabad, no Afeganistão, em 1997. Por ser muito nova, Osama permitiu que Rukhaiya fosse levada para a Síria em 1999, quando a mãe dela viajou para ter o 11º filho. Najwa também teve permissão para levar Rukhaiya com ela quando deixou o Afeganistão pela última vez em 9 de setembro de 2001. Rukhaiya vive com a mãe na Síria e tinha 12 anos em 2009.

NOUR

A quarta filha de Najwa nasceu em Lataquia, na Síria, em 1999. Osama atendera o pedido de Najwa para levá-la, além da irmã Rukhaiya e um irmão, Abdul Rahman, quando a esposa deixou o Afeganistão em setembro de 2001. Nour vive com a mãe na Síria. Em 2009, tinha 9 anos.

Filhos com a segunda esposa, Khadijah

ALI

O primeiro filho de Khadijah com Osama nasceu em Jidá, na Arábia Saudita. Depois do divórcio de Khadijah e Osama, Khadijah deixou Cartum e voltou a morar na Arábia Saudita. Ali, então com 10 anos, acompanhou a mãe à Arábia Saudita, mas retornou a Cartum um ano depois para visitar o pai e os meio-irmãos. Há alguns anos, Ali foi preso pelo serviço de segurança saudita, acusado de porte ilegal de arma. Em 2008, depois de passar três anos na prisão sem julgamento, Ali foi condenado a 15 anos de reclusão. A família acredita que Ali é inocente de qualquer crime. Em 2009, Ali tinha 23 anos.

AMER

O segundo filho de Khadijah com Osama nasceu em Jidá, em 1990. Quando Khadijah deixou Cartum e voltou para a Arábia Saudita, Amer foi com a mãe e jamais voltou a ver o pai. Atualmente, ele vive na Arábia Saudita. Em 2009, Amer completou 19 anos.

AISHA

A primeira e única filha de Khadijah com Osama nasceu em Cartum, no Sudão, em 1992. Em 1993, quando Khadijah deixou Cartum e voltou para a Arábia Saudita, Aisha partiu com a mãe e jamais voltou a ver o pai. Atualmente, Aisha vive na Arábia Saudita. Em 2009, ela completou 16 anos.

Filho com a terceira esposa, Khairiah

HAMZA

Filho de Khairiah com Osama nasceu em 1989, em Jidá, na Arábia Saudita. Até 2001, Hamza era o único filho de Khairiah. Tendo ficado com a mãe e o pai no Afeganistão, não se sabe se Hamza sobreviveu aos ataques dos Estados Unidos de outubro e novembro de 2001. Em 2008, foi divulgada uma gravação de áudio da al Qaeda que creditava Hamza como o orador. Omar diz que a gravação foi feita anos antes de setembro de 2001, quando Hamza ainda era um menino e Osama convocou voluntários para fazer a gravação. Hamza foi o único filho que se ofereceu. Caso Hamza tenha sobrevivido aos bombardeios de 2001, acredita-se que deva estar com o pai nas regiões tribais do Paquistão. Se ainda estiver vivo, Hamza completou 20 anos em 2009.

Filhos com a quarta esposa, Siham

KHADIJAH

A primeira filha de Siham com Osama nasceu em 1988, em Jidá, na Arábia Saudita. Arranjado pelo pai em 1999, o casamento de Khadijah aconteceu quando ela tinha apenas 11 anos, com um soldado saudita da al Qaeda chamado Abdullah. Khadijah permaneceu no Afeganistão com a mãe, Siham, durante os bombardeios dos Estados Unidos de outubro e novembro de 2001. Não se sabe se Khadijah sobreviveu aos ataques. Caso sim, Khadijah estaria morando, perto do pai, com o marido no Paquistão. Se sobreviveu, Khadija completou 21 anos em 2009.

KHALID

O primeiro filho homem de Siham com Osama, o segundo do casal, nasceu em 1989, em Jidá, Arábia Saudita. Pouco se sabe a respeito de Khalid, apesar de ter ficado no Afeganistão com a mãe. Se Khalid sobreviveu aos bombardeios de 2001, o mais provável é que esteja morando com os pais no Paquistão. Se ainda estava vivo, Khalid completou vinte anos em 2009.

MIRIAM

A segunda filha de Siham com Osama nasceu em 1990, em Jidá, na Arábia Saudita. Nascida prematura, e no mesmo dia que Iman, filha de Najwa, o começo da vida de Miriam foi difícil. Pouco se sabe a respeito de Miriam, exceto que permaneceu com a mãe no Afeganistão. Se Miriam tiver sobrevivido aos ataques de 2001, o pai certamente providenciou um casamento precoce com um soldado quando ela atingiu a puberdade e ela provavelmente está vivendo no Paquistão com a família. Se estiver viva, Miriam teria 19 anos em 2009.

SUMAIYA

A terceira filha de Siham com Osama nasceu em 1992, em Cartum, no Sudão. Pouco se sabe a respeito de Sumaiya, exceto que permaneceu com a mãe no Afeganistão. Acredita-se que, quando tenha atingido a puberdade, seu pai tenha providenciado para que se casasse com um de seus soldados. Caso Sumaiya tenha sobrevivido aos ataques de 2001 contra o Afeganistão, é provável que esteja morando com a família no Paquistão. Se estiver viva, Sumaiya completou 17 anos em 2009.

Filha com a quinta esposa,
a iemenita Amal al-Sadah.

SAFIA

Safia foi a primeira filha de Amal com Osama. Apesar de a mãe de Safia ter se casado com Osama bin Laden em Kandahar, no Afeganistão, antes de Najwa deixar o país, diferentemente dos outros casamentos, Najwa sabia pouco a respeito de Amal. Atualmente, não existem informações definitivas sobre Amal al-Sadah ou sua filha, Safia. Alguns relatos dizem que Osama as mandou de volta para o Iêmen, onde estariam fora de perigo, antes dos ataques de 11 de setembro de 2001 contra os Estados Unidos, enquanto outros dizem que elas ficaram com Osama e o resto da família, fugindo do Afeganistão para o Paquistão. Como Najwa e Omar não têm mais contato com a família, não existem informações factuais que possam ser dadas. Mas se Amal e a filha permaneceram no Afeganistão durante os bombardeios e sobreviveram ao ataque, Safia completou oito anos em 2009.

Cronologia de Osama bin Laden

O que segue são datas importantes na vida pessoal, política, militante e islâmica de 1957 a 2009.

1957: Sexta-feira, 15 de fevereiro de 1957. Osama bin Mohammed bin Awad bin Aboud bin Laden al-Qatani[1] nasce em Riade, na Arábia Saudita, nas primeiras horas da manhã. Filho de Mohammed Awad bin Laden e Allia Ghanem, é o 18º dos 22 filhos que Mohammed Awad bin Laden viria a ter e o primeiro de Allia Ghanem. Tanto a família do pai como a da mãe são originárias de Hadramaut, no Iêmen. Quando jovem, Mohammed bin Laden se instalou na Arábia Saudita e se tornou cidadão saudita. A família de Allia Ghanem se instalou na Síria e seus membros se tornaram cidadãos sírios. O único filho do casal, Osama, nasce cidadão da Arábia Saudita.

1959: Mohammed Awad bin Laden e Allia Ghanem se divorciam. Allia fica com a custódia do filho, Osama, apesar de ele continuar sendo parte da família do pai.

1959: Allia Ghanem se casa com Mohammed Attas, com quem terá quatro filhos.

1963: Osama é matriculado no primário da Escola Modelo Al-Thager, em Jidá, considerada uma das escolas mais progressistas da Arábia Saudita.

1966: O pai de Osama compra o primeiro avião da família.

---

[1] Omar bin Laden conta que o pai disse à família que seu sobrenome real era al-Qatani, mas que seu pai, Mohammed bin Laden, jamais registrara o nome. Isso não é documentado por nenhuma outra fonte.

1967: Em 3 de setembro, ocorre um acidente aéreo em Oom, na Arábia Saudita, e o pai de Osama, Mohammed bin Laden, morre.

1974: Osama casa com Najwa Ghanem. Najwa tem 15 anos e Osama, 17. Najwa é sobrinha da mãe de Osama, sendo prima dele em primeiro grau. Um casamento simples é realizado na Síria, na residência dos pais de Najwa. Segundo Najwa, as notícias de que ela foi coagida a se casar não são verdadeiras. O casamento com o primo de primeiro grau, Osama, foi por amor. Depois de receber documentos oficiais, Najwa vai ao encontro do marido, Osama, em Jidá, na Arábia Saudita. O jovem casal reside na casa da mãe e do padrasto de Osama enquanto ele continua os estudos.

1974: Osama começa um trabalho de meio expediente na gigantesca empresa de construção multinacional do pai, o Grupo Saudita Bin Laden.

1976: Osama matricula-se na Universidade Rei Abdul Aziz, em Jidá, onde estuda economia e administração. (Najwa diz que o marido jamais estudou engenharia, apesar de isso ser um mito popular.) Durante esses anos, o Oriente Médio muçulmano passa por um despertar islâmico, chamado Salwa, que começou após a guerra de 1967 contra Israel, quando o Egito, a Jordânia e a Síria sofreram uma derrota militar humilhante. Osama amadureceu no decorrer desse período de mudanças políticas.

1976: Osama e Najwa dão as boas-vindas ao primeiro filho, a quem dão o nome de Abdullah. A partir deste momento, Osama será conhecido como Abu Abdullah, que significa "pai de Abdullah", entre os amigos e parceiros mais próximos. Najwa passa a ser chamada pela família e pelos amigos de Um Abdullah, ou "mãe de Abdullah".

1978: Osama e Najwa dão as boas-vindas ao segundo filho, um menino a quem dão o nome de Abdul Rahman.

1979: No calendário muçulmano, 1979 é o primeiro ano de um novo século.

1979: Osama, Najwa e os dois filhos viajam para os Estados Unidos via Inglaterra para que Osama encontre Abdullah Azzam, o homem que muitos consideram o primeiro mentor de Osama. Abdullah Azzam estava fazendo palestras nos Estados Unidos convocando recrutas para o Jihad. Osama, cuja paixão pelo Jihad fora despertada recentemente, encontrou Abdullah Azzam para discutir e planejar seu papel no movimento. Durante a viagem, Abdul Rahman adoece, e Osama e Najwa consultam um médico especialista para tratá-lo.

1979: Osama e Najwa dão as boas-vindas ao terceiro filho, um menino a quem dão o nome de Sa'ad.

1979: Muçulmanos em todo o mundo recebem um golpe terrível em 20 de novembro de 1979. A peregrinação anual de Haj havia terminado e os adoradores de Haj estavam se preparando para deixar Meca. Uma vez que sempre há fiéis muçulmanos estrangeiros em Meca, a Grande Mesquita estava repleta de pessoas. No instante em que Iman conclui a primeira oração do dia, ouvem-se tiros e os fiéis são atacados.

Trezentos rebeldes liderados por Juhayman al-Uteybi, um cabo formal da Guarda Nacional da Arábia Saudita, dominaram rapidamente os religiosos e os fiéis, declarando que todos eram reféns. Os rebeldes tomaram o controle total da Grande Mesquita, divulgando seus objetivos por meio dos alto-falantes espalhados por Meca.

O Exército saudita e a Guarda Nacional ocuparam Meca, ordenando a evacuação da cidade e cercando a Grande Mesquita. Como o Alcorão proíbe a violência dentro da Grande Mesquita, a família real saudita pediu a aprovação das autoridades religiosas para usar força mortal contra os insurgentes, a qual foi concedida.

A batalha que se seguiu durou duas semanas. O controle da Grande Mesquita foi finalmente conquistado em 4 de dezembro de 1979. Relatórios oficiais dizem que 255 fanáticos, soldados e peregrinos foram mortos e que 560 pessoas ficaram feridas. Os rebeldes sobreviventes foram presos ou decapitados, havendo relatos de que teriam havido 63 decapitações.

1979: Em 26 de dezembro, a Rússia invade o Afeganistão.

1980: Osama reage ao que chama de invasão por "comunistas sem Deus", organizando instituições de caridade para beneficiar os soldados da resis-

tência afegã, conhecidos como mujahidin. Seu amigo e mentor, Abdullah Azzam, funda uma organização com tal propósito. Osama, apoiado pela riqueza da família e pelo encorajamento do governo saudita, torna-se um dos principais financiadores.

1980: Osama inicia a primeira de suas viagens ao Paquistão para entregar suprimentos e oferecer ajuda aos irmãos muçulmanos afegãos. A partir de então, Osama se envolve profundamente com a luta afegã contra a Rússia, coordenando suas viagens para que se adequem aos seus estudos e às suas responsabilidades familiares.

1980 OU 1981: Devido às responsabilidades no Jihad, Osama abandona a universidade, apesar de faltar apenas um semestre para se formar.

1981: Osama continua a angariar fundos e a entregar suprimentos no Paquistão para a resistência afegã contra os soviéticos.

1982: No mês de março, Osama e Najwa dão as boas-vindas ao quarto filho, um menino a quem dão o nome de Omar.

1982: Osama bin Laden se envolve mais com o conflito no Afeganistão. A guerra entre a Rússia e o Afeganistão sofreu mudanças, com os russos ocupando as principais cidades e os mujahidin (que eram divididos em muitos grupos) travando uma guerrilha. Entre 1980 e 1985, houve nove grandes ofensivas russas que resultaram em combates pesados. Enquanto seu amigo e mentor, Abdullah Azzam, recruta soldados árabes para a guerra, Osama bin Laden se envolve ainda mais, angariando milhões de dólares de doadores ricos do Golfo para contribuir com os mujahidin.

1982: No Paquistão e no Afeganistão, Osama conhece alguns dos Jihadistas egípcios que o inspirarão. Posteriormente, eles se tornariam seus seguidores. Cinco destes homens são Mohammed Atef (Abu Hafs), o Dr. Ayman al-Zawahiri, Abu Ubaidah al-Banshiri, Abdullah Ahmed Abdullah e Omar Abdel Rahman.

1983: Osama compra um grande prédio com 12 apartamentos em Jidá, para onde leva Najwa e os filhos.

1983: Osama se casa com a segunda esposa, uma mulher saudita de Jidá chamada Khadijah Sharif. A família Sharif descende da linhagem al-Hussain. (A filha de Maomé teve dois filhos, um chamado Al-Hassan e outro chamado Al-Hussain. Quando uma família saudita descende do profeta, eles sempre esclarecem à qual linhagem pertencem, à de al-Hassan ou à de al-Hussain.)

1983: Osama e Najwa dão as boas-vindas ao quinto filho, um menino a quem dão o nome de Osman.

1984: Ocasionalmente, Osama leva as duas esposas e os filhos em viagens para o Paquistão, onde vivem em uma espaçosa mansão na cidade de Peshawar, próxima à fronteira com o Afeganistão.

1984: Osama e a segunda esposa, Khadijah, dão as boas-vindas ao primeiro filho, um menino a quem dão o nome de Ali. A partir deste momento, Khadijah passa a ser chamada de Um Ali, apesar de Osama permanecer para sempre sendo Abu Abdullah.

1984: Osama ajuda Abdullah Azzam a criar o Gabinete de Serviços, que designa soldados do Jihad de nações árabes para unidades de combate afegãs e também funciona como uma organização responsável por obter alimentos e armas para os mujahidin.

1984: Osama expande ainda mais sua participação no Jihad, ajudando a criar campos de treinamento de soldados do outro lado da fronteira do Afeganistão. Ele começa a construir túneis, estradas e campos de treinamento necessários para ajudar os irmãos muçulmanos a combaterem os invasores russos.

1985: Osama e a primeira esposa, Najwa, dão as boas-vindas ao sexto filho, um menino a quem dão o nome de Mohammed.

1986: Osama se envolve ainda mais com o conflito entre o Afeganistão e a Rússia. Ele estabelece sua primeira base militar no leste do Afeganistão, perto de uma aldeia chamada Jaji, que fica a apenas 16 quilômetros da fronteira com o Paquistão. A base militar é para seus soldados árabes e é batizada de Toca do Leão. Durante as viagens frequentes ao Paquistão, Osama atravessa rotineiramente a fronteira com o Afeganistão para lutar como comandante de guerrilha, liderando suas tropas árabes em diversas batalhas contra os russos.

1986: Para apresentar o primeiro filho ao Jihad, Osama leva o filho Abdullah, com 8 anos, para a base de combates em Jaji. Osama recebe críticas inesperadas da família e de outros líderes do Jihad por expor o filho pequeno aos perigos da guerra. Esta é apenas a primeira das muitas vezes nas quais Osama levará seus filhos nada entusiasmados à linha de frente.

1986: Com muitos radicais muçulmanos se juntando à luta no Afeganistão, Osama se torna mais consciente e ativo politicamente, passando assim a pensar em sua missão na vida, a qual se expandirá para uma luta pelo Islã em todas as frentes.

1987: Osama se casa com a terceira esposa, uma mulher saudita de Jidá chamada Khairiah Sabar. Com o estímulo de Osama, Khairiah foi arranjada pela primeira esposa, Najwa.

1987: Na primavera de 1987, Osama conquista a reputação como principal herói saudita depois da batalha de Jaji, na qual seus soldados árabes enfrentaram os russos.

1987: Osama se casa com a quarta esposa, uma mulher saudita de Medina chamada Siham, cuja família é da linhagem al-Hassan do profeta. Siham é irmã de Saad, um soldado sob o comando de Osama, que era casado com uma das sobrinhas de Osama.

1987: Depois de realizar um grande projeto de construção da família Bin Laden em Medina, Osama se muda com as três esposas e os filhos para tal cidade.

1987: Osama e Najwa dão as boas-vindas ao sétimo filho da família, uma menina a quem dão o nome de Fatima.

1988: Osama e Siham, sua quarta esposa, dão as boas-vindas à primeira filha, uma menina a quem dão o nome de Kadhija.

1988: Em agosto de 1988, Osama se volta para uma cruzada mundial, fundando a al Qaeda al-Askariya (que significa "a base militar", posteriormente reduzida para al Qaeda, "a base" ou "a fundação"). À essa altura, Osama já atingiu a posição de herói na imprensa árabe. Devido à proeminência de Osama, soldados são recrutados facilmente para sua organização.

1988: Osama substitui o amigo e mentor Abdullah Azzam como líder dos soldados árabes em Peshawar que treinavam para o conflito no Afeganistão.

1989: Os soviéticos se retiram do Afeganistão.

1989: Osama retorna à Arábia Saudita, levando cerca de cem soldados veteranos para morar no país.

1989: Abdullah Azzam e um de seus filhos são assassinados quando alvejados por uma bomba em uma estrada de Peshawar. Com a morte de Abdullah Azzam, Osama bin Laden passa a ser o líder inquestionável dos soldados árabes.

1989: Osama e a terceira esposa, Khairiah, dão as boas-vindas ao primeiro filho, Hamza.

1989: Osama e a quarta esposa, Siham, dão as boas-vindas ao segundo filho, Khalid.

1990: No dia 2 de agosto de 1990, Saddam Hussein invade o Kuwait. Osama procura a família real saudita e oferece seu conhecimento militar, assim como guerreiros, para combater e derrotar Saddam Hussein. Confiante na capacidade de convencer a família real da inteligência do plano, Osama prepara suas forças para defender o reino.

1990: O governo saudita permite que os Estados Unidos formem uma coalizão com muitos países, incluindo várias nações muçulmanas, para enfrentar Saddam Hussein. Os Estados Unidos começam a enviar tropas para a Arábia Saudita.

1990: Osama fica tão enraivecido diante do que considera um desprezo real, ou seja, com a permissão da presença de tropas infiéis em terra sagrada islâmica, que começa a se manifestar e a escrever tratados contra o regime saudita, levando ao término da relação anteriormente amigável que mantinha com a família real.

1990: Osama e a primeira esposa, Najwa, dão as boas-vindas ao oitavo filho, uma menina a quem deram o nome de Iman.

1990: Osama e a quarta esposa, Siham, dão as boas-vindas ao terceiro filho, uma menina a quem deram o nome de Miriam. (A criança nasce no mesmo dia que Iman, filha de Najwa.)

1990: Osama e sua segunda esposa, Khadijah, dão as boas-vindas ao seu segundo filho, Amer.

1990: O governo Saudita avisa a Osama para que deixe de criticar a família real e suas decisões. Recusando-se, Osama intensifica a oposição. A família governante limita a liberdade de Osama, ordenando que fique confinado aos limites do reino.

1991: Uma coalizão liderada pelos Estados Unidos trava a Guerra do Golfo Pérsico. Posteriormente, os Estados Unidos estabelecem presença militar permanente no reino. Osama e outros intelectuais do reino são contra a presença de infiéis nas terras dos dois lugares mais sagrados do Islã, Meca e Medina. A oposição à família real aumenta, resultando na prisão e na detenção de diversos intelectuais.

1991: Osama foge do reino depois de convencer um membro da família real a aprovar uma única viagem ao Paquistão para que pudesse concluir e fechar seus negócios no país. Osama promete que retornará à Arábia Saudita.

1991: Osama quebra a promessa e organiza sua mudança para Cartum, no Sudão.

1991 OU 1992: No final de 1991 ou no começo de 1992, Osama vai morar em Cartum, no Sudão. Suas esposas, seus filhos e cerca de cem soldados veteranos que viviam na Arábia Saudita juntam-se a ele.

1992: Com a aprovação do governo sudanês, Osama funda muitos negócios no Sudão.

1992: Osama começa a levar mais veteranos afegãos que vivem no Paquistão para o Sudão, para que trabalhem em suas empresas, além de coordenar a al Qaeda para missões futuras.

1992: Osama e a segunda esposa, Khadijah, dão as boas-vindas ao terceiro e último filho, uma menina a quem dão o nome de Aisha.

1992: Em 29 de dezembro de 1992, ocorre um atentado terrorista em Áden, no Iêmen, em um hotel que costuma hospedar tropas americanas. Naquele dia, no entanto, os soldados americanos haviam deixado o hotel e partido para a Somália, onde os Estados Unidos estavam concluindo uma missão humanitária. Dois turistas austríacos foram mortos. Especialistas em terrorismo acreditam que este tenha sido o primeiro ataque organizado por Osama bin Laden e sua organização, a al Qaeda, apesar de a hipótese jamais ter sido provada.

1992: Osama e a quarta esposa, Siham, dão as boas-vindas ao quarto filho, uma menina a quem dão o nome de Sumaiya.

1993: Em outubro, a missão humanitária do governo dos Estados Unidos é pega em uma emboscada em Mogadishu, na Somália, e 18 soldados ameri-

canos são mortos. Depois do ataque, Osama bin Laden admite que alguns de seus soldados estiveram envolvidos no ataque. Osama ridiculariza os Estados Unidos por se retirarem da Somália depois da emboscada.

1993: Osama e Najwa dão as boas-vindas ao nono filho, um menino a quem dão o nome de Ladin. Najwa é acompanhada à Arábia Saudita pelo filho Abdullah. Depois do nascimento, Najwa retorna a Cartum. Osama muda de ideia e troca o nome do filho para Bakr. Desde então, os filhos e Najwa chamam o irmão de Ladin, enquanto Osama o chama de Bakr, gerando muita confusão.

1993: Outros grupos militantes começam a se reunir com a al Qaeda de Osama bin Laden no Sudão, um dos poucos países que os receberia. Havia o grupo al-Jihad, liderado pelo dr. Ayman Muhammad al-Zawahiri. Havia também o al-Gama'a al-Islamiyya, liderado por Omar Abdel Rahman. (Depois de sua prisão nos Estados Unidos, seu filho se tornou o organizador local.) Os três grupos militantes se reuniam com o propósito de reinstaurar o Jihad islâmico. O objetivo deles é que o mundo seja governado pelo Islã.

1993: A segunda esposa de Osama, Khadijah, pede o divórcio. Osama concorda e permite que ela deixe o Sudão com os três filhos. Khadijah retorna para a Arábia Saudita.

1993: Explode uma bomba no World Trade Center. Seis pessoas morrem e mil ficam feridas. As autoridades acreditam que haja uma ligação com a al Qaeda, mas nenhuma acusação formal foi feita contra Osama bin Laden ou sua organização, por falta de provas. Contudo, Omar Abdel Rahman, um clérigo cego e um dos colaboradores de Osama, é gravado emitindo uma *fatwa* estimulando atos de violência contra alvos civis nos Estados Unidos. (Omar Abdel Rahman é preso em 24 de junho de 1993, sendo julgado e condenado por conspiração sediciosa. Em 1996, foi condenado à prisão perpétua.)

1993 OU COMEÇO DE 1994: Depois do divórcio da segunda esposa, Khadijah, Osama bin Laden casa pela quinta vez, em Cartum. Contudo, o casamento é anulado antes de poder ser consumado. A família não quer dizer por que o casamento foi anulado, considerando o assunto uma questão particular.

1994: O governo da Arábia Saudita revoga a cidadania saudita de Osama bin Laden. Seus irmãos renunciam a ele. As contas bancárias de Osama no reino são congeladas.

1994: O governo sudanês dá a cidadania sudanesa e passaportes a Osama bin Laden e à sua família.

1995: Em 26 de junho, os dois grupos islâmicos associados à al Qaeda de bin Laden tentam supostamente assassinar o presidente do Egito, Hosni Mubarak, durante uma viagem à Etiópia para uma reunião da Organização pela Unidade Africana. A tentativa de assassinato fracassa, mas gera pressão por parte dos egípcios, dos sauditas e dos Estados Unidos para que o governo sudanês expulse Osama e os outros grupos islâmicos do país.

1995: Osama bin Laden escreve uma carta aberta ao Rei Fahd, da Arábia Saudita. Na carta, ele convoca uma campanha de ataques insurgentes no reino contra as forças dos Estados Unidos que permanecem no país.

1995: Em Riade, na Arábia Saudita, um caminhão carregado de bombas explode em um centro de treinamento da Guarda Nacional Saudita operado pelos Estados Unidos. Cinco americanos e dois indianos são mortos. Apesar de negar responsabilidade pelo ataque, Osama elogia os responsáveis.

1996: Em maio de 1996, o governo sudanês cede à pressão internacional e expulsa Osama bin Laden e seus colaboradores.

1996: Em maio de 1996, Osama bin Laden, seus principais comandantes e seu filho Omar voam de Cartum para Jalalabad, no Afeganistão. Independentemente de outros relatos da mídia, Omar bin Laden diz ter sido o único filho a acompanhar o pai. Ele também diz que o avião atravessou a Arábia Saudita e que a única parada que fizeram foi para reabastecer o avião, no Irã.

1996: Quatro homens sauditas são presos pela explosão do caminhão em Riade que matou americanos e indianos. Eles confessam que foram motivados pelas atividades militantes de Osama bin Laden. São decapitados na praça Deira, em Riade, mais conhecida como "Praça Corta-corta".

1996: O presidente Bill Clinton assina uma ordem altamente confidencial autorizando a C.I.A. a usar todo e qualquer meio para destruir a organização de Osama bin Laden.

1996: Um segundo caminhão-bomba destrói as torres Khobar, em Dhahran, matando 19 soldados americanos. Jamais houve provas de que Osama e a al Qaeda tenham sido responsáveis, apesar de o governo dos Estados Unidos acreditar que ele tenha inspirado o ataque.

1996: Osama bin Laden assina e emite sua "Declaração do Jihad", na qual descreve os objetivos de sua organização. Ele exige a remoção do governo saudita do poder, a liberação dos locais sagrados muçulmanos de todos os estrangeiros, o apoio de todos os grupos revolucionários islâmicos e a remoção do governo dos Estados Unidos da península árabe.

1996: Em setembro de 1996, Osama bin Laden leva as esposas, os filhos e veteranos afegãos acompanhados de suas esposas e filhos do Sudão para Jalalabad, no Afeganistão. (Nota importante: Najwa e Omar não foram claros quanto às datas exatas nas quais a família viveu em diversos locais no Afeganistão e tampouco quanto ao momento exato do nascimento de Rukhaiya. Os árabes não comemoram aniversários da mesma maneira que no Ocidente. Eles sabem que os eventos pessoais listados a seguir ocorreram entre o final de 1996 e o meio de 1997.)

1996: Osama bin Laden leva as esposas e os filhos para a montanha de Tora Bora, no Afeganistão.

1997: A família de Osama se muda temporariamente para Jalalabad, onde Osama e Najwa têm o décimo filho, uma menina a quem dão o nome de Rukhaiya. O bebê nasce em um hospital em Jalalabad.

1997: Osama se muda com a família para o complexo do aeroporto de Kandahar, onde ficam até outubro de 2001. (A família morou por períodos muito curtos em outras áreas do Afeganistão, incluindo Cabul e Jalalabad, no decorrer dessa mesma época, mas sua residência principal era o complexo do aeroporto de Kandahar.)

1998: Apesar de Osama bin Laden não ser um clérigo, ele emite uma *fatwa* clamando por ataques contra os Estados Unidos. A declaração assinada por Osama pede o assassinato de americanos, dizendo que "é o dever individual de cada muçulmano que possa fazer isso em qualquer país onde seja possível".

1998: Em 8 de junho, uma investigação do Grande Júri dos Estados Unidos sobre Osama bin Laden, iniciada em 1996, finalmente emite uma acusação selada, culpando-o de "conspirar para atacar os serviços de defesa dos Estados Unidos". Os promotores norte-americanos acusam Osama bin Laden de ser o líder de uma organização terrorista chamada al Qaeda, além de um dos principais financiadores de organizações islâmicas em todo o mundo.

1998: Um grupo que se identifica como Jihad Egípcio envia um aviso aos americanos, dizendo que, em breve, será entregue uma mensagem importante a eles, "a qual esperamos que leiam com atenção, pois a escreveremos com a ajuda de Deus e em uma língua que compreenderão".

1998: No dia 7 de agosto, ocorrem ataques a bomba simultâneos nas embaixadas dos Estados Unidos no Quênia e na Tanzânia. Um total de 213 pessoas são mortas no Quênia, incluindo 12 americanos. Mais de 4.500 pessoas ficam feridas. Onze pessoas morrem na Tanzânia e 85 ficam feridas. (Nenhum americano morre na Tanzânia.)

1998: Agências de inteligência dos Estados Unidos dizem ter interceptado telefonemas de dois comandantes de Osama bin Laden que implicam a al Qaeda nos ataques contra as embaixadas em 7 de agosto.

1998: Mullah Omar, líder do Talibã, o grupo que domina o Afeganistão, recusa um pedido saudita pela extradição de Osama bin Laden.

1998: Em 20 de agosto, os Estados Unidos atacam em retaliação a Osama bin Laden e a al Qaeda, disparando mísseis de cruzeiro contra os campos de treinamento da al Qaeda. Duas horas antes dos ataques, Osama, os filhos e seus comandantes haviam deixado um dos campos de treinamento próximo a Khost, viajando para uma casa segura em Cabul. Fontes dizem que apenas seis soldados foram mortos. Omar bin Laden relata que trinta soldados foram mortos.

1998: Os Estados Unidos emitem uma nova acusação formal contra Osama bin Laden, Mohammed Atef, listado como o principal comandante militar de Bin Laden, e outros. Osama e seus comandantes são acusados pelas explosões nas duas embaixadas dos Estados Unidos e por conspiração para cometer outros atos de terror contra americanos que vivem no exterior. São oferecidas recompensas de cinco milhões de dólares pela captura de Osama bin Laden e de Mohammed Atef.

1999: Omar bin Laden, quarto filho de Osama com sua primeira esposa, Najwa, é avisado sobre um ataque por Abu al-Haadi, um dos soldados de confiança de Osama. Haadi acredita que o ataque será tão grande que os Estados Unidos retaliarão com a intenção de matar todas as pessoas associadas a Osama bin Laden. Depois de muitas discussões acaloradas com o pai, Omar leva a mãe grávida, o irmão Abdul Rahman e a irmã Rukhaiya, ainda bebê, do Afeganistão para a Síria.

FINAL DE 1999: Osama e Najwa têm o 11º e último filho, que nasce na Síria. O bebê é uma menina a quem Osama dá o nome de Nour, em homenagem à sua meio-irmã, que morrera alguns anos antes.

COMEÇO DE 2000: Najwa retorna a Kandahar com as duas filhas pequenas e o filho Abdul Rahman. Omar fica na Síria, tentando reobter a cidadania saudita, a qual leva quatro meses para ser concedida.

2000: Em 12 de outubro, ocorre um ataque terrorista contra o navio de guerra americano *Cole*, no porto de Áden, no Iêmen. A explosão mata 17 marinheiros americanos. O presidente Bill Clinton não retalia, dizendo que não há provas concretas de que a al Qaeda esteja por trás do ataque, apesar de se acreditar que a organização tenha executado o ataque.

2000 (FINAL) OU COMEÇO DE 2001: Osama bin Laden casa pela sexta vez, com Yemeni Amal al-Sadah. Dizem que a noiva tinha apenas 17 anos. O casamento é realizado em Kandahar, no Afeganistão. No momento em que este livro está sendo escrito, acredita-se que Osama e Amal tenham uma filha, Safia.

2001: No começo de 2001, um preocupado Omar retorna a Kandahar, no Afeganistão, depois que sua avó diz a ele, na Arábia Saudita, que seu pai está irritado e ordenou que o filho retorne ao Afeganistão.

2001: No final de abril de 2001, depois de uma visita breve e da repetição do aviso sobre o grande ataque que está sendo planejado, Omar tenta convencer a mãe a pegar os filhos e deixar o Afeganistão. Najwa permanece em Kandahar e Omar deixa o pai e o Afeganistão pela última vez.

2001: Entre os dias 7 e 9 de setembro, Najwa deixa o Afeganistão pela última vez. Osama proíbe a esposa de levar todos os filhos. Perturbada, Najwa viaja para a Síria a fim de morar na casa da mãe. Os outros filhos de Najwa, suas esposas e seus filhos permanecem no Afeganistão com o pai.

2001: No dia 11 de setembro, aproximadamente 3 mil pessoas morrem quando 19 suspeitos da al Qaeda sequestram quatro aviões dos Estados Unidos e atingem alvos americanos com eles. Dois aviões chocam-se com o World Trade Center, matando milhares de pessoas e destruindo os prédios. Outro avião atinge o Pentágono, perto de Washington, D.C. O último avião tem a missão frustrada por causa de passageiros corajosos que lutam contra os sequestradores. O avião cai em um campo na Pensilvânia.

2001: No dia 7 de outubro, seis semanas depois dos ataques em solo americano, as Forças Armadas dos Estados Unidos começam um ataque aéreo feroz contra o Afeganistão. Os bombardeios são tão devastadores que causam a dissolução completa da al Qaeda e dos campos de treinamento localizados no Afeganistão. Osama bin Laden, seus comandantes e soldados se escondem nas montanhas de Tora Bora antes de fugirem para o Paquistão. Acredita-se que centenas de soldados da al Qaeda tenham morrido, incluindo Mohammed Atef (Abu Hafs), que é morto em sua casa, em Cabul. Osama bin Laden e o Dr. Ayman al-Zawahiri fogem para o Paquistão. (Não se sabe coisa alguma quanto ao destino dos filhos de Najwa nem das outras esposas e dos outros filhos de Osama bin Laden.) Durante o ataque, o notório Mullah Omar e seu governo talibã entram em colapso, com Mullah Omar e seus seguidores fugindo para o Paquistão.

2004: Em outubro, Osama bin Laden divulga uma gravação na qual assume o crédito pelos ataques de 11 de setembro de 2001.

2008: Osama bin Laden divulga uma fita de áudio condenando a publicação de desenhos que, segundo ele, insultam o profeta Maomé, e avisa aos europeus que haverá uma reação severa.

2009: Em janeiro, Osama bin Laden divulga uma fita de áudio impelindo os muçulmanos a iniciarem um Jihad contra Israel. O líder da al Qaeda promete abrir novas frentes contra os Estados Unidos e seus aliados. A gravação de 22 minutos inclui um pedido de doações para apoiar a luta de Osama bin Laden.

Apêndice C

Cronologia da al Qaeda: 1988-2008

Com o final da guerra contra a Rússia em vista, Osama e os homens que o cercavam começaram a sonhar com um Jihad global para divulgar a mensagem de Deus e submeter o mundo ao domínio islâmico.

O mentor de Osama, Abdullah Azzam, um islâmico sunita palestino, acadêmico e teólogo, foi o primeiro a reconhecer a necessidade de uma fundação organizada a partir da qual os fiéis pudessem iniciar a luta por um mundo islâmico perfeito. Mas enquanto o orador Azzam falava, os militares agiam. Osama convocou a primeira reunião de planejamento do que se tornaria a al Qaeda para que fosse realizada na casa de sua família, em Peshawar, no Paquistão. A al Qaeda foi formada em agosto de 1998.

A organização de Osama, al Qaeda, tem um braço islâmico e outro braço militar, com este último crescendo proeminentemente. Conforme novos soldados muçulmanos chegavam ao Paquistão, eles eram enviados para campos de treinamento no Afeganistão e depois encaminhados para diversas frentes de combate.

Assim que a guerra com a Rússia terminou, Osama passou a ter mais tempo para se dedicar aos objetivos islâmicos da al Qaeda. Os planos de fazer do islamismo a principal religião mundial ganharam força depois que Osama se mudou da Arábia Saudita para o Sudão e, posteriormente, para o Afeganistão. Aos poucos, a organização se tornou uma ameaça a inocentes em todo o mundo.

Acredita-se que os ataques listados a seguir tenham sido conduzidos ou inspirados pela al Qaeda:

29 DE DEZEMBRO DE 1992: Áden, Iêmen. Em um ataque contra militares americanos que seguiam para a Somália, bombas explodem em dois hotéis de Áden. Nenhum soldado é morto, mas dois turistas austríacos morrem.

3-4 DE OUTUBRO DE 1993: Somália — milícias somalis derrubam dois helicópteros americanos Black Hawk, matando 18 militares americanos.

25 DE JUNHO DE 1996: Dhahran, Arábia Saudita — o prédio das torres Khobar, um complexo de alojamento do Exército americano, é bombardeado. Dezenove militares americanos são mortos.

7 DE AGOSTO DE 1998: Quênia e Tanzânia — as embaixadas dos Estados Unidos nos dois países africanos são atingidas por carros-bomba. Mais de 222 pessoas são mortas, na maioria africanos.

12 DE OUTUBRO DE 2000: Áden, Iêmen: Dois homens-bomba atingem o navio USS *Cole*, atracado, com um barco pequeno. No total, morrem 17 marinheiros americanos.

11 DE SETEMBRO DE 2001: Dezenove suspeitos da al Qaeda sequestram quatro aviões com voos domésticos nos Estados Unidos. Dois aviões chocam-se com as torres do World Trade Center, na cidade de Nova York. Um avião atinge o Pentágono, perto de Washington, D.C. O quarto avião cai em um campo aberto na Pensilvânia porque os passageiros enfrentam os sequestradores. Várias fontes informam o número de vítimas, mas o número mais aceitável parece ser o de 2.986 pessoas mortas.

1º DE FEVEREIRO DE 2002: Carachi, Paquistão — o jornalista americano Daniel Pearl é sequestrado e decapitado.

11 DE ABRIL DE 2002: Djerba, Tunísia — sinagoga Ghriba é atingida por um caminhão de gás natural. O ataque mata 15 turistas (14 alemães e um francês) e seis tunisianos. Trinta pessoas ficam feridas.

12 DE OUTUBRO DE 2002: Bali, Indonésia — homens-bomba e carros-bomba explodem dentro ou perto da área de clubes noturnos da cidade, matando mais de duzentas pessoas: 164 turistas e 38 indonésios. Mais de duzentas pessoas são gravemente feridas.

28 DE NOVEMBRO DE 2002: Mombassa, Quênia — um carro-bomba atinge o saguão do hotel Paradise, de propriedade israelense, matando 16 pessoas. Ao mesmo tempo, dois mísseis terra-ar são disparados contra um avião israelense alugado. Os mísseis não atingem o avião, salvando muitas vidas.

12 DE MAIO DE 2003: Riade, Arábia Saudita — 34 pessoas são mortas em uma série de ataques a bomba contra as casas de cidadãos estrangeiros e um escritório dos Estados Unidos.

16 DE MAIO DE 2003: Casablanca, Marrocos — uma série de bombardeios suicidas atingem um restaurante espanhol, um hotel, um centro judaico e o consulado belga, matando 33 pessoas.

5 DE AGOSTO DE 2003: Jacarta do Sul, Indonésia — um carro-bomba explode em frente ao saguão do JW Marriot Hotel, matando 12 pessoas e ferindo mais de 150. Os mortos são quatro turistas e oito indonésios.

15 E 20 DE NOVEMBRO DE 2003: Istambul, Turquia — quatro carros-bomba explodem em uma sinagoga; matando 57 pessoas. Mais de setecentas pessoas são feridas.

2003-2008: Iraque — ocorrem centenas de ataques da al Qaeda em todas as regiões do Iraque, matando milhares de iraquianos inocentes.

11 DE MARÇO DE 2004: Madri, Espanha — dez bombas explodem em trens de passageiros em Madri, matando mais de 190 pessoas e ferindo 1.800.

29 DE MAIO DE 2004: Khobar, Arábia Saudita — quatro terroristas atacam instalações da indústria petrolífera e o Complexo Oasis, um complexo de alojamento para trabalhadores estrangeiros. Os terroristas fazem cinquenta cidadãos estrangeiros de refém, matando 22 deles, alguns dos quais tiveram as gargantas cortadas.

18 DE JUNHO DE 2004: Arábia Saudita — o americano Paul Johnson é sequestrado, mantido como refém e, posteriormente, decapitado.

7 DE JULHO DE 2005: Londres, Inglaterra — quatro homens-bomba atacam o sistema de transporte público de Londres, matando 53 pessoas e deixando setecentos feridos.

9 DE NOVEMBRO DE 2005: Amman, Jordânia — ataques a bomba simultâneos em três hotéis de franquias americanas matam 57 pessoas e deixam 120 feridos.

11 DE ABRIL DE 2007: Argélia — duas bombas explodem, uma em uma estação da polícia e outra no gabinete do primeiro-ministro argelino, matando 33 pessoas.

2 DE JUNHO DE 2008: Paquistão — a embaixada da Dinamarca é atingida por um carro-bomba, matando seis pessoas e deixando muitos feridos.

Índice remissivo

professores, crueldade de, 105-6
Profeta Maomé, 43
    alcorão e, 36, 68, 76-77
    contra cachorros, 184, 252
    exemplo de, para esposas, 76-77
    insulto a, 403
    linhagem de, 392, 393
    meninas e, 86

Quênia
    ataque a hotel em, 406
    ataque à embaixada dos Estados
        Unidos em, 314, 400, 405

rada (mães de leite), 147
recrutas de al Qaeda. *Ver também* campos
    de treinamento
    abraçador como, 264
    "brincando", 264
    datas sobre, 263
    esportes para, 262-63
    higiene de, 263
    juramento de lealdade de, 262
    motoristas de Osama entre, 264-65
    mudança de nome de, 266
    palestras antiamericanas para, 262
    rotina de, 262-63
    treinamento com armas de fogo de,
        263
    vestuário de, 262
Reino sombrio, O (bin Laden, Carmen),
    374-75
religião. *Ver* cristãos; islamismo; judeus
Rio Nilo, 30, 308-9
riquezas
    educação e, 154
    esposas e, 65

Rússia, 239. *Ver também* Afeganistão;
    União Soviética

Sadat, Anwar, 179, 181, 187, 382
Sakhr. *Ver* Hamdan, Salim Ahmad Salim
Salim. *Ver* Hamdan, Salim Ahmad Salim
Salwa, 52, 389
sexo antes do casamento, mulçumanos
    contra, 240
Shaakr, Abu, 282-83
Shafiq al-Madani, 119-20
Sharaf, Mohammed, 182, 183
Sharif, Khadijah. *Ver* bin Laden,
    Khadijah
Sasson, Jean
    sobre atividades políticas, 51-53,
        112-15
    Najwa e, 375
    Najwa/Omar v., 14
    Omar e, 373-76
saúde
    acidentes e, 72, 322-23, 340
    de Osama, 143, 216-17, 233
    medicina moderna v., 90, 144, 194
Sayaff, xeique, 211
    aparência de, 211
secto Wahhabi, de mulçumanos sunitas,
    235
senhores da guerra afegãos
    Khalis, 209-10
    lutar entre si, 210
sepulturas, destruição de, 235
severidade
    Najwa, 247-52
    Osama, 91-93, 140-41, 162, 234
Siham. *Ver* bin Laden, Siham
Síria
    fatos sobre, 15

Este livro foi composto na tipologia Adobe Garamond (T1),
em corpo 12/14,7, e impresso em papel offset 75g/m²
no Sistema Cameron da Divisão Gráfica
da Distribuidora Record.